Ausstellung

FRIEDRICH III. KAISERRESIDENZ WIENER NEUSTADT

St. Peter an der Sperr
Wiener Neustadt

28. Mai bis 30. Oktober 1966
Geöffnet täglich von 9 bis 18 Uhr

UMSCHLAG: Ausschnitt aus Kat.-Nr. 129 (Handregistratur Kaiser Friedrichs III.)

Herausgeber: Amt der Niederösterreichischen Landesregierung (Kulturreferat)
Katalog des N.-Ö.-Landesmuseums, Neue Folge Nr. 29
Schriftleitung: akad. Restaurator Peter Weninger
Graphische Gestaltung: Dipl.-Graph. Irmgard Grillmayer
Klischees: A. Krampolek, Wien IV.
Druck: Friedrich Jasper, Wien III.

VERANSTALTER:
Bundesland Niederösterreich

MIT DER DURCHFÜHRUNG BETRAUT:
Amt der N.-Ö. Landesregierung (Kulturreferat)

WISSENSCHAFTLICHE AUSSTELLUNGSLEITUNG:
Obermuseumsrat
Univ.-Prof. Dr. Rupert Feuchtmüller

ÖRTLICHE AUSSTELLUNGSLEITUNG:
Archivdirektor Dr. Gertrud Gerhartl
Wiener Neustadt, Städtisches Archiv, Petersgasse 2
(Eingang: Baumkirchnerring), Tel.: 02622/4620

BAULEITUNG UND GESTALTUNG:
Baurat Architekt Dipl.-Ing. Willi Zotti

GRAPHISCHE GESTALTUNG:
Dipl.-Graphikerin Irmgard Grillmayer

PRESSE UND PROPAGANDA:
Wirkl. Hofrat Dr. Fritz Weber, Presseamt des Amtes der N.-Ö. Landesregierung

WISSENSCHAFTLICHE MITARBEITER:

Vorsitz: Univ.-Prof. Dr. Alphons Lhotsky

Dr. Gerhard Bittner
o. Univ.-Prof. Dr. Otto Demus
Dr. Hanna Dornik-Eger
a. o. Univ.-Prof. Dr. Rupert Feuchtmüller
a. o. Univ.-Prof. Dr. Hermann Fillitz
Dr. Gottfried Frenzel
Dr. Eva Frodl-Kraft
Dr. Ortwin Gamber
Dr. Gertrud Gerhartl
Univ.-Doz. Dr. Karl Gutkas
Dr. Brigitte Haller
o. Univ.-Prof. Dr. Alfred Hoffmann
Dr. Josef Jernek
Dr. Bernhard Koch
akad. Restaurator Manfred Koller
a. o. Hochschul-Prof. Dr. Helmut Kortan
Dr. Erwin Neumann
a. o. Univ.-Prof. Dr. Vinzenz Oberhammer
o. Univ.-Prof. Dr. Otto Pächt
akad. Restaurator Felix Pischinger
Dr. Wilhelm Rausch
DDr. Floridus Röhrig Can. Reg.
Univ.-Prof. Dr. Gerhard Schmidt
Dr. Gertrud Smola
Univ.-Doz. Dr. Berthold Sutter
Dr. Bruno Thomas
Dr. Franz Unterkircher
akad. Restaurator Peter Weninger
o. Univ.-Prof. Dr. Hermann Wiesflecker
cand. phil. Antonia Zierl
Dr. Josef Zykan

LEIHGEBER

Antwerpen, Koninklijk Museum voor Schone Kunsten

Berlin (DDR), Staatliche Museen zu Berlin, Münzsammlung

Bratislava, Domkirche St. Martin

Budapest, Szépmüvészeti Múzeum

Darmstadt, Hessisches Landesmuseum

Dresden (DDR), Staatliche Kunstsammlungen, Gemäldegalerie Alte Meister

Ferrara, Biblioteca Communale Ariostea

Florenz, Galleria degli Uffizi

Heidelberg, Universitätsbibliothek

Köln, Katholisches Pfarramt St. Andreas

München, Bayerisches Nationalmuseum

München, Staatliche Münzsammlung

München, Bayerische Staatsbibliothek

München, Bayerisches Hauptstaatsarchiv (Geheimes Hausarchiv)

Nürnberg, Germanisches Nationalmuseum

Ravenna, Biblioteca Classense

Vaduz, Sammlungen des Regierenden Fürsten von Liechtenstein

Zürich, L'Art Ancien S. A.

Bad Aussee, Generaldirektion der Österreichischen Salinen

Graz, Amt der Steiermärkischen Landesregierung
  a) Steiermärkisches Landesarchiv
  b) Steiermärkisches Landesmuseum Joanneum
     1. Alte Galerie
     2. Museum für Kulturgeschichte und Kunstgewerbe
     3. Abteilung für Vor- und Frühgeschichte

Grein, Stadtgemeinde (Städtisches Archiv)

Heiligenkreuz, Zisterzienserstift

Innsbruck, Tiroler Landesmuseum Ferdinandeum

Innsbruck, Stift Wilten

Klagenfurt, Kärntner Landesmuseum

Klosterneuburg, Augustiner Chorherrenstift

Krems, Stadtgemeinde (Städtisches Archiv)

Linz, Oberösterreichisches Landesmuseum

Linz, Stadtarchiv

Obdach, Agrargemeinschaft der Bürgerschaft Obdach

Perchtoldsdorf, Rudolf Kremayr

Salzburg, Karl Vanecek

St. Florian, Augustiner Chorherrenstift

St. Pölten, Stadtarchiv

Trient, Museo Nazionale di Trento

Wien, Akademie der bildenden Künste

Wien, Graphische Sammlung Albertina

Wien, Archiv der Stadt Wien

Wien, Benediktinerabtei zu den Schotten

Wien, Diözesanarchiv

Wien, Galerie St. Lucas, Dr. Robert Herzig

Wien, Historisches Museum der Stadt Wien

Wien, Kunsthistorisches Museum
  a) Gemäldegalerie
  b) Sammlung für Plastik und Kunstgewerbe
  c) Schatzkammer
  d) Waffensammlung
  e) Bundessammlung von Medaillen, Münzen und Geldzeichen
  f) Ambras, Schloßsammlungen

Wien, Österreichische Galerie

Wien, Österreichisches Museum für Angewandte Kunst

Wien, Österreichische Nationalbibliothek

Wien, Österreichisches Staatsarchiv (Haus-, Hof- und Staatsarchiv, Hofkammerarchiv)

Wiener Neustadt, Dom (Propstei und Hauptpfarramt)

Wiener Neustadt, Kapuzinerkloster

Wiener Neustadt, Theresianische Militärakademie (Bundesministerium für Landesverteidigung)

Wiener Neustadt, Städtisches Museum

Wiener Neustadt, Stift Neukloster

INHALTSVERZEICHNIS

Austria est imperii cor et clipeus — Österreich ist des Reiches Herz und Schild. Dieser Ausspruch Rudolf des Stifters, dessen Taten noch heute das politische und kulturelle Antlitz Österreichs glückhaft bestimmen, war ein Bekenntnis zu Österreichs über seine Grenzen hinaus in den europäischen Raum hineinreichenden Verankerungen und Verpflichtungen. Denn das Reich war das Sacrum Romanum Imperium, das nationenverbindende und nationenerhaltende Ordnungsprinzip Europas durch Jahrhunderte.

Das gleiche Bekenntnis kleidete Friedrich III., der erste Österreicher, der die Kaiserkrone trug, in sein Bekenntnissymbol „AEIOU" und ließ es in dieser Form hundertfältig in Steintafeln und über Torbögen meißeln. Dieses Bekenntnis bestimmte durch Jahrhunderte Österreichs Weg, legte Österreich unsägliche Opfer für Europa auf, trug ihm hohen Ruhm ein.

Des dritten Friedrich und der Kultur seiner Zeit zu gedenken, ist daher nicht nur die Pflicht der Österreicher aus Gründen ihrer wohlberechtigten Selbstachtung, sondern bedeutet auch ein Besinnen auf eine weiterdauernde, europäische Verknüpfung und Verpflichtung Österreichs in neuer, gewandelter Zeit.

Dr. Theodor Piffl-Perčević
Bundesminister für Unterricht

Bei allen großen Kunstausstellungen, die das Kulturreferat des Landes Niederösterreich mit so imponierendem Erfolg in den vergangenen Jahren veranstaltet hat, ging es vor allem um zwei besondere Anliegen.

Die kulturellen Leistungen einer für Österreich bedeutsamen Epoche sollten einem größeren Publikum in Erinnerung gerufen werden; gleichzeitig wollte man für diese Ausstellungen kunsthistorisch wertvolle Gebäude restaurieren und so der Nachwelt erhalten. Beide Zielsetzungen sind auch für die große Ausstellung „Friedrich III. — Kaiserresidenz Wiener Neustadt" aktuell.

Trotz blutiger Erbfolgekriege und wirtschaftlicher Rezession und, damit verbunden, einer furchtbaren materiellen Not, bedeutete das halbe Jahrhundert der Regierung Friedrichs III. für Österreich eine Zeit wichtiger Entscheidungen für die weitere geschichtliche Entwicklung unserer Heimat. Vieles, was seit der Gründung der Mark an der Donau den Babenbergern und Habsburgern als Ziel vorgeschwebt war, konnte Friedrich III., dem manche Historiker Lethargie, ja Faulheit vorwarfen, erreichen. Er war es, der dem großen Konzept Rudolf des Stifters, das im Privilegium majus festgelegt worden war, die reichsrechtliche Anerkennung gab und Österreich den Weg zur Eigenstaatlichkeit wies. Er erreichte die Erhebung von Wien und Wiener Neustadt zu Bistümern und erbat vom Papst die Heiligsprechung des niederösterreichischen Landespatrons St. Leopold.

Was viele Geschichtsschreiber Apathie nannten, muß man in der Rückschau, an den politischen Erfolgen des Herrschers gemessen, als weise Geduld und ungebrochenen Zukunftsglauben beurteilen. Als Friedrich 1493 starb, waren alle Länder des habsburgischen Erbes wieder in der Hand seines Sohnes Maximilian I. vereint. Das, was Friedrich mit Schlauheit und diplomatischem Geschick in die Wege geleitet hatte, führte dann 1515 zur berühmten Doppelhochzeit im Dom zu St. Stephan und wenige Jahre später (1526) nach der Schlacht bei Mohács zum Werden der großen österreichisch-ungarischen Monarchie.

So wie bei allen bisherigen großen Kunstausstellungen des Landes kann auch die Ausstellung „Friedrich III. — Kaiserresidenz Wiener Neustadt" nur durchgeführt werden, weil sich zahlreiche Leihgeber im In- und Ausland bereit erklärt haben, dem Lande ihre einmaligen Kostbarkeiten für die Zeit vom Mai bis Oktober 1966 anzuvertrauen. In einem historischen Bauwerk, dem Kloster St. Peter an der Sperr, das zu Friedrichs Zeiten gebaut worden war und das bis vor kurzem nach Säkularisation und Bombenkrieg eine baufällige Ruine war, soll nun an Hand von Kunstwerken, Urkunden und Dokumenten Einblick in eine Zeit geboten werden, in der ganz wesentlich der Weg Österreichs durch die Geschichte der Neuzeit vorausbestimmt wurde.

Als Landeshauptmann möchte ich allen Leihgebern für ihr Vertrauen herzlich danken; allen Kunstfreunden aus dem In- und Ausland, die in den nächsten Monaten nach Wiener Neustadt kommen, wünsche ich, daß ihnen die Ausstellung „Friedrich III. — Kaiserresidenz Wiener Neustadt" ein bedeutendes Stück österreichischer Geschichte näherbringt, das zwar nicht zu den glanzvollsten, aber bestimmt zu den entscheidenden Abschnitten des historischen Schicksals unserer Heimat zählt.

Dr. h. c. Dipl.-Ing. Eduard Hartmann
Landeshauptmann von Niederösterreich

Immer klarer zeichnet sich die kulturelle Bedeutung der großen und umfassenden Ausstellungen ab, die vom Kulturreferat des Landes Niederösterreich in den vergangenen Jahren veranstaltet wurden. Die Möglichkeit, in aller Welt verstreutes Kulturgut in geschlossenem Rahmen und verständnisvoller Zueinanderordnung dem Beschauer vor Augen zu führen und ihm damit die künstlerische und geistige Entwicklung einer Epoche lebendig darzustellen, ist nur ein Teil dieser Bedeutung. Darüber hinaus wird aber allein schon durch die Themenstellung Anregung zu neuer wissenschaftlicher Bearbeitung und Erforschung gegeben, die stets ihren Niederschlag in wissenschaftlichen Werken und neuen Erkenntnissen gefunden hat.

Nicht zuletzt kommt aber auch den Katalogen Bedeutung zu, die weit über den Rahmen früherer Kataloge hinausgehend, durch Beiträge bedeutender Wissenschaftler, eingehende Behandlung des gestellten Themas und einen reichen Bilderteil wissenschaftlichen Werken gleichkommen. Durch ihre großen Auflagen und der damit verbundenen weiten Verbreitung sind sie als wichtige Volksbildungsmittel anzusprechen.

Es ist ein neuer Gedanke, in der Ausstellung „Friedrich III. — Kaiserresidenz Wiener Neustadt", einen der einschneidendsten und bewegtesten Abschnitte der österreichischen Geschichte im Spiegel einer Einzelpersönlichkeit, nämlich der Person Friedrichs III., zu zeigen. Aus der gleichen Schau wird auch die Glanzzeit der Stadt Wiener Neustadt beleuchtet, die begann, als Friedrich III. in der Wiener Neustädter Pfarrkirche öffentlich seine Bereitwilligkeit erklären ließ, die Würde eines römisch-deutschen Kaisers anzunehmen.

Ich hoffe, daß auch diese Ausstellung in der historischen, vor dem Verfall geretteten Kirche St. Peter an der Sperr, den Erfolg und Widerhall finden wird, der ihren Vorläufern beschieden war, und danke allen Leihgebern und Wissenschaftlern sowie dem Stadtbauamt Wiener Neustadt und dem Verein zur Erhaltung der Kunstdenkmäler in Wiener Neustadt, die mitgeholfen haben, dieses große Vorhaben durchzuführen.

Emil Kuntner
Landesrat

Das Bundesland Niederösterreich ist besonders reich an künstlerisch und historisch sehr wertvollen Kulturdenkmälern, vielfach bedingt durch die Nähe der Stadt Wien, die durch Jahrhunderte kaiserliche Residenz einer Weltmacht war. Durch den letzten Weltkrieg wurde eine große Anzahl der niederösterreichischen Denkmäler schwerst getroffen und die Rettung wenigstens der bedeutendsten Kulturdenkmäler vor dem Verfall gehört zu einer der schwierigsten Aufgaben der niederösterreichischen Kulturabteilung. Die großen Kunstausstellungen, die vom Land selbst oder mit weitgehender Unterstützung des Landes in den letzten Jahren veranstaltet wurden, brachten die Rettung mancher sehr bedeutender Kulturdenkmäler. Durch die Landes-Kunstausstellung 1966 wird wieder ein sehr bedeutendes Denkmal, die altehrwürdige ehemalige Kirche St. Peter an der Sperr in Wiener Neustadt — ein Denkmal der Gotik —, welche im Hinblick auf die Ausstellung instandgesetzt wurde, für die Nachwelt erhalten.

Obwohl die Museen in Wien in der Welt einmalige Kunstschätze besitzen, ist der Museumsbesuch nicht so groß als erwartet werden müßte. Durch die unsere Zeit kennzeichnende hastige, nervöse Lebensführung in der Großstadt fehlt die Ruhe, die ein Museumsbesuch braucht. Die Bevölkerung sucht daher durch Ausflüge in die Natur — durch die Motorisierung sehr erleichtert — die notwendige Erholung. Die außerhalb der Großstadt veranstalteten Kunstausstellungen bieten die Möglichkeit, im Rahmen eines Ausfluges auch einen Kunstgenuß erleben zu können. Durch diese Ausstellungen soll unserer Bevölkerung, die ja eine große Liebe zur Kunst besitzt, entgegengekommen werden.

Das Zeitalter des Kaisers Friedrich III. war für die Österreichische Geschichte von sehr großer Bedeutung. Diese Bedeutung wurde vielfach nicht erkannt. Wenn die diesjährige Landesausstellung in Wiener Neustadt den Besuchern einen wertvollen Einblick in diese so interessante Geschichtsperiode Österreichs gibt, dann hat auch die Landesausstellung 1966 die gesetzten Zwecke voll erfüllt.

w. Hofrat Dr. Gustav Hermann
Referent der Abteilung III/2 und III/3 —
kulturelle Angelegenheiten — des Amtes der
Niederösterreichischen Landesregierung

Als Bürgermeister der Stadt begrüße ich mit aufrichtiger Freude die Durchführung der Landeskunstausstellung 1966 in Wiener Neustadt. Gerne hat die Stadtverwaltung dieses Vorhaben sowohl materiell durch die Rettungsmaßnahmen am Kloster als auch ideell durch die Mitarbeit unseres Archivs gefördert. Es geschah dies in der Verpflichtung gegenüber der großen historischen Vergangenheit unserer Stadt, der im mitteleuropäischen Raum einst eine führende Rolle zukam. Wenn nun viele Ausstellungsbesucher des In- und Auslandes diese Schau sehen und studieren, dann erwecken sie das historische Bewußtsein in unserem gegenwärtigen Leben und tragen die gewonnenen Erkenntnisse weit über die Grenzen unserer Stadt hinaus. Ich hoffe aber, daß die Menschen Wiener Neustadt nicht nur historisch interessant finden, sondern erkennen, daß diese Stadt bis heute lebendig und aufgeschlossen blieb.

In dieser Gesinnung grüße ich unsere Gäste und wünsche Ihnen ein Erlebnis, das noch lange nachwirken möge.

Hans Barwitzius
Bürgermeister der Stadt Wiener Neustadt

Matthäus Merian, Ansicht von Wiener Neustadt

Rupert Feuchtmüller

DIE AUSSTELLUNG — GLIEDERUNG UND ZIEL

Der *Anlaß* für die Ausstellung über Kaiser Friedrich III. entsprang im Grunde einer denkmalpflegerischen Idee, die sich eher ein geistiges als ein materielles Ziel gesetzt hatte. Es ging wohl anfangs um das Bewahren eines Bauwerkes, hierauf aber um eine Verlebendigung auf dem Boden historischer Realität. Der Gedanke, eine Ausstellung über Kaiser Friedrich III. inmitten seiner Residenzstadt Wiener Neustadt zu zeigen, wurde zum ersten Mal anläßlich eines Vortrages im Februar 1964 vor einem größeren Forum diskutiert. Der Plan fand mehr und mehr die Zustimmung und die Unterstützung der Öffentlichkeit und kann nun in seiner Realisierung vorgelegt werden. Die Idee, ein gerettetes gotisches Kloster zum geistigen Mittelpunkt einer Stadt und einer Zeit museal auszugestalten, konnte aber nur dann Erfolg haben, wenn ihm eingehende Forschungsarbeiten die Berechtigung dazu gaben. Herr Univ.-Prof. Dr. Lhotsky, der beste Kenner der Persönlichkeit Friedrichs und seiner Zeit, hat mit seinen eigenen Arbeiten sowie mit den Untersuchungen seiner Schüler die Grundlagen für dieses Vorhaben geschaffen, eine Leistung, die nicht hoch genug eingeschätzt werden kann. Namhafte Wissenschaftler Österreichs haben mit ihren wertvollen Forschungen diese Ausstellung unterstützt und bereichert. Daraus ergab sich eine äußerst gewinnbringende harmonische Zusammenarbeit, für die ich als Ausstellungsleiter den aufrichtigsten Dank sagen möchte. Freilich können die räumlich beschränkte Ausstellung und der knappe Katalog nur die wichtigsten Ergebnisse widerspiegeln.

Die Umsetzung der wissenschaftlichen Forschung in ein einprägsames *Ausstellungsbild* war für die Gestaltung ein interessantes Problem. Sie führt zu dem ganz anderen Typus einer monographischen Ausstellung, die sich von der Epochenübersicht grundsätzlich unterscheidet. In Österreich können nach dem letzten Krieg die Wiener Ausstellungen über Karl V. (1958), Maximilian I. (1959), sowie die Ausstellung in Graz (1964) über die Residenz zur Zeit Erzherzog Karls II. als Vorläufer angeführt werden. In all diesen Fällen stand die Persönlichkeit eines bedeutenden Herrschers und Mäzens im Mittelpunkt. Dokumente, kulturgeschichtliche Denkmäler und Kunstwerke waren auf sie bezogen, was eine straffe, folgerichtige Anordnung voraussetzt, aber auch eine Ausweitung nach den verschiedensten Fachgebieten bedeutet. In Wiener Neustadt kommt dieser Grundsatz der Konzentration noch mehr zur Geltung, da die Ausstellung über Kaiser Friedrich inmitten seiner ehemaligen Residenz gezeigt wird und daher mit den historischen Baudenkmalen dieser Stadt in Beziehung tritt. Der Ausstellungsort, der für die Gestaltung verpflichtende Rahmen, ist das ehemalige Dominikanerkloster St. Peter a. d. Sperr, das 1450 bis 1475 von dem kaiserlichen Baumeister Peter von Pusika umgestaltet wurde.

Die Anordnung des gotischen Bauwerkes legt die *Disposition* der Schauobjekte, die vom Katalog nachgezeichnet wird, im wesentlichen fest. Der *Kreuzgang* ist der Geschichte und der Bedeutung der Stadt vorbehalten. Friedrichs Mäzenatentum, die Stiftung von Klöstern, der Ausbau des Domes und der Burg, führt hierauf zur Persönlichkeit des Kaisers. Das *Kirchenschiff* greift dieses Thema auf, zeigt an Hand von Dokumenten und Kunstwerken den Ablauf seines Lebens, seine Taten und die bedeutendsten Ereignisse. Die Grundidee der Anordnung drückt sich in der Mittelachse des Schauraumes aus, wo man an den Insignien Friedrichs Stellung als Herzog, als König, als römisch deutscher Kaiser und als König von Ungarn erkennen kann. Den Abschluß bildet sein prunkvoller Tumbadeckel für St. Stephan. Die Ereignisse sind rechts nach privaten, links nach politischen Aspekten gegliedert und in ihrer zeitlichen Abfolge einander gegenübergestellt. Die Bibliothek des Kaisers führt zur Kunst, die im *Chor* des Kirchenraumes als Abschluß der thematischen Gliederung untergebracht ist. Neben den Stiftungen Friedrichs dominieren der erstmals in seiner Gesamtheit vereinte Schottenaltar und die qualitätsvollen Plastiken Niklas Gerhaerts.

Der Plan dieser Ausstellung fand bei den Museen und privaten Sammlungen des In- und Auslandes, ein so großes Entgegenkommen, daß nur ein Teil, eine Auswahl des äußerst interessanten, meist unbekannten Materials in der Ausstellung zu vereinen war. Natürlich mußte auch auf viele konservatorische Bedenken Rücksicht genommen werden. Grundsätzlich war der originalen, bildhaften Darstellung der Vorrang eingeräumt. Die wenigen Dokumente sollten die Schauobjekte mit den historischen Ereignissen in Beziehung setzen, Modelle und Reproduktionen haben eine rein dienende Funktion. Eine durchgehende buchmäßige Illustration des historischen Ablaufes wurde jedoch vermieden, um jedem einzelnen Gegenstand seine eigene selbständige Wirkung zu belassen, ihn also nicht zum Illustrationsmaterial herabzuwürdigen. Das Schauobjekt durfte in seiner eigenen Aussagekraft nicht eingeengt werden, sondern sollte in einer lockeren, möglichst ästhetischen Anordnung zur Geltung kommen, was zu einer der wichtigsten Absichten des Ausstellungsarchitekten Dipl.-Ing. Willi Zotti gehörte.

Diese Beschränkung auf wichtige Akzente, die vornehmlich zur Geschichte Österreichs in Beziehung stehen, wird durch eine viel reichere Dokumentation im städtischen Archiv Wiener Neustadt ergänzt, das damit für die Zukunft eine neue Aufgabe erhält.

Aus der kurz skizzierten Anlage der Ausstellung ergibt sich auch eine neue *Funktion des Kataloges* und ein geändertes Verhältnis zur Schaustellung. Er will die einzelnen Ausstellungsstücke nicht nur durch ein Nummernverzeichnis erläutern und ihren Ablauf nachzeichnen, sondern ist in seinem ersten Teil unabhängig davon. Hier greifen die Beiträge oft weit über den Rahmen der Schau hinaus und weisen auf neue, bisher unpublizierte Forschungsergebnisse hin. Das Nummernverzeichnis, der zweite Teil des Kataloges, illustriert und vertieft die Ausführungen, es schafft vor allem eine Konfrontation mit den Schaugegenständen und bietet manche neue Ausgangsposition. Die literarische Darstellung ist mit der optischen wohl verbunden, aber sie bestimmt diese nicht in ihrer Anordnung. Bewußt wird die gleichzeitige Wirksamkeit von Gegenständen in einem Raum ausgenützt, so daß sich chronologische Entwicklungsstufen neben kontrastreichen Gegenüberstellungen ergeben. Bei dieser Anordnung, die durch keine vorgefaßte Auffassung gelenkt ist, bleibt die Wertung dem kritischen Besucher vorbehalten. So wird sich manches im Bild jener Zeit festigen, einiges wird in Frage gestellt und vieles wird in neuem Licht erscheinen. In gewisser Hinsicht gibt die Ausstellung der weiteren Forschung sogar neue Impulse.

Ein *Ergebnis* zeichnet sich jetzt schon ab: das bisher geläufige Bild über Kaiser Friedrich III. und über seine Zeit ist in vielen Punkten zu revidieren, es wird durch Tatsachen von Vorurteilen befreit. Die Kenntnis der Persönlichkeit des letzten in Rom gekrönten Kaisers ermöglicht uns heute eine positive Stellungnahme zu manchen Ereignissen, die bisher kritisiert wurden. Daß diese „Rehabilitierung" mit einer Ausstellung verbunden ist, kann gewiß nicht als Zufall bezeichnet werden, wenn man bedenkt, welche Bedeutung Friedrich den ideellen und künstlerischen Werten beimaß. Diese Erkenntnis von einer höheren Auffassung, die sich über die zeitlichen Schwierigkeiten erhoben hatte, ist es auch, mit der viele von einander unabhängig geführte Forschungen ausklingen. Durch die andere Art der „Anschauung", durch die eindringlichere Blickrichtung auf den Menschen Friedrich befinden wir uns nun — auch wenn wir nicht alles gutheißen, was wir an ihm erkennen — im Zentrum der Ereignisse und nicht an der Peripherie der Wirkungen. Von der Wissenschaft sagt man, daß es ihr vornehmstes Ziel wäre, dem Menschen zu dienen. Vielleicht darf die Ausstellung dieselbe Forderung in bescheidenem Maße auch für sich in Anspruch nehmen. Vielleicht gelingt es ihr, ein an sich schwieriges Thema sinnfällig zu machen und die Person Kaiser Friedrichs III. in unserem Bewußtsein neu emporzuheben und darin zu verankern.

Alphons Lhotsky

KAISER FRIEDRICH III.

Sein Leben und seine Persönlichkeit

> ... *feriuntque summos*
> *fulgura montes*   Horat. Carm. 2, 10, 11

Seinem geist- und gemütvolleren Sohne Maximilian I. sind immer wieder Apologeten erstanden, die dessen Taten und Unternehmungen nicht nur aus äußerer und innerer Bedingtheit zu erklären, sondern auch zu rechtfertigen suchten [1]. Um seinen Vater Friedrich III. hat man sich bei weitem nicht so sehr bemüht. Sein Charakterbild schwankt kaum in der Geschichte, denn Mit- und Nachwelt waren und sind von seiner Unzulänglichkeit als Fürst und wohl auch als Mensch überzeugt. Die spöttische Bezeichnung „des Heiligen Römischen Reiches Erzschlafmütze [2]" erscheint noch gutmütig-harmlos gegenüber dem, was ihm bei seinen Lebzeiten vorgeworfen wurde, und moderne Handbücher, die ihn bloß als *quantité négligeable* und im übrigen als einen verkauzten alten Egoisten darstellen, ohne ihn ausdrücklich zu beschimpfen, können für recht wohlwollend gelten. Sein einziger neuerer Biograph [3] hat — vor mehr als hundertzwanzig Jahren — durch seine pedantische Art, das Lebensbild in Regesten mit verbindendem Text aufzulösen, dem Andenken seines Helden zumindest nicht genützt.

Nicht daß man aber von Friedrich III. gar nichts Gutes oder auch nur Versöhnliches zu berichten gewußt hätte, allein es überzeugt nicht recht und wirkt zuweilen eher peinlich. Der Funeralredner Bernhard Perger hielt an seiner Bahre eine *laudatio*, die unwillkürlich an Schopenhauers boshafte Frage erinnert, ob man, um die Toten zu ehren, die Lebenden belügen müsse [4]? Der geschäftige Joseph Grünpeck, der für den jungen Karl V. ein literarisches Portrait des Urgroßvaters zu entwerfen hatte [5], entledigte sich dieser Aufgabe auf eine Weise, die selbst unter Berücksichtigung der Jugendlichkeit des Adressaten eher Kopfschütteln als Respekt wachruft, denn er hat seine Unwissenheit oder Verlegenheit durch Anhäufung meist sehr unwesentlicher und im übrigen nicht einmal durchaus wahrer Einzelheiten [6] bemäntelt, und nicht viel anders erscheint der *alt Weißkunig* in dem pietätgebundenen Poëm seines Sohnes Maximilian I. Was aber der glatte Höfling Iohannes Cuspinianus im Friedrich-Kapitel seines angesehenen Werkes über die Römischen Kaiser leistete, die Geschicklichkeit, mit der er gerade die problematischen Taten und die noch problematischeren Unterlassungen des Herrschers als Resultate schier übermenschlicher Einsicht und über alle Klugheit hinausragender Weisheit hinstellen wollte, ist von einem guten Kenner mit Recht als „kleines Meisterstück" nachträglicher Sinngebung hervorgehoben worden [7].

Mit solchen Elogien weiß der Historiker nichts anzufangen und wird sich hüten, sein Urteil dadurch bestimmen zu lassen. Es ist aber seine Pflicht, zur Vorsicht mahnende Stimmen nicht zu überhören, und so wird er sich einer nachdenklichen Glosse entsinnen, die vor etwa achtzig Jahren im Baseler Hörsaale Jakob Burckhardts gefallen ist. Sie lautet:

„Viel Gift über Friedrich III. ist bloß moderner Nationalliberalismus. Nach vierhundert Jahren tritt man auf einem zu seiner Zeit hilflos gewesenen Manne herum und kichert zu allem, was dem Hause Österreich in den fernsten Zeiten zu Leid und Schmach geschehen ist [8]."

Diese Warnung ist nicht grundlos und man würde gut getan haben, sie bei einer General-revision des Friedrich-Bildes nicht mehr zu vergessen. Eine solche ist aber bis heute nicht erfolgt, und darum war es kein geringes Wagnis, eine Ausstellung zu veranstalten, deren Richtlinien keiner dem „letzten Stande der Forschung" entsprechenden Monographie ko-ordiniert werden können.

Ist dies aber wirklich so nötig? Kann eine Ausstellung nicht, wie dies jüngst in St. Florian-Linz der Fall gewesen ist, gewissermaßen experimentellen Charakter tragen, indem sie, anstatt ein Kapitel Historie in einer anerkannten Fassung zu illustrieren, die Meinungs-bildung weitgehend dem Besucher selbst überläßt? Bei völlig folgerichtiger Durchführung würde dies allerdings eine Neuerung sein, vielleicht sogar eine bedenkliche; es bleibt aber kaum eine andere Wahlentscheidung.

Sie betrifft indes — dies muß betont werden — nur die immer noch fragliche Einschät-zung der Person Friedrichs III. selbst; seine Umwelt zu vergegenwärtigen ist eine sehr viel leichter zu lösende Aufgabe, und dabei wird der Beschauer ohne weiteres zu befrie-digen sein. Seine „Mitarbeit" kann also darin bestehen, daß die gutenteils mit der Erläute-rung zu den Gegenständen der nächsten Umgebung des Kaisers und seines unmittelbaren Gebrauches gegebenen Hinweise mit allen anderen Eindrücken zur Lösung der Frage her-angezogen werden, die sich zwangsläufig immer wieder ergeben wird: war dieser Mann wirklich so durchaus nichts oder etwa gar ein schädliches und hemmendes Element seiner mehr als halbhundertjährigen Epoche?

Es versteht sich, daß optische Eindrücke allein nicht hinreichen, Überlegungen der ange-deuteten Art zu fundierten Urteilen zu verdichten; hier setzt die Aufgabe des Katalogs ein, der mehr zu bieten hat als bloße Objektsbezeichnung mit Herkunftsnachweisung. Es ist kein Zufall, daß die gedruckten Ausstellungsverzeichnisse in den letzten Jahrzehnten immer umfangreicher wurden bis über die Grenzen der Handlichkeit — nicht nur infolge reicherer Beilagen an Bildern und genauerer Ausführung der gegenständlichen Angaben, sondern auch durch Aufnahme übersichtlich zusammenfassender Abhandlungen einzelner Sachgebiete, namentlich im Bereiche der Kunstgeschichte. Man kann heute geradezu von einer neuen fachwissenschaftlichen Literaturgattung sprechen, deren Wesen darin besteht, daß ein Allgemeines mit Pointierung auf ein Besonderes behandelt wird — im vorliegen-den Falle die Kultur eines Zeitalters in Beziehung auf einen Mann, von dem zu erkennen und zu umschreiben wäre, ob und wie weit er als ihr Repräsentant anzusehen sei.

Von seinen Eltern hat man nur unzulängliche Kunde. Sein Vater war Herzog — seit 1414 nannte er sich häufig Erzherzog — Ernst, der dritte Sohn Leopolds III. mit der Vis-contitochter Verde. Er war also ein halber Südländer, in dessen Adern das Tyrannenblut des Bernabò von Mailand rollte, und sein von Zeitgenossen [9] bemerkter dunkler Teint — *subnigra facie* — in Verbindung mit lebhaftem Gesichtsausdrucke — *scintillantibus oculis* — läßt vermuten, daß das mütterliche Erbe in seiner Erscheinung vorwaltete. Damit stimmt auch die mehr als unruhige Politik überein, die dieser reizbare und heftige Mann nicht nur im Zusammenhange mit den Familienproblemen, sondern auch in sehr respektloser Weise dem Luxemburger König Siegmund gegenüber trieb.

Verschlagenheit war aber seine Sache kaum; man wußte wohl immer, wo er stand. Althabsburgisch war seine hohe Gestalt [10]; als P. Marquard Herrgott 1741 seinen Sarg in Reun öffnete, mußte er aus der Messung des Skelettes — 7 Wiener Fuß — auf eine Lebensgröße von etwa 1,80 m schließen [11]. ⟨Eben um Siegmund zu ärgern und unter Umständen zu bedrohen, schloß er seine zweite Ehe mit der Masovin Czimbarka, als Folge eines Bündnisses mit Wladyslaw von Polen.⟩ Daß Ernst in Bologna „studiert" habe [12], ist sicherlich Legende; ungebildet war er aber gewiß nicht, wie nicht nur unter anderem das schöne Gebetbuch, das man ihm gewidmet hat [13], sondern auch die nicht von der Hand zu weisende Vermutung beweist, daß er bereits persönliche Aufzeichnungen über wichtige Lebensereignisse geführt habe [14]. ⟨Von Czimbarka weiß man nicht viel mehr, als daß sie eine sehr fromme Frau war, die gerne nach Mariazell wallfahrtete; nebstbei erzählte man auch von ihrer ungewöhnlichen Körperkraft, so *daz sy ain huefnagel mit dem dawm in ein feuchtein prett gancz eindruckt und zeprach ain haselnuzz zwischen zwain vingern* [15].⟩ Daß die „Habsburgerlippe" auf sie zurückzuführen sei, hat man erst im XVI. Jahrhundert vermutet; es ist sicherlich unrichtig, denn das Merkmal findet sich unverkennbar auch auf einem verläßlichen Bildnis Herzog Albrechts V., muß also älterer Herkunft sein.

Im Februar 1412 hatten die beiden mit großem Prunke — *in magna solennitate* — geheiratet; sechshundert polnische Ritter sollen der jungen Frau das Geleite von Krakau bis Wiener Neustadt gegeben haben [16], wo sie dann — in der zufolge des Neuberger Vertrages von 1379 wieder steirischen Stadt — residierte. An der von Herzog Leopold III. begonnenen Burg hat Herzog Ernst nicht viel weitergebaut, doch wird Czimbarka schwerlich große Ansprüche gestellt haben. Im September 1429 ist sie, fünf Jahre nach ihrem Gatten, unweit des Stiftes Lilienfeld gestorben und wurde dort in dem bekannten großen Steinsarkophag des Babenbergers Leopold VI. bestattet: *in tumulo fundatoris nostri* [17].

Es ist möglich, daß schon 1413 oder 1414 ein oder gar zwei Kinder zur Welt kamen, die bald verstorben sein müßten. Als Ernsts jüngerer Bruder Herzog Friedrich IV., dem die westliche Hälfte der „leopoldinischen" Ländergruppe zugefallen war, das bekannte Mißgeschick in Konstanz hatte, das ihm den Zorn König Siegmunds und des Konzils zuzog, aber auch Tirol und die vorderösterreichischen Besitzungen erheblich gefährdete, zog Ernst eiligst nach Innsbruck — gewiß nicht ohne den Hintergedanken, im Falle einer Katastrophe des Bruders von diesen Gebieten selbst Besitz zu ergreifen. Friedrichs IV. bald geglückte Rehabilitation führte zur Wiederherstellung des alten Zustandes.

In Innsbruck, am 21. September 1415, hat Frau Czimbarka ihrem Gatten einen Sohn geschenkt [18], der auf den Namen des Oheims, also Friedrich, getauft wurde. Es gab nun zwei Vertreter dieses Namens in der Familie, die sich später selbst durch die Zusätze *maior* und *minor*, deutsch *der elter* und *der junger*, zu unterscheiden pflegten. Dieser jüngere hätte also die Ordnungszahl V. zu führen gehabt, und ein gewissenhafter Chronist des XV. Jahrhunderts hat ihn auch wirklich so gezählt; Friedrich selbst hat bis zu seiner Erwählung zum König keine gebraucht, dann aber mit einigermaßen auffälliger Außerachtlassung des Königtums seines Urgroßonkels Friedrich d. Sch. sich sofort Friedrich III. genannt.

Von der Umwelt des Kindes ist nichts bekannt. Jakob Unrest versicherte aus irgendeiner Tradition, daß Friedrich *von jugent weiß und klueg und der geschrifft gar wol gelert war* [19], und es ist jedenfalls gewiß, daß er und sein drei Jahre nach ihm in Wien zur Welt gekommener Bruder Albrecht VI. eine nach damals gültigen Begriffen recht gute Unterweisung erhielten. Seine Handschrift war wohl etwas breit und schwer, aber keineswegs ungeübt und stets deutlich [20]. Albrecht VI. und wahrscheinlich auch beider Schwester Katharina, nachmals Markgräfin von Baden, die Albrecht zum Erstaunen ähnlich gewesen sein soll [21], hatten das hitzigere Temperament des Vaters geerbt, Friedrich III. hingegen verdankte sein schon in jungen Jahren ersichtliches unerschütterliches Phlegma, seinen Hang zu stillem Grübeln und zur Verschlossenheit sicherlich der Mutter. Dieser Wesensunterschied war nicht die geringste unter den Ursachen der künftigen brüderlichen Mißhelligkeiten. Ein Chronist des späten XV. Jahrhunderts hat behauptet, Friedrich III. sei *in coniunctione Iovis et Saturni in signo Cancri* geboren worden [22], und damit sollte wohl seine Wesensart, die bereits Eneas Silvius als *pene stupidum* bezeichnete [23], astrologisch „erklärt" werden; überraschenderweise hat sich jüngst ergeben [24], daß diese Angabe in der Hauptsache zutrifft, nur daß anstatt *coniunctione* richtig *oppositione* zu lesen ist.

Herzog Ernst ist schon 1424 verstorben und nach den Gepflogenheiten des Hauses hatte Herzog Friedrich „der Ältere" die Vormundschaft über die zwei Knaben und zwei Mädchen — außer Katharina ist noch die bereits 1431 nach Sachsen vermählte Margarethe zu erwähnen — zu übernehmen. Dies war sicherlich nicht ungünstig, denn dieser Friedrich „mit der leeren Tasche" war damals längst nicht mehr der leichtfertige Abenteurer seiner Konstanzer Zeit, sondern ein gereifter Lebenskenner, der an sich selbst erfahren hatte, was Mißgriffe bei der Wahl des *paedagogus* verschulden können [25], und im übrigen der reichste Mann in der Familie. Ob er die Mündel zu sich nach Tirol nahm oder ob er sie in Neustadt beließ, ist unbekannt, doch scheint sich Friedrich III. in den späteren Knabenjahren schon in der alten Residenz der Leopoldiner aufgehalten zu haben.

Frühzeitig auf sich selbst angewiesen, mag sich der still beobachtende, fremdem Einflusse nicht leicht zugängliche Jüngling sehr bald die Grundlagen seiner Menschenkenntnis erarbeitet haben; mit den Regierungsgeschäften hatte er zunächst kaum etwas zu tun — dies besorgte in seinem Namen der Oheim. Gerade dieser war es aber, gegen den sich der junge Friedrich — respektvoll-höflich und gleichwohl zähe und unnachgiebig — bald zur Wehr setzte.

Im Jahre 1431 hatte er das 16. Lebensjahr vollendet und sollte nun volljährig erklärt werden. Herzog Friedrich IV. beharrte aber auf der Weiterführung der Vormundschaft bis zur Mündigwerdung auch des jüngeren Bruders, also bis 1434. Dieser Standpunkt war anfechtbar, muß aber nicht unbedingt als Folge eines finanziellen Egoismus ausgelegt werden: der Ältere hatte darauf bedacht zu sein, die von den Luxemburgern nur zu sehr begrüßte Zersplitterung des „Hauses Österreich" hintanzuhalten. Die politische Lage — das starke Engagement der Albertiner bei König Siegmund schien gerade damals angesichts seines heiklen Verhältnisses zu Böhmen sehr bedenklich — mußte in Friedrich IV. den Wunsch erwecken, die Machtmittel der Leopoldiner möglichst lange in einer, also in seiner eigenen Hand, gesammelt zu sehen; im Falle einer Niederlage Siegmunds hatte sein Nachfolger, der Hussitenbekämpfer Albrecht V. von Österreich, schwerlich auf günstige Aufnahme durch die Utraquisten zu hoffen, und es ist möglich, daß der Führer der kleinen, ihm freundlichen Partei in Böhmen, Ulrich von Rosenberg, selbst Fäden nach Tirol gesponnen habe. Auf jeden Fall war höchste Aufmerksamkeit nötig und man konnte unter solchen Umständen die wichtigsten Entscheidungen nicht einem so jungen Menschen überlassen.

Friedrich III. hat dies wohl selbst eingesehen und willigte in die Verlängerung der Vormundschaft ein. Als aber auch 1434 der Oheim keine Miene machte, die beiden Neffen zu entlassen, trat der nun neunzehnjährige Fürst mit seinen Ansprüchen hervor: Übergabe der Länder seines Vaters, Bewilligung eines Hofstaates mit eigenen geschworenen Räten usw. Damit begann eine langwierige, von dem jungen Manne mit Energie, aber durchaus korrekt geführte Auseinandersetzung, die mit einem Schiedsspruch Herzog Albrechts V. zugunsten der beiden jungen Vettern im Mai 1435 endete. Allein damit war erst das Grundsätzliche geregelt; es folgte weiterhin ein nicht minder zähes Ringen zwischen Neffe und Onkel um den Nachlaß Herzog Ernsts im einzelnen. Friedrich mußte jenen Schritt um Schritt nötigen, das innerösterreichische Kriegsmateriale — Feuerwaffen, Pulver, Harnische, Kugeln, Bogen, Pfeile, Belagerungsmaschinen — auszuliefern, auch den „Silberassach", also das bei Tafel gebrauchte Usualsilber, nicht minder die schriftlichen Verwaltungsbehelfe wie Lehenverzeichnisse, Kopialbücher, Urbare und Urkunden. Es muß, was man bisher noch nicht beachtet hat, Bücher im Besitze des Herzogs Ernst gegeben haben, denn der junge Erbe erklärte sich großmütig bereit, dem Älteren zwei, drei oder vier Bände daraus zu überlassen [26]! Es versteht sich, daß Friedrich III. dabei weitgehend auf die Unterstützung durch seine Hofleute angewiesen war, die schon dem Herzog Ernst gedient hatten. Einer davon war ein Herr Konrad von Kreyg, der Friedrich allerdings einige Jahre später über 2000 fl. gestohlen hat [27].

Schließlich ging das Ringen noch um etliche „Kleinode", vorwiegend Schmuckgegenstände, und es ist seltsam, daß der reiche Landesfürst Tirols gerade in diesem Punkte höchst unzugänglich war. Allein der junge Friedrich war ausgezeichnet informiert; zu den letzten, mit großem Widerstreben herausgegebenen Objekten gehörte *ain ring gancz von saffir* — er ist heute noch erhalten und als ältestes nachweisbares Objekt aus dem Schatze der Habsburger von Interesse [28].

Der kluge Vetter, Herzog Albrecht V. von Österreich, hat am 13. März 1436 in Wien auch zwischen den beiden Brüdern eine Regelung getroffen, die — ganz im Sinne des Hausvertrages Rudolfs IV. — dem Älteren bei grundsätzlicher Gleichberechtigung und einer gewissen Mitregierung des Jüngeren eine deutliche Vorrangstellung einräumte; dieses Abkommen ward allerdings nur auf sechs Jahre geschlossen, nach deren Ablauf Albrecht VI. seine immer bösartigere Bedrängung des Bruders aufzunehmen begann.

So hat Friedrich III. seinen Auftritt in der politischen Gesellschaft seiner Tage zwar nicht mit einem aufsehenerregenden Duell vollzogen, aber doch mit einem ersten Probestück seiner Geschicklichkeit in der Wahrung seiner Rechte, so wie er später selbst einmal niederschrieb: *Sic Fridericus ego mea iura rego* [29]. Dies hat ihn frühzeitig in den Ruf eines schamlosen Egoisten gebracht; wie aber wollte er anders in einer Welt bestehen, in der Verrat und Treulosigkeit in jeder Ecke lauerten und „ein Zug tiefer Verlogenheit [30]" das Zeitalter kennzeichnete? Chmel hat einmal ganz recht bemerkt, daß damals in Österreich so wenig wie anderwärts das Gesetz herrschte, sondern der Herr persönlich [31], und auch nur dann, wenn er die nötigen Eigenschaften und die Mittel dazu besaß. Dazu gehörte vor allem imponierendes Auftreten. Daran hat es Friedrich — wenn man von einer gewissen Würde im hohen Alter absieht — fehlen lassen; man will sogar, besonders in seinen ersten Königsjahren, Unsicherheit und Ängstlichkeit an ihm bemerkt haben [32]. Dafür besaß er in hohem Maße die zweite erforderliche Qualität: ein — wenigstens für seine Erblande — klares und einfaches Regierungsprogramm und evidente administrative Begabung, die sich in späteren Jahren allerdings in kleinlicher Geschäftigkeit zersplitterte. Die frühe Vertrautheit mit Geldangelegenheiten war eine treffliche Vorbereitung für den angehenden Landesfürsten, dessen erste selbständige Maßnahmen denn auch wahrnehmbar auf Herstellung eines ausgewogenen Haushaltes und Ordnung der Aktivposten gerichtet waren. Als ihm 1436 Friedrich IV. mitteilte, daß er etliche einst den Toggenburgern verpfändete Herrschaften auslösen wolle, da antwortete ihm der junge Neffe mit herzlichem Danke, weil dies *ew, uns und dem gannczen haws Österreich zu nucz und frumen* diene [33]. Dieser Hinblick auf das „Ganze" ist keineswegs phrasenhaft gewesen: wenn irgendein Habsburger, so hat doch er das mit dem seines Hauses weitgehend identifizierte Interesse des Staates sehr wohl gesehen und geachtet, mochte er sich auch mit ihm zuweilen gleich einem seiner „aufgeklärten" Nachfahren auseinandersetzen. Wäre es seinem Willen gemäß durchführbar gewesen, so würde er, Stück um Stück, die landesfürstlichen Gefälle und andere nutzbare Rechte den Händen privater Inhaber entrissen, gefährliche Burgen an sich gebracht oder vernichtet und jede konkurrierende Sondermacht niedergerungen haben. Wer etwas dermaßen Bestimmtes als Schaffensziel vor Augen hat — die Bekrönung sollte die Wiedervereinigung aller Länder des *dominium Austriae* in einer Hand sein — der wird gegenüber seiner zerfahrenen und verworrenen, augenblicksdienerischen Umwelt in Vorteil kommen und auf die Dauer irgendwie recht behalten — wie es dann wirklich geschehen ist.

Wie kam aber der noch so junge Mann zu einem solchen Konzept? Die Genialität, die es voraussetzte, besaß er nicht, wohl aber war er klug genug, sich nach einem großen Vorbild umzusehen und sich dessen Gedankenwelt zu eigen zu machen. Dieses fand er weder in seiner Umgebung noch überhaupt unter den Zeitgenossen, sondern in der Vergangenheit seiner Familie. Dunkel wird es bleiben, wie und durch wen er dem Schatten Herzog Rudolfs IV. begegnete; immerhin könnte ihn sein Vater aufmerksam gemacht haben, der ja den Erzherzogsgedanken des Onkels aufgenommen hat. In der Folge zeigte sich, daß Friedrich III. politisch wie kulturell den Großoheim offensichtlich kopierte, ohne ihm gerade einen auffälligen Kult zu widmen. Man kann nicht sagen, was geschehen sein würde, wenn Friedrich III. sein langes Leben bloß als Landesfürst seiner Territorien hätte zubringen dürfen, und was er aus diesen gestaltet haben könnte. Jedenfalls traten schon nach wenigen Jahren Probleme ganz anderer Art an ihn heran, so daß er sein österreichisches Konzept wohl nie aus den Augen verlor, aber erst spät und teilweise eher durch günstige Zufälle als durch unmittelbares Zutun verwirklicht sehen konnte. Einstweilen fand er manche Gelegenheit, seine landesherrliche Begabung in kleinen Einzelmaßnahmen zu beweisen. Er suchte vor allem die Freundschaft der Klerisei: des Bischofs Anton von Würzburg, das in Kärnten begütert war, des Erzbischofs Johann von Salzburg, des Bischofs Laurenz von Gurk und des Bischofs Konrad von Seckau, und man darf auch nicht übersehen, daß es ihm schon damals gelungen war, sich des Wohlwollens Papst Eugens IV. zu versichern, der ihn mit persönlichen Vorrechten ausstattete, wie sie gewöhnlich nur älteren Fürsten erteilt wurden. An geistlichen Orden begünstigte der junge Friedrich zunächst Cistercienser und Kartäuser, die ihn in ihre besonderen Fürbittengemeinschaften aufnahmen — es sind dieselben Orden, die einst von Albrecht I. und seinen Söhnen gefördert worden waren. Noch auffälliger ist die Häufigkeit der Fälle, in denen man — hauptsächlich in Adelskreisen — den jungen Herzog zum Schiedsrichter in oft recht heiklen Streitfällen wählte, was wohl als ein Beweis für den nicht unbedeutenden menschlichen Kredit des ruhigen jungen Mannes gelten darf. Frühzeitig galt sein Interesse — wiederum ganz im Stile Rudolfs IV. — den österreichischen Städten, wenngleich er auch hier fiskalistischen Ideen folgte.

Ganz in der Stille, vom lärmenden Europa, das sein Augenmerk damals auf Basel richtete und die verschärfte Spannung zwischen Papst und Konzil verfolgte, unbeachtet entschloß sich Friedrich III., an der Spitze einer Gruppe innerösterreichischer Adeliger mit dem Bischof Marinus von Triest eine Reise ins Heilige Land zu unternehmen, um dort am Grabe Christi den Ritterschlag zu empfangen. Es ist möglich, daß er damit dem Papste seine Bereitwilligkeit zur Teilnahme an einem abendländischen Unternehmen gegen das bedrohliche Vorrücken der Osmanen demonstrieren wollte; rein persönlich war es ihm aber eher ein Akt der Pietät gegen seinen Vater, der einst — was man nur aus den Notizen des Sohnes selbst erfährt — ebenso nach Jerusalem gepilgert war. Eugen IV. erteilte nun ihm und hundert Begleitern — es waren dann bloß wenig über fünfzig — die Erlaubnis zum Besuche der heiligen Stätten [34], der Doge Francesco Foscarini gewährte freien Durchzug durch venetianisches Gebiet [35], und so konnte am 9. August 1436 die Abfahrt von Triest aus erfolgen [36].

Ein später Zeitgenosse Friedrichs III. hat nachmals diese Meerfahrt als ein Beispiel heldenhafter Unerschrockenheit hingestellt [37], und in dieser Zeit, als die Osmanen bereits eine griechische Insel nach der anderen erbeuteten und allenfalls die Rhodeser Ritter im östlichen Mittelmeer den Reisenden einigen Schutz gewähren konnten, war eine solche Überfahrt immerhin ein Abenteuer, das nicht jedermann gewagt haben würde. Es ging aber alles glatt vonstatten. Für die Nachwelt bemerkenswerter ist nicht nur die bereits von Chmel sorgfältig rekonstruierte Art und Weise, wie der behutsame junge Fürst die Reise finanzierte, sondern auch ihr Nebenzweck. Friedrich III. hat nämlich weit mehr Geld aufgetrieben, als die Reisekosten für ihn betragen konnten, und er selbst hat eigenhändig aufgezeichnet, wozu er den nach der Rückkehr nach Venedig verbleibenden Überschuß verwendete [38]: um dort Waren einzuhandeln, die ihn in Wiener Neustadt sehr viel mehr gekostet haben würden, Atlas-, Samt- und Brokatstoffe, sogar einen Zentner Baumwolle! So wußte er mit einer Unbefangenheit ohnegleichen Devotion und Geschäftssinn zu verbinden. Im Orient soll Friedrich — verkleidet durch die Basare wandelnd, um nicht als Ausländer geprellt zu werden — seiner Leidenschaft für Edelsteine manches Opfer gebracht haben. Daran mag etwas Wahres sein. Daß er aber bis Ägypten gelangt sei, ist ein lächerlicher Irrtum Grünpecks [39], den Maximilian I. ebenso kritiklos passieren ließ wie die dramatische Szene der angeblichen Flucht vor den ihn erkennenden Sarazenen — zu Schiffe unter Hissung des Kaiserbanners [40]! Diese Geschichte wurde, wohl kaum versehentlich, aus der Schilderung eines ähnlichen Abenteuers Herzog Albrechts IV. abgeschrieben, das Stainreuter in seiner Österreichischen Landeschronik berichtete [41]. Es scheint übrigens, daß Friedrich auf der Rückreise Cypern berührt habe und in den Cyprischen Ritterorden aufgenommen worden sei; später, als Kaiser, fühlte er sich überhaupt als oberster Chef und Souverain sämtlicher Ritterorden.

Wohlweislich in der Zeit der Abwesenheit des jungen Fürsten hat der den Leopoldinern von jeher feindselige Kaiser Siegmund einen Streich gespielt, der ihnen sehr bedenklich werden konnte. Schon Karl IV. hatte 1372 — damals mit Zustimmung der Österreicher — die Freien von Saneck zu Grafen von Cilli erhoben; nun, Ende 1436, erhielten sie den Fürstenrang, so daß sie also nicht mehr zu den Vasallen der Habsburger gezählt werden konnten, vielmehr standesgleiche Reichsfürsten wurden, die sich fortan ebenfalls *dei gratia* nannten. Damit war Österreich ein um so gefährlicherer Feind im Südosten entstanden, als diese Cillier charakteriell überaus fragwürdig waren, aber auch durch weitreichende Verbindung — besonders nach Ungarn — schwierig werden konnten. Davon sollte Friedrich III., dessen Proteste vergeblich blieben, bald den Beweis erhalten. Immerhin war er nicht gesonnen, auf jeden Versuch zur Wiederherstellung der Vasallität der Cillier zu verzichten, und er sah sich nach Bundesgenossen um. Es kam bereits zu Feindseligkeiten, als der Kaiser anfangs Dezember 1437 plötzlich starb; damit war eine ganz neue und sehr heikle Lage entstanden.

Siegmunds designierter Nachfolger in Ungarn wie in Böhmen war sein Schwiegersohn Herzog Albrecht V. von Österreich, dem 1423 bereits Mähren übertragen worden war und der bald auch zum römisch-deutschen König gewählt wurde. Allein in Böhmen haben ihn nur die Katholiken und die gemäßigten Utraquisten anerkannt, so daß er sich in den nächsten Monaten des von den Radikalen gegen ihn vorgeschobenen Kasimir von Polen zu erwehren hatte. Dann unternahm er jenen unseligen Zug nach Ungarn, wo er im Oktober 1439 den Tod fand. In demselben Jahr starb auch Herzog Friedrich IV. in Tirol und so war mit einem Schlage der vierundzwanzigjährige Friedrich zum Senior der Habsburger und Vormund zweier Vettern geworden: des jungen Siegmund und des erst im Februar 1440 zur Welt gekommenen Ladislaus. Tatsächlich befand sich nun zum ersten Male seit 1395 die ganze *Domus Austriae* wieder in einer Hand, wenn auch nur für die Jahre der Vormundschaftsdauer. Dazu trat noch ein anderes Ereignis ein, das vorauszusehen war: die Kurfürsten hatten auch dieses Mal keine andere Möglichkeit als die Wahl eines Österreichers. In der Pfarrkirche zu Wiener Neustadt ließ Friedrich III. durch eine fulminante Rede seines Vertrauten und Beraters, des Wiener Professors Ebendorfer [42], seine Bereitwilligkeit erklären, die Königswürde anzunehmen.

Die Machtfülle eines solchen *rex Romanorum* war allerdings gering und seine Aufgabe gerade in diesem Augenblicke höchst bedenklich. Man meint unwillkürlich, daß Herrscher nicht ein schlechterdings hinzunehmendes Schicksal haben wie andere Sterbliche, weil es doch allem Anschein nach sehr weitgehend in ihrem Belieben steht, bestimmend und gestaltend einzugreifen; mit Unrecht. Wohl ist es Friedrich III., dank seiner stets beobachteten Reserve, erspart geblieben, dem allgegenwärtigen Geschmeiß der Schmeichler und Erpresser zum Opfer zu fallen, aber er ist dennoch, meist ganz ohne sein Zutun, in die komplizierte Verkettung der zahlreichen Ereignisreihen seines Zeitalters infolge seiner hohen Stellung, die ihm kein Ausweichen ermöglichte, hineingerissen worden. Es gilt der oft angeführte Satz Jakob Unrests: *Wer des* (Kaiser Friedrichs III.) *Leben schreyben oder lesen wil, der mus unverdrossen sein, wann zu seinen Zeiten groß sach geschehen sindt* [43]. Nur ein einziges Mal hatte er das Fatum wirklich in seiner Gewalt: er hätte die Königskrone nicht annehmen und lieber ein ansehnlicher Territorialherr bleiben können als ein — wie Burckhardt sagte — hilflos gewordener König und Kaiser zu werden.

Nun traten Zeit und Welt mit sehr schwierigen Ansprüchen an seine politischen Fähigkeiten hervor, und damit beginnt auch die geschichtliche Problematik seiner Erscheinung: war das, was er fortan tat oder unterließ, richtig oder nicht? Ohne Zweifel kommt es dabei vor allem auf den Betrachtungsstandpunkt an: ob man seine Persönlichkeit aus dem Gesichtspunkt der deutschen Geschichte, ob man sie aus dem seiner Erblande oder ob man sie einfach aus seiner eigenen Wesenheit heraus kritisieren will. Es versteht sich, daß ein einheitliches Urteil überhaupt nicht gefaßt werden kann.

Sein Königtum begann mit einer notgedrungenen inneren Unwahrhaftigkeit. Eben als Albrecht II. starb, hatte das seit Jahren in Basel tagende Konzil den äußersten Schritt getan und Papst Eugen IV. für abgesetzt erklärt, um an seiner statt den Herzog Amadeus von Savoyen als Gegenpapst aufzustellen (Felix V.). Die deutschen Fürsten, mehr oder weniger konzilsfreundlich, aber doch auch vorsichtig, wollten sich in dieser innerkirchlichen Frage nicht binden und erklärten ihre Neutralität. Später hat Eneas Silvius in durchaus glaubwürdiger Weise behauptet, daß Friedrich III. innerlich damit nicht einverstanden war und mit dem legitimen Papste sympathisierte. Trotzdem mußte er sich mit der Neutralität einverstanden erklären, wollte er sich nicht von Haus aus auf eine Kraftprobe mit den Fürsten einlassen. Er kam dadurch in eine ganz wunderliche und verzwickte Lage, aus der ihn erst die diplomatische Kunst seines neuen Sekretärs Eneas Silvius errettete. Weniger dringlich mochte ihm die Königspflicht der Reichsreform erscheinen, von der schon zu Kaiser Siegmunds Zeiten oft und recht temperamentvoll die Rede gewesen war; es gab naive Leute, die sie von Friedrich III. erwarteten. Ob er wohl schon damals die unüberwindlichen Schwierigkeiten erkannte, in die dann sein Sohn Maximilian I. verstrickt wurde? Wenn es der Fall war, so würde allerdings etwas von dem Lobe seiner tiefen Einsicht zurecht bestehen, das ihm Cuspinianus gespendet hat. Erweisen läßt sich nichts. Daß man aber in negativen Urteilen über den König Friedrich vorsichtig sein muß, lehrt folgende Überlegung.

Man hat es ihm immer als Zeichen seiner Verschlafenheit, ja Trägheit ausgelegt, daß er sich mehr als ein Jahr lang nicht entschließen konnte, die Reise zur Krönung nach Aachen anzutreten; schon damals haben manche seine Absetzung gefordert. Bedenkt man aber die großen Schwierigkeiten, die er in seinem eigenen Bereiche zu bewältigen hatte, die ersten Angriffe seitens seines anspruchsvollen Bruders Albrecht VI., der sich am Ende nicht scheute, mit den Cilliern, die sich schlau an ihn herangemacht hatten, ein Bündnis einzugehen, sodann die vor allem finanzielle Problematik, die sich bei Übernahme der Regierung in den Albertiner-Ländern Österreich und Obderenns ergab, und vollends das Wirrsal um die Forderungen der Königinwitwe Elisabeth und um die Vormundschaft über den nachgeborenen Prinzen Ladislaus mit allen ungarischen und böhmischen Widerhaken, die sich einer vernünftigen Regelung lange entgegenstellten — dann wird leicht zu begreifen sein, daß Friedrich III. wirklich nicht früher abkömmlich war, wenn er nicht hinter seinem Rücken ein Chaos entstehen lassen durfte.

Es wird nötig sein, einige der angedeuteten Vorgänge etwas näher zu beleuchten. Die mißtrauischen Österreicher ließen Friedrich anfänglich bloß bis Perchtoldsdorf vorrücken, wo sie von ihm schriftliche Sicherstellungen verlangten; dann erst durfte er, am 6. Dezember 1439, Wien betreten. Einstweilen huldigte man ihm noch nicht, ließ ihn aber landesfürstliche Regierungsakte vollziehen. In der Vormundschaftsfrage haben sich die österreichischen Stände korrekt benommen: sie lehnten den Anspruch Herzog Albrechts VI. ab und übertrugen die Obhut über den mittlerweile mit der auf abenteuerliche Weise aus Ofen herbeigebrachten Stephanskrone zum König von Ungarn gekrönten Prinzen Ladislaus dem Senior des Hauses. Dafür kam es in einem anderen Punkt zu schweren Meinungsverschiedenheiten. Die Österreicher verlangten von Friedrich III., daß er die Soldrückstände bezahlen solle, derentwegen die abgedankte Soldatesca seines Vorgängers das Land verheerte. Friedrich vertrat den Standpunkt, daß dies auch Sache des Landes sei. Wenn man seinen privaten Aufzeichnungen trauen darf, so hat er gleichwohl *nach der lannd fleizziger bett* sehr hohe Summen — 79000 fl! — offenbar freiwillig beigesteuert oder vorgestreckt [44]; als man aber immer mehr von ihm verlangte, wollte er nur noch gegen Sicherstellung an den Kleinoden des Ladislaus Geld vorschießen. Darüber kam es 1441 zu einem wüsten Tumult in der Augustinerkirche bei der Burg, wo man ihn nach der Brandrede eines Grafen von Schaunberg blasphemischerweise als „König der Juden" verhöhnte und mit dem Ruf „Kreuziget ihn!" auf ihn eindrang [45], so daß er sich der Lynchung durch Flucht entziehen mußte. In seinem Memorandenbuche hat er bittere Bemerkungen über die Ruchlosigkeit der Österreicher hinterlassen, und seine fortan geübte Vorsicht, dieses Land nie ohne ausreichende militärische Bedeckung zu betreten, darf man ihm nicht verdenken. Im Zusammenhange mit der erwähnten Notiz findet sich aber noch eine Bemerkung, die für sein Selbstgefühl und seine Anschauung des Herrschertums sehr bezeichnend ist. Aus ihr geht unzweideutig hervor, daß er sich als Erbherr der österreichischen Lande weit höher und besser dünkte als die Wahlkönige Böhmens und Ungarns [46] — hat ihm selbst die römisch-deutsche Krone, weil sie durch Wahl vergeben wurde, weniger gegolten?

Es ist sehr fraglich, ob die österreichischen Stände seinem Vorgänger Albrecht V. gegenüber Ähnliches gewagt hätten. Woher nun diese Respektlosigkeit? Bloß weil Friedrich III. nicht so viel zahlen wollte? Albrecht war ein strenger Herr gewesen, nicht nur der Kirche, sondern auch dem Adel; ein Berichterstatter, der ihm unter allen am günstigsten gesinnt war, erzählte, daß der Herzog zwei Herren seiner Suite bloß wegen Urkundenverfälschung zum Feuertode verurteilt habe [47]. So muß man wohl schließen, daß Friedrich III. einfach deshalb nicht geachtet wurde, weil man ihn nicht fürchtete. Provinzielle Ressentiments mögen dazugekommen sein: für die Österreicher ob und nieder der Enns war Friedrich eben ein Landfremder, ein „Steirer", und schon sein Vater hatte sich einst vor Wien nachrufen lassen müssen: *Khetz* (geht's) *geen Grätz!* [48]. Daß sein wortkarges Wesen, seine geringe Affabilität, ihm die Kontakte mit den Menschen nicht erleichterte, kam noch hinzu.

So ist es auch verständlich, daß Friedrich III. mit der revolutionären Tat des Baseler Konzils von 1439 ebenso wenig einverstanden sein konnte wie mit der oligarchischen deutschen Reichsverfassung. Was e r ersehnte, war, in Kirche und Staat, Durchsetzung der Autorität, und sein königliches Konzept konnte nur auf ihre Wiederherstellung gerichtet sein. Einstweilen mußte er freilich das Machtwort, das ihm nicht zu Gebote stand, durch diplomatische Aktionen ersetzen. Die Hoffnung, die er dabei auf den bewährten Ratgeber Albrechts V., Thomas Ebendorfer, setzte, wurde getäuscht, denn dieser verstand ihn nicht. Wohl aber brachte Eneas Silvius das Kunststück zuwege, die Front der noch konzilsfreundlichen deutschen Fürsten zu sprengen, so daß Friedrich III. dem schon dem Tode nahen Eugen IV. die Obödienz der Deutschen erklären lassen konnte. Damit war das Konzil, das übrigens die Kulmination seines Ansehens längst überschritten hatte und von den fähigsten Leuten verlassen worden war, so gut wie abgetan. Die Deklaration vom Februar 1447 aber begründete eine Kette folgenreicher Dankesgefühle: des Papstes und seines Nachfolgers für Friedrich III., dieses für Eneas, der sich dann seinerseits beiden tief verpflichtet zu fühlen Anlaß erhielt; als er, auf Betreiben durch Friedrich III. Kardinal geworden, sogar die Tiara erlangt hatte, nannte er sich gerne den „Kaiserlichen Papst [49]".

Die Obödienzerklärung Friedrichs III. ist begreiflicherweise immer wieder Gegenstand heftiger Kritik gewesen: von Ebendorfer und den Wiener Theologen, die noch lange meinten, daß mit der Preisgabe des Konzils eine trotz allen Mängeln ernste Reformmöglichkeit in der Kirche verschüttet worden sei, bis auf die liberale und nationale Historiographie der neuesten Zeit, die Friedrich III. die Rekonstruktion der Papstkirche nicht verzeihen wollte und will, zumal man darin eine Art listiger Vergewaltigung des deutschen Gewissens sehen zu müssen glaubte. Was aber würde die Folge gewesen sein, wenn schon damals eine Reformation ohne starke Persönlichkeiten erfolgte? Doch eher ein deutsches Chaos.

Friedrich III. hat immerhin für den Augenblick geleistet, was dieser forderte: er hat entscheidend dazu beigetragen, vorerst einmal die schwankenden Mauern der Kirche zu stützen und damit eine unabwendbare Entwicklung in wesentlich ruhigeren Bahnen zu gewährleisten.

Freilich hat er sich vor der Nachwelt ins Unrecht gesetzt, indem er sich sein Entgegenkommen vom Papsttum ausgiebig honorieren ließ: er hat nicht nur die Zusicherung der Krönung zum Kaiser, sondern auch die ihm als Landesherrn besonders wertvolle Verfügung über acht Bistümer — ungerechnet die zu vergebenden kleineren geistlichen Benefizien — erlangt, und es hat fast den Anschein, als sei dem eine bewußte Spekulation auf die Bedrängnis der Kurie, mithin nahezu eine Erpressung, zugrundegelegen. Dazu muß man aber feststellen: die Kaiserkrönung konnte Friedrich III. auf jeden Fall verlangen und sie bedeutete nicht nur für ihn, sondern auch für den Papst einen Höhepunkt der Wirksamkeit; Vergabung der Bistümer war aber damals ein den erstarkenden Fürsten gegenüber schon recht ausgiebig gewährtes Recht, denn bald hat sich der König von Frankreich die Besetzung von nicht weniger als fünfundzwanzig Bistümern bloß für die Nichterneuerung der Pragmatischen Sanktion von Bourges gesichert, und auch den Eidgenossen wurde bereits die Einflußnahme auf kirchliche Ernennungen zugestanden. Mit Recht ist einmal gesagt worden, daß Friedrich III., an einem Ludwig XI. gemessen, als ein Biedermann erscheine [50].

In diesen Jahren der kirchenpolitischen großen Entscheidung ging der Kleinkrieg des Königs gegen den österreichischen, ungarischen und auch tirolischen Adel weiter. Verhältnismäßig am einfachsten rangierte er sich mit den Tirolern; nach einer ersten Verlängerung der Vormundschaft über den jungen Herzog Siegmund wurde dieser 1446 den Tiroler Ständen übergeben und regierte fortan selbständig. Vielleicht würde sich Friedrich III. niemals mehr um ihn weiter bekümmert haben, wie dies seine Art war, wenn der lebenslustige, aber auch unvorsichtige Herr nicht allmählich wunderliche und gefährliche Komplikationen politischer und finanzieller Art heraufbeschworen hätte, die noch den alten Kaiser zu persönlichem Einschreiten nötigen sollten.

Schwieriger lag der Fall des Ladislaus. Nach habsburgischem Hausrecht hatte ihn Friedrich III. bis Februar 1456 in seiner Obhut zu behalten, und dies gestanden auch die Ungarn zu. Es zeigte sich aber bald, daß die unruhigen Köpfe in jenen drei Ländergruppen, auf die der Prinz Anspruch hatte, die Gelegenheit wahrzunehmen gedachten, die

Jugendlichkeit ihres in Österreich mit besonderem Nachdruck als *dominus naturalis* gegen den Vormund ausgespielten Königs bzw. Herzogs zu eigensüchtigen Zwecken zu gebrauchen, weshalb sich eine rege Agitation zwecks vorzeitiger Volljährigkeitserklärung entfaltete. In Böhmen wie in Ungarn hatten sich — als Stellvertreter des noch im ersten Lebensjahrzehnte stehenden Knaben — zwei ehrgeizige Männer als Gubernatoren aufgeschwungen, Georg von Poděbrad und Johann Hunyady, in Österreich nahm der wortgewandte Führer der malkontenten Adelscliquen, der zugereiste Ulrich von Eytzing, eine ähnliche Stellung wenigstens *de facto* ein.

Friedrich III. hat dieses Spiel durchschaut, doch unterschätzte er vielleicht die Gefahr. Als man erfuhr, daß die Romfahrt bevorstehe, glaubte man den rechten Augenblick gekommen, ihn mit einer Petition um „Befreiung" des Ladislaus bedrängen zu sollen, weil man wohl dachte, daß er um seines größeren Zieles willen nachgeben werde. Die monströse Bundesurkunde vom 14. Oktober aus Mailberg mit ihrer gewaltigen Siegellast ist ein diplomatisches Unicum. Ein illegaler Landtag zu Wien am 12. Dezember formulierte dieses Begehren drohend ultimativ.

Friedrich III. stand nun vor der Wahl, die Fehde anzunehmen und sein unbestreitbares Recht notfalls mit innerösterreichischen Waffen zu konstatieren, was nach modernen Begriffen nichts anderes als Bürgerkrieg bedeutet haben würde, oder sich auf Verhandlungen einzulassen, was im Grunde schon halb und halb ein Rückzug und überdies nicht sehr dekoros gewesen wäre, denn mit Rebellen traktiert man nicht.

So erscheint die Alternative heute, und so sah man sie ohne Zweifel auch damals. Niemand konnte erwarten, daß der König — wenn es gestattet ist, ein altes Witzwort zu gebrauchen — von zwei Möglichkeiten die dritte wählen werde, und dies in einer Weise, die für seine Art ungemein bezeichnend ist. Ein recht gut informierter Zeitgenosse schilderte, wie Friedrich seelenruhig seine Reise nach Rom antrat, wie sein Gefolge von Station zu Station erwartete, er werde sein Mündel Ladislaus in irgendeiner innerösterreichischen Burg unter verläßlicher Bedeckung zurücklassen, bis man keinen Zweifel mehr hegen konnte, daß er den Knaben, dessen Person ihm so kostbar war, nach Italien mit sich führen wolle [51]. Kein Wort hatte er darüber gesprochen, niemanden ins Vertrauen gezogen. Es war ihm auch gleichgültig, was jetzt hinter seinem Rücken geschah und wie man die Gefährdung des Kindes durch die weite Reise propagandistisch gegen ihn ausnützte.

Man muß anerkennen, daß er mit dem Entschlusse zur Unnachgiebigkeit im großen und ganzen das Richtige traf. Wenn die Gegenseite erstaunlicherweise Mittel fand, sogar in Rom einen Versuch zu wagen, Ladislaus zu entführen, wenn sich selbst ein Mann wie Ebendorfer dazu hergab, schriftliche Nachrichten des Knaben an seine Geschwister in die Heimat zu schmuggeln, so war dies für den Kaiser immer noch weniger gefährlich als wenn der Knabe der Hut eines Burgherren anvertraut worden wäre, der dann entweder übermächtiger Bedrängung oder auch irgendeiner Bestechung zum Opfer fallen konnte. Friedrichs III. Leitgedanke aber, eine *entente cordiale* mit dem Papste, ein wechselseitiges Schutz- und Hilfebündnis herzustellen [52], hat sich bald bewährt. Als die Herren in Wien in provinzieller Kurzsichtigkeit die Stirn hatten, den Kaiser beim Papst zu denunzieren, da stellte der *pontifex* dem *caesar* sofort alle geistlichen Machtmittel zur Verfügung und jene mußten zusehen, daß ihnen dieses *Quos ego* am Ende nicht doch Schaden bringe.

Wenige Romfahrten sind so harmlos verlaufen wie die des Habsburgers. Gewisse Besorgnisse des Papstes Nicolaus V., die sich kaum zwei Jahre später gelegentlich der berühmten Verschwörung des Stefano Porcaro als keineswegs unbegründet erwiesen, waren noch gegenstandslos: Friedrich III. war kein Fürst, der aus den Händen des *populus Romanus* eine antikisch gemeinte Kaiserweihe empfangen oder gar die Stadtherrschaft hätte ergreifen mögen. Mit einem respektablen Aktivsaldo endete für ihn die Romfahrt, die zugleich seine Hochzeitsreise war; der Papst hatte alles bezahlt und noch etwas dazu. Alte Ghibellinen und andere italienische Freiheitsfreunde mußten sich erst von ihrer Verblüffung über diesen friedsamen *imperator Romanorum* erholen, ehe sie ihrer Empörung in heftigen Schimpfreden Luft machen konnten; selbst der nachmals heiliggesprochene Erzbischof Antoninus von Florenz äußerte sich sehr abfällig.

Nach kurzem Aufenthalt beim Oheim seiner Gattin in Neapel — demselben Alfonso, der durch seine hinterhältige Politik den Päpsten das Leben schwer machte — war Friedrich III. nach Wiener Neustadt zurückgekehrt, mitsamt dem wohlbehaltenen Prinzen Ladislaus. Wenn er nun geglaubt haben sollte, daß die erlangte höchste Würde ihn gegen die Insolenz der künftigen Untertanen seines Mündels besser sichere, so irrte er. Eytzinger, der, wohl in Weinlaune, um 50.000 fl gewettet haben soll, daß er selbst Herzog von Österreich werden könne [53], brachte mit seinen böhmischen und ungarischen Freunden eine beträchtliche Schar zusammen, um den *dominus naturalis* mit Gewalt zu entführen. Es scheint übrigens, daß des Kaisers Lage in der Burg keineswegs so aussichtslos gewesen sei, wie er — vielleicht auf Grund unrichtiger oder gar gefälschter Informationen — annahm; wahrscheinlich lieferte er den Knaben schließlich ohne wirklich zwingende Not aus (September 1452). Er war ihm ein pflichtbewußter Vormund gewesen, hatte ihm eine gute Erziehung angedeihen lassen — jetzt fühlte er sich nicht mehr verantwortlich und sah nur noch aus der Ferne zu, was mit jenem weiter geschah. *Rerum irrecuperabilium summa felicitas est oblivio* hat er selbst einmal notiert [54]: „Glücklich ist, wer vergißt, was doch nicht zu ändern ist". Vielleicht wirkte auch das Beispiel des Königs David ein, der Jahwe lange um das Leben seines kranken Sohnes mit Bitten bestürmte, dann aber, als dieser gestorben war, nicht mehr daran dachte [55]. Waren die Pläne, die er mit Ladislaus gehabt hatte, einstweilen verbaut, so wandte er sich fortan anderem zu.

Zu den ideellen Vorteilen, die ihm die erlangte Kaiserwürde bot, gehörte die Möglichkeit, ein sicherlich schon lange gehegtes Vorhaben zu verwirklichen. Männer wie Friedrich III., die selbst keine echte Schöpferkraft besitzen, bedürfen eines Vorbildes und Idols, um ihren eigenen Sinn dadurch zu erfüllen, daß sie mit stiller Beharrlichkeit ausführen, was der Mann von Genie nur als Skizze oder ohne die letzte Vollendung hinterließ. Ein solches großes Exempel war für Friedrich III., wie schon erwähnt, sein Großoheim Herzog Rudolf IV., dem er mit der ganzen Pedanterie des Epigonen bis in die kleinsten Nebendinge fast alles nachahmte. Vor allem hat er sich sein österreichisches Konzept, so wie es in den berüchtigten Freiheitsbriefen von 1358/59 vorliegt, zu eigen gemacht. Diese Urkundengruppe bildete seit Jahrzehnten eine beträchtliche Verlegenheit für die Träger der Reichsgewalt. Eine ausdrückliche Bestätigung und Anerkennung hatte bisher niemals stattgefunden; nicht einmal Friedrich III. selbst wagte 1442 eine solche zu erteilen. Jetzt aber, als Kaiser, besaß er die Befugnis, auch ohne Zustimmung anderer, lediglich kraft seiner Majestätsrechte, in Angelegenheiten von ungewöhnlicher Bedeutung Rechtsschöpfungsakte und definitive Entscheidungen zu vollziehen: dies war das bis auf Justinian zurück verfolgbare Recht, eine *sanctio pragmatica* zu erlassen [56], und eine solche erging am Dreikönigstag 1453 aus Wiener Neustadt; in ihr hat der Kaiser die Freiheitsbriefe nicht bloß als solche bestätigt, sondern auch inhaltlich erweitert und authentisch interpretiert. Durch diesen in aller Stille vollzogenen Staatsakt sind jene Urkunden rechtsgültig geworden und haben für Jahrhunderte die Präponderanz des Hauses Österreich gesichert.

Inzwischen war Ladislaus völlig in die Fänge derer geraten, vor denen ihn der Vormund so lange gehütet hatte. Immerhin hat sich der junge Mensch mit erstaunlicher Wendigkeit in das Intrigenspiel rund um ihn gefügt, schließlich sogar mittelbare Blutschuld auf sich geladen. In Ungarn wurde ihm der Boden zu heiß und er wandte sich nach Böhmen, wo er von den Utraquisten mit Mißtrauen aufgenommen wurde, weil man vom Sohne des alten Hussitenfressers Albrecht V. einen katholischen Kurs erwartete. Mit dem Kaiser war er lange Zeit in Streit gelegen, nicht nur wegen der ungarischen Krone, die dieser nicht herausgeben wollte, sondern auch wegen etlicher Zugriffe in sein Erbe, worunter die wertvolle Bibliothek der Luxemburger den bemerkenswertesten Teil bildete. Wie so oft ist auch hier Friedrichs III. Handlungsweise mehrdeutig gewesen: man konnte und kann sie ihm ebenso als Folge gemeiner Habgier auslegen wie als Vorsicht, weil er sich sagen mochte, daß diese schönen Dinge, namentlich die bekannte Wenzelsbibel, in seiner Hand sicherer seien als in der des Knaben, und damit würde er auch recht gehabt haben.

Im November 1457 ist Ladislaus in Prag, kurz vor seiner Vermählung mit einer französischen Prinzessin, plötzlich gestorben; manche dachten an Gift, das ihm der Gubernator Georg von Poděbrad beigebracht habe; andere an Einwirkung des kurz zuvor — vom Oberösterreicher Georg Aunpeck von Peuerbach und vom Italiener Toscanelli — zum ersten Male in seiner Bahn berechneten Halley'schen Kometen [57]. Das Hinscheiden dieses letzten Albertiners, dem ein Jahr zuvor der letzte Cillier im Tod vorangegangen war, müßte eigentlich die komplizierte Situation wesentlich vereinfacht haben. Dem war aber nicht so, denn jetzt entwickelten sich kaleidoskopartig wechselnde Szenenfolgen von zuweilen großer Dramatik. In Böhmen wie in Ungarn gelang es den Gubernatoren Georg und Matthias, sich im Laufe des Jahres 1458 selbst zu Nationalkönigen aufzuschwingen — zwei in jeder Hinsicht kraftvolle und begabte Männer, mit denen sich Friedrich III. rangieren mußte, so gut es eben ging; in diesen Ländern die Nachfolge nach Ladislaus selbst zu fordern, fiel ihm nicht ein, so daß er denn auch die durch einige Magnaten am 17. Februar 1459 in Güssing erfolgte Wahl zum Gegenkönig des Matthias — allerdings auch auf einen Wink des Papstes Pius II. — nicht ernstnahm. Er glaubte wohl, die beiden neuen Herrscher durch besondere Druckmittel im Zaume halten zu können: den Böhmen, weil dieser doch früher oder später die Belehnung von ihm begehren mußte, um als Kurfürst gelten zu können, und den Ungarn, weil sich die Stephanskrone noch immer in seinem Besitze befand. Georg belehnte er schon 1459 in Brünn und mit Matthias kam er 1463 zu einem keineswegs ungünstigen Ausgleich: für die Auslieferung der Krone erhielt Friedrich III. 80.000 fl. nebst der Anwartschaft auf Eventualsukzession in Ungarn und dem Recht, den ungarischen Königstitel zu führen. Freilich erwies sich bald, daß solche Abkommen keineswegs vor weiteren Verwicklungen schützten.

Schwieriger fürs erste war Friedrichs III. Lage in Österreich. Mit dem ebenfalls schon von Rudolf IV. prätendierten Rechte des Ältesten forderte er die Albertinischen Länder für sich, rief aber damit die nun offene Feindschaft des Mannes hervor, der ihm schon als halber Knabe so ernste Schwierigkeiten bereitet hatte: seines Bruders Erzherzog Albrecht VI. Der ferne Herzog Siegmund hatte, als Landesfürst von Tirol, keinerlei Interesse an unmittelbarer Herrschaft in dem aufzuteilenden Gebiet und war bereit, sich seine Ansprüche abgelten zu lassen, bzw. seinem Vetter Albrecht VI. zu zedieren. Dieser forderte aber nicht nur zwei Drittel, sondern das Ganze — Österreich und das Land ob der Enns; der Kaiser besitze ohnehin genug. Darauf wollte dieser nicht eingehen, vielmehr seinerseits das Ganze haben und den Bruder abfinden. Darum ging es in den nächsten Jahren.

Friedrich III. hatte kaum andere Behauptungsmittel als das ihm bestrittene Vorrecht des Älteren und die erkaufte Sympathie des einen oder anderen österreichischen Herren, wogegen Albrecht VI. sich jederzeit auf die Unterstützung durch alle Malkontenten und persönlichen Feinde des Bruders stützen konnte, der sich überdies durch seine unglückselige Finanzpolitik, die zu gräßlichen Notständen geführt hatte, den Haß auch der kleinen Leute zugezogen hatte. Das Kräfteverhältnis war also sehr ungleich. Ob es wahr ist, daß Albrecht VI. vom Kaiser zu kurz gehalten wurde, wird man schwer entscheiden können; gewiß ist aber, daß die Methoden, durch die er zu seinem vermeintlichen Rechte zu kommen trachtete, sowohl menschlich wie auch im Hinblick auf die schon genug tristen Verhältnisse des Landes, das zu befreien er vorgab, als verwerflich zu bezeichnen sind: der unvermeidliche Bürgerkrieg zwischen „Kaiserern" und Albrechtinern hatte gerade noch gefehlt! Dazu kommt, vor dem vielberufenen Richterstuhle der Geschichte, die Überlegung, daß Friedrich III. einen durchaus verantwortbaren, bei aller Einfachheit doch konstruktiven, noch in der Gegenwart fortwirkenden Gedanken verfolgte, nämlich die Überwindung der notorisch unheilvollen Folgen der Teilung von 1379 durch Wiedervereinigung des gesamten „Hauses Österreich", wogegen Albrecht VI. überhaupt kein Programm hatte, wenigstens kein anderes als das, seinen Ehrgeiz durch Erschließung neuer Einnahmequellen zur Deckung seiner kostspieligen Hofhaltung zu befriedigen. Daß Friedrich III. seinerseits gefehlt hat, unterliegt keinem Zweifel. Seine irenische Natur verleitete ihn zu manchem *laissez-passer*, das ihn in den Ruf gewissenloser Passivität brachte. Besonders empörte seine scheinbare Ungerührtheit angesichts der Hungersnöte in Österreich und der

Leiden der von den osmanischen Akindschis Jahr für Jahr gebrandschatzten Bewohner des südlichen Innerösterreich. Auch die Päpste reizte er durch seine Gleichgültigkeit gegenüber ihren Bestrebungen, einen Kreuzzug zustandezubringen, als die Osmanen die Balkanhalbinsel und auch schon Bosnien überrannt hatten, sowohl auf Ungarn wie bereits auch gegen Ragusa drückten und die Adriaküste erreichen mußten, sobald der heldenhafte Widerstand der Albaner erlahmte. Schon Pius II. war sehr verstimmt, weil Friedrich III. den Kongreß zu Mantua vernachlässigte, dessen Aussichtslosigkeit er allerdings richtig eingeschätzt haben dürfte, und auch Sixtus IV. und Innozenz VIII. ist es nicht gelungen, ihn zu einer energischen Aktion zu bewegen. Man könnte sogar versucht sein, zu glauben, daß er über die wachsende Bedrängnis des Königs Matthias gar nicht so böse gewesen sei.

Man vergegenwärtige sich aber, was in diesen Jahren nach 1458/59 um ihn vorging. Da war es in den ersten sechziger Jahren die bedenkliche Auseinandersetzung des Herzogs Siegmund mit dem Bischof von Brixen, Kardinal Nicolaus Cusanus, die unter dem Einfluß des radikalen Dr. Gregor Heimburg bald zu einer grundsätzlichen Frage auswuchs, deren leidenschaftliche Erörterung weithin Aufsehen erregte. Ein Wiener Zeitgenosse hat dem Kaiser vorgeworfen, daß er hinter dem Rücken seines Vetters mit dem Papst konspiriert habe, der nur deshalb dem Tiroler gegenüber eine immer verwegenere Sprache zu führen gewagt habe [58]. Die Wahrheit wird wohl die gewesen sein, daß Friedrich III. auf andere Weise die für den Besitzstand des Hauses Österreich im Westen sehr bedrohliche Angelegenheit mit dem ihm befreundeten Papste zu regeln suchte. In Deutschland fanden die Umtriebe des Abenteurers Dr. Martin Mayr manche Sympathie; sie zielten auf Entthronung Friedrichs III. ab, für den man bald den Böhmen Georg, bald Erzherzog Albrecht VI. oder gar Herzog Karl den Kühnen in Aussicht nahm, der wahrlich nicht als Reichsfreund bezeichnet werden konnte. Georg von Poděbrad seinerseits suchte damals durch sein Projekt eines Friedensbundes der europäischen Fürsten zwecks Rückeroberung Konstantinopels Papst und Kaiser zu beschämen, wobei ihm selbst nichts Geringeres als die Würde eines Oströmischen Kaisers vorschwebte, die noch der alte Poggio nach dem Falle Konstantinopels Friedrich III. vindiziert hatte [59]. In Österreich aber wurde die Lage immer bedenklicher, als seit 1461 zwischen diesem und seinem Bruder förmlich Kriegszustand herrschte, die bis dahin noch treuen Wiener sich nun wider ihn kehrten und er 1462 die bekannte Belagerung in der Burg zu Wien — mit Frau und Kind — auszustehen hatte, bei der er wirkliche Seelenstärke und Mut bewies; der Friede, den ihm der herbeigeeilte König Georg gegen Abtretung Österreichs an den Bruder vermittelte, versprach keine Dauer, und wenn Albrecht VI. nicht Ende 1463 einer Krankheit zum Opfer gefallen wäre, so würde Österreich neuerlich Kriegsschauplatz geworden sein. Dies sind nur die größten Schwierigkeiten, die Friedrich III. damals zu bewältigen hatte; wie sollte er unter diesen Umständen einen „Kreuzzug" zuwegebringen? Aus eigenen Mitteln vermochte er es überhaupt nicht, die Reichsstände aber würden ihn ausgelacht haben, wenn er mit einem Ansinnen auf Geldbewilligung oder gar auf persönliche Heeresfolge hervorgetreten wäre.

Darum war auch vom sogenannten Christentag in Regensburg 1471 nichts zu erhoffen. Friedrich III. hatte sich nach langer Zeit wieder einmal „ins Reich" begeben, wohl widerwillig, weil er sicherlich voraussah, daß auf wirksame Hilfe nicht zu rechnen war. Seither hat er sich in der Frage der Osmanenabwehr überhaupt nicht mehr exponiert, und auch in Reichsangelegenheiten beschränkte er sich auf das Nötigste, wobei es bei seiner schwerfälligen Art der Erledigung allmählich zu Stauungen kam, die den Unwillen gegen ihn vermehrten.

Um so zielstrebiger behielt er seine Hausangelegenheiten im Auge. Nach dem Tode seines Bruders in Österreich anerkannt, hatte er als Landesfürst kein Glück. Es gelang ihm auch weiterhin nicht, der Soldbanden Herr zu werden und die monetarischen Verhältnisse leidlich zu regeln, wobei es immer noch fraglich bleibt, ob Mangel an Geschick und gutem Willen oder undurchschaubare Machinationen daran Schuld trugen. Der Mißmut griff nun auf Innerösterreich über. Bald nach dem Tode seiner Gattin unternahm Friedrich III. eine zweite Reise nach Rom, doch dieses Mal bloß als Privatmann. Die sichtlichen Erfolge seiner Vorsprache bei Paul II. sind Errungenschaften für Niederösterreich: die Schaffung der beiden Zwergbistümer Wien und Wiener Neustadt und die Kanonisation des Markgrafen Leopold III. Nichts Näheres erfährt man von den politischen Anliegen Friedrichs, die sich wohl auf Böhmen und Ungarn bezogen haben werden; hierin erwies sich die Kurie harthörig. Gegen Matthias, den man um der Osmanen willen bei guter Stimmung zu erhalten wünschte, war überhaupt nichts zu erreichen, und einer möglichen Rettungsaktion für den durch den Ungarn schwer bedrängten, aber mit polnischer Hilfe über Wasser gehaltenen Georg von Böhmen widersetzte man sich in Rom auf jeden Fall. Während aber der Kaiser in Italien weilte, zettelte der ihm einst so ergebene und opferbereite steirische Ritter Andreas Baumkircher eine Adelserhebung an, die nach schwierigen Aktionen zu einem förmlichen Abkommen Mitte 1470 in Völkermarkt führte. Es müssen gegen Baumkircher, der sich allzu weit in Konspiration mit Matthias eingelassen hatte, sehr schwere Anklagen vorgelegen sein, weil sich der sonst keineswegs harte Friedrich III. zu einem raschen Todesurteil entschloß, das im April 1471 in Graz vollstreckt wurde. Damit waren wohl die Empörer ihres Anführers beraubt und leidliche Ruhe wiederhergestellt worden, keineswegs aber die Atmosphäre gegenüber Ungarn gereinigt.

In diesem Jahr ist König Georg gestorben. Seine Lage war von Anfang an höchst mißlich wegen des konfessionellen Doppelspieles, zu dem er genötigt war. Meinungsverschiedenheiten um die Gültigkeit der Prager Kompaktaten und andauernd unklare Haltung des Königs führten 1466 zu seiner unter dem Prätext der Ketzerei von der Kurie erklärten Absetzung; Matthias von Ungarn hat sich zur Vollstreckung des Urteils bereit gefunden, zumal ihn der Gedanke einer Rekonstruktion des luxemburgischen Erbes locken mußte. Dem geschickten Georg gelang es freilich, in Böhmen den polnischen Prinzen Wladyslaw auszuspielen, doch die Nebenländer der Wenzelskrone, Schlesien und Mähren, schlossen sich gerne dem Ungarn an. Nun, nach Georgs Tod, blieb Wladyslaw in Böhmen, und gleichwie es damals zwei Fürsten gab, die sich König von Ungarn nennen durften, nämlich Matthias und den Kaiser, so gab es auch zwei, die sich König von Böhmen nannten, Matthias und Wladyslaw.

Ohne Zweifel gingen die Pläne des Corvinus viel weiter. Er strebte eindeutig nach der Hegemonie im mittleren Donauraum, vielleicht auch um reichere Mittel für eine große Aktion gegen die Osmanen zu gewinnen, durch die er den alten Glanz des Namens Hunyady erneuern konnte. Seine Expansion mußte Friedrich III. beunruhigen, denn ihr nächstes Ziel schien bereits Österreich zu sein, und die Spannung wuchs, seitdem Matthias sogar als Gegenkandidat auf dem römisch-deutschen Königsthron genannt worden war.

Während sich so im Osten Österreichs langsam ein schweres Wetter auftürmte, bereitete im Westen Herzog Siegmund dem Kaiser neuerlich Sorgen, aber er eröffnete auch beachtenswerte dynastische Aussichten. Durch seine Unvorsichtigkeit gegenüber den Eidgenossen wie Herzog Karl dem Kühnen von Burgund hatte er die vorderösterreichischen Besitzungen in ernste Gefahr gebracht; anderseits ging auf ihn ein Projekt zurück, das zu den Kabinettstücken politischer Kombination gehört. In großen Zügen sah es so aus: Herzog Karl, längst um die Erwerbung des Königstitels bemüht, sollte diesen von Kaiser Friedrich III. erhalten, der ihn als Mitregenten und Nachfolger anzunehmen hatte; nach Friedrichs III. Tod würde Karl als Kaiser dem jungen Maximilian auf dieselbe Weise die Sukzession im Kaisertum gesichert haben. Die Gegenleistung Karls an die Habsburger sollte die Vermählung seiner Erbtochter Maria mit Maximilian sein. Wie wichtig Friedrich diesen Vorschlag nahm, lehrt seine persönliche Reise nach Trier, wo er mit dem Burgunder — unter beiderseits sehr eindrucksvoller Prunkentfaltung — 1473 zusammentraf. Da der Kaiser zuerst die Verlobung forderte, ehe er die Krone gewährte, Karl erst diese, ehe er die Verlobung zugab, gelangte man vorläufig zu keinem Ergebnis.

Friedrich III. ließ nun wieder die Zeit für sich arbeiten. Karl der Kühne verstrickte sich in kriegerische Unternehmungen gegen Eidgenossen und Lothringen, erlitt Niederlage auf Niederlage, mußte schließlich nachgeben, und als er 1477 den Tod fand, vermochte Maximilian endlich die Ehe mit Maria zu schließen: ein neues Buch nicht nur österreichischer, sondern europäischer Geschichte war damit aufgeschlagen.

Diesem großen, in seinen möglichen Folgen eher geahnten als verstandenen Erfolge gegenüber entwickelten sich die Dinge in Österreich fürs erste höchst ungünstig. Friedrich III. hatte den einst von Matthias sehr geförderten, dann um eines anderen Günstlings willen fallen gelassenen Erzbischof Johann Beckenschlager von Gran, der mit seinen großen Schätzen zu ihm geflohen war, auf den Erzstuhl von Salzburg gebracht — nicht umsonst, versteht sich. Matthias nahm dies und anderes zum Anlaß bewaffneten Vorgehens.

Obwohl der Kaiser, der sich bald nach Linz zurückzog, dem bedrängten Lande nur geringe Hilfe zuwenden konnte, artete das Unternehmen, das sich Matthias als militärischen Spaziergang vorgestellt haben mochte, zu dem er sogar seine Gattin mitnahm, in einen jahrelangen schweren Krieg aus, denn die österreichischen Städte wehrten sich heftig und erst 1485 vermochten die Ungarn Wien zur Übergabe zu zwingen. Matthias, der Stadt und Universität seinen Hohn fühlen ließ, residierte nun hier, wagte aber doch nicht, über

die Enns vorzudringen. So hat er sein großes Konzept nur unvollkommen ausführen können: von den böhmischen wie von den österreichischen Ländern hatte er bloß die östlichen Gebiete in seine Gewalt gebracht.

In die späteren 1480er Jahre fielen noch zwei für den Kaiser erhebliche Ereignisse. Die
deutschen Fürsten haben 1486 seinen Sohn Maximilian I. zum König gewählt, um so die
seit Jahrzehnten schwelende Frage einer permanenten Statthalterschaft in einem Sinne zu
regeln, der dem alten Herrn annehmbar sein mußte. Nichtsdestoweniger scheint dieser
den Vorgang gar nicht sonderlich begrüßt zu haben, obwohl dadurch zum ersten Male seit
langer Zeit die Nachfolge des Sohnes, so wie es Eneas Silvius 1438 vorausgesehen hatte,
gesichert wurde; Friedrich III. blieb nach wie vor ängstlich bedacht, das Heft in der
Hand zu behalten und seinem Sprößling, dessen temperamentvolle Art ihn möglicherweise schon mit Besorgnis erfüllte, keine wesentlichen Entscheidungen zu gestatten: *Ne
des honorem tuum alieno!* Zwei Jahre später mußte der Vater den von den Bürgern von
Brügge gefangengesetzten und am Leben bedrohten Sohn mit Reichstruppen befreien,
ohne freilich auf die weiterhin sehr beengte Stellung des in Burgund zeitweilig nicht einmal als Vormund seiner eigenen Kinder anerkannten Maximilian irgendeinen Einfluß
nehmen zu können.

In demselben Jahr 1488 erforderte die gefährliche Mißwirtschaft Herzog Siegmunds
noch einmal persönliches Einschreiten des alten Kaisers, und zwar in Tirol, wo er sehr
energisch durchgriff und nach Ächtung der „bösen Räte" seines Vetters die Ordnung wie-
derherstellte. Bald darauf hat Siegmund in Erkenntnis seiner Insuffizienz die Regierung
dem König Maximilian I. überlassen. So konnte Friedrich III. das große Programm seines
Daseins — die Wiedervereinigung des ganzen „Hauses Österreich" in einer Hand, nämlich in der seines Sohnes — für nahezu erfüllt ansehen, wenn es noch gelang, die Ungarn
aus Österreich zu vertreiben.

Dies wurde wider alles Erwarten ebenfalls schon 1490 zur Tat. Matthias starb in der Burg
zu Wien, und nun galt es, die 1463 dekretierte Nachfolge der Habsburger in Ungarn geltend zu machen, denn der König hatte, so wie Karl von Burgund, keinen legitimen Sohn
hinterlassen. Vor allem aber mußte Österreich entsetzt werden, auf das Maximilian I. um
seiner burgundischen Besitzungen willen fast schon hatte verzichten wollen — der Vater
rief ihn zur Pflicht, und es erwies sich, daß die Aufgabe gar nicht so schwierig war: die
kleine Besatzung in der Wiener Burg ergab sich bald. Ungarn zu gewinnen, war freilich
nicht möglich; dort wählte man nun ebenfalls den Jagellonen Wladyslaw zum König, und
im Vertrag von Preßburg 1491 mußten sich die Habsburger mit der Erneuerung der
Konstruktion von 1463 begnügen, wohl ohne zu ahnen, wie bald sie auch in diesem Lande
nachrücken sollten.

Damit klang Kaiser Friedrichs III. Lebenswerk aus. Er hatte sich in Linz — nun nicht
mehr in der teils verfallenden, teils durch Blitzschläge schwer geschädigten Burg, sondern
in einem Stadthause — ruhiger Kontemplation hingegeben und schloß am 19. August 1493
nach kurzer Todeskrankheit die Augen.

Dieser Überblick über sein mehr als fünfzigjähriges Regentendasein würde unvollständig sein, wollte man nicht auch dem gemeinhin als rätselhaft bezeichneten Individuum Friedrich einige Beachtung widmen.

„Ihr wißt ja, wie er ist", schrieb Eneas Silvius einmal mit ungewohnter Vertraulichkeit dem, der Friedrich III. wirklich gut kannte, nämlich Thomas Ebendorfer [60]; wie war er also als Mensch?

Seine körperliche Erscheinung ist nicht nur durch etliche recht genaue Beschreibungen, sondern auch durch verhältnismäßig reiche ikonographische Denkmale, von den reiferen Jahren bis ins Greisenalter, so weit gesichert, daß man sich ihn recht wohl vergegenwärtigen kann. Er war kein kleiner Mann — mehr als Mittelgröße wird ihm zugeschrieben — und der hohe Wuchs galt damals noch für ein Familienmerkmal der Habsburger [61]. Sein von weißlichblondem Haar umrahmtes, nicht sehr ausdrucksvolles, blasses Gesicht nahm mit der Zeit eine gewisse Schärfe an, die sowohl durch die starke Nase wie durch Magerkeit der Wangen und schließlich Zahnverlust im vorderen Oberkiefer hervorgerufen wurde. Wenn man ihm einen starken Thorax anrühmte, so hat er doch niemals Neigung zur Korpulenz gezeigt, obwohl er nicht viel Bewegung machte und eine geruhsame Lebensweise liebte. Bei seiner überaus mäßigen, geradezu diätartigen Ernährungsweise — es ist möglich, daß sie ihm wegen eines Magenübels von seinen Ärzten verordnet worden war — würde, solange keine anderen Leiden hinzutraten, kaum Fettleibigkeit zu befürchten gewesen sein. Auch im Trinken war er überaus mäßig; Wein genoß er, wenn überhaupt, nur mit Wasser gemischt, im übrigen Fruchtsäfte oder Traubenmost und zu jeder Jahreszeit besonders wasserhaltiges Obst wie Birnen, Pfirsiche, Melonen, oft in großen Mengen — am Genuß von Melonen, die er auf nüchternen Magen verzehrte, soll er denn auch zugrundegegangen sein [62]. Nichts war ihm ekelhafter als ein Betrunkener und seine Gattin Eleonora teilte diesen Abscheu mit ihm. So erklärt sich gutenteils seine *solida senectus* [63].

Gleich seinem Ahnherrn König Rudolf liebte auch er schlichte Kleider — *vestem haud splendidam* [64], pflegte aber stets einen schwer vergoldeten Dolch im Gürtel zu tragen und sich von seinem Schwert nicht zu trennen, was wohl eher eine Vorsichtsmaßregel war als eine Äußerung ritterlicher Prunkliebe. Wo es aber die Ostentation erforderte, präsentierte er sich in Staatsgewändern, deren Kostbarkeit angeblich ebenso Neid erwecken sollte wie die Opulenz der Gastmähler, die zu geben seine hohe Würde bisweilen nötig machte. Jedenfalls wußte er sehr wohl, was er seinem *splendor* schuldig war. In der Betonung seines phlegmatischen Temperaments sind alle Schilderungen einig. Er sprach für gewöhnlich nur wenig oder gar nicht, zeigte höchst selten Zeichen der Aufregung oder gar Neigung zu Wortattacken [65]. Er ließ sich — scheinbar — überhaupt viel gefallen, ohne sofort zu reagieren, zuviel für den Geschmack seiner südländischen Gattin, die ihren Unmut darüber in oft recht drastischer Weise geäußert haben soll [66], worauf er dann lächelnd meinte, die Zeit werde ihn rächen.

Die Zeit? Sie hat ihn in der Tat in vielen Fällen „gerächt", wenn man darunter verstehen will, daß er am Ende gegen seine Widersacher rechtbehalten durfte; aber er hat auf seine

Weise gelegentlich auch selbst etwas dazu getan. Denn sein Gleichmut war ohne Zweifel oft genug bloße Maske — *dissimulatio*, wie man es damals nannte und von der sein Vorgänger Kaiser Siegmund behauptet haben soll, daß man ohne sie gar nicht regieren könne [67]. Dieser stille Mann konnte hassen, unversöhnlich und gnadenlos, sobald er sich tief verletzt fühlte: dies hat außer seinem Bruder vor allem Andreas Baumkircher erfahren, der geköpft wurde, und der unglückliche Kaspar Wendel, der wegen Versuches der Entführung des Ladislaus im Kerker schmachten mußte. Bezeichnend ist, daß Friedrich III. so lange nicht den Toison-Orden annahm, als König Matthias lebte, denn als Vließritter hätte er sich mit ihm versöhnen müssen, und das wollte er nicht. Ein Zeitgenosse behauptete, in Friedrichs Besitz einen Schrank gesehen zu haben, auf den der Spruch gemalt war [68]:

Swer mir ieht tût,

Der frid worde nye so gût:

Seh ich in an,

Ich gedenkh im daran!

Allein diese Rachsucht — kaum vergleichbar der *bella vendetta* der Renaissanceitaliener — wurde immerhin kompensiert durch die Fähigkeit zur Dankbarkeit, wie er sie namentlich Georg von Poděbrad erzeigte: soviele Schwierigkeiten ihm dieser auch bereitet hatte, die Befreiung aus der Not von 1462 lohnte er ihm durch Intervention bei Pius II., um den ersten Ketzerprozeß von Georg abzuwenden.

Seine religiöse Gefühlswelt läßt sich nicht leicht durchschauen, scheint aber im Grund primitiver Art gewesen zu sein. Im Sinne seines Jahrhunderts war er sicherlich ein frommer Christ: er fastete, wie es sich gehörte, zumal es ihm bei seiner Lebensweise nicht schwer gefallen sein wird, und wenn er auch kein passionierter Wallfahrer war wie seine Mutter, so ließ er es an öffentlicher Devotion nicht fehlen. Er hat geistliche Anstalten und Kirchen nach Kräften bewidmet, Kirchen erbauen lassen und Klöster gegründet, aber vermutlich selbst dafür gesorgt, daß dies an seinem Grabmal verewigt werde [69]. Mönchische Neigungen wie Herzog Albrecht IV. hatte er nicht, aber der Klerisei bewies er stets Hochachtung, zumal er in der Laienwelt nicht allzu viele Freunde hatte und mehr als einmal seine politische Position nur mit Hilfe der Kirche festigen konnte. In Rom vergaß man ihm die Obödienzleistung von 1447 nicht und kam ihm gerne entgegen, zumal er im übrigen ein bequemer *imperator* und, im Vergleich mit anderen Fürsten, verhältnismäßig nicht allzu unbescheiden war. Schon 1448 hat er die Goldene Rose, später auch das geweihte Schwert und den Hut erhalten. Bloß daß er selbst seine Machtlosigkeit gar zu deutlich demonstrierte und in der Osmanenfrage zu keinem energischen Handeln zu bewegen war, hat ihm in den Augen der Kurialen geschadet [70]. Superstitionen im religiösen Bereich hing er nicht an; sein Christophoruskult war nicht nur eine Modesache der Zeit, sondern gewissermaßen eine Pertinenz des Mäßigkeitsordens in Innerösterreich, dem er selbst auch angehörte. Unter den Andachtsbüchern aus seinem Besitze befindet sich ein Gebetbuch, dessen Kalendar beweist, daß er ungefähr dieselben Schutzheiligen verehrte wie sein Vater [71]; eine besondere Vorliebe hegte er für den heiligen Georg [72], dem zu Ehren er einen Ritterorden stiftete, der freilich zu schwach dotiert war, als daß er sich hätte lange halten können [73]. So wie Rudolf IV. die Angehörigen des Wiener Domkapitels auffällig kleidete, so hat Friedrich III. eine merkwürdige weißlinnene, vorne und rückwärts mit roten Kreuzen versehene Klerikergewandung eingeführt, die nicht nur literarisch [74], sondern auch bildlich belegt ist. Aberglaube besonderer Art, dem er huldigte, namentlich die Überzeugung von der Möglichkeit der Zauberei, gehörten eher in den Bereich der allgemeinen Vorurteile seines Zeitalters [75].

Frauen haben in seinem Leben keine wesentliche Rolle gespielt. Man hört nicht das Geringste von intimen Beziehungen oder gar unehelichen Kindern. Selbst seiner Gattin begegnete er mit wunderlicher Gelassenheit; wenn er beim ersten Anblick ihrer kleinen Gestalt blaß geworden sein soll, so mag ihn wohl nur der Gedanke an die Nachkommenschaft dazu bewogen haben. Möglich wäre es freilich, daß er in jungen Jahren einmal schlechte oder wenigstens sehr schmerzliche Erfahrungen gemacht habe, denn er hat in sein Memorandenbuch eine der damals gängigen Varianten des letzten Verses des Nibelungenliedes eingetragen [76]. Die geistig sehr regsame Kaiserin Eleonora hat da und dort auf eigene Hand ein wenig Politik gemacht, besonders in Personalfragen, doch von Einmischung in die Regierung des Gatten kann keine Rede sein — dies würde Friedrich III. niemals gestattet haben.

Seine Bildung und sein geistiger Horizont lassen sich in den Hauptzügen rekonstruieren. Gewiß ist, daß er Latein verstand, schrieb und sprach; seine Konversation mit Eneas Silvius z. B. kann nur so stattgefunden haben, obgleich dieser ihn tadelte, weil er zu wenig lateinisch spreche. Im Affekt entfuhren ihm dann mittendurch deutsche Sätze, während er in einem deutschen Gespräche ganz unvermittelt lateinisch einsetzen konnte, wenn er seinen Worten eine gewisse Feierlichkeit geben wollte. Über die Qualität seiner lateinischen Rede hat sich niemand zu äußern gewagt; eigenhändige Notate lassen auf eine durch die Landessprache tingierte Aussprache schließen und zeigen im übrigen die orthographischen Unarten seiner Umgebung. Wenn aber ein Satz, den der Kaiser in seiner letzten Lebenszeit mittendurch gesprochen hat [77], von ihm wirklich so formuliert wurde, wie er überliefert wurde, so muß man zugeben, daß ein Ebendorfer sehr oft inkorrekter schrieb.

So versteht es sich, daß der Kaiser — wenn er wollte — ohne weiteres auch literarisch schwere Kost, Fachliteratur aller Art, mit einigem Verständnis lesen konnte, und alle die Leute, die ihm kanonistische, medizinische, astronomische, politische, historische und poetische Bücher widmeten, konnten auf Beachtung rechnen. Die maliziöse Glosse des Eneas in einem Brief — der Adressat möge bedenken, daß an diesem Hofe Bücher ungelesen liegen blieben [78] — darf sicherlich nicht verallgemeinert werden, zumal es sich in diesem Fall um lateinische Poesie handelte, für die Friedrich III. nicht viel übrig hatte. Er hat auch eine im Laufe der Zeit auf weit über sechzig Bände angewachsene Bibliothek besessen [79], die freilich größtenteils aus Dedikationsexemplaren und ererbten Bänden bestand —

mag sein, daß der eine oder andere noch aus dem Besitz seines Vaters Ernst herrührte. Thematisch ist darunter fast alles vertreten, was einem gebildeten Manne von damals einigermaßen zugänglich sein konnte. Gleichwohl wird man die Umrisse seines intellektuellen Horizonts nicht nur, ja nicht einmal vorwiegend, auf seinen Besitz an Literatur gründen dürfen, sondern auf Wahrnehmungen anderer Art.

Seine Anschauungen vom Kosmos waren ohne Zweifel veraltet. Von den aufregenden Erkenntnissen der „Wiener Schule" der Astronomie in seiner Aera, von den Errungenschaften eines Johann von Gmunden und Georg Aunpeck von Peuerbach, konnte er nicht einmal näherungsweise die richtige Vorstellung haben, weil ihm das mathematische Rüstzeug fehlte. Ob er imstande gewesen sei, Tabellenwerke richtig zu benützen, ist mehr als fraglich; wahrscheinlicher ist dies hinsichtlich der Uhren, Kompasse und anderer Hilfsmittel, von denen er wohl das eine oder andere selbst bestellt haben könnte. Es kam ihm wohl kaum so sehr auf das Verständnis der Himmelsmechanik als auf die astrologische Ausdeutung der Phänomene an, die — wenn man nur Sicheres wüßte! — nicht selten auf seine Entschlüsse eingewirkt haben wird. Hauptsache war für ihn die Berechnung der Horoskope seiner Zeitgenossen, um daraus ihren Charakter, ihre Schicksale und wohl auch ihr Todesjahr bestimmen zu können. Daß er es vermochte, den Planetenstand für ein bestimmtes Datum selbst zu errechnen, ist nicht anzunehmen; hierin ließ er sich von seinen Beratern, etwa dem Hofastrologen Johann Nihil, die nötigen Angaben liefern. Seinem Sohne hat er, wenigstens nach Grünpecks Behauptung, mehrmals den ganzen Lebensgang „vorausberechnet". Im ganzen war Friedrichs III. Weltbild echt mittelalterlich, also „wunderbar", in jeder Einzelheit „bedeutsam". Wie an die Gestirne und ihren „Einfluß" glaubte er auch an die mystischen Eigenschaften der Steine, namentlich der Edelsteine, und hierin erwarb er gleich Rudolf IV. echte Kennerschaft — es soll unmöglich gewesen sein, ihn mit gefälschten Objekten zu betrügen. Wieviel Superstition die Auswahl der Steine für seine Insignien und den berühmten Kaisermantel — insgesamt auf die für jene Zeit phantastische Summe von einer Million Gulden geschätzt — bestimmte, läßt sich kaum ahnen; nebstbei wollte er durch diese Protzerei vermutlich auch seine Kreditwürdigkeit demonstrieren. Daß er sich auch in der Chiromantie und Physiognomik versuchte, kann nicht überraschen, noch weniger, daß er Gold „machte" und ein Lebenswasser destillierte, das viele Krankheiten heilen sollte — man darf ihm dies nicht übelnehmen, denn sein sehr viel höher gebildeter Nachfahre Rudolf II. ist in demselben Wahne befangen gewesen und noch zu Kaiser Franz Josefs I. Zeiten wurde auf Grund wissenschaftlicher Gutachten das Münzamt in Wien für die Goldmacherexperimente zweier Italiener zur Verfügung gestellt [80].

Anders als Maximilian I., der auf dem Sterbebette hinsichtlich gewisser abergläubischer Praktiken Gewissensskrupel litt, scheint Friedrich III. niemals über die Vereinbarkeit seiner Spielereien mit der Rechtgläubigkeit in Sorgen geraten zu sein, wie denn die Theologie überhaupt seine schwächste Seite gewesen ist. Die Jurisprudenz verabscheute er und dem Humanismus stand er die längste Zeit zumindest verständnislos gegenüber; der Aufforderung seitens des Eneas, dichterische Ehrungen anzunehmen, was ungefähr soviel bedeutete wie die vielgesuchte *publicity* von heute, folgte er kaum, denn es war ihm nicht nur gleichgültig, was die Leute von ihm dachten und redeten [81], sondern es würde auch Geld gekostet haben, was die vielen Klagen über seinen „Geiz" erklärt — die „Poeten" rächten sich. Erst in den letzten Jahren hat er allmählich den möglichen Wert der *humaniora* in Verbindung mit dem *ius Romanum* für das dem Absolutismus zustrebende Fürstentum erkannt, weshalb er selbst für die Berufung eines Humanisten an die Wiener Universität eintrat. Nichtsdestoweniger hat eben Konrad Celtes die boshaften Verse auf ihn verfaßt:

> *Dat caesar laurum, sed non vult caesar amare*
> *Laurum; barbaricos plus amat ille modos* [82],

womit er freilich nicht ganz unrecht hatte.

Echt war Friedrichs III. Interesse an Geschichtsliteratur, doch durfte sie nicht zu lang geraten; er hat wohl Ebendorfer zur Abfassung einer Kaiserchronik angeregt, dann aber das umfangreiche Werk abgelehnt und vom Verfasser eine Art Abrégé gefordert. Die Vergangenheit soll auch sein liebster Gesprächsgegenstand gewesen sein; da konnte der sonst so wortkarge Mann, etwa im Anschluß an ein offizielles Diner, ungemein gesprächig werden, und weil er doch viel gehört, manches gelesen und sehr viel erlebt hatte, vermochte er seinen Gästen *vite sue gesta fortuitosque casus et maiorum suorum historias* bis nach Mitternacht zu erzählen [83] — schade, daß darüber keine Aufzeichnungen vorliegen. Neben der Geschichte zog ihn die Staatslehre an; unter seinen Büchern befand sich u. a. des Alexander von Roes *De prerogativa Romani imperii,* und das *Viridarium regum et imperatorum Romanorum* des Dietrich von Nieheim, bzw. die schöne Abschrift, die für König Albrecht II. bestimmt gewesen war [84], ließ er vollenden und mit seinem Eignerzeichen *aeiou* versehen [85]; Eneas Silvius und später Peter von Andlau haben ihm ihre Traktate über das *imperium* gewidmet. Es ist also vor allem „Reichsliteratur" gewesen, gleichwie er von Ebendorfer eine Reichsgeschichte verfassen ließ. Daraus und auch aus anderen Quellen legte er sich sein königliches und kaiserliches Pathos zurecht, deduzierte er aber auch manche Grundsätze seiner Regierungsweise, die auf Identifikation der Fürstenmacht mit der Staatsgewalt zustrebten. Daß ihm dies dem „Reiche" gegenüber nicht gelingen werde, sah er bald ein; umso zielstrebiger handelte er als Landesfürst, als der er sich ja höher vorkam als ein gewählter Herrscher. Anderseits hat er aber doch, der politischen Taktik seines Hauses getreu, dem „Staate" gegenüber stets eine gewisse Distanz gehalten — die Dynastie suchte stets außerhalb oder oberhalb zu stehen. Im übrigen war aber Friedrich III. sehr bedacht, die Zügel in seiner Hand zu wissen. Er hat im Laufe der Jahrzehnte eine große Anzahl Räte und Diplomaten gehabt, aber sie scheinen — Schlick und Eneas ausgenommen — kaum wesentliche Fragen mitentschieden zu haben. Bezeichnend ist die Art, wie er etwa Ebendorfer Reden in einem Sinne halten ließ, den er innerlich gar nicht mehr hegte; nicht minder bezeichnend, daß er selbst für den schriftlichen Verkehr mit seinen Geschäftsträgern — wohl wieder in Nachahmung Rudolfs IV. — einen Chiffreschlüssel ersann, zu dem er stolz vermerkte: *hab ich selbs erdacht* [86].

Daß er einen nennenswerten Kundschafter- und Konfidentendienst unterhalten habe, ist nicht wahrscheinlich, weil dies mehr Geld gekostet haben würde, als er dafür auszugeben willens war. Notorisch war jedenfalls die Schäbigkeit, mit der er seine Gesandtschaften zusammenstellte; einem Albrecht II. würde es niemals eingefallen sein, sich beim Konzil von Basel von so bescheidenen Leuten vertreten zu lassen wie Friedrich III. beim Kongreß von Mantua — Papst Pius II. fühlte sich geradezu persönlich beleidigt und schickte die Gesandten zurück mit der Bemerkung, daß es sich für den Kaiser wohl schicke, eine vornehmere Vertretung abzuordnen, und auch das Geleite, das er seiner Braut von Portugal nach Italien beistellte, hat großes Befremden erregt. Allzu haushälterische Sparsamkeit — ohne Zweifel oft am unrechten Orte — hat ihm viele Mißgunst geschaffen, doch mit der ihm eigenen Unbekümmertheit setzte er sich darüber hinweg.

Daß er sich mit den fehderechtlichen Anschauungen seiner Zeitgenossen nicht befreunden konnte, versteht sich. Schon sein erster Reichstag suchte dieses Verfahren als irregulär zu brandmarken, doch soviele Kreise damit auch einverstanden waren, durchführen ließ sich dies noch lange nicht, und gerade in den österreichischen Ländern kamen dem Landesfürsten unzählige, zeitweilig geradezu massenweise, „Absagen" zu. Gegenstand der ewigen Reibereien waren meist finanzielle Meinungsverschiedenheiten, doch auch Fälle prinzipieller Auflehnung im Gewande einer „Fehde" sind vorgekommen, nicht zuletzt aus instinktsicherer Witterung des neuen Kurses, den das Landesfürstentum einzuschlagen begann.

In der herrschenden Wirrnis unabhängiger und sich mehr oder weniger selbständig fühlender Faktoren des politischen Lebens konnte die auf die Dauer unerläßliche Ordnung nur von oben her geschaffen werden. Das Landesfürstentum mußte die herkömmliche feudalistische Staatsauffassung, derzufolge der Staat als lehnbares Eigentum der Dynastie erschien, einmal selbst aufgeben, Unteilbarkeit und Primogenitur durchsetzen und überhaupt „die fürstliche Stellung der privatrechtlichen Verbildung, in der sie sich selbst untreu geworden, wieder zur Hoheit einer wirklichen Staatsgewalt erheben" [87], worauf die Bedeutung seines Gegenpols im dualistischen System, der Stände, von selbst zurücktreten mußte. Mag man Friedrichs III. Widerstand gegen illegale, d. h. ohne sein Einverständnis zusammentretende Landtage [88] als Folge seines schlechten Gewissens betrachten und in seiner Beharrlichkeit, neue Einnahmequellen zu erschließen, eine Äußerung seiner Habsucht erblicken, so sind diese Bestrebungen doch symptomatisch für die Intentionen einer neuen Zeit, deren Zeichen Friedrich III. sehr wohl erkannte. Man hat, nicht mit Unrecht, in der Durchsetzung namentlich des allgemeinen Besteuerungsrechtes sogar ein Mittel zur Gründung der modernen Staatsgesinnung ersehen wollen [89]. Diese Entwicklung ist überdies durch die technische Evolution gefördert worden. Mit dem Aufkommen der Feuerwaffen ist die für das Mittelalter kennzeichnende Überlegenheit der Verteidigungsmittel gegenüber der Angriffswaffe gebrochen worden: die Burgenherrlichkeit der Feudalherren begann zu wanken und dreihundert Jahre später sind sie zu einem zahmen Hofadel geworden.

So ist Friedrichs III. Walten aus der Geschichte der Staatswerdung Österreichs nicht wegzudenken. Recht besehen ist auch, allen Klagen zum Trotze, das „Reich" mit ihm keineswegs so schlecht gefahren: wenn er nichts schuf oder das Begonnene nach den ersten Widerständen weislich auf sich beruhen ließ, so hat er doch nichts Wesentliches verdorben. Aus dem Buche Koheleth hat er sich einmal die Worte aufgeschrieben: *Omnia tempus habent* [90]. So ließ er auch hier die Zeit alleine arbeiten und man sollte, anstatt ihn zu tadeln, lieber fragen oder berechnen, wieviel Wirrsal und Greuel dem deutschen Volke gerade durch seinen Mangel an dem, was man heutzutage „Dynamik" nennen müßte, erspart geblieben ist. Hierin erscheint er wie eine Präfiguration Kaiser Rudolfs II., dem Grillparzer Worte zuwies, die sehr wohl auch von Friedrich III. hätten gesagt werden können:

> *Zudem gibts Lagen, wo ein Schritt voraus*
> *Und einer rückwärts gleicherweis' verderblich;*
> *Da hält man denn sich ruhig und erwartet,*
> *Bis frei der Weg, den Gott dem Rechten ebnet.*

Schließlich noch einen Blick auf sein Privatleben, das man eher spießbürgerlich als fürstlich nennen muß. Ein stiller Gartenfreund und Pflanzenkenner, doch ohne den bukolischen Einschlag seines Großonkels Albrecht III., stand Friedrich III. mit seiner bescheidenen Lebenshaltung in wahrnehmbarem Gegensatze zu seinen verschwenderischeren Vorgängern Siegmund und Albrecht II., vollends zu seinem leichtsinnigen Bruder Albrecht VI., den noch Cuspinianus einen *decoctor hereditatis paternae* genannt hat. Gleichwohl kann man die Wiener Neustädter Hofhaltung nicht eigentlich als unstandesgemäß bezeichnen, zumal wenn es auf Repräsentation ankam; für seine Person jedoch blieb Friedrich III. von äußerster Sobrietät. Während es damals für Männer wenn nicht gerade für unschicklich, so doch für seltsam galt, im Wagen zu fahren anstatt zu reiten, setzte er sich über dieses wie über manche andere Urteile und Vorurteile seiner Zeit souverän hinweg. Allem Modewesen war er grimmig feind, besonders der mehr als unschicklichen Frauenmode und der noch skandalöseren Männerkleidung, ganz besonders aber dem Tanzen — lieber wolle er fieberkrank werden als da mittun, soll er gesagt haben.

Sein täglicher Rhythmus wich vom normalen erheblich ab, indem er spät zu Bette ging, zunächst nur vier bis fünf Stunden schlief, dann mit dem diensttuenden Personale plauderte oder Geschäftsstücke erledigte, um dann weiter in den Tag hinein zu schlafen und jeden furchtbar zu begroben, der ihn störte [91]. Man hat damals langes Schlafen den Königen sehr übelgenommen — es gehörte zu den Begründungen der Absetzung Adolfs von Nassau [92] und noch über Ludwig II. von Ungarn hat man sich deswegen sehr beklagt. So könnte diese Nachrede eine der nicht wenigen Verleumdungen des Kaisers gewesen sein, doch wird sie von einem Manne berichtet, der ihm überaus wohlgesinnt war. Im hohen Alter, als er schon in Linz weilte, soll er sich Zimmerchen zum Nachdenken (*contemplatoria*) [93] eingerichtet haben, um völlig ungestört seinen astrologischen und anderen

Liebhabereien nachhängen zu können; es bezeichnet die Rohheit des Zeitalters, daß die frivole Lebewelt ihm deshalb nachsagte, er sei bereits verblödet, sammle Mäusekot und fange Fliegen — was ihn aber keineswegs aufregte. Ob es wahr ist, daß er zeitlebens Türen mit dem Beine auf- und zuzustoßen, wohl auch zu zertrümmern pflegte [94], steht dahin; sicherlich ist es nicht die Ursache des Altersbrandes gewesen, der die Amputation eines Beines nötig machte.

Der Leichnam wurde von Linz nach Wien überführt, wo zu St. Stephan feierliche Exequien gehalten wurden. In der ungemein regen Anteilnahme zeigte sich, daß Friedrich III. doch nicht aus der Welt geschieden war, ohne schließlich manches Wohlwollen gefunden zu haben, das man ihm in seinen jungen Jahren versagt hatte. An seinem Sarge mag vielen bewußt geworden sein, daß man an einer großen Zeitenwende stehe: mit dem letzten in Rom gekrönten Kaiser versank eine zwar keineswegs großartige, aber als Vorbereitungszeit überaus wichtige Epoche Deutschlands und Österreichs, die man mit Fug doch als die seine bezeichnen darf. Das alte Heilige Reich mittelalterlicher Prägung war dahingeschwunden und ein Kaisertum ganz anderer Art sollte die Zukunft bestimmen. Insoferne hatte der alte Herr ganz recht, wenn er — pathetisch, oder doch ein wenig ironisch? — sagte: *In Friderici imperatoris incolumitate salus imperii consistit* [95].

Das einleitende Zitat wurde mit Bezug auf ein Apophthegma gewählt, das Friedrich III. zur Begründung seiner Langmut vorgebracht haben soll; siehe Marquard F r e h e r und Burcard Gotthelf S t r u v e, Rerum Germanicarum Scriptores 2 (Straßburg 1717), p. 398.

1. W a l t e r, Andreas, Die neuere Beurteilung Kaiser Maximilians I., Mitteilungen des Instituts für österreichische Geschichtsforschung (fortan MIÖG) 33 (1912), 320 ff.

2. Schon Papst Calixtus III. hat geklagt, daß der Kaiser schlafe; Ludwig Fhr. v. P a s t o r, Geschichte der Päpste seit dem Ausgange des Mittelalters 1^{12} (Freiburg i. B. 1955), S. 733.

3. C h m e l, Joseph, Geschichte Kaiser Friedrichs IV. und seines Sohnes Maximilian I., 1 (Hamburg 1840), 2 (ebendort 1843).

4. S c h o p e n h a u e r, Neue Paralipomena § 521.

5. Herausgegben von Joseph C h m e l in: Der österreichische Geschichtsforscher 1 (Wien 1838), 64 ff.

6. Siehe unten S. 87 ff.

7. J o a c h i m s e n, Paul, Geschichtsauffassung und Geschichtsschreibung in Deutschland unter dem Einfluß des Humanismus 1 (Leipzig und Berlin 1910), S. 216: „ . . . wie er . . . Sympathien zu gewinnen sucht, das ist erstaunlich geschickt gemacht".

8. B u r c k h a r d t, Jacob, Historische Fragmente. Aus dem Nachlaß gesammelt von Emil D ü r r mit einem Vorwort von Werner K a e g i (Stuttgart 1957), S. 104.

9. E b e n d o r f e r, Thomas, Cronica Austrie, her. v. Hieronymus P e z, Scriptores rerum Austriacarum 2 (Leipzig 1725), col. 814, her. v. L h o t s k y MG., SS. rer. Germ., N. s. 13 (1966), p. 301.

10. E b e n d o r f e r (von Ernsts Bruder Herzog Leopold IV.): *procerus statura uti et omnes usque ad hec tempora de Hablsburg pre aliis pollere solebant.*

11. H e r r g o t t, P. Marquard, Monumenta Augustissimae Domus Austriacae 4/1 (St. Blasien 1772), p. 227.

12. K ü m m e l, Emil, Zur Geschichte Herzog Ernsts des Eisernen, Mitteilungen des Historischen Vereines für Steiermark 25 (1877), 10 ohne Quellenangabe.

13. Cod. Vindob. Palat. n. 1246.

14. L h o t s k y, AEIOV, Die „Devise" Kaiser Friedrichs III. und sein Notizbuch, MIÖG 60 (1952), 177 (Bemerkungen zu Nr. 4).

15. Genealogia principum Austriae et Stiriae, her. v. Adrian R a u c h, Rerum Austriacarum Scriptores 1 (Wien 1793), p. 387.

16. S t e i n w e n t e r, Arthur, Beiträge zur Geschichte der Leopoldiner, Archiv für österreichische Geschichte 58 (1879), 428 f., Anm. 3, und S. 429.

17. H e r r g o t t, a. a. O., S. 230 bzw. MG., Necr. 5, 412.

18. Siehe die eigenhändige Notiz im Kalendar des cvp. n. 4494 zu *XI. kal. Oct.*

19. U n r e s t, Jakob, Österreichische Chronik, MG., SS. rer. Germ., N. s. 11, S. 5.

20. Schriftprobe z. B. bei L h o t s k y, AEIOV.

21. E b e n d o r f e r ed. P e z col. 982, ed. L h o t s k y p. 597.

22. A r n p e c k, Veit, Cronicon Austriacum, her. v. Georg L e i d i n g e r in: Quellen und Erörterungen zur bayerischen und deutschen Geschichte, N. F. 3 (München 1915), p. 845.

23. S i l v i u s, Aeneas, Pentalogus, her. v. Bernhard P e z, Thesaurus anecdotorum novissimus 4/3 (Graz 1723), col. 639.

24. Herr Univ.-Prof. Dr. Konradin Ferrari-d'Occhieppo hatte die große Güte, den Planetenstand zu berechnen.

25. E b e n d o r f e r, Cron. Austr. ed. P e z col. 811, ed. L h o t s k y p. 293 f.

26. Verhandlungsbericht der Delegierten Herzog Friedrichs IV. aus Wiener Neustadt vom 11. Juni 1435: *Item von der pücher wegen, die hat er* (Friedrich) *auch besehen und uns geantwurtt, das die seins vatter sein gewesen ... begert ir der zwaie, dreyer oder vierer, der sey er euch willig ze vervolgen lassen;* Jahrbuch der Kunsthistorischen Sammlungen des ah. Kaiserhauses 1 (1883), Reg. n. 41. Bei dieser Gelegenheit wurde auch schon die Kanzlei des jungen Herzogs erwähnt. Vgl. dazu L h o t s k y in: Festschrift des Kunsthistorischen Museums in Wien 1891—1941 II, Die Geschichte der Sammlungen (Wien 1945—1948), S. 47 ff., sowie Unterkircher, hier, S. 218 ff.

27. Eintragung im Memorandenbuche Friedrichs III., siehe L h o t s k y, AEIOV, S. 185, Nr. 38: *1439 in der fasten hat mir der Kreiger aus meinem gebelb gestoln, als mich pedunckh, mer dann II^M gulden, ut schio;* andere Klagen über den Krayg ebd. S. 180, Nr. 20.

28. E i c h l e r, Fritz, und K r i s, Ernst, Die Kameen im Kunsthistorischen Museum, Publikationen aus den Kunsthistorischen Sammlungen in Wien 2 (Wien 1927), S. 6, Anm. 4.

29. London, Brit. Mus. cod. Add. n. 24071 eigenhändig; vgl. L h o t s k y, AEIOV, S. 167 (unten).

30. H u b e r, Alfons, Geschichte Österreichs 3 (Gotha 1888), S. 280.

31. C h m e l, Geschichte K. Friedrichs IV. 1, 14 u. ö.

32. H u f n a g e l, Otto, Caspar Schlick als Kanzler Friedrichs III., MIÖG Erg. 8 (1911), 283 ff.

33. Andere Beispiele bei C h m e l a. a. O.

34. L i c h n o w s k y, Eduard M., Geschichte des Hauses Habsburg 5 (Wien 1841), Reg. n. 3603.

35. L i c h n o w s k y, n. 3582.

36. Memorandenbuch, L h o t s k y, AEIOV, S. 198, Nr. 9.

37. G r ü n p e c k, Joseph, Historia Friderici IV. et Maximiliani I., her. v. Joseph C h m e l in: Der österreichische Geschichtsforscher 1 (1838), 71.

38. L h o t s k y, AEIOV, S. 186, Nr. 43.

39. G r ü n p e c k, S. 71.

40. Siehe die Abbildung in der Grünpeck-Handschrift: Otto B e n e s c h und Erwin A u e r, Die Historia Friderici et Maximiliani (Berlin 1957), Tafel 7, dazu S. 117.

41. MG., Dte. Chron. 6, 223.

42. L h o t s k y, Zur Königswahl des Jahres 1440, Deutsches Archiv für Erforschung des Mittelalters 15 (1959), 166 ff.

43. U n r e s t, S. 5.

44. Memorandenbuch, L h o t s k y, AEIOV, S. 184, Nr. 37.

45. Memorandenbuch, L h o t s k y, AEIOV, S. 180, Nr. 18, dazu den Bericht des Stephan von Spannberg an Johann Schlitpacher vom 8. Dezember 1441 bei Ignaz K e i b l i n g e r, Geschichte des Benedic-tiner-Stiftes Melk in Niederösterreich 1 (Wien 1851), S. 554, Anm. 2.

46. Memorandenbuch, L h o t s k y: (Die Österreicher) *sind vil poser dan Unger oder Pehem gegen ihrer herschaft, darum das, was posheit sie tuend, das geschicht wider ir erblich herschaft, aber die Unger und Pehem die handelnt n u e r wider ir erbelt hern.*

47. E b e n d o r f e r ed. P e z col. 843 sq., ed. L h o t s k y, S. 356: bloß wegen *parvam falsificationem in quadam littera ... per rasuram.* Dieses Urteil war ungewöhnlich hart, weil man solche Vergehen da-mals allenfalls mit Güterkonfiskation oder Verstümmelung bestrafte, vgl. H e r d e, Peter, in: Traditio 21 (1965), S. 291 ff.

48. E b e n d o r f e r ed. P e z col. 843, ed. L h o t s k y, S. 355.

49. E b e n d o r f e r ed. P e z col. 971, ed. L h o t s k y, S. 579: *se papam imperialem aliquando nominare consuevit.*

50. H o c k s, Else, Pius II. und der Halbmond (Freiburg i. B. 1941), S. 156.

51. E b e n d o r f e r ed. P e z col. 869, ed. L h o t s k y, S. 415.

52. Siehe Friedrichs III. Schreiben an Pius II. vom 7. April 1461 bei Ernst B i r k, Urkunden-Auszüge zur Geschichte Kaiser Friedrichs III. in den Jahren 1452—1467, Archiv für Kunde österreichischer Geschichtsquellen 11 (1853), 159: *... quodque ab ausibus huiusmodi forcius rebelles reprimantur ad conservacionem illibatam nostrarum auctoritatum et superioritatum una vobiscum ut cesar concur-remus ea et singula facturi et prosecuturi, que ad incrementa et conservationem statuum nostrorum quomodolibet tendunt.* Es ist in diesem Zusammenhang auch ausdrücklich von *nostra coniunctio* die Rede.

53. E b e n d o r f e r ed. P e z col. 921, ed. L h o t s k y, p. 498: *ausus est dicere se nolle quinquaginta florenorum milia recipere et abiurare se, quod non fieret dux Austrie.*

54. Memorandenbuch, L h o t s k y, AEIOV, S. 159, Nr. 57. Er soll dies auch nach der Katastrophe Kon-stantinopels (1453) gesagt haben; Iohannes N o p p i u s, Aacher Chronik (Köln 1643), p. 50 (Hin-weis Dr. Brigitte H a l l e r). Es handelte sich auch hier bloß um gängiges Sprichwörtergut; vgl. z. B. cod. Sancruc. n. 326, saec. XIV.: *Ne doleas de re irrecuperabili, Ne credas, quod est impossibile, Ne affectes, quod attingere non potes.* Der Gedanke läßt sich aber schon bei Dictys Cretensis (ed. Werner E i s e n h u t in Bibliotheca Teubneriana 1958) als Ausspruch des Diomedes nachweisen (2, 51, p. 59): *Praeterita omittenda sunt neque oportet prudentem meminisse transactorum* usw.

55. II Sam. 12, 19 sqq.

56. S c h ö n b a u e r, Ernst, Sanctiones pragmaticae in alter und neuer Zeit, Anzeiger der Philos.-histor. Kl. der Österreich. Akademie der Wissensch. 90 (1953), 272 f.

57. L h o t s k y — F e r r a r i d ' O c c h i e p p o, Zwei Gutachten Georgs von Peuerbach über Kometen (1456 und 1457), MIÖG 68 (1960), 266 ff.

58. Cvp. n. 3423, fol. 125ʳ: *qui iuxta vulgarem famam in facto ducis Sigismundi connivencia imperatoris se reddidit duriorem in favore cardinalis Nicolai de Chusa.*

59. Darauf bzw. auf cod. Vatic. Ottobon. Lat. n. 1677, fol. 50^v, hat Gerda K o l l e r, Das Kaisertum Friedrichs III., Österreich in Geschichte und Literatur 9 (1965), 528, hingewiesen. Zum Friedensplan Georgs siehe The Universal Peace Organization of King George of Bohemia. A Fiftheenth Century Plan for World Peace (Czechoslovak Academy of Sciences, Prag 1964), p. 69 sqq.

60. Fontes rerum Austriacarum (fortan FRA) II/61, 250 (27. Dezember 1443 an Thomas E b e n d o r f e r): *Is, ut nostis, pauca loquitur, sed ex his paucis colligi plura queunt. Naturam eius nostis et mores.*

61. Siehe oben Anm. 10.

62. G r ü n p e c k, S. 77.

63. So der Propst Arnold de Laleing von Ste.-Marie in Brügge, F r e h e r - S t r u v e 2, 303.

64. Aeneas Silvius, De statu Europae, her. F r e h e r - S t r u v e 2, 86.

65. Immerhin ein vereinzelter Temperamentsausbruch gegen Aeneas Silvius, FRA II/68, 129, dazu L h o t s k y, Aeneas Silvius und Österreich, Vorträge der Aeneas-Silvius-Stiftung an der Universität Basel V (Basel und Stuttgart 1965), S. 53, Anm. 89.

66. G r ü n p e c k, S. 69.

67. F e h e r - S t r u v e 2, 395.

68. L h o t s k y, Eine unbeachtete Chronik Österreichs aus der Zeit Kaiser Friedrichs III., Festschrift des Haus-, Hof- und Staatsarchivs 1 (Wien 1949), S. 541.

69. W i m m e r, Friedrich, und K l e b e l, Ernst, Das Grabmal Friedrichs III. im Wiener Stephansdom (Wien 1924), Nrn. 87, 92, 94, 97, 100, 102, 104.

70. L h o t s k y, Quellenkunde zur mittelalterlichen Geschichte Österreichs, MIÖG Erg. 19 (1963), 418.

71. Cvp. n. 1104.

72. G r ü n p e c k, S. 74.

73. W i n k e l b a u e r, Walter, Der Sankt-Georgs-Ritterorden Kaiser Friedrichs III., eine leider bisher ungedruckte Wiener Dissertation 1949.

74. G r ü n p e c k, S. 74.

75. Geradezu drollig war seine Furcht, daß sein Ehebett von den portugiesischen Kammerweibern seiner Gattin verzaubert worden sein könne; siehe Aeneas S i l v i u s, Historia Frederici III. imperatoris bei Adam K o l l a r, Analecta monumentorum omnis aevi Vindobonensia 2 (Wien 1762), col. 303 sq.

76. Memorandenbuch, L h o t s k y, AEIOV, S. 191, Nr. 80, wozu ein Hinweis auf denselben Gedanken in F r e i d a n k s „Bescheidenheit" und in der Novelle „Euryalus und Lucretia" des Aeneas S i l - v i u s nachgetragen sei.

77. *Conmisimus totum episcopo nostro confessori et quicquid filius noster et ipse fecerit, illa est nostra ultima voluntas;* B a c h m a n n, Adolf, Aus den letzten Tagen Kaiser Friedrichs III., MIÖG 7 (1886), 477.

78. FRA II/61, 218.

79. L h o t s k y, Die Bibliothek Kaiser Friedrichs III., MIÖG 58 (1950), 124 ff.

80. S r b i k, Heinrich v., Die Versuche der Golderzeugung am Hofe Kaiser Franz Josephs I., Anzeiger usw. 69 (1932), 120 ff.

81. In dem eingangs zitierten Apophthegma heißt es weiter: *At nobiscum bene agitur, si verbis tantum impetimur,* mit anderen Worten: bloße Beleidigungen in Worten berührten ihn nicht weiter — es mußte schon derber kommen.

82. Siehe fünf Bücher Epigramme von Conrad C e l t e s, her. v. Karl H a r t f e l d e r (Berlin 1881), z. B. S. 49.

83. G r ü n p e c k, S. 75.

84. Cvp. n. 496.

85. Die Anwendung der fünf Vokale ist schon 1437 in eigenhändiger Niederschrift bezeugt, kann also nicht den ihr ohne Zweifel später unterlegten anspruchsvollen Sinn gehabt haben. Friedrich III. hat sehr wahrscheinlich überhaupt keine wörtliche Deutung dafür gehabt; über die möglichen superstitiösen Hintergründe siehe L h o t s k y, AEIOV.

86. L h o t s k y, S. 182, Nr. 31.

87. S p a n g e n b e r g, Hans, Vom Lehnstaat zum Ständestaat (Historische Bibliothek 29, München und Berlin 1912), S. 134.

88. Memorandenbuch, L h o t s k y, AEIOV, S. 181, Nr. 24: *Ain jeder furst, der da regiren wil gebaltichlich nach seinem nucz und geffallen, der huet sich fur ire (?) pesamung.*

89. S p a n g e n b e r g, S. 191.

90. Memorandenbuch, L h o t s k y, AEIOV, S. 189, Nr. 51.

91. G r ü n p e c k, S. 75.

92. E b e n d o r f e r, ed. L h o t s k y, S. 191, Anm. 8.

93. G r ü n p e c k, S. 72.

94. C u s p i n i a n u s, Ioannes, De caesaribus (Opera, Frankfurt 1601), p. 411: *nam pede illo sepissime claustra foresque ac portas omnes fregit ac disiecit* — eine liebenswürdige Gewohnheit.

95. G r ü n p e c k, S. 76. — Zur allgemeinen Orientierung über Zeit und Wirksamkeit Kaiser Friedrichs III., siehe die drei vortrefflichen Darstellungen von: Otto B r u n n e r, Kaiser und Reich im Zeitalter der Habsburger und Luxemburger, in: Peter R a s s o w, Deutsche Geschichte (Stuttgart 1952), S. 210 ff., Hermann H e i m p e l, Deutschland im späten Mittelalter, in: B r a n d t — M e y e r — J u s t, Handbuch der Deutschen Geschichte I/5 (Konstanz 1957), S. 138 ff., und Friedrich B a e t h g e n, Friedrich III. und das Reich, in: Bruno G e b h a r d t, Handbuch der Deutschen Geschichte 1[8] (Stuttgart 1954 und Nachdrucke), S. 565 ff.

Herrmann Wiesflecker

FRIEDRICH III. UND DER JUNGE MAXIMILIAN

Inmitten einer unruhigen Welt wurde Maximilian in der Leidenswoche des Herrn, am Gründonnerstag, dem 22. März 1459, in der Wiener Neustädter Burg geboren. Schmerz und Hoffnung der Kartage konnten als Omen seines Lebens gelten. Er pflegte später manchmal zu sagen, niemand außer Jesus Christus habe auf dieser Welt so viel leiden müssen wie er; was aber auch heißen sollte, daß der verdiente Lohn schließlich nicht ausbleiben könne.

Der Prinz stammte aus glänzender Ahnenreihe. Das edelste Blut aus ganz Europa war ihm von Vater- und Mutterseite her zugeflossen, vorwiegend doch deutsches oder germanisches Blut; besonders stark war das portugiesische und spanische Erbe von der Mutter, Eleonore von Portugal. Die Großmutter, Zimburgis von Massovien, hatte ihm litauisches, polnisches, normannisches und russisches Blut zugeführt. Geringer waren die französischen und italienischen Blutanteile. Der spätere König suchte seine Ahnenreihe über Karl den Großen und die Franken auf die Trojaner und die biblischen Erzväter zurückzuführen, um alles *edle Blut Europas* im habsburgischen Stamme zu vereinigen und seine Sipp- und Magschaft sogar im Himmel aufzusuchen.

Die Namengebung offenbarte den köstlichen Eigensinn des alten Kaisers. Man schwankte zunächst zwischen den Namen des ritterlichen St. Georg und dem des ersten christlichen Weltkaisers Konstantin, denn alle Welt stand damals unter dem Eindruck des Verlustes von Konstantinopel und des türkischen Vorstoßes gegen das Abendland. Friedrich entschied sich aber schließlich für den ganz ungewöhnlichen Heiligen Maximilian von Lorch, von dem er sich in entscheidender Stunde im Traum gewarnt fühlte. Auch dieser Name schien in den Osten zu weisen, wie der Name einer Schwester Helena und eines früh verstorbenen Bruders Johannes, der ebenso auf den portugiesischen Großvater deuten konnte wie auf den sagenhaften Priesterkönig Johannes, der nach einer alte Prophetie die Welt vom Aufgang bis zum Niedergang beherrschen würde.

Im Osten schien die künftige Aufgabe des Prinzen zu liegen; darin waren sich Vater und Mutter einig. 1453 war Konstantinopel gefallen, 1456 bestürmten die Türken bereits Belgrad und bedrängten alsbald Bosnien. Der Magnat Nikolaus Uilak, der vor den Türken hatte flüchten müssen, und dem kaiserlichen Prinzen Pate stand, rief dies alles in die lebendigste Erinnerung; nicht minder der Türkenprinz Othman Calixt, ein angeblicher Bruder Mehmeds des Weltenstürmers, vor dessen Mordwut ins Abendland gerettet, vom Papst getauft und dem Kaiser gelegentlich des Romzugs von 1453 geschenkt; er wuchs am kaiserlichen Hoflager auf und folgte im Rang dem Kaisersohn. Als Maximilian etwas herangewachsen war, pflegte er oft gemeinsam mit dem dunkelhäutigen, interessanten und gebildeten Türkenprinzen öffentlich aufzutreten. Man scheint bei Hof auch von der Möglichkeit einer Heirat Kunigundens, der Schwester Maximilians, mit dem Sohn des Großtürken geredet zu haben, wie uns Cuspinian berichtet. Dies erschien den Zeitgenossen keineswegs so unsinnig wie uns Heutigen, hoffte man doch sogar in *Rom*, daß unter Umständen ein bißchen Wasser („paululum aquae") genüge, um den gesamten Islam zu taufen.

Um Friedrichs III. Hausmacht stand es während jener Jahre freilich schlecht. Er hatte 1458 durch den Tod des Ladislaus Postumus und die folgende Wahl nationaler Könige Böhmen an Georg Podiebrad und Ungarn an Matthias Corvinus verloren. Schlimmer war, daß sich der Erbstreit auch auf das engere Österreich übertrug, wo Albrecht VI., des Kaisers Bruder, mit Hilfe der Landstände, insbesondere der wankelmütigen Wiener, die Zerreißung und Aufteilung des österreichischen Erzherzogtums durchzusetzen vermochte, während das gleichzeitig (1456) freigewordene große Cillier Erbe in der Untersteiermark, in Krain und Kärnten sich an ein Dutzend innerösterreichischer Geschlechter zu verlieren drohte. So war neben dem Abfall der Nachbarkönigreiche auch der Kern der Erbländer von der Zerspaltung bedroht.

Es begann ein Bruderkrieg im schlimmsten Sinn, der sich von 1458 bis 1464 ununterbrochen hinzog. Die Albertiner, Anhänger Albrechts VI., standen gegen die „Kaiserer" auf; Friedrich III. erwirkte des Reiches Acht und Aberacht, den Bannfluch der Kirche wider seinen aufständischen Bruder. Es war kein ehrlicher Krieg: streunende Knechte, halbe Räuber, überzogen das Land mit Diebstahl, Brandschatzung und Straßenraub. Mißernten, Hunger, Münzverfall und Teuerung waren die natürliche Folge. Die Landstände schwankten, suchten ihren eigenen Vorteil und wandten sich bald diesem, bald jenem Herrn zu. Auswärtige Mächte, Böhmen und Ungarn, griffen bald als friedliche, bald als bewaffnete Vermittler ein, beschämend genug für einen Landesfürsten, der zugleich Kaiser sein sollte. *Wien* trat in den Mittelpunkt der Bewegung, als die aufsässigen Bürger gemeinsam mit Herzog Albrecht den Kaiser und dessen Familie in der Wiener Burg belagerten (1462 Oktober bis Dezember).

Mit diesen Ereignissen verband der Prinz wohl seine allerersten Kindheitserinnerungen. Die Kaiserin, das Frauenzimmer und der kleine Prinz hatten vor dem schweren Geschütz in den Kellern der Burg Zuflucht nehmen müssen. Damals habe, wie Michel Beheim erzählt, der Prinz die schmale Kost, die ewigen Erbsen und Gerstengraupen, den aufsässigen Wienern in den Hals gewünscht. Den Studenten Kronberger, der auf verwegener nächtlicher Tour der kaiserlichen Familie Lebensmittel über die Mauern schmuggelte, behielt Maximilian zeitlebens in dankbarer Erinnerung, überhäufte ihn später mit geistlichen Pfründen und Ehren; auf den Einspruch eines Neiders erwiderte er einmal lachend, wenn es nach ihm, dem König, ginge, so müßte Kronberger Papst werden, wovon Rom und das Reich ihren Nutzen haben würden. Wieder waren es die einrückenden Böhmen, die den Kaiser und seine Familie aus der Gewalt seines Bruders und der Wiener Bürger erretteten, nicht ohne dem Kaiser die Flügel so stark zu beschneiden, daß er ihnen nicht mehr gefährlich werden könnte. Im Reich redete man bereits von Friedrichs Absetzung. In solchen Stunden wohl mag das Ehrgefühl der hochgesinnten Mutter Eleonore entrüstet hervorgebrochen sein: „Wüßte ich, mein Sohn, du würdest einst wie dein Vater, ich müßte bedauern, dich für den Thron geboren zu haben." Maximilian war damals groß genug, um die demütigende Lage des Vaters zu empfinden. Manche möchten den stürmischen Tatendrang des Mannes aus dem verletzten Selbstgefühl der Kinderjahre erklären.

Gewiß empfing Maximilian bereits als Kind die lebhaftesten Eindrücke über die Auseinandersetzungen zwischen Fürst und Untertanen. Wie oft mochte er sich später in der Gefangenschaft von Brügge (1488) an die Wiener Belagerung und an das Buch Michel Beheims von den Wienern erinnert haben. Zwar hielt er zeitlebens mit den Städtern und den Bürgerschaften leutseligen Umgang, aber er blieb doch ein entschiedener Gegner stadtbürgerlicher Selbstherrlichkeiten. Ein seidener Faden um das Weichbild genüge zu ihrem Schutz nach außen, antwortete er einer holländischen Stadt, die ihn um Errichtung von Mauern bat. Der oligarchische Stadtstaat von Venedig vollends erschien ihm als Urbild der Störung gottgewollter Herrschaftsordnung.

Frieden in Österreich brachte erst Albrechts VI. überraschender Tod (1463). Maximilian hat den vielgeschmähten Onkel persönlich wohl kaum gesehen und von ihm gewiß nur das Ärgste gehört. Gleichwohl war er ihm der Art nach ähnlicher als seinem Vater; Albrecht war ein großzügiger Herr, Freund der Wissenschaften und der Künste, Gründer der Universität von Freiburg, aber auch ein rauher und verwegener Fürst. Seine Devise glich der des Goldenen Vlieses: „Zuvor der Schlag, dann sprüht die Flamme"; er war ein Mann der Tat, in beständiger Bewegung, ein großer Jäger. Albrecht warf das Geld mit beiden Händen hinaus, zögerte aber auch nicht, es mit Härte wieder einzuraffen. Die Untertanen seufzten unter seinem Steuerdruck; Freunde und Diener dagegen wurden nicht selten überreich beschenkt. Man nannte ihn im Volke den Verschwender. Welch Ähnlichkeiten doch mit seinem Neffen! Aber Maximilian hat den verfemten Namen niemals in den Mund genommen.

Wiener Neustadt, sein Schloß, die Marställe, Waffenkammern, Zwinger, Scheunen, Gaden, Keller, der Baumgarten, den der Vater selber zog, die Tiergärten, Fischweiden, Forste, die freie Wildbahn, die von der Ebene bis ins Hochgebirge reichte, das war die Landschaft seiner schönsten Kinderjahre. Hier lebte, schaute und spielte sich der Knabe in die „sieben mechanischen Künste" hinein, Malerei, Steinbau, Holzbau, Münzmeisterei, Plattnerei, Geschützgießerei, die ihm zunächst lieber waren als die „septem artes liberales"; so nebenbei lernte er von Gesinde und Handwerksleuten böhmisch und windisch radebrechen, wie er später von Kriegsknechten und Boten Italienisch, Spanisch und Englisch verstehen lernte.

Einfach, mäßig und bescheiden in Kost und Lebenshaltung wurde der Knabe aufgezogen. Maximilian und seine Schwester Kunigunde galten ihr Leben lang als Muster der Bescheidenheit. In dieser Hinsicht wenigstens hat er der Devise „Halt Maß" nachgelebt, die er vom väterlichen Mäßigkeitsorden übernommen hatte. In einem Kreis von österreichischen Adelskindern wuchs der Knabe auf, damit er sich in Scherz und Ernst an sie gewöhne und beizeiten lerne, mit seinen „edlen Landleuten" auszukommen.

Der Vater schätzte den Unterricht der alten Schule. Über das „Gesprächsbüchlein" wurde der Knabe zunächst in den einfachen lateinischen Dialog eingeführt; die Kinderhand zeichnete einen Turnierreiter zwischen die Zeilen, das Wunschbild seiner Zukunft, und schrieb „Maximilianus archidux" hinzu. Die Grammatik des Donatus wurde dem Prinzen von seinem Lehrer Peter Engelbrecht buchstäblich eingebläut. Neben schmerzlichen Kindheitserlebnissen, dem frühen Tod der Mutter (1467), mag auch das pädagogische Ungeschick dieses Mannes, dem der König zeitlebens grollte, jenes verstockte In-sich-Verstummen verursacht haben, das dem Vater ernste Sorgen machte. Thomas von Cilli führte den Knaben über das „Doctrinale puerorum" in die Oberstufe der Grammatik. Als sich der junge Mann zu lösen begann, sprach er zwar kein korrektes, aber doch ein flüssiges Gebrauchslatein.

Der Prinz hatte offenbar einen ausgezeichneten Schreiblehrer, der sein Auge und seine Hand graphisch ungewöhnlich schulte; Schönschreiben, Schnellschreiben, Chiffrieren machten ihm besondere Freude. Die Buchstabenbilder seiner Kinderbücher sollten in späteren kaiserlichen Prunkschriften wieder lebendig werden. So haben wir vielleicht seinem Schreibmeister zu allererst die graphischen Wunderwerke zu verdanken, die der spätere Kaiser ins Leben rief.

Dazwischen spielte die Kinderschar mit Pferden, Hunden, Falken, mit Jagdzeug, Stechzeug, Rennzeug und versuchte sich frech und vorwitzig an Pulver und Geschütz. Der Weißkunig und die Vita des Grünpeck, die allerdings mehr das „kaiserliche Wunderkind" herausstellen, bieten uns davon manch launiges Bild.

Mit den Jahren wuchs die Lesewut; über Legenden und Sagen näherte er sich wohl der Chronik und Geschichte, die einer seiner Lieblingsgegenstände blieb. Er muß zeitweilig ein rechter Bücherfresser gewesen sein, wie er überhaupt in der Eile die Fülle zusammenzuraffen pflegte; er wollte eine Zeitlang „alles wissen". Für Kinder und Enkel schuf er daher jene Lehr- und Sammelwerke, wie er sie selber gewünscht hätte, zum Beispiel „Papstall" und „Kaiserall", was alles Wissenswerte über Papst und Kaiser bedeuten sollte.

Den heranwachsenden Jüngling beschäftigte der Vater bereits mit Kammersachen, Küchenwesen, Zehrgardnerei, Kellerei, Gärtnerei und führte ihn so von der Hauswirtschaft allmählich zur Staatswirtschaft. Er unterwies ihn persönlich in den Kanzleigeschäften, warnte ihn, sich seinen Sekretären auszuliefern, eröffnete ihm die Geheimnisse der Regierung dieser Welt, führte ihn zuweilen wohl auch in seine schwarze Küche; eine gewisse Neugier an der Alchemie, Nigromantik, Astrologie und Mystik blieb dem König für das Leben, ohne daß sie indes das zeitübliche Maß überstiegen hätte. Besonders warnte er ihn vor überflüssigen Arzneien, wo doch Mäßigkeit, Luft und Wasser die besten Ärzte seien.

Am Anfang aller Ausbildung stand die Religion: der Prinz wurde tiefinnerlich geprägt vom alten Glauben: tägliche Gottesdienste, regelmäßiges Gebet und ein inniges Verhältnis zu den Heiligen und zu den Reliquien wurden schon dem Kinde anerzogen. Gebetbücher und Heiligenlegenden waren der erste Lesestoff. Die Kirche erlebte der Knabe in der Schloßkapelle und in den Hofgeistlichen sozusagen als väterliches Eigentum, als „Eigenkirche". So sah er sie sein Leben lang, wie dies fürstlichem Denken jener Zeit gemäß war. Der väterliche Grundsatz: „Pfaffengut ist unser Kammergut" war ihm selbstverständlich. Wie Friedrich III. in Notzeiten die Opferstöcke der Kirchen brach und in seinen Säckel leerte, wird der Sohn ohne die geringsten Bedenken die Opfertruhen mit den Kreuzzugsgeldern aufsprengen, um seine Schulden abzuzahlen.

In jene frühen Jahre fiel der Kirchenkrieg zwischen Erzherzog Sigismund von Tirol und Bischof Nikolaus Cusanus von Brixen, der die Erbländer mit lautem Lärm erfüllte. Nicht viel später erneuerte sich der Kelchstreit mit den böhmischen Hussiten, wobei die Parteien mit Kirchenbann und Konzilsappellen gegeneinander stritten. Grüblerisch veranlagt wie der Vater, mochte sich der junge Fürst darüber seine eigenen Gedanken machen, wie wir aus späteren Gesprächen mit Trithemius ahnen können. Aber letzten Endes war ihm das Papsttum wie das Kaisertum eine der tragenden Säulen dieser Welt; „keinen Unglauben, keine Ketzerei aufwachsen zu lassen", gehörte zu den Grundüberzeugungen seines Lebens.

Als höchste Berufung des Kaisers erschien ihm von Kindheit an der *Kreuzzug*. Von Vaters und Großvaters Pilgerfahrt zum Heiligen Grab hatte er viel gehört. Fast täglich sah er das rote Kreuz an den weißen Mänteln der Wiener Neustädter St. Georgs-Ritter. Seit Papst Pius II., des Kaisers ehemaliger Kanzler, neuerdings den Kreuzzug verkündete, wurden allenthalben Kruziatgelder eingesammelt, Kreuzzugslegaten empfangen, Kreuzpredigten gehalten und Kreuzfahrer ausgesegnet. Dunkle Prophezeiungen raunten von einem großen Kaiser der Zukunft, der Konstantinopel und das Heilige Grab befreien, die christliche Welt vereinigen und beherrschen werde. Würde er selber einmal die „große Kirchfahrt" wagen?

1469 stießen die Türken das erste Mal gegen Krain und damit gegen die engeren Erbländer vor; 1473 und 1475 erreichten sie bereits Steiermark und Kärnten. Wenn nur einiges von den Greueln zutraf, die man sich erzählte, so war es fürchterlich genug. Der Türkenkreuzzug wurde damit für Österreich zur Existenzfrage und blieb es durch viele hundert Jahre.

Schon gegen Ende der 60er Jahre brachte Erzherzog Sigismund von Tirol in Verfolg seiner Weststaatspolitik das Gespräch auf eine Heiratsverbindung zwischen dem jungen Maximilian und Maria, der Tochter Karls des Kühnen und Erbin von Burgund. Friedrich III. erblickte darin eine Möglichkeit, die Stellung seines Hauses im Westen zu verstärken, dadurch neue Hilfsmittel für den bedrohten Osten zu gewinnen und vielleicht die Kaiserkrone seinem Hause zu sichern. So verfolgte er diesen Plan mit der ihm eigenen Beharrlichkeit und Vorsicht.

Der Augsburger Reichstag von 1473 und die geplante Zusammenkunft mit Karl dem Kühnen boten Gelegenheit, den Prinzen in die große Öffentlichkeit einzuführen. Das erste Mal erlebte Maximilian die deutschen Reichsstädte im Glanze ihrer Feste, Empfänge, Begastungen und Geschenke; er erlebte den Prunk kaiserlicher Majestät bei großen Reichsversammlungen und hochfürstlichen Belehnungen; er rannte seine ersten großen Turniere und errang seine ersten Preise.

Über Ulm, Straßburg, Basel ging es nach *Trier* zur Zusammenkunft mit Herzog Karl dem Kühnen (1473 September bis November). Nicht ohne Mißgunst bewunderte der einfachere Kaiser die Überlegenheit burgundischer Prachtentfaltung, wodurch er sich in den Schatten gestellt fühlte. Karl trug das märchenhafte burgundische Lehengewand aus reinem gezogenem Gold, wohl 200.000 Golddukaten wert. Er benahm sich äußerlich bereits als König. Wer wollte zweifeln, daß der burgundische Staat an Größe und Reichtum die meisten Königreiche jener Zeit übertraf. Der junge Max war überwältigt von der Pracht des Herzogs, von seiner ritterlichen Haltung, seiner Armee und seiner Artillerie. Wie arm wirkte dagegen sein kaiserlicher Vater. Der Prinz war begeistert von der zutunlichen Höflichkeit des Herzogs, der sich um ihn bemühte und ihm eine herrlich ausgestattete „Feldordnung" verehrte.

Höflichkeitsvisiten wechselten nun mit hochpolitischen Gesprächen. Karl erhielt die Belehnung mit Geldern zugesichert und vereinbarte mit dem Kaiser eine Heirat zwischen Maximilian und seiner Erbtochter Maria. Karl drängte aber vor allem auf ein burgundisches Königtum, besser noch auf das Römische Königtum, andeutungsweise auf die Nachfolge im Reich. Die Zumutungen wurden versüßt durch Turniere, Kriegsspiele, Empfänge und den Prunk burgundischer Mähler. Die Gottesdienste wurden durch Aufführungen der burgundischen Hofkapelle zu wahren Festen.

Aber die zudringliche Höflichkeit des Burgunders war dem Kaiser eher lästig und verdächtig. Ohne sich in der Königsfrage zu entscheiden, entzog er sich durch plötzliche Abreise nach Köln allen weiteren Verhandlungen. Enttäuscht und zornig führte Karl der Kühne seine Armee gegen Neuß am Rhein und schritt zur Belagerung dieser Stadt, um den Kaiser gefügig zu machen.

Während des *Neußer Krieges* (1474/75) unterstellte der Vater den Prinzen der Obhut des Bischofs von Augsburg. So verbrachte Maximilian fast ein ganzes Jahr im sicheren Dillingen nächst Augsburg, wo ihn Diepold von Stein in die letzten Geheimnisse der Jägerei einführte, so daß er alle Ritte, Steige, Forste, Gewässer, Berge und Täler von der Donau bis ins Tiroler Hochgebirge, zwischen Lech und Iller besser kannte als irgendeiner. Hier, zwischen Augsburg und Innsbruck, fand er die eigentliche Heimat seines Herzens; in diesen Gegenden hat er die meiste und schönste Zeit seines späteren Lebens zugebracht.

Inzwischen trieb das burgundische Schicksal seiner Entscheidung entgegen. In einer Reihe von Schlachten hatte Karl der Kühne das Schicksal in die Schranken gefordert. „Ich hab's gewagt", so lautete sein Wahlspruch. Der junge Maximilian mochte seit Trier das Schicksal des vielbewunderten Helden mit lebhafter Anteilnahme verfolgen, vom Verlust des sagenhaften Burgunderschatzes in der Schlacht bei Grandson (1476) gehört haben, von dem er später noch verstreute Stücke zurückkaufte, wo immer er sie fand. Er mochte verfolgen, wie der Herzog bei Murten (1476) sein bestes Heer und bei *Nancy* auf grausige Weise sein Leben verlor (5. Jänner 1477).

Das Schicksal Karls des Kühnen ließ Maximilian zeitlebens nicht mehr los; er bewunderte, er verehrte ihn. „Wenn nur Herzog Karl noch lebte", pflegte er später manchmal in bedrängten Lagen auszurufen. Und wenn er einer halsbrecherischen Unternehmung nicht mehr traute, fühlte er sich von Karls Schatten gewarnt. Ähnlich dem verwegenen Burgunderherzog brannte auch er von ritterlichem Ehrgeiz, waren ihm seine Länder allezeit zu klein, begeisterte er sich an Caesar und Alexander; aber er kannte seine Schwächen und ließ sich von seiner Verwegenheit doch nicht in den Abgrund reißen. Das war die Lehre des toten Karl.

Als Karl der Kühne vor Nancy, der Todesahnungen voll, zum letztenmal in den Sattel stieg, soll er noch kurz verfügt haben, im Falle seines Todes die Heirat zwischen seiner Tochter Maria und Maximilian von Österreich rasch zu vollziehen; darin erblickte er die einzige Garantie für die Erhaltung seines Staates. Bereits im April 1477 wurde die Heirat zunächst per procuram vollzogen, und wenige Monate später erschien Maximilian persönlich im Lande, nachdem er sich vorher in Köln mit einem städtischen Darlehen und einem burgundischen Vorschuß für die Hochzeit hatte ausstatten müssen. Das einzige, was er zu bieten hatte, waren seine Jugendkraft, sein Schwert und der kaiserliche Name seines Vaters.

Indes hatte Ludwig XI. bereits die burgundischen Grenzländer überfallen, das Herzogtum Burgund, die Freigrafschaft, die Picardie und das Artois besetzt. Der junge Erzherzog aus Österreich trat ihm aber mit einer Sicherheit, Furchtlosigkeit und Kühnheit entgegen, die alle staunen machte. Die Niederländer begrüßten ihn freudig als ihren Befreier: „Du bist unser Herzog! Schlag unsere Schlacht! Der Herr im Felde wird auch der Herr im Lande sein!"

So wurde der Krieg Maximilians erstes und hauptsächliches Geschäft und blieb es für 12 lange Jahre. Er rückte an die bedrohte flandrische Front und führte seine Niederländer bei *Guinegate* (1479) zum ersten großen Sieg. Als seine Reiter zu weichen begannen, hatte er sich an die Spitze seines flandrischen Fußvolkes gesetzt, den Sieg erzwungen und damit das Schlimmste abgewendet. Ein erster Waffenstillstand und ein kurzer Friede schufen dem Lande etwas Luft. Nun schien alles eitel Wonne. Und wenn er an den Schießständen der Bürger erschien, wie er es gerne tat, und die Figuren der Reihe nach von der Stange schoß, da jubelte man ihm zu: „Österreich schoß den Vogel ab, das den Franzosen groß Verdrießen gab."

Der burgundische Staat schien fürs erste gerettet und die neue Dynastie gesichert, insbesondere seit ihm Maria einen Sohn Philipp und eine Tochter Margarethe geboren hatte. Wie Maximilian in allem und jedem an die *burgundische Staatsidee* anknüpfte, so auch an die Namenreihe des burgundischen Geschlechtes. Er hatte Französisch und Flämisch gelernt und verkehrte mit den Niederländern wie einer ihresgleichen. So hatte das „junge Blut aus Österreich" das politische Werk der großen Burgunderherzoge gegen den mächtigen Zugriff Frankreichs retten können.

Da vernichtete ein schwerer Schicksalschlag nicht nur das junge Familienglück, sondern auch das eben gewonnene Gleichgewicht des burgundischen Staates. Maria verunglückte auf der Falkenjagd durch einen Sturz vom Pferde. Kaum war sie beigesetzt, verband sich die innere Opposition mit dem äußeren Feind, den Franzosen. Die flandrischen Städte zwangen ihren Herzog zum verlustreichen Frieden von *Arras* (23. Dezember 1482), der dem Vater die Vormundschaft über den jungen Philipp praktisch entzog und die Tochter Margarethe als Braut des Dauphins Karl (VIII.) mit einer Reihe burgundischer Länder als Mitgift an Frankreich überlieferte.

Die stolzen Bürgerschaften von *Gent* und *Brügge,* erpicht auf ihre Stadtherrschaft und ihre alten Freiheiten, widerstrebten mit allen Kräften dem burgundischen Einheitsstaat Karls des Kühnen und Maximilians, erhoben mit Unterstützung Frankreichs die Fahne des offenen Aufruhrs gegen ihren Fürsten und riefen alle ihre Landsleute zu den Waffen. So nahm der fürchterliche Krieg, der seit den Zeiten Karls des Kühnen nie aufgehört hatte, seinen Fortgang. Allenthalben schlugen die Flammen wieder aus der Asche: in Utrecht, in Geldern, in Lüttich, in Namur, in Holland und in Seeland. Städte kämpften gegen Städte, Deutsche gegen Flamen, Pöbel gegen Adel; es war ein Krieg ohne feste Fronten, ohne feste Bundesgenossen. Haßerfüllte städtische Milizen und fremde Kriegsvölker kämpften gegeneinander, miteinander, durcheinander und schlugen sich, wo immer sie sich trafen. Man kämpfte mit fürchterlicher Grausamkeit auf beiden Seiten: der gutmütige Erzherzog mußte führenden Rebellen die Köpfe vor die Füße legen. Wie ein alles verzehrendes Ungeheuer fraß dieser Krieg die Niederlande ab, verwüstete die Städte, die Dörfer und das flache Land und kam erst zur Ruhe, als der Wohlstand von Generationen vernichtet war. Der Herzog war nicht mächtig genug, ihn mit Waffengewalt zu beendigen, die eigensinnigen Städte nicht einsichtig genug, ihn durch Nachgiebigkeit abzukürzen.

Im Jahre 1485 war es so weit, daß *Brügge* und *Gent* sich unterwerfen und den jungen Herzog der väterlichen Vormundschaft ausliefern mußten. Wie sehr erinnerten die wiederholten Bußbezeugungen und Kniefälle der unterworfenen Genter an all das, was Friedrich III. nach dem Hinscheiden des Ladislaus in Österreich hatte erleben müssen. Auch dieser Friede war nur eine Atempause.

Maximilians Abgang in die Niederlande hatte die habsburgische Sache im Osten zunächst nicht wenig geschwächt. Friedrich III. hatte inzwischen seine Hauptstadt Wien an Matthias Corvinus verloren (1485), hatte Österreich und die Steiermark geräumt und mit 30 schweren Lastwagen seinen Hausschatz, die Kleinodien, Kanzlei und Archiv nach Tirol geflüchtet. Er selber wandte sich nun ins Reich, um die Kurfürsten für die Königswahl des Sohnes zu gewinnen und einen Reichstag nach Frankfurt auszuschreiben. Die Kurfürsten zeigten sich der Sache im allgemeinen willig; die meisten waren der kaiserlichen Familie nächst verwandt oder anderswie verpflichtet. Die Lage des Reiches im

Osten schien einer starken jüngeren Hand zu bedürfen; die habsburgische Hausmacht, die eben in den Niederlanden zu obsiegen schien, würde die Lasten der Reichsverteidigung selber übernehmen können.

Ebenso war Maximilian die Königswahl willkommen; er stellte seinen Wählern „Verehrungen" in Aussicht, an denen er bis ins nächste Jahrhundert zu zahlen haben sollte. Zwar wußte er seine Niederlande keineswegs so weit befriedet, daß er augenblicklich an die Donau eilen konnte, aber umgekehrt durfte er doch hoffen, daß die Römische Königskrone auch seine niederländische Stellung befestigen werde.

Vom Vater indes erzählt man, er habe sich der Wahl des Sohnes eigensinnig widersetzt. Dies ist eine jener Geschichten, die sich, einmal in die Literatur eingeschleppt, nicht mehr daraus verlieren, wenn sie auch allen bekannten primären Zeugnissen widersprechen. Friedrich III. mußte sich glücklich schätzen, bei Lebzeiten die Wahl des Sohnes durchgesetzt zu haben; seit Jahrhunderten war dies keinem Kaiser mehr gelungen. Der Anschein des Erbrechtes schien gegeben, wenn auf den Vater der Sohn im Königtum folgen konnte. Freilich wünschte der alte Kaiser, daß sich der Sohn bei seinen Lebzeiten jeglicher Eingriffe in die Herrscherrechte enthalte.

Am 16. Februar 1486 wurde Maximilian in Frankfurt einstimmig gewählt und im April zu Aachen in altheiligen Formen gesalbt, gekrönt und auf den Stuhl Karls des Großen gesetzt. Der gleichzeitige *Frankfurter Reichstag* hatte ihm bereits alle großen Fragen der Reichsreform, Reichshilfe, Reichssteuer, Reichsregiment, Kammergericht und Landfrieden, aufgezeigt. Er war zuversichtlich genug, in dieses Chaos gegensätzlicher Meinungen und Interessen, das der Vater stets ängstlich umgangen hatte, kopfüber hineinzuspringen, ohne zu ahnen, daß sie keines Kaisers Kraft mehr lösen konnte.

Maximilian vermochte den Vater offenbar zu überzeugen, daß die niederländischen Händel geschlichtet werden müßten, ehe man sich gegen Ungarn wenden könne. Umfassende Rüstungen begannen, Bündnisse mit England, Aragon, Kastilien, dem Herzog der Bretagne wurden abgeschlossen und eine Heirat mit der Erbtochter Anna von der Bretagne in Aussicht genommen. Mit dem Sieg über den äußeren Feind sollte die schwelende Glut des inneren Krieges endlich ausgetreten werden.

Die niederländischen Städte aber wünschten Frieden und Vergleich mit Frankreich. Die schwere Niederlage der Herzoglichen bei *Béthune* (1478) machte ihnen Mut zum Widerstand. Sie beschwerten sich über die fremden Räte, Beamten und Kriegsvölker, die der König ins Land geführt habe; sie fanden ihren Handel durch Zugeständnisse an England gestört und beklagten sich über unerträgliche Steuerlasten. *Gent* erhebt sich, *Brügge* lockt den König zu Verhandlungen in seine Mauern. Er wird von den Bürgern gefangengenommen (März bis Juni 1488), mit erpresserischen Forderungen bedrängt, von seinen Räten getrennt und mit der Auslieferung an Frankreich bedroht. Einige seiner Räte werden peinlich verhört, mit der Schuld an den Nöten des Landes belastet und hingerichtet.

Da entschließt sich der alte Kaiser mit seinen 73 Jahren, an der Spitze eines Reichsheeres in die Niederlande zu ziehen und den Sohn zu retten, obwohl er eben Gefahr lief, ganz

Österreich an Ungarn zu verlieren. Es galt, im Westen zu obsiegen, dann würde der Erfolg im Osten von selber zugegeben werden; dies blieb die politische Maxime des Hauses in seinen großen Zeiten. Angesichts des Reichsheeres mußten die Städte in der Tat klein beigeben und den König, nicht ohne demütigende Bedingungen, entlassen.

Eine Wendung der Lage in den Niederlanden begann sich erst abzuzeichnen, als der französische Bundesgenosse sich allmählich abwandte, um einen Frieden mit dem Reich zu suchen. In der Tat brachte der folgende *Frankfurter Reichstag* (1489) einen Waffenstillstand und kurzen Frieden, der die Niederländer ihrem Schicksal überließ und es dem König gestattete, dem Hilferuf des Vaters in den Südosten zu folgen. So verließ er nach 12 Jahren harter Kämpfe und opfervoller Feldzüge, die er gerne mit Caesars Gallischem Krieg verglich, die Niederlande, deren endgültige Unterwerfung Albrecht von Sachsen besorgen sollte.

Der seit den Tagen Karls des Kühnen währende, mehr als 20jährige Krieg hatte den Wohlstand des Landes gebrochen. Aber allen Rückschlägen zum Trotz hatte Maximilian die schwere Aufgabe seiner Jugendjahre lösen und den angeheirateten burgundischen Staat erhalten können. Im Zusammenwirken mit dem Reich, mit England, Spanien und der Bretagne hatte er dem Ausdehungsstreben des aufsteigenden französischen Nationalstaates Grenzen gesetzt und die widerstreitenden ständischen Gewalten unterwerfen können. Er hatte im Laufe der niederländischen Kriege Österreich in jenes weltgeschichtliche Mächtebündnis eingeführt, das die Großmachtstellung des Hauses Habsburg begründen und für mehrere Jahrhunderte das Schicksal Europas bestimmen sollte.

In der Tat wiesen die Niederlande der österreichischen Entwicklung eine ganz *neue Richtung*. Die habsburgische Politik begann hinauszuwachsen über die engeren Verhältnisse der erbländischen Teilherrschaften. Man gewann den weltweiten politischen und kulturellen Horizont der alten Herzoge von Burgund, der während der Jahrzehnte des Bruderzwistes und der Ständestreitigkeiten verlorengegangen war. Der straff geordnete burgundische Fürstenstaat bot das Vorbild einer modernen, über die private Hauswirtschaft hinausstrebenden intensiveren Staatlichkeit. Die vergrößerte Hausmacht bot Aussichten auf eine echte Königsgewalt im Reich und gewährte die finanziellen und kulturellen Mittel einer echt kaiserlichen Repräsentation. Man durfte wieder hoffen, das Kaisertum zu behaupten, das die Besitzungen des Hauses im Osten und Westen wie eine sakrale Kuppel überwölbte.

Friedrich III., nicht anders als Maximilian, erkannte in Burgund eine Hauptaufgabe seines Hauses. Maximilian aber war von der Staatsidee der Burgunderherzoge ganz durchdrungen. In langwierigen Kämpfen hatte er Frankreich als aufsteigende Macht der europäischen Staatenwelt schätzen und fürchten gelernt; er war überzeugt, daß man Frankreich niederwerfen müsse, wenn das Reich seine imperiale Stellung behaupten wolle. Im Krieg gegen Frankreich mußte für ihn die Entscheidung über das Imperium orbis fallen, das er gleich dem Vater als die Sendung des Reiches und seines Hauses in Anspruch nahm. Er war überzeugt, daß auch das Schicksal im Osten zunächst im Westen sich entscheiden müsse.

Die inneren und äußeren Verhältnisse waren in den burgundischen und in den österreichischen Ländern in vieler Hinsicht ähnlich. Da wie dort eine national, territorial, kulturell und wirtschaftlich sehr verschiedenartige Welt von Länderstaaten, die von einer mächtigen Dynastie mit Klugheit und Gewalt zur Einheit zusammengeführt worden waren; da wie dort das Problem des Zusammenlebens verschiedener Nationen, Länder und Kulturen in einem Staat; da wie dort die beständige Drohung von außen als feste Klammer der Einheit. So fand die burgundische Staatsidee an der österreichischen ihre natürliche Schwester.

Entscheidend für den Eintritt Österreichs in die Höhen kaiserlicher Repräsentation wurden die Einflüsse des burgundischen Hofes, sein königlicher Splendor, seine rege literarische Tätigkeit, sein historiographischer Eifer, der Glanz seiner Künste, ein Geschmack, eine Lebenshaltung, die als wahrhaft kaiserlich gelten konnten. Was in Geschichtsschreibung, Dichtung, Gelehrsamkeit, Musik und Künsten hervorragte, hatte dieser Hof seit je an sich gezogen. Ähnlich den alten Herzogen von Burgund pflegte auch Maximilian sich mit einer Akademie von Künstlern und Gelehrten zu umgeben und sie mit der Ausführung seiner großartigen Pläne zu beschäftigen. Ich möchte nur die Geschichte hervorheben, die dem König seit Kindertagen besonders am Herzen lag. Hatte die väterliche Bibliothek davon nur wenig geboten, so fand er in der niederländischen Bibliothek davon die Fülle. Hier empfing sein literarischer Geschmack die entscheidende Richtung zum Geschichtsroman, der im Weißkunig lebendigen Ausdruck fand. Auf das Ganze gesehen: hier eröffnete sich ihm jenes weite künstlerische Panorama, das ihm unter allen seinen Vorgängern und Nachfolgern seine einzigartige Stellung sichert.

Das Beispiel der *burgundischen Verwaltung*, die noch Karl der Kühne straff durchgegliedert hatte, lehrte ihn die Wirtschaftsquellen seiner Länder für die landesfürstliche Kammer unbarmherzig auszuschöpfen. Die gesamte Verwaltungsreform war auf die Verbesserung der Finanzen und der Kammern zugeschnitten; die Länder waren zu Ländergruppen zusammengefaßt und diese wieder auf die Zentrale hingeordnet. Stabilität, gegenseitige Überwachung, finanzielle Planung durch Voranschläge waren hier alter Brauch, aber auch die Künste des Finanzens und der öffentlichen Anleihe in guter Übung. Das Muster ließ sich haargenau auf die ähnlichen Verhältnisse der österreichischen Erbländer übertragen. Die Burgunder galten langehin als Kammerspezialisten, und burgundische Praxis war besondere Empfehlung für den Finanzdienst in den Erbländern und im Reich. Freilich lag all diesen Reformen ein rücksichtsloser Fiskalismus zugrunde, der den Aufstieg des Hauses zur Weltmacht zu finanzieren hatte; er endete nach 20jährigem Krieg mit einer allgemeinen Verschlechterung des Geldes auf ein Drittel seines Wertes.

In der farbigen Welt burgundischer Repräsentation fand auch die Erwählungsidee des Hauses neue Ausdrucksformen im *Goldenen Vlies*. Das goldene Widderfell bedeutete Gnade, Glück und Auserwählung. Die Kette aus goldenen Schlagringen mit dem sprühenden Feuer der Edelsteine sollte die schöpferische Tat versinnbilden. Die Devise lautet: „Ante ferit, quam flamma micet". Nach dem Willen des Stifters hatte der Orden auch den

Kreuzzugsgedanken zu pflegen, die Idee der „großen Kirchfahrt", die Maximilian hier auf eine neue Art wiederfand.

Alles an diesem Hof war geordnet durch ein hochfeierliches *Zeremoniell,* das die Würde des Fürsten mit überirdischem Glanz umgab. Hier wurde auf eine andere Art gelebt, gearbeitet und repräsentiert als in Österreich. Gewiß haben der niederländische Krieg und die österreichische Schlichtheit mit vielem aufgeräumt; aber geblieben ist doch die Überzeugung, daß das Haus in seiner neuen Stellung sich mehr als bisher „darzustellen" habe. Erst als Herzoge von Burgund haben die Habsburger gelernt, wahrhaft kaiserlich aufzutreten.

Maximilian hat Burgund als reifer Mann, als echter Fürst und König verlassen. Mit wachsenden Jahren begannen gewisse äußere Ähnlichkeiten mit dem Vater hervorzutreten: die mittlere, eher kräftige Gestalt, das nicht gerade schöne, aber ausdrucksvolle, eher magere Gesicht mit den scharf geschnittenen „gotischen" Zügen, der vorspringenden Adlernase und den starken Backenknochen, vom fallenden blonden Haar umrahmt, die schlichte Männlichkeit, mit welcher er die höchste Würde trug.

Nun erschien er in Innsbruck, wo er mit dem Vater zusammentraf, um Streitfragen mit Bayern auszugleichen und sich mit Sigismund von Tirol über das habsburgisch-vorländische Erbe zu verständigen. Was dem alten Kaiser nicht gelungen, vermochte die freundliche Art des jungen Königs. Er bewog den alten Sigismund zur Abtretung des Landes *Tirol* (1490 März) und wurde damit in den Vorlanden selbständiger Landesfürst. Er versäumte nicht, die Tiroler Bergwerke zu besuchen, deren Reichtum er wohl kannte, und die goldenen Ehrengaben der Gewerken entgegenzunehmen.

Tirol sollte in der Folge ein Mittelpunkt der politischen und militärischen Pläne des Königs werden. Es bildete die natürliche Brücke von Innerösterreich nach den Vorlanden und Burgund, beherrschte die alte Kaiserstraße und reichte wie eine natürliche Festung nach Italien. Maximilian betrachtete Tirol als Herz des Reiches, Innsbruck als seine künftige Hauptstadt und den Bergreichtum des Landes als seine künftige Schatzkammer.

Die Hauptsorge des Hauses bildete seit langem der Verlust großer Teile Österreichs und Steiermarks an *Matthias Corvinus,* der seit 1485 in Wien residierte und 1487 auch Wiener Neustadt erobert hatte. Auch ein Reichsheer hatte gegen ihn so gut wie nichts auszurichten vermocht. Die Lage im Osten schien so aussichtslos, daß Maximilian bereits an einen Ausgleich dachte, als Matthias völlig überraschend starb (April 1490). Binnen weniger Wochen (1490 August bis September) eroberte der junge König die an Ungarn verlorenen österreichischen Länder zurück, besetzte Wien und Wiener Neustadt. Mit rasch zusammengerafften Truppen vermochte er tief ins ungarische Königreich vorzustoßen, auch die westungarischen Komitate, außerdem Kroatien zu unterwerfen und die Krönungsstadt Stuhlweißenburg zu stürmen. Er durfte hoffen, die Stephanskrone zu gewinnen. Er sei im Ostturm der Neustädter Burg geboren, der bereits in Ungarn stehe, pflegte er unduldsamen Ungarn zu sagen, die nur einen geborenen Ungarn anerkennen und wählen wollten. Da zwang ihn die Zuchtlosigkeit seiner beuteschweren Söldner und der Einbruch eines ungewöhnlich harten Winters vor den Mauern Ofens umzukehren. Angesichts des drohenden Doppelkrieges im Osten und im Westen gab es nur eines: den Friedenswillen des neuen Königs Wladislaw auszunützen und den *Preßburger Frieden* (1491 November) anzunehmen. Es war ein Erfolg für den Augenblick und mehr noch für die Zukunft; was Friedrich III. 1463 in Ödenburg vereinbart hatte, wurde erneuert. Wladislaw anerkannte das habsburgische Erbrecht auf Ungarn für den Fall, daß er selber ohne Söhne bleiben sollte. Auch die finanziellen Bedingungen des Vertrages waren für Maximilian ungewöhnlich günstig. Gleichwohl konnte er den Verlust Ungarns nur schwer verschmerzen. Die Bretagne habe ihn um Ungarn gebracht, sagte er, und der tückische Anschlag des Königs von Frankreich habe ihm das gegen die Türken erhobene Schwert aus der Hand geschlagen.

Zur gleichen Zeit, 1490 bis 1491, vollzog sich der letzte Akt in Maximilians bretonischem Unternehmen, der sogenannte „*Brautraub von Britannien*". Frankreich mußte die geplante Vereinigung der Niederlande mit der Bretagne durch Maximilians Ehebund mit Anna von der Bretagne als einen Anschlag gegen seine Sicherheit empfinden. Auch Friedrich hatte diesen Plan anfänglich unterstützt. Der Gegenschlag Karls VIII. fiel rasch und hart: er besetzte die ganze Bretagne und zwang Anna, die bereits per procuram mit Maximilian vermählt war, ihm selber die Hand zu reichen, und dies, obwohl er bereits mit Maximilians Tochter Margarethe verlobt war. Maximilian, gerade damals in Ungarn festgehalten, mußte diese schimpfliche Schmach geschehen lassen.

In ohnmächtigem Zorn versuchte er das Reich aufzubieten, aber die Reichsstände, angeführt von Erzbischof Berthold von Mainz, wünschten die Interessen des Reiches und des Hauses Österreich reinlich geschieden zu wissen. Obwohl das Reich versagte und die Bundesgenossen England und Spanien vorzeitig den Kampfplatz verließen, vermochte Maximilian größtenteils mit eigenen Mitteln die letzten Regungen des niederländischen Aufstandes niederzuwerfen, nach Burgund vorzustoßen und den Franzosen einen Denkzettel zu geben; aber der Vater hatte ihn stets gelehrt, unwiederbringliche Dinge zu vergessen. Die Überlegung, daß die bretonische Heirat vollzogen, daß die Bretagne allzu weit entfernt liege, um gegen Frankreich behauptet werden zu können und ein neuer türkischer Ansturm im Osten und neue drängende Heiratsverhandlungen mit Mailand veranlaßten ihn schließlich zum Frieden von Senlis (1493), in dem er einen Gutteil der Mitgift Margarethens von Frankreich zurückerhielt. Es war, verglichen mit dem Frieden von Arras, doch ein Erfolg.

Am 19. August 1493 starb inmitten neuer Bewegungen im Osten und im Westen Friedrich III. in der Linzer Burg. In der Tat vollzog sich mit seinem Tode mehr als ein bloßer Generationenwechsel. Alles wies auf den Anbruch einer neuen Zeit. Kurz vorher war Kolumbus in der neuen Welt gelandet, und war, was die Zeitgenossen weit mehr erregte, der „Donnerstein von Ensisheim" (ein Meteorit von riesigem Gewicht, der heute noch zu sehen ist), als ein unmittelbarer Bote des Himmels auf die Erde niedergesaust. Beides auf ihre Weise Vorzeichen einer Zeitenwende. Reform des Reiches, Reform der Kirche, Reform der christlichen Staatenfamilie; alles sollte sich neu gestalten.

In diesem allgemeinen Umsturz der Länder, Staaten und aller Dinge dieser Welt haben Vater und Sohn, Friedrich III. und Maximilian, mit einer Kraftanstrengung ohnegleichen unter größten persönlichen Opfern, unter Hingabe ihres Gutes, aber auch unbarmherziger Überlastung ihrer Untertanen, ihre Erbländer aus den Niederungen der Teilungsstreitigkeiten, des Bruderzwistes und der Ständekämpfe emporgeführt auf die Höhen eines erneuerten Kaisertums und einer Weltmacht, „in der die Sonne nicht untergehen sollte". Allerdings war der Wohlstand ihrer Länder in die Weltreichshoffnungen des Hauses hineingeflossen. Bei Friedrichs III. Tode waren alle Kassen ausgeleert, und die überspannte Jagd nach des Kaisers Schatz, die man Jahre lang fortsetzte, war letzlich müßig. Maximilian tröstete sich im Weißkunig: eine streitbare Regierung und künftiges Gedächtnis sei mehr als Geld.

In der Tat wird man den Anteil des Vaters nicht *unterschätzen* dürfen, der zum neuen Haus Österreich den Grund gelegt, das der Sohn in die Höhe führen sollte; man wird vor allem das Werk der jüngeren Generationen, insbesondere Karls V., nicht *überschätzen* dürfen, dem es gegönnt war, die Casa de Austria zu vollenden, wenn er auch alles, die Rechtstitel und die Idee, als Erbe fertig übernehmen konnte.

QUELLEN- UND LITERATURHINWEISE:

C h m e l, Joseph, Historia Friderici IV. et Maximiliani I. ab Jos. Grünbeck, in: Der Österreichische Geschichtsforscher I, Wien 1838, 64—97.

C h m e l, Joseph, Regesta chronologico-diplomatica Friderici IV., Romanorum regis (imperatoris III.), 2 Bde., Wien 1838.

C u s p i n i a n, Johannes, De Caesaribus atque Imperatoribus Romanis, Frankfurt 1601.

F u g g e r, Johann Jacob, Spiegel der Ehren des Höchstlöblichen Kayser- und Königlichen Erzhauses Österreich, bearbeitet von Sigmund *von Birken*, Nürnberg 1668.

G a c h a r d, M., Itinéraire de Maximilien dans les années 1484, 1486 et 1488, in: Collection des Voyages des Souverains des Pays-Bas, hrsg. von Gachard, I, Brüssel 1876, 101—114.

G r ü n p e c k, Joseph, Commentaria und Gesta Maximiliani Romanorum Regis, Handschrift im Codex 33 Starhembergischen Archivs im Oberösterreichischen Landesarchiv zu Linz (vgl. Wiesflecker, Joseph Grünpecks Commentaria und Gesta Maximiliana Romanorum Regis s. u.).

I l g e n, Theodor, Die Geschichte Friedrichs III. und Maximilians I. von Joseph Grünpeck, in: Die Geschichtsschreiber der deutschen Vorzeit, 15. Jhdt., III, 2. Aufl., Leipzig 1940.

L i n d e n, H. van der, L'Itinéraire de Marie de Bourgogne et de Maximilien d'Autriche 1477—1482, Brüssel 1934.

M o s e r, Johann Jacob, Dr. Joseph Grünbecks Kaysers Maximiliani I. Geheimen Raths und Beicht-Vatters Lebens-Beschreibung Kayser Friedrichs III. (V.) und Maximilians I., Tübingen 1721.

M u s p e r, H. Th. in Verbindung mit Rudolf B u c h n e r, Heinz-Otto B u r g e r und Erwin P e t e r - m a n n, Kaiser Maximilians I. Weißkunig, 2 Bde., Stuttgart 1956.

R o o, Gerard van, Annales rerum belli domique ab Austriacis Habspurgicae gentis principibus a Rudolpho I. usque ad Carolum V. gestarum, Innsbruck 1952.

S c h m i d, Franziska, Eine neue Fassung der maximilianischen Selbstbiographie, Phil. Dissertation, Wien 1950.

S c h u l t z, Alwin, Der Weißkunig, in: Jahrbuch der kunsthistorischen Sammlungen des allerhöchsten Kaiserhauses VI, Wien 1888.

S c h u l t z, Alwin, Fragmente einer lateinischen Autobiographie Kaiser Maximilians I., in: Jahrbuch der kunsthistorischen Sammlungen des allerhöchsten Kaiserhauses VI, 421—446.

LITERATUR:

U h l i r z, Karl und Mathilde, Handbuch der Geschichte Österreich-Ungarns I, 2. Aufl., Graz—Wien—Köln 1963, 443—447 (bietet eine umfangreiche Bibliographie der einschlägigen Quellendrucke und Literatur).

B a c h m a n n, Adolf, Deutsche Reichsgeschichte im Zeitalter Friedrich III. und Maximilian I., 2 Bde., Leipzig 1884/94.

B a c h m a n n, Adolf, Die ersten Versuche zu einer römischen Königswahl unter Friedrich III., in: Forschungen zur deutschen Geschichte 17 (1877), 275—330.

B a c h m a n n, Adolf, Zur deutschen Königswahl Maximilians I., in: Archiv f. Österr. Gesch. 76 (1890), 557—605.

B a c h m a n n, Adolf, Nochmals die Wahl Maximilians I., in: Histor. Vierteljahrsschrift 4 (1901), 493.

B a c h m a n n, Adolf, Aus den letzten Tagen Kaiser Friedrich III., in: MIÖG 7 (1886), 471—476.

B e r g m a n n, L., Lateinische Grammatik, moralische und diätetische Verse, samt einer Vermahnung in Prosa, zum Unterrichte des Erzherzogs, nachherigen Kaiser Maximilian I. geschrieben. Ein Beitrag zur Geschichte der Lehr- und Lernweise des 15. Jahrhunderts, in: Jahrbücher der Literatur 78 (1837), Anzeigenblatt 17—34.

B e n e s c h, Otto, A u e r, Erwin M., Die Historia Friderici et Maximiliani, Berlin 1957.

B i r k, Ernst, D. Leonor von Portugal, Gemahlin Kaiser Friedrich III., in: Almanach der Akademie der Wissenschaften 9 (1859), 153—188.

B o c k, Ernst, Die Doppelregierung Kaiser Friedrichs III. und Königs Maximilians in den Jahren 1486 bis 1493, in: Aus Reichstagen des 15. und 16. Jahrhunderts. Schriftenreihe d. Histor. Kommission bei der Bayerischen Akademie der Wissenschaften 5, Göttingen 1958, 283—340.

B u c h n e r, Rudolf, Maximilian I. Kaiser an der Zeitenwende. Persönlichkeit und Geschichte 14, Göttingen—Berlin—Frankfurt 1959.

C a l m e t t e, Joseph, Die großen Herzöge von Burgund, München 1963.

H a n n a k, E., Ein Beitrag zur Erziehungsgeschichte Maximilians aus dem Jahre 1466, in: Mitteilungen der Gesellschaft f. Erziehungskunde 2 (1892), 145—163.

F i c h t e n a u, Heinrich, Der junge Maximilian (1459—1482). Österreich Archiv, Wien 1959.

F i c h t e n a u, Heinrich, Die Schulbücher Maximilians I., in: Philobiblon 3 (1959), 2—8.

F i c h t e n a u, Heinrich, Die Lehrbücher Maximilians I. und die Anfänge der Frakturschrift, Hamburg 1961.

F u c h s, K., Maximilian I. und Maria von Burgund, in: Histor.-polit. Blätter 145 (1910), 509 ff.

G a b o r y, Emile, Anne de Bretagne, duchesse et reine, Paris 1941.

Geschiedenis van Nederland, hrsg. von Brugmans, Bd. 2: Middeleewen, Amsterdam 1935.

H o m m e l, L., Marie de Bourgogne ou le grand Héritage. Brüssel 1945.

J ä g e r, Albert, Der Übergang Tirols und der österreichischen Vorlande von dem Erzherzog Sigmund an den römischen König Maximilian von 1478—1490, in: Archiv f. österr. Gesch. 51 (1873), 297—448.

J e d i n, Hubert, Ein Prinzenspiegel für den jungen Maximilian I., in: Archiv f. Kulturgeschichte 43 (1961), 52—61.

K r a u s, Viktor von, Maximilian's I. Beziehungen zu Siegmund von Tirol in den Jahren 1490—1496, Wien 1879.

K r o n e s, Franz von, Leonore von Portugal, Gemahlin Kaiser Friedrichs III., in: Mitteilungen des Histor. Vereins f. Steiermark 49 (1902), 53—120.

L a c r o i x, A. F., Faits et particularités concernant Marie de Bourgogne et Maximilien d'Autriche, in: Mémoires et publications de la Société des Sciences, des Arts et des Lettres du Hainaut I (1839), 58 ff.

L e r o u x d e L i n c y, Vie de la reine Anne de Bretagne, 4 Bde., Paris 1860/61.

L i c h n o w s k y, E. M., Kaiser Friedrich III. und sein Sohn Maximilian I., Wien 1843.

L h o t s k y, Alphons, Die Geschichte der Sammlungen, 1. Teil: Von den Anfängen bis zum Tode Kaiser Karl VI. (Festschrift des Kunsthistorischen Museums zur Feier des fünfzigjährigen Bestandes) II, Wien 1945.

L i n d n e r, F., Die Zusammenkunft Kaiser Friedrichs III. mit Karl dem Kühnen von Burgund, Diss. Greifswald 1876.

Maximilian I. Ausstellung. Wien, Österreichische Nationalbibliothek, 1959.

M a y e r, Josef, Geschichte von Wiener Neustadt, 2 Bde., Wiener Neustadt 1924/27.

M ö l t z e r, E. H., Friedrich III. und Karl der Kühne in Trier 1473, Groningen 1891.

M ü n c h, E., Kaiser Maximilians I. Bildungsgeschichte und Verdienste um die Wissenschaft, in: Jahrbuch f. Geschichte und Staatskunde (1831), 289.

M ü n c h, E., Maria von Burgund, 2 Bde., Leipzig 1832.

N e u b a u e r, Hansgeorg, Die burgundische Frage vom Tode Karls des Kühnen bis zum Frieden von Senlis, Diss. Erlangen, Landau/Pfalz 1930.

P e t r i, F., Die früheren Habsburger in der niederländischen Geschichte, in: Verslag van de algemene vergadering van het Historisch genootschap gehouden te Utrecht 2. Nov. 1957. Verenigt met Beijdragen en medelingen van het Historisch genootschap, Groningen 22 (1958), 11—45.

P i r e n n e, Henri, Geschichte Belgiens III, Gotha 1907.

P r i e b a t s c h, F., Die Reise Friedrichs III. ins Reich 1485 und die Wahl Maximilians, in: MIÖG 19 (1898), 302—326.

R a u s c h, Karl, Die burgundische Heirat Maximilians I., Wien 1880.

R i c h e r t, Ernst, Die Schlacht bei Guinegate, 7. August 1479, Diss. Berlin 1907.

R o u i l l é, Michel D., C u n y, Hubert, P i n o t e a u, Hervé, Les grands mariages des Habsbourg, Paris 1955.

S c h m e i d l e r, B., Friedrich III. und Kaiser Maximilian I., in: Gestalter deutscher Vergangenheit, hrsg. v. P. R. Rhoden, Potsdam 1937, 249—270.

U l m a n n, Heinrich, Kaiser Maximilian I., 2 Bde., Stuttgart 1884/91.

U l m a n n, Heinrich, Kaiser Friedrich III. gegenüber der Frage der deutschen Königswahl 1481—1486, in: Histor. Zeitschrift 84 ((1900), 410—429.

W i e s f l e c k e r, Hermann, Joseph Grünpecks Commentaria und Gesta Maximiliani Romanorum Regis. Die Entdeckung eines verlorenen Geschichtswerkes. Inaugurationsrede gehalten an der Karl-Franzens-Universität in Graz am 11. November 1964, Graz 1965.

W i e s f l e c k e r, Hermann, Das erste Ungarnunternehmen Maximilians I. und der Preßburger Vertrag (1490/91), in: Südost-Forschungen 18 (1959), 26—75.

V a n d e n d r i e s s c h e, J. E., L'empereur Maximilien d'Autriche et la Flandre, Tourcoing 1936.

Hanna Dornik-Eger

KAISER FRIEDRICH III. IN BILDERN SEINER ZEIT

Kaiser Friedrich III. ist der erste aus dem Hause Habsburg, dessen Aussehen in einer größeren Anzahl von Darstellungen aller Art überliefert ist. Erst das Vorhandensein dieser mannigfachen bildlichen Quellen ermöglicht es, dem Anschauungsbedürfnis Folge zu leisten und den Wandel der äußeren Erscheinung des Fürsten lebendig vor Augen zu stellen. Im Früh- und Hochmittelalter lag die eigentliche Bedeutung des Herrscherbildes nicht im Erreichen abbildhafter Ähnlichkeit, Repräsentations- und Amtsmerkmale überdeckten vielmehr die individuellen. Krone, Szepter und Reichsapfel durften keinesfalls den Darstellungen fehlen, Personifikationen der Tugenden umgaben den Herrscher, um anzuzeigen, welche Eigenschaften man von ihm erwartete. Aufgabe des Bildes war es, des Dargestellten monarchische Bedeutung auszudrücken und nicht, sein Aussehen festzuhalten und wiederzugeben.

Die große Wende sollte mit dem erstarkenden Selbstbewußtsein des spätmittelalterlichen Menschen einsetzen. Erst jetzt wird das Verlangen nach dem gemalten Einzelporträt wach, das Bildnis löst sich allmählich aus dem Zusammenhange des mittelalterlichen Gesamtkunstwerkes, keineswegs aber einem ästhetischen Bedürfnis folgend, sondern nur, um dem fürstlichen Repräsentations- und Dokumentationswillen eine neue Form der Manifestation zu schaffen.

Im Norden war es der Prager Hof des nüchternen Realpolitikers Karls IV., mit seiner lebendig-geistigen Atmosphäre, der der naturnahen Bildnisaufnahme günstig gewesen war. Diesem böhmischen Hofkreise ist denn auch das erste authentische Habsburger-Bildnis, ein Brustbild Rudolfs IV. zu verdanken, das die Aufgabe des Porträts im eigentlichen Sinne, das Individuum für die Nachwelt zu verewigen, bereits restlos erfüllt.

Und doch sollte es, ehe die Kunst des Porträtierens voll einsetzte, ehe sie verschiedene Bildnisse derselben Person im Wandel des Alters zeigt und somit berechtigt, das Porträt als Urkunde für die Erscheinung eines Menschen zu benutzen, noch ein volles Jahrhundert währen.

Ist es mehr denn Zufall, daß dieses Jahrhundert eben Rudolf und Friedrich, die beiden ihrer Familie, deren mannigfache Beziehungen neuerdings immer deutlicher werden, trennte? Das erste gemalte authentische Porträt Friedrichs nördlicher Provenienz steht formal in direkter Nachfolge zu dem Erzherzogsbildnis Rudolfs, das erste steinerne Abbild Friedrichs, das Standbild an der Wappenwand der Georgskirche der Burg zu Wiener Neustadt, steht in deutlicher Abhängigkeit von der in sein Siegel geschnittenen Harnischfigur Rudolfs. Die gesamte Komposition, die in der Hauptnische eines Portales stehende Figur in Rüstung, das Haupt anstatt des Helmes durch einen Herzogshut mit Bügel und

Kreuz bedeckt, in der Rechten das Kugelszepter, die Linke sich auf das Schwert stützend, um die Schultern einen bis zum Boden wallenden Mantel, umgeben von Länderwappen in den Seitennischen, wurde von Friedrich zunächst auf seinem nach eigenhändigem Vermerk bereits 1436 angefertigten Herzogssiegel genau übernommen. Konzeption und Aufbau der beiden Porträtsiegel stimmen völlig überein, sie sind lediglich stilistisch zu unterscheiden. Von hier ausgehend führte Friedrich offensichtlich die Idee weiter: Trotz der Verschiedenheit von Zweck und Material, trotz der stilistischen Unterschiede der rund zwanzig Jahre voneinander getrennten Werke stehen Herzogssiegel und Wappenwand in engstem Zusammenhange. Die grundsätzliche Komposition der Harnischfigur in einer von Länderwappen umrahmten, von einem Baldachin bedeckten Nische, Haltung der Figur, jener von den Schultern überlange zu Boden fallende Mantel, das Tragen von Szepter und Schwert wurde beibehalten. Nur der Hut weist Veränderungen im Detail auf. Schien jener, den Friedrich auf dem Herzogssiegel trug, identisch dem zu sein, mit dem Ernst der Eiserne auf seinem Grabstein im Kloster Rein dargestellt ist, und der schlichter als jener des Stifters gewesen sein dürfte, so unterscheidet sich der steinerne von Wiener Neustadt durch reiche Zierde sowie durch kugelförmige Endungen der Zacken von der schlichteren Insignie des Vaters. Es wäre nun möglich, daß Friedrich, seit er am 25. Juli 1442 mit königlicher Machtvollkommenheit die den Herzögen von Österreich verliehenen Privilegien bestätigte, wodurch diese zu Erzherzögen erhoben sein sollten, den Herzogshut seiner Vorfahren nicht mehr als würdegemäß empfand und einen neuen der Gestalt anfertigen ließ, wie er in Wiener Neustadt gezeigt wird. Der ausgereifte Realismus des Standbildes ordnet es der „dunklen" Zeit des gotischen Stiles zu, und spricht für die auf der Wappenwand gegebene Datierung von 1453. Ein Vergleich weiterer bildlicher Darstellungen zeigt, daß Friedrich auch an der Form dieses Hutes nicht allzulange festhielt und sein Bestreben dahin ging, dem Vorbilde seines Großonkels immer näher zu kommen.

Auf dem auf der Rückseite nebst dem Monogramm Friedrichs 1459 datierten Erzherzogssiegel trägt der auf einem Pferd reitende Monarch einen Hut von abermals neuer Form. Dieser aber, dessen Zacken von Hermelin bedeckt sind, dessen Bügel mit Krabben geschmückt ist, ist offensichtlich identisch jenem, den Friedrich auf dem repräsentativen Bildnis im Kloster zu Vorau trägt, und der auch auf der Deckplatte des Grabmales zu Sankt Stephan in Wien wiederkehrt. Die Figur des Kaisers ist hier von Wappenschildern und Kronen umgeben. Zu seiner Linken, zwischen dem gekrönten Adler, der in seinem Schnabel ein Schriftband mit den fünf Vokalen AEIOU trägt und dem niederösterreichischen Wappen findet sich der Erzherzogshut. Die Deckplatte ist um 1473 zu datieren. Damit besaß Friedrich nachweisbar seit 1459 und bis 1473 einen Erzherzogshut von der zuletzt beschriebenen Form, während er, soweit wir den Bildwerken vertrauen dürfen, zuvor anders geformte Hüte trug. Gerade dieser Hut weist aber die meisten Parallelen zu jenem Rudolfs IV. auf, nach dessen Vorbild er durchaus nach der am Dreikönigstage 1453 neuerlich gegebenen, ausdrücklichen Erklärung Friedrichs, daß die Mitglieder der „steirischen" Linie Erzherzoge sein sollten, hergestellt worden sein könnte. Bestätigt wird diese These durch die für den steirischen Erzherzogshut gegebene Datierung von 1457. Da die Friedrich als Herzog darstellenden Bildnisse durchwegs steirischer Provenienz sind, und in Beziehung zueinander stehen, empfiehlt es sich, sie entgegen der der vita Friderici angepaßten chronologischen Reihung zusammenzufassen und vor den während des ersten Romzuges entstandenen Porträts zu besprechen.

Die erste Darstellung Friedrichs dürfte auf einer Votivscheibe seines Vaters erhalten sein, einem von Ernst dem Eisernen zwischen 1423 und 1432 für die Gottesleichnamskapelle der Burg zu Wiener Neustadt gestifteten Glasfenster. Wertet man schulterlanges, leicht gewelltes Haar, hochgeschwungene Brauenbogen über halbgeöffneten Augen und eine lange, in der Mitte etwas gebuckelte Nase als die charakteristischen physiognomischen Merkmale Friedrichs so dürfte er wohl mit jenem Knaben, der hinter seinen beiden Brüdern kniet, identifiziert werden können. In diesem Zusammenhange sei auch noch ein weiteres Glasgemälde erwähnt, das vermutlich eine Darstellung Friedrichs trug und sich bis um 1500 in der Georgskirche der Burg zu Wiener Neustadt befunden haben dürfte. In den Jahren 1478 und 1479 wurden sämtliche Fenster der St. Georgskirche mit Glasgemälden geziert, von denen aber nur wenige Reste im oberen Maßwerk erhalten sind. Diese Reste deuten darauf hin, daß den Platz der der Familie Maximilians entnommenen Figuren ursprünglich zum Teil Porträts der friderizianischen Familie einnahmen. Aus der oberhalb der Taufe Christi befindlichen Wappenreihe und den darunter gesetzten Inschriften in flämischer Sprache kann geschlossen werden, daß unter dem kaiserlichen Doppeladler und der Inschrift RVMES RICH Friedrich als Stammvater der Familie dargestellt war. Die Reihe setzte Maximilian als RVMES KING, dessen Sohn Philipp als Erzherzog von Österreich und schließlich Maria von Burgund fort.

Nach Friedrichs Tode, der zweiten Heirat und der Kaiserkrönung Maximilians, sowie nach Philipps Antritt der spanischen Regierung wurde unter Beibehaltung der alten oberen Wappen die Änderung der Votivbilder vorgenommen und jeder Figur unten das entsprechende Wappen beigegeben. Diese neuen prachtvollen Glasfenster errichtete der Niederländer Joris van Delft.

Von den Darstellungen des Monarchen aus jungen Jahren gibt lediglich das schon erwähnte Standbild an der Wappenwand Friedrichs Züge zwar idealisiert, die lange Nase und die kräftig ausgebildete Kinnpartie wurden um des harmonischen Gesamteindruckes willen gemildert, aber dennoch kenntlich wieder. Gesichtsschnitt, Augen- und Mundform sind Friedrich ebenso eigentümlich, wie die schlanke und hohe Gestalt, die auch der Italiener Enea Silvio Piccolomini, der einzige unter seinen geschichteschreibenden Zeitgenossen, dem die literarische Personenschilderung als wesentlicher Faktor der Historiographie erschienen war, würdigte.

Das erste gemalte Bildnis Friedrichs überhaupt entstand um 1452 aus der Hand eines Italieners. Es soll vorderhand zugunsten des ersten repräsentativen Tafelbildnisses nördlichen Ursprunges, des Porträts aus dem Kloster Vorau, unberücksichtigt bleiben.

Dem Höhenfluge Rudolfs IV. folgend, mag Friedrich, erfüllt von der Wichtigkeit seiner Sendung und dem Bewußtsein, daß er als erster seines Hauses die Kaiserkrone empfangen hatte, die Bestätigung des Privilegium maius vorgenommen haben. Ein „Erzherzogshut" nach dem Vorbilde des verehrten Ahnen mußte angefertigt, ein, herrscherlichem Ruhmsinn und fürstlichem Repräsentationswillen verpflichtetes Bildnis gemalt werden. Als einzige sämtlicher Darstellungen Friedrichs wendet dieses Porträt den Kopf in den Raum. Zwei Drittel der Höhe der Tafel füllt das Dreiviertelprofil, vom Körper wird nur ein kleiner, formenarmer Schulternausschnitt gegeben. Dieselbe Konzeption fand sich auf dem Erzherzogsbildnisse Rudolfs.

Das vor blaugrünen Grund gestellte Brustbild Friedrichs gibt einen individuellen, trocken-zeichnerischen physiognomischen Bericht, der das Durchdringen des niederländischen Naturalismus in der österreichischen Tafelmalerei verrät. In seinem großflächigen strengen Stil entspricht das Bild der steirischen Malerei um 1460. Das braune Haar mit helleren, welligen Höhungen umrahmt perückenartig das schmale Oval des Gesichtes mit den ernsten Zügen. Auf dem Haupte ruht der steirische Erzherzogshut mit seinen goldenen, hermelinbesetzten Zacken, der mit Krabben geschmückte Bügel trägt ein schlichtes Kreuz. Braune, halbgeöffnete Augen blicken starr, die oben etwas gebogene, lange Nase tritt stark hervor, scharf geschnittene Lippen schließen herb den relativ kleinen Mund über den die kräftige Kinnpartie dominiert. Ein starrer, hoher, von Nesteln zusammengehaltener Kragen der Hoftracht aus Goldbrokat mit Hermelincape um die schmalen Schultern verstärkt den Eindruck der Strenge. Es wird jener Mann gezeigt, der selten lächelte, dessen Gedanken und Stimmungen man an seinen stets beherrschten Zügen nicht ablesen konnte, von dem der Zeitgenosse schrieb: *semper unius est vultus, licet res sua geratur* (Enea, Briefwechsel, Wolkan S. 255). Es ist die Darstellung eines introvertierten, früh von Welt und Umgebung enttäuschten Fürsten, der sich resignierend zurückzog, um seinen Ideen und seiner Phantastik zu leben. Enea folgend, der seine Personenschilderung damit begründet, daß das Äußere eines Menschen einen Teil seines Wesens darstellt, ergäbe sich für Friedrich der Befund, daß die stark abwärts fallende Nase, die scharfe Wangenfalte, das tiefliegende Auge Ausdruck jener Verschlossenheit sind, die es ihm erschwerte, Kontakt zu seiner Umwelt zu finden, die Züge mögen Zeugnis ablegen von seiner frühen Einsamkeit und seinem Argwohn, Eigenheiten, die aus so manchen Notizen in des Kaisers eigenhändigem Memorandenbuche sprechen.

Der Typus des repräsentativen Herzogsbildes, der mit einer einzigen Ausnahme nicht über die Landesgrenzen gedrungen war, wird in der steirischen Malerei mehrfach abgewandelt. Nicht aber etwa in Filiationen des Porträts selber, man verwob vielmehr Friedrichs Antlitz in Heiligendarstellungen. Zunächst begegnet es auf einem Altarflügel der Grazer Landesbildergalerie in Verbindung mit einer klobigen, hartkonturierten Figur des heiligen Oswald. Das ernste, individuell durchgezeichnete Gesicht steht in seltsam anmutendem Widerspruch zur kompakten Blockform der übrigen Gestalt, vornehmlich der Hände. In einer Art Heiligen- und Festverzeichnis in Friedrichs Memorandenbuche (Notizbuch, Lhotsky, Nummer 48, S. 187), dessen Sinn bislang noch nicht recht geklärt werden konnte, notierte der Kaiser auch den Namen des heiligen Oswald, des Schutzherren der

Ritterschaft. Ebenso nennt er den heiligen Sebastian, als der Friedrich in einer Darstellung eines Altarflügels der Spitalskirche zu Obdach erscheint. Nach 1470 gemalt, dürfte das Werk noch eine zweite Vorlage, ein Medaillenbildnis des Bertoldo di Giovanni, das im Zusammenhang des zweiten Romzuges zu besprechen sein wird, mit einzubeziehen. Sebastian steht neben dem heiligen Florian vor gemustertem Goldgrund, er trägt eine graue Pelzmütze, die Farbe des mit Pelz verbrämten Mantels ist purpurrot mit Ornamenten, die in Gold gehalten sind. In der Rechten hält Sebastian einen Pfeil, in der Linken ein Schwert. Das lange Haar des Heiligen fällt in sanften Wellen bis auf die Schultern, Gesichtsform sowie Wangen-, Kinn-, Mundpartie erinnern an das Bildnis Friedrichs aus dem Kloster Vorau. Hingegen erscheint der Herrscher hier weniger jugendlich, die Nase ist etwas kürzer, die Brauen über den halbgeöffneten, schläfrig wirkenden Augen sind stärker geschwungen, das Haar fällt natürlicher, ganz so, wie es bei den Bildnissen Friedrichs in mittleren Jahren immer wieder anzutreffen ist. Das Motiv der Darstellung in Beziehungen Friedrichs zum heiligen Sebastian zu suchen wird bei diesem Bilde angesichts der Tatsache, daß Friedrich Obdach zum Schutze gegen die Türken eigens befestigt hatte, anderseits der heilige Sebastian der Patron der im bürgerlichen Besitze befindlichen Spitalskirche war, die auch heute noch das Bild verwahrt, nicht angebracht zu sein. Die Frage, ob eines der Christophorusfresken des Grazer Domes Züge Friedrichs mit dem Heiligen verbindet, ist weitgehend umstritten. Während ein Christophorus an der Innenwand über dem Südportal den Herzogshut trägt, und dadurch mit dem steirischen Landesherren in Verbindung gebracht werden könnte, scheint der gegenüberliegende, oberhalb des Nordportales angebrachte heilige Christoph am ehesten Wesenszüge des Vorauer Bildnisses zu verarbeiten, wie in der Mund-Kinnpartie, oder in der Art der Nase. Möglicherweise sind beide Darstellungen mit Friedrich, der als besonderer Förderer der im 15. Jahrhundert regen Christophorusverehrung hervorgetreten war, in Zusammenhang zu bringen, Beziehungen zu seiner persönlichen Frömmigkeit dürften hier jedenfalls im stärksten Maße vorliegen.

Bei Betrachten des Bildes Sancti Christophori sollte man nach mittelalterlicher Vorstellung an diesem Tage vor plötzlichem Tode und anderem Unheil gefeit sein. In einer Zeit größter Wirren mußte geradezu ein Heiligenbild von solcher Schutzkraft von größter Wirkung sein. Wiederum ist das Memorandenbuch des Kaisers heranzuziehen, in dem er verzeichnet: *Cristoffori faciem quacumque die tueris, non confusus erris neckh mala morte peribis illo namque die nulla langbore grafebis* (Memorandenbuch Lhotsky, Nummer 88, S. 192). Die ersten beiden Zeilen dieses in vielen Varianten vorkommenden Spruches sind bereits 1432 bezeugt. Nicht nur das Festhalten des Spruches spricht für Friedrichs abergläubische Verbindung zu Christophorus; unter anderem befindet sich auf seinem Erzherzogssiegel vom Jahre 1459 neben dem heiligen Friedrich der heilige Christophorus. In seinem Gebetbuche trägt Christophorus den Erzherzogshut, oberhalb des Miniaturbildes in seinem Sommerbrevier mit der Darstellung Friedrichs und seiner Söhne, von denen einer auf den Namen Christoph getauft worden war, erscheint wiederum der Heilige. Auch hier offenbar um des Bezuges willen, Schutz vor plötzlichem Tode und anderem Unheil zu finden. Über die konkreten Beweise von Friedrichs Frömmigkeit, wie die zahlreichen geistlichen Stiftungen, die Gründung des Georg-Ritterordens, und die Betreibung der Heiligsprechung Leopolds hinaus, scheint die Gruppe der steirischen Heiligenbilder zu bestätigen, daß Friedrich den Kult bestimmter Heiliger pflegte, ja auch, daß Maximilians Interesse an den Habsburgischen Hausheiligen von hier seinen Ursprung genommen haben könnte. Bemerkenswert ist, daß ausschließlich der auf dem Vorauer Bildnis geprägte Bildtypus als Vorlage für die Verbindung Friedrichs mit einer Heiligenfigur Verwendung fand und weiters, daß sich solche Heiligendarstellungen ausschließlich in der Steiermark finden.

In seiner Würde als römischer König erscheint der Monarch lediglich auf Siegelbildern und auf einem, allerdings erst 1472 entstandenen Kupferstich, dem ersten Bildnisstich Friedrichs, der mit Ausnahme von einigen wenigen Details in denen er mit Jugendbildnissen übereinstimmt, wie in Haartracht und Nasenform, keinerlei Aussage über die Erscheinung des Königs enthält. Sowohl der Zug nach Aachen, wie auch die Königskrönung selbst blieben ohne bildliche Dokumente. Ganz anders aber als im Norden, wo ja die eigentliche Kunst des Porträtierens, wie auch die Medailleurkunst erst gegen Ende des 15. Jahrhunderts einsetzte, liegen die Verhältnisse in Italien: Friedrichs Zug zur zweiten Krönung, der Kaiserkrönung, fand erstaunlich reichen Niederschlag in der zeitgenössischen Malerei.

Unmittelbar vor dem Romzuge, vielleicht als Geschenk an Eleonore von Portugal der Gesandtschaft von 1451 mitgegeben, dürfte ein Miniaturbild Friedrichs, nach italienischer Art im strengen Profil nach links, entstanden sein. Dichtes rotblondes Haar wallt bis auf die Schultern, das braune Auge liegt tief unter dem edel geschwungenen Brauenbogen, die Nase springt charakteristisch und lange hervor, der Mund scheint strenge und unnahbar geschlossen. Wiederum reicht der steife enge Kragen der mit Perlen bestickten und mit Pelz verbrämten Hoftracht bis an das Kinn.

Die Beschreibung von Friedrichs Äußerem, die der italienische Meister gibt, deckt sich mit der Personsbeschreibung des italienischen Literaten Enea: *Vidisne iuvenum albis comis planisque? ... rarus in ore risus, gravis incessus viro, verba pauca, pudor ante faciem, longo vultu statura plus quam mediocri, lato pectore* (Enea, Briefwechsel, Wolkan, S. 349).

Das Bildnis wurde neuerdings von Millard Meiss glaubwürdig dem Barbarini-Meister zugeschrieben und damit die ältere Version, die es als Werk des Francesco Squarcione ansah, endgültig widerlegt. Tatsächlich hatte Friedrich den Maler Squarcione, dessen Ruhm ihm bekannt war, während seines Aufenthaltes in Padua zu sich berufen, ob aber bei dieser Begegnung des Künstlers mit dem Kaiser ein Bild entstand, ist ungewiß. Der Bericht des Treffens in Bernardino Scardeones Stadtgeschichte von Padua, gibt jedoch einen anderen wichtigen Hinweis, der über die Nachricht, Friedrich habe die römischen Altertümer besichtigt hinausgehend zeigt, daß der Fürst der italienischen Kunst und ihren Künstlern reges Interesse entgegengebracht haben muß. Dies und eine Reihe von für

Cassoni bestimmten Tafeln, denen der lebhafte Stil der Bilder mit seinem fast impressionistischen Festhalten der Handlung gemeinsam ist, sie zeigen Friedrichs Einzug in Florenz, die Ankunft der Eleonore von Portugal in Livorno, sowie die Ereignisse des Krönungstages selbst, spricht dafür, daß Friedrich einen Quattrocentisten in sein Gefolge aufgenommen hatte, dem die Aufgabe gestellt war, die festlichen Empfänge und Ereignisse des Italienzuges im Bilde festzuhalten. Zahlungsnachweise an einen italienischen Künstler konnten allerdings nicht gefunden werden.

Friedrich zog von Bologna über den Apennin nach Florenz, wo er die päpstlichen Gemächer zu Sta. Maria Novella bewohnen sollte. *Die von Florenz haben ihn gantz möchtiglich empfangen ... Den König hat man eingeführt unter einen köstlichen Himmel zu Unser Lieben Frauen in die Hauptkirchen, und da löblichen und mit Freude gesungen Te Deum Laudamus, und haben dem König gehörbercht in ein schönes Kloster ...* (Enenkel, Deutsche Städtechroniken XXIII, S. 310). Die Haupttafel eines Cassone nun zeigt den Zug, der eben den Dom zu Florenz verläßt. Friedrich schreitet, umgeben von Vertretern Des Stadtrates zu seinem Pferd. Links vor Friedrich ist ein Gefolgsmann im Begriff. sein Roß zu besteigen. An seinem Mantel trägt er das friderizianische Zeichen AEIOV nebst einer Jahreszahl, vermutlich 1452.

Die eigene Aussage Friedrichs in seinem Memorandenbuche bezüglich der Anbringung der fünf Buchstaben auf Kunstgegenständen: *Pei belhem pau oder auff welhem silbergeschir oder kirengebant oder andern klainaten aeiov der strich und die funff puestaben stend, das ist mein, herczog Fridreis des jungern, gebessen oder ich hab das selbig paun oder machen lassen* (Memorandenbuch, Lhotsky, Nummer 2, S. 176), führt zu der Vermutung, daß diese Tafeln in kaiserlichem Auftrag gemalt wurden.

Daß Friedrich gerade seinen Zug durch Florenz im Bilde festgehalten wissen wollte, erklärt ein Bericht des Enea, der hervorhebt, wie sehr sich der Kaiser freute, Florenz, das Zentrum der italienischen Renaissancekunst sehen zu können: *Cupiebat quoque Florentiam visere: quam orbe toto nominatam urbem, Antecessoribus suis invisam atque inaccessam sciebat; quae pluribus Caesaribus restitit, multas exercitus fugavit. Audiverat civitatem splendidam esse, magnifice aedificatam, honesto populo plenam; fericeas illic aureasque vestes fieri, pictores egregias inveniri, fusores, sculptoresque singulares; mechanicas omnes artes apud Florentinos miro modo florere, dicique inde Florentiam* (Enea, De vita Friderici, Kollar, col. 240 f). In dieser Freude Friedrichs, die herrlichen Bauten der Stadt sehen, die hervorragenden Maler besuchen zu können, bekundet sich neuerdings des Monarchen reges Kunstinteresse.

Die Anbringung der fünf Vokale auf der Tafel im Sinne eines Eigentumszeichens gewinnt dadurch an Bedeutung, da auffälligerweise die „Devise" Friedrichs auf Werken der Malkunst fast nicht nachweisbar ist.

Neben dem historischen Bericht liefert das Bild auch einen interessanten topographischen: es zeigt die vollendeten Fassaden von Baptisterium und Campanile, während die Marmorinkrustation des Domes Sta. Maria del Fiore erst bis zu den Portalen gediehen ist.

Die Gestaltung der Fassade war von Arnolfo in romanisch-gotischem Übergangsstil begonnen und von Talenti bis zum ersten Drittel weitergeführt, oder vielleicht ersetzt worden. Die Arbeiten wurden 1420 unterbrochen, 1587 wurde diese alte Fassade zerstört. Der auf dem Cassonebild noch sichtbare Statuenschmuck in Nischen seitlich der Portale ist zum Teil im Dom-Museum der Stadt erhalten.

Eine der Seitentafeln stellt jene von Antoninus Florentinus, dem Erzbischof von Florenz literarisch überlieferte Begebenheit dar, da Friedrich nach einer vom heiligen Antonius selbst zelebrierten Messe im Dom am 2. Februar einige Florentiner adelte. *Et praesens fuit in officio purificationis virginis gloriose in missarum solemnis recipiens devote ac celebrante cereum benedictum ut de more fidelibus in ecclesia existentibus dari consuevit, oblateque ei fuerunt poscenti quedam reliquie sanctorum in vase argenteo ornato a comunitate: qui aliquos milites ibi fecit* (Antoninus Florentinus, Chronicon, fol. CLXXVIII). Friedrich, rechts von ihm Ladislaus, das Mündel, das ihn auf dem Romzug begleiten mußte, links sein Bruder Albrecht, erteilt eben einem vor ihm Knieenden den Ritterschlag. Es ist dies die einzige Darstellung des Cassone, die Friedrich genauer erkennen läßt. Obwohl von echter Porträtgetreuheit nicht gesprochen werden kann, so ist der Herrscher doch kenntlich wiedergegeben; die Umrißlinie des Profiles, das lange Haar, die herabsinkende Nase sind ihm eigentümlich und unterscheiden ihn deutlich von Albrecht. Die zweite Seitentafel gibt die Ankunft Eleonores in Livorno wieder, jener damals sechzehnjährigen Jungfrau, deren blendende äußere Erscheinung Enea folgendermaßen umreißt: *Statura mediocri virgo, annos nata sexdecim, laeta fronte, nigerrimis atque illustribus oculis, ore parvo, genis ad gratiam rubescentibus, cervice candida, facie ex integro venusta, nullaque videbatur parte mendosa. Verum forma corporis egregia, dotes animi multo praestantiores fuere* (Enea, De vita Friderici, Kollar, col. 265 f).

Die erste Begegnung Kaiser Friedrichs mit seiner Braut Eleonore von Portugal fand, wiederum nach Eneas Überlieferung, an der Porta Camollia vor Siena statt, ein Ereignis, das zunächst Matteo di Giovanni im Bilde festhielt. Doch obwohl der Bericht Matteos unmittelbar nach dem bedeutenden Geschehen entstand, und sicher zahlreiche Augenzeugen ihm jede Einzelheit berichtet hatten, so ist doch seine Darstellung ebenso wie das rund fünfzig Jahre später gemalte, repräsentative Fresko in der Dombibliothek zu Siena lediglich so gearbeitet, wie sich das Ereignis in der Phantasie des Künstlers widerspiegelte. Pinturicchio hielt sich in seiner Bilderzählung im wesentlichen an die Beschreibung des Vorganges durch Enea, rückte aber die feierliche Vereinigung des Paares in eine märchenhafte Sphäre. Vor einer Vedute von Siena und der berühmten Denksäule, die man später am Platze der ersten Zusammenkunft Friedrichs und Eleonores errichtet hatte, umgeben von bunt hin- und herwogendem Gefolge reicht das Paar einander die Hand. Pinturicchio benutzte Typen und Kostüme seiner Zeit, von einer Porträtähnlichkeit des bärtig gezeigten Kaisers, dessen Haupt von einer tiaraähnlichen Krone bedeckt ist, kann keine Rede sein.

Auch das bedeutendste historische Ereignis des Italienzuges von 1452, das zugleich sein Zweck und seine Erfüllung war, die Kaiserkrönung selbst, ist auf zur Zierde eines Cassone bestimmten Tafeln bildlich überliefert. Zweifelsohne handelt es sich um das Werk jenes Künstlers, der auch Friedrichs Zug durch Florenz festgehalten hatte.

Diesmal werden die Ereignisse des Krönungstages in mehreren aufeinanderfolgenden Bildern berichtet, jeder der Vorgänge bildet eine kompositionelle Einheit und geht doch wieder im klaren, übersichtlichen Ganzen auf.

Die Tafel der Vorderwand zeigt links, auf den Stufen vor Alt-St. Peter die Krönung. Friedrich empfängt vom Papst eine tiaraähnliche Krone, Bischöfe und Kardinäle auf der Estrade, sowie Eleonore mit ihren Frauen links und Ladislaus rechts von Friedrich kniend, folgen der Zeremonie. Hinter Ladislaus, etwas über ihn gebeugt, steht Friedrichs Bruder Albrecht, hinter und um ihn drängen sich neugierige Zuschauer.

Der weitere Handlungsverlauf entspricht den Beschreibungen des Enea: *Ut autem coronationi divinisque rebus impositus modus est, Leonora in suas aedes secessit. Papa et Imperator ad gradus Basilicae simul venerunt. Ibi Pontifex equum ascendit, eique Caesar ministri ad fraena officium per aliquot passus pedes exhibuit, equoque deinde conscenso usque ad ecclesiam Sanctae Mariae in Cosmedin una profecti sunt. Cum ea die aurea rosa de more benedicta esset, eamque manu Pontifex gestaret, illic Imperatori ipsam tradidit. Papa quidem in palatium rediit: Caesar in potem Adriani profectus est, ubi Albertum fratrem pluresque duces et comites ad militiae provexit honorem, ter quemque plano gladio verberans.* (Enea, De vita Friderici, Kollar, col. 293 f.)

In der Mitte des Bildes findet die Verabschiedung des Kaisers vom Papst vor der Kirche Sta. Maria Traspontina statt, ganz rechts die Erteilung des Ritterschlages, der auch Herzog Albrecht zuteil wird, vor der Engelsburg.

Der Künstler hielt sich also genau an die Folge der Ereignisse, lediglich die Krönung verlegte er, wahrscheinlich aus kompositorischen Gründen vor St. Peter.

Die Seitenteile stellen Friedrichs Ankunft im Lateran *cum iam sol occideret* (Enea, De vita Friderici, Kollar, col. 294) und die Rückkehr der Kaiserin in ihre Gemächer nach der Krönung dar. Eleonore wird von Ladislaus begleitet. Da Porträtechtheit nicht in der Absicht dieser Arbeiten lag, hält sich der Künstler wiederum nur ganz allgemein an den kaiserlichen Typus, ohne sich in einzelne individuelle Züge zu vertiefen. Realistische Lebensnähe, fast impressionistisches, augenblickliches Festhalten von Handlungen neben einem phantastisch-märchenhaften Zug prägen gleichermaßen die florentinischen wie die römischen Tafeln, sie sind wahrscheinlich von einem Meister aus dem Kreise des Benozzo Gozzoli gemalt.

Die Kaiserkrönung überliefert auch ein Gemälde nördlicher Provenienz, es steht aber in keinerlei Zusammenhang mit den Krönungsberichten, so daß nicht angenommen werden kann, daß dieses Bild von einem Augenzeugen angefertigt worden ist. Vielmehr wahrscheinlich ist, daß der Auftraggeber am Romzug teilgenommen hat und das Bild nach seinen Anweisungen, sowie nach einem von ihm gelieferten Vorbild für die Darstellung des jungen Friedrich, dessen Porträtähnlichkeit die historische Deutung des Bildes ermöglicht, gemalt wurde. Die Züge des ins Dreiviertelprofil gewandten Kopfes des Monarchen entsprechen in etwa jenen, die vom Vorauer Bildnis bekannt sind. Das Haar fällt in Locken leicht in die Stirne und bis auf die Schultern, Gesichtsform, Auge und Brauenbogen sind ihm durchaus eigentümlich. Weniger typisch sind Nasen- und Mundform.

Das Bild zerfällt in zwei Teile: im linken, dem eigentlichen Hauptraum, der in eine mit großer Naturgetreuheit gemalte Blumenwiese übergeht, findet die eigentliche Krönung statt. In der dem heiligen Laurentius geweihten Seitenkapelle empfängt der Kaiser das Reichsschwert.

Figuren- und Gesichtstypen, sowie der durch die Fenster sichtbare Landschaftshintergrund, letztlich die den Vorstellungen von Alt-St. Peter gänzlich widersprechende Gestaltung des Innenraumes, sprechen für nördliche, wohl niederländische Provenienz des Bildes, das um die Mitte der zweiten Jahrhunderthälfte entstanden sein dürfte.

Erstaunlich ist, daß keine der Krönungsdarstellungen Bericht vom wahren Aussehen der Krone Friedrichs gibt. Aus mannigfachen Quellen ist bekannt, daß Friedrich zu seiner Krönung wohl die Reichsinsignien aus Nürnberg bringen ließ, aber auch eine eigens für ihn und zu diesem Anlaß angefertigte Krone besaß: *dann wiewohl der kunig fur sich selbs sin gesmuckt und gezierd mit kleidung, cron, zepter, apfel und swert vast kostlich hett machen lossen, so hat er im doch destmindernit keiser Carles mantel, swert, zepter, apfel und cron von Nurenberg zu siner keiserlichen cronung ouch bringen lassen. (Jb. d. kh. S., Bd. I, S. XV, Reg.-Nr. 75).*

Eleonore wurde mit einer *wolgezierten cron, was keiser Sigmonds husfrauen selig gesin, mit einer kostlichen infeln* (ebenda) gekrönt, *wann sie hatt ir houbt blosz und daz hor gelossen hangen.* (ebenda)

Die Berichte Ebendorfers, Lanckmanns, Eneas' und Columbanus' de Pontremulo sprechen übereinstimmend von einer „corona infulata", deren „cornua in mitrae modum" seitlich gewendet waren. Damit steht wohl außer Zweifel, daß sich Friedrich zwar die Insignien aus Nürnberg, mit denen er bereits in Aachen zum König gekrönt worden war, nach Rom bringen ließ, hier aber doch eine eigens für ihn angefertigte Kaiserkrone benutzte. Eine letzte Bestätigung der Annahme dürfte eine detaillierende Beschreibung der Krone, die ein Sekretär Papst Pius II. für das Caeremoniale Romanum gab, enthalten: *Differt forma coronae imperialis ab aliis. Nam ea sub se tiaram quandam habet in modum fere episcopalis mitrae, humiliorem tantum, magis apertam et minus acutam: estque eius apertura a fronte, non ab aure; et semicirculum habet per ipsam aperturam aureum, in cuius summitate crux parvula eminet* (Caeremoniale Romanum von 1488, f. 30 r).

Ein Bildnis Friedrichs in der Schatzkammer zu Wien scheint diese Krone weitgehend getreu zu überliefern. Zum Unterschied von der Kaiserkrone Karls IV. wie sie von der Votivtafel des Ocko von Vlasim in Prag her bekannt ist, wächst hier die Mitra seitlich empor, über und über von Juwelen bedeckt, vornehmlich von Perlen. In der Mitte der Stirne ein Kreuz, hinter dem sich der Bügel wölbt, auf dessen Höhe der Reichsapfel mit einem kleineren Kreuz. Fein ausgebildete Laubzacken umfassen Mitra, Bügel und Kreuz.

Daß diese Mitrakrone von dem Nürnberger Goldschmied Lukas Kemnater für Friedrich angefertigt wurde, ist wohl denkbar. Nachweisbar beauftragte ihn Friedrich vornehmlich in den Jahren 1445 bis 1453 des öfteren und überweist ihm Zahlungen. Man mag nicht zu unrecht vermuten, daß jene erste für den Romzug angefertigte Krone samt dem Krönungsornat nach Friedrichs Tode an Maximilian vererbt wurde und so mit unter jene Kunstgegenstände und Insignien geriet, die unter Philipp II., in Madrid 1562 zur Versteigerung kamen. Eine im Inventar näher beschriebene Kaiserkrone Maximilians mit einer mit Perlen und Perlenschmelz bestickten Mitra aus Silberdraht und Gehänge aus Silberdrahtstoff mit verzweigter Aljófarstickerei aus Reihen kleiner Perlen, gemahnt an jene durch das Schatzkammerporträt überlieferte Krone.

Schon bei Friedrichs erstem Aufenthalt in Ferrara auf der Reise nach Rom gab sich Borso, Markgraf von Este und Herr von Ferrara größte Mühe, um des künftigen Kaisers Huld zu gewinnen, da er hoffte, die Würde eines Herzogs zu erhalten. König Friedrich aber lehnte es ab, derlei Erhebungen vor seiner Kaiserkrönung vorzunehmen, auf seiner Rückreise werde er tun was dem Gemeinwesen ersprießlich sei.

Eine kolorierte Federzeichnung eines Künstlers mantegnesker Richtung im Cod. 302, fol 31 der Biblioteca Classensis in Ravenna stellt die am 18. Mai 1452 erfolgte Erhebung Borsos zum Herzog von Modena durch Kaiser Friedrich dar, für die der Italiener zu geloben hatte, dem Kaiser jährlich 4000 Dukaten zu zahlen, und seine Burgen und Städte ihm stets offen zu halten.

Ferrara war glanzvollstes Zentrum der italienischen Buchmalerei, die außerhalb von Florenz vor allem bei Herrschern der Renaissance einen ihr entsprechenden Boden fand. Borso erbte die hohe ästhetische und kulturelle Tradition, die bei den Este erwuchs und förderte sie weiter. Den neuen Ideen und Auffassungen der Renaissance folgend, klingt aber nun in der Buchmalerei ein anderer Ton an: höfische Zeremonien werden geschildert, der Schutzherr auf den mit dem Bild des Autors geschmückten Widmungsblättern, dem der Künstler oder der Forscher sein Werk überreicht, ist nicht mehr ein Heiliger, sondern ein Fürst.

Dem entspricht die Miniatur auf dem Titelblatt eines „Astrologiae tabulae Joannis Bianchini Ferrariensi" betitelten Codex der Biblioteca Communale zu Ferrara, die die Übergabe des Werkes durch den Verfasser an den Kaiser gelegentlich dessen Aufenthaltes in Ferrara darstellt.

Ein Einblick in einen Innenraum zeigt Friedrich links auf einer mit dem Esteadler gezierten, grünen Bank sitzend. Im wesentlichen sind die allgemeinen Züge des Herrschers richtig wiedergegeben, die Tracht des Haares stimmt was die Schulterlänge betrifft, daß aber dieses prachtvolle lange, hellbraune Haar, das nicht nur bildlich sondern auch literarisch bestens überliefert ist, tatsächlich eine Glatze umsäumen sollte, ist nicht anzunehmen. In seinem von der strengen burgundischen Mode deutlich beeinflußten Kostüm unterscheidet sich Friedrich von den Italienern, die reichgezierte Renaissancekleidung tragen.

Dem vor ihm knienden Bianchini, dem Hofastrologen der Este, der von Borso dem Kaiser vorgestellt wird, überreicht Friedrich als Gegengabe für das Buch, das ihm dieser präsentiert, ein Wappen, mit dem kaiserlichen Adler auf Goldgrund in seiner oberen Hälfte, im unteren Teil ist es blau-silbern fünffach geteilt. Zugleich mit dieser Wappenaufbesserung adelt Friedrich den Astrologen und nimmt ihn zum Rat und Diener auf. Es ist diese Miniatur, die einem fähigen Schüler des Taddeo Crivelli zuzuschreiben und zwischen 1452 und 1457 zu datieren ist, in ihrer Anlehnung an die kompositorischen und figürlichen Gesetze der Renaissance regelrecht ein kleines Bild mit Anklängen an die große Kunst dieser Zeit. Vielleicht sind zwei Umsetzungen in Ölmalereien in den Gemäldegalerien von Parma und Ravenna damit zu begründen. Jedenfalls verwendet der Kopist des Ölbildes zu Parma die qualitätvolle Miniatur des Dedikationsblattes als Vorlage für die Darstellung eines anderen historisch wichtigen Ereignisses aus der Geschichte Ferraras während des kaiserlichen Aufenthaltes. Er nimmt lediglich eine einzige, aber wesentliche Änderung vor: Friedrich überreicht hier dem vor ihm Knienden anstelle des Wappens ein Buch; ein Cartellino an der Rückseite der Tafel erklärt, daß es sich um die Erhebung des Bartolomeo Pentaglia zum Minister Borsos handle.

Friedrich weilte relativ kurze Zeit und mit kleinem Gefolge in Italien und doch war der festliche Anlaß seiner Romreise so bedeutend, daß eine größere Anzahl bildlicher Darstellungen von den Ereignissen dieses einen Jahres Bericht gibt, als von manchen Jahrzehnten seiner Regierung daheim im Norden. Freilich, Italien erlebte gerade damals eine Hochblüte der Kunst und hatte sich die Mittel der Porträtmalerei seit mehr als hundert Jahren zu eigen gemacht, während die Kunst nördlich der Alpen um beides noch zu ringen hatte.

Erst nachdem Friedrich zum Repräsentanten höchster weltlicher Macht und Würde geworden war, bemächtigte sich auch die Kunst nördlich der Alpen seines Bildes. Die Malerei, eben im Besitze der Mittel Personen individuell, wenigstens in ihren bezeichnendsten Zügen darzustellen, verzichtet sofort wiederum darauf, dies gilt vornehmlich für die Buchmalerei, die Graphik und in vielen Fällen auch für die Kunst der Plastik, wenn der Zweck, dem die Darstellung gewidmet ist, nicht unbedingt Porträtähnlichkeit erfordert. Zu einer Naturaufnahme scheint es während Friedrichs mittleren Jahren im Norden nur zweimal gekommen zu sein: Einmal, als es galt, ein repräsentatives Staatsporträt des Monarchen zu schaffen, zum anderen als Niclas Gerhaert unter Aufsicht des kaiserlichen Auftraggebers die Relieffigur des Tumbadeckels für das Grabmal schuf. Das Bildnis des Grabmales verbindet den Naturalismus der Darstellung solcherart mit der monarchischen Würde des Dargestellten, daß es zum repräsentativsten Sinnbild des Kaisertums, das aus dem späten Mittelalter erhalten ist, wurde.

Das Original des gemalten Staatsporträts selbst ist verschollen, jedoch durch mehrere Repliken überliefert, deren eine, ein Werk des Hans Burgkmair, der sich hier als geschmackvoller Kopist bewährte, durch eine Altersangabe in der rechten oberen Ecke „Aetatis 53" die Aufnahme in das Jahr 1468 festlegt. Friedrichs Haupt, von der Kaiser-

krone bedeckt, ins strenge Profil nach rechts gewandt, zeigt markant die in den Jugendbildnissen vorgeprägten ausladenden Züge, die lange, gebuckelte Nase, das kräftige Kinn,
das sich in scharfem Bogen von der Halspartie absetzt, das unter hochgewölbtem
Brauenbogen kleine Auge, das schulterlange, in weichen Strähnen herabfallende Haar.
Ein Vergleich dieser Porträts aber mit einer nahezu gleichzeitig, anläßlich Friedrichs
zweitem Romzug entstandenen Bildnismedaille des Bertoldo di Giovanni erweist das
Staatsporträt als stark stilisiert und idealisierend. Die Vorderseite der Medaille bringt ein
Profilbildnis Kaiser Friedrichs mit langem Haar, tief in die Stirn gedrücktem Pelzhut,
einen schweren Mantel mit Pelzkragen um die Schultern.
Einem zeitgenössischem Bericht eines Chronisten aus Perugia folgend, der den Monarchen
anläßlich dessen dreitägigen Aufenthaltes in der Stadt sehen konnte und von seiner
äußeren Erscheinung meinte: *et era un bell'uomo, bianco di età di 60 anni* (Diario delle
cose di Perugia, fol. 131), wird der Friedrich älter darstellenden Medaille mehr Glaube
zu schenken sein, als dem Tafelbild. Bertoldos Werk zeigt die Augen nicht unangenehm
klein oder verkniffen, sie sind in sich ruhend gleicherweise milde, als sie auch
einen einsamen Menschen verraten. Die Nase ist groß und fleischig, sinkt jedoch nicht
extrem steil mit knöchernem Buckel ab, der Unterkiefer tritt zwar massiv hervor und
verrät ganz deutlich Prognathismus inferior, doch das spitze Kinn fehlt. Gerade durch
diese Unterschiede aber erscheint das Antlitz wesentlich sympathischer und spricht gegen
all die Zeitgenossen, die den Herrscher geizig, träge und hinterlistig nannten. Es ist vielmehr das Antlitz eines alten Mannes, der vom Leben enttäuscht worden war und der
sich vielleicht wirklich besser zu einem Mönch als zu einem Kaiser, wie die Untertanen
nach Beheims Bericht spotteten, geeignet haben würde. Der Typus des Kaiserbildes mit
hoher Pelzmütze und Pelzschaube wurde oftmals, vornehmlich für Spielbretter und
Spielsteine abgewandelt. Es ist dies eine bei allen Bildnissen Friedrichs zu beobachtende
Tatsache, daß sich an eine Naturaufnahme eine Vielzahl von Wiederholungen aller Art
anschließt. Von dem repräsentativen Staatsporträt „Aetatis 53" ausgehend, kann der
Bogen, abgesehen von den Repliken zu Linz, Wien und Wilten, über die Entwurfszeich-
nung bzw. Durchführung der Plastik für das Grabmal Maximilians in der Hofkirche zu
Innsbruck, dem fünften Teil des in Kupfer gestochenen Prachtwerkes der „Imagines domus Austriacae" des Francesco Tercio, dem Hofmaler Erzherzog Ferdinands von Tirol,
das Fresko im Spanischen Saal zu Schloß Ambras, der Gruppe der Stammbäume, dem
Wasserfarbenstammbaum in München, den beiden Ambraser Ahnentafeln in der Waffensammlung zu Wien, und den wohl am weitesten entfernten Filiationen, dem Tratzberger
Stammbaum und dem Bild der Porträtsammlung des Erzherzog Ferdinand von Tirol,
sowie weiters zu dem Weltgerichtsfresko des Urban Görtschacher in Millstatt und dem
Kaiserfenster in der Nürnberger St. Lorenzkirche, ehe es im 19. Jahrhundert restauriert
wurde, gespannt werden.
Ebenfalls in Verbindung mit dem hier besprochenen Typus steht ein Tafelbild im Landesmuseum zu Klagenfurt, das aber ob seines historisch wichtigen Inhaltes, den eine an
einem Flügel angebrachte Inschrift erläutert, eigens hervorgehoben werden muß. *Anno*

Domini 1468 den ersten Januarii hatt Bapst Paulus der Ander bestadt auf Beger Khayser Friedrichs III. des Stifters den löblichen Ritter Orden St. Georgen, und den gestrengen Herrn St. Johannsen Sybenhirt zum ersten Hochmeister erwehlet, gesegnet und bestädt, wie hie gemalet und gescheen zu Rom in St. Johanniskirchen. (Jb. d. Central-Commission, S. 89, Anm. 1). Belagert von den Bürgern Wiens im Spätherbst 1462 tat Friedrich das Gelübde, bei glücklicher Abwendung der Gefahr in Wien ein Bistum zu gründen und einen Ritterorden vom heiligen Georg zur Bekämpfung der Türken nach dem Vorbild der Johanniter und Templer zu errichten. Da es sich um einen geistlichen Orden handeln sollte, oblag die rechtskräftige Bestätigung der Stiftung dem Papste. *In dem 68. Jar zoch Kayser Fridreich gen Rom durch Gots willen mit wenig seines hoffgesindes und was guet zeyt zw Rom. Und daselbs stifft und macht der kayser ain newen orden.* (Unrest, Österr. Chronik, Grossmann, S. 23)

Dem Orden, in dem Priester und Laien vertreten waren, wurde ein Hochmeister an die Spitze gestellt, zur Ordenstracht ein beliebig farbener Talar, der nur nicht rot, grün oder gelb sein durfte, gewählt, über den an den Vigilien von Marienfesten, an diesen selbst, sowie an Samstagen ein weißer Überwurf mit einem roten Kreuz zu tragen war. Das Vorbild zu dieser Tracht mag der Kaiser wohl im Ornat der Templer gefunden haben. Da Johannes Siebenhirter sich bei Friedrichs Romreise unter dessen Gefolge befand, konnte er dem Papst als erster ausersehener Hochmeister vorgestellt werden und wurde am 1. Jänner 1469 an jenem Tage, da die Stiftungsbulle des Ordens erging, von Papst Paul II. eingekleidet. Die Zeremonie fand in San Giovanni im Lateran statt.

Das Klagenfurter Tafelbild gibt den Ablauf der feierlichen Handlung in kontinuierlicher Darstellung wieder: Treue-Eid, Ritterschlag mit dem Zeremonienschwert des Georg-Ritterordens und Einkleidung mit dem Ordensmantel, der wie die Fahne des heiligen Georg das Kreuz im weißen Felde zeigt, folgen aufeinander. Wahrscheinlich ist das Gemälde noch vor dem Tode Siebenhirters, 1508, über seinen Auftrag hin entstanden und war für seine Kapelle in Millstatt bestimmt. Kaiser Friedrich ist kenntlich wiedergegeben, der ins Dreiviertelprofil gewandte Kopf verrät Zusammenhänge mit dem auf dem Bildnis „Aetatis 53" geprägten Typus.

In Verbindung mit den Ereignissen während Friedrichs Aufenthalt in Rom an der Jahreswende 1468/69 stehen drei weitere Werke der bildenden Kunst. Einmal eine Miniatur in einer flämischen Handschrift des Britischen Museums, die wohl als Erinnerungsbild an die Gründung des St. Georgs-Ritterorden und an den von den europäischen Mächten geplanten großen Kreuzzug gegen die Türken gemalt wurde.

Die christlichen Fürsten, Kaiser Friedrich III., König Maximilian, Ferdinand von Spanien, Heinrich VII. von England, Philipp der Schöne von Burgund und links, etwas abseits Karl VIII. von Frankreich knien im Gebet vor einer Statue des heiligen Georg. Die Miniatur dürfte, nach der Anwesenheit Friedrichs zu schließen, kurz vor 1493 entstanden sein. Zum anderen verfaßte Ladislaus Sunthaym anläßlich der Heiligsprechung Markgraf Leopolds III. im Auftrage des Stiftes Klosterneuburg eine Geschichte der

Babenberger. Das Werk wurde reich illuminiert, schließlich zog man die Pergamentseiten auf Holz auf und brachte die Tafeln beim Grabe Leopolds an, wo sie der Erläuterung des Babenbergerstammbaumes dienen sollten. Die Initiale G enthält die Darstellungen von Papst Innozenz VIII., Kaiser Friedrich III., König Maximilian und Propst Päperl. Obwohl nicht unbedingte Porträtechtheit vorliegt, wurden doch sowohl bei Friedrich, als auch bei Maximilian die wesentlichsten Züge berücksichtigt, so daß die Herrscher kennbar sind. Friedrich erscheint als hagere Greisengestalt mit charakteristischem Antlitz. Die Entstehung der Miniatur wird um 1490 anzusetzen sein.

Ein Einblattdruck in der Kupferstichsammlung der Albertina spielt in satirisch-humorvoller Art auf die Zusammenkunft von Kaiser Friedrich mit Papst Paul II. im Jahre 1469 an und kennzeichnet die Morbidität der Regierung und der politischen Lage in dieser Zeit. Kaiser Friedrich, knapp, aber prägnant individualisiert, wie auch Papst Paul II., beide nackt, lediglich das Haupt von Krone und Tiara, den äußeren Zeichen ihrer Würden, bedeckt, schweben über einem Kahn, den „duces austrie". Kaiser Friedrich setzt seinen Fuß auf den burgundischen Löwen, in der rechten Hand hält er das zerbrochene Szepter des „Rex bohemie". Der Kaiser, dessen rechter Fuß ohne Stütze ist, wird vom Papst, der mit dem rechten Fuße auf der Spitze des vom „Rex ungarie" und „Dux pavarie" gestützten Mastes steht, gehalten. Der linke Fuß des Papstes stützt sich auf ein Rad, das römische Patriarchat. Über der Gruppe aber dominiert ein Komet, dessen Strahl auf den burgundischen Löwen hinweist.

In der Zeit nach 1470 bis zu Friedrichs Tode entsteht eine erstaunlich große Anzahl graphischer Werke, die jedoch den Herrscher meist nicht, und wenn, dann nur knapp individualisieren. Die rein repräsentativen Darstellungen des Kaisers mit den ihn umgebenden Kurfürsten, die in allen Fällen nicht bestimmte Personen wiedergeben wollen, sondern lediglich zur Verkörperung eines bestimmten politischen Begriffes dienen, bilden eine geradezu einheitliche Gruppe. Die Darstellung des Kaisers, bar jeglicher individueller Züge, findet sich vor allem häufig unter den graphischen Illustrationen von Rechtshandschriften, die ein bestimmtes Bildschema, zumeist in Holzschnittechnik ausbildeten. Dieser, in den Holzschnitten verwendeten, unpersönlichen Art des Kaiserbildes stehen auch Werke der Plastik in Holz und Stein in Rathaussälen und an den Fassaden öffentlicher Gebäude angebracht, nahe. Vornehmlich finden sich die Werke der Bildhauerkunst in den Städten des Reiches.

Im Jahre 1474 wurde in Köln zum Dank, daß Karl der Kühne auf Bitten des päpstlichen Legaten die Friedensbedingungen angenommen hatte, die Bruderschaft zum Rosenkranz neu begründet. Aus diesem Anlaß dürfte ein Gemälde des Meisters von St. Severin entstanden sein, das die Schutzmantelmadonna zwischen den Heiligen Dominikus und Petrus Martyr darstellt, unter den weltlichen Fürsten zu Füßen der Madonna Kaiser Friedrich III., Eleonore von Portugal und der jugendliche Maximilian. Die Miteinbeziehung der kaiserlichen Familie ist der Tatsache zuzuschreiben, daß Friedrich nach der Beseitigung der Gefahr, die Neuß gedroht hatte, die Wiedererrichtung der Rosenkranzbruderschaft durch ein großes öffentliches Fest feierte und ihr samt seiner Familie beitrat.

Das Bild legt abermals von des Kaisers großer, vertrauensvoller Frömmigkeit Zeugnis ab, die in *dem dinst seiner lieben mueter Marie und annder gots heiligen manigfalt* offenbar wird. (Unrest, Österr. Chronik, Grossmann, S. 195 f.)

Kaiser Friedrichs Altersphysiognomie ist, analog den übrigen authentischen Porträts in einer großen Reihe von Filiationen eines verschollenen Originales erhalten. Zum ersten Male aber belegt den Typus auch eine Gruppe von Medaillen. Kaiser Maximilian war als Förderer der Medailleurkunst hervorgetreten, er pflegte große Sorgfalt für die Überwachung der künstlerischen Ausführung seiner Geschenkmünzen zu verwenden und legte Wert auf edle Prägung. Dies mag ihn dazu bestimmt haben, den aus Mantua stammenden italienischen Medailleur Gian Marco Cavalli 1506 nach Hall zu berufen, wo dieser die einheimischen Tiroler Bronzegießer und Stempelschneider schulte. Auch Bernhard Beheim d. J., der später am meisten begünstigte Stempelschneider Maximilians, war Cavallos Schüler. 1513 erging an Beheim der kaiserliche Auftrag, er solle *etliche große silberne Pfennige zur Gedächtnis-Begräbnis des Kaisers Friedrich* (Jb. d. kh. S., Bd. II, S. LXIII, Reg. Nr. 1123) herstellen. Tatsächlich fertigte Beheim eine Reihe von kleinen goldenen Pfennigen für die Leichenfeier in Wien an und schon am 11. November schreibt der Kaiser an den Münzmeister zu Hall, *daß er an den goldenen Pfennigen die derselbe auf Kaiser Friedrichs Grab gemacht habe, genedigs und guts gevallen trage und daß er auch darin mit ihm zufrieden sei, daß die Pfennige noch zu rechter Zeit nach Wien gekommen seien.* (Jb. d. kh. S., Bd. II, S. LXIII, Reg. Nr. 1126.)

Diese Pfennige, den Kaiser in strengem Profil nach rechts mit eigentümlicher Spangenkrone darstellend, sind zweifelsohne nach einem bekannten und verbreiteten Vorbild entstanden. Die Kleinheit der Schaumünzen läßt das Bild nicht sonderlich gut erkennen, es findet sich aber das Bild dieser Pfennige auch auf einer Bronzemedaille außergewöhnlich großen Formates im steiermärkischen Landesmuseum, auf einem kleineren Stück in Wien, letztlich in der Variante eines Doppelbildes mit Maximilian wieder. Daß Max eben auf diesen Porträttypus seines Vaters zurückgriff spricht dafür, daß es sich um ein naturgetreues Bildnis handelt. Auch Werke der Tafelmalerei bedienen sich oft des ins strenge Profil nach rechts gewandten, von der Spangenkrone bedeckten Greisenantlitzes. Allen Darstellungen gemeinsam ist die ungewöhnlich hart und stark ausgeprägte, unorganische Schläfenader, wohl Verbildlichung der Altersverkalkung, die auch Dr. Pfotel gemeint haben wird, als er an seinen Herren, den Markgrafen Friedrich von Ansbach-Bayreuth schrieb, der Kaiser sei ein *verlebter Herre.* (Dr. Pfotel, Berichte, Höfler, S. 125.)

Nase und Kinn treten im Bildnis im Verhältnis zu dem sonst schlaffen und eingefallenen Antlitz ungemein stark hervor, der Mund ist durch das Mißverhältnis von Ober- und Unterlippe geprägt, die verkniffenen Augen scheinen mißtrauisch ins Leere zu starren. Es ist, als ob die Gruppe der Altersbildnisse all die zahlreichen negativen Urteile der Zeitgenossen über den Herrscher anschaulich bestätigen wollte. Sie unterstreichen und bekräftigen das Bild des Mannes, dem Haß, Mißtrauen und Geiz vorgeworfen wird. Und doch war es gerade diese Bildnisvorlage, die wiederum verwendet wurde, um Friedrich im Rahmen eines Andachtsbildnisses darzustellen. Zunächst setzte der Tiroler Meister der Habsburger um 1500 den markanten Kopf Friedrichs völlig unorganisch hinter einen Balken in ein Tafelbild mit der Anbetung der Könige, das originale Porträt getreu kopierend. Der Kaiser trägt auf der von Falten zerfurchten Stirne die Spangenkrone, das Auge starrt, ohne Anteilnahme am Bildgeschehen richtungslos ins Leere, die Nase fällt übergroß und spitz das Gesicht abwärts, das Kinn tritt stark hervor, dem Ohr entwächst die wuchtige Schläfenader, der Greisennacken ist in drei Wülste gelegt.

Erschien Friedrich hier, wahrscheinlich aus Pietätsgründen dem verstorbenen Vater gegenüber nur im Gefolge des einen Königs, der Maximilians Züge trägt, so wird er auf den Tafeln des Antwerpener Meisters von Frankfurt selbst zu einem der anbetenden Könige.

Der niederländische Meister, nach seinem für die Frankfurter Dominikanerkirche gemalten Hauptwerk benannt, war etwa ein halbes Jahrzehnt älter als Quentin Massys und nächst diesem der produktivste Meister Antwerpens um die Jahrhundertwende. Es ist ein in der Erfindung unselbständiger Maler, der nachweisbar viel kopierte und Kompositionen oder einzelne Figuren aus Bildern anderer Meister übernimmt. Die Gruppe der Anbetung der Könige war die Lieblingskomposition des Meisters, sie wurde in seiner Werkstatt mehrfach in Variationen wiederholt.

Das Bildnis Friedrichs trägt eine Tafel der Stuttgarter Staatsgalerie, eine freie Kopie der Anbetung vom Montfortealtar von Hugo van der Goes in Antwerpen, wie auch ein Anbetungstriptychon im Kunsthistorischen Museum zu Wien.

Ja es scheint, als ob es in Antwerpen zur Tradition geworden wäre, bei Darstellungen der Epiphanie dem ältesten König die Züge Friedrichs zu verleihen. Auch auf der um 1512 entstandenen Anbetung des Joos van Cleve in Dresden ist Friedrich deutlich erkennbar. Allen niederländischen Bildern gemeinsam ist, daß sie Friedrichs Antlitz feister und fleischiger zeigen, die extremen Härten der Kontur mildern, daß Friedrich das ihm 1492 verliehene Emblem des Ordens vom Goldenen Vlies trägt, und daß die ungewöhnliche Form der Spangenkrone zur Schlaf- oder Nachtmütze umgewandelt wurde. Sollte daher die Bezeichnung des Kaisers als des „Reiches Erzschlafmütze" rühren? Auch außerhalb der Figuralkomposition wurde das Bild Friedrichs in den Niederlanden gepflegt und abgewandelt. Ein Bildnis in Nantes verbindet den Gesichtstypus des Meisters von Frankfurt mit der originalen Spangenkrone und einem Bildaufbau, der völlig jenem von Maximilian festgelegten Bildnisschema für seine und seiner Familie Porträtdarstellungen entspricht.

Ein 1931 im Dorotheum versteigertes Bildnis bringt den niederländischen Typus völlig schematisiert, scheint aber auf das gleiche niederländische Urbild zurückzugehen, wie jene Abwandlung, ehemals im Museum zu Breslau, die, wahrscheinlich ob der orientalisch anmutenden Spangenhaube, als Sultan Soliman bezeichnet wird. Der Profilkopf gehört zur Porträtgalerie des schlesischen Humanisten Thomas Rehdiger, der sich um die Mitte des 16. Jahrhunderts von einem niederländischen Romanisten nach verschiedensten Vorlagen Bildnisse berühmter Persönlichkeiten kopieren ließ. Gesichtszüge, Geiernase, der deutlich spürbare Prognathismus, das große Ohr, sowie die mißverstanden abgewandelte Spangenkrone sprechen durchaus dafür, daß es sich bei der Darstellung „Solimans" um ein Bildnis Friedrichs handelt.

Schon seit längerem dürfte der Kaiser an schleppendem Altersbrand gelitten haben, im Frühjahr 1493 verschlechterte sich sein Gesundheitszustand derart, daß Fuß und Zehen gefühllos wurden. Maximilian, in großer Besorgnis, schickt die besten Ärzte, deren er habhaft werden konnte zu Friedrich, trotz allem, der Zustand des alten Monarchen verschlechtert sich weiterhin, bis ihm am 8. Juni 1493 das Bein abgenommen werden muß. Offenbar über Anregung eines der operierenden Wundärzte, des Hans Suff von Göppingen, Leibarzt des Herzog Albrecht IV. von Bayern und von diesem nach Linz gesandt, der die Ereignisse der Operation in einer Handschrift nebst Lehrtraktaten und Rezepten festhielt, entstand eine Miniatur, die die an Friedrich vorgenommene Beinamputation illustriert. Die Operation wurde in Anwesenheit vieler Grafen, Freiherren, Ritter und Knechte vorgenommen. Die Meister Hans Suff von Göppingen und Hilarius von Passau sägten, wie das Bild zeigt, das bis in Wadenhöhe schwarze Bein ab. Die Wundärzte Pflundorffer von Landshut, Meister Erhart von Graz und Meister Friedrich von Olmütz stützen den Kaiser und hielten seine Arme fest. Friedrich ertrug alle Schmerzen mannhaft, seine einzige Sorge soll gewesen sein, von nun ab Kaiser Einbein genannt zu werden: *Ye Caesari Friderico tercio, hoc famosum loripedis agnomen apud omnem posteritatem adepturo, sum quicpiam de eius senectutis gestis in acta referretur, sub huius horribilis cognomenti pretextu continget . . .* (Grünpeck, Historia, Chmel, S. 76.)

Nach nur kurzfristiger Besserung seines Gesundheitszustandes starb der Kaiser am 19. August 1493. Zwei nicht zeitgenössische Berichte, die des Joseph Grünpeck und des Wiener Humanisten Johannes Cuspinian gaben als Todesursache Ruhr, die sich nach dem Genuß von Melonen eingestellt haben soll, an, eine Behauptung, die starke Verbreitung fand. Tatsächlich hatte Friedrich Vorliebe für süßes und saftiges Obst, kaum aber ist der Kaiser am Melonengenuß gestorben. Er dürfte vielmehr seiner Gewohnheit gemäß am 15. August, dem Tag Mariä Himmelfahrt, gefastet haben und nahm, entgegen dem Anraten der Ärzte nur Wasser und Brot zu sich. Von einem Schlaganfall heimgesucht starb der Kaiser wahrscheinlich eher an den Folgen der Operation und an Altersschwäche. Die Ursache für das Beingeschwür wurde von dem bereits erwähnten Cuspinian in der Angewohnheit des Monarchen, Türen aller Art mit dem Fuße aufzustoßen, wobei er sich verletzt haben mag, gefunden: *nam pede illo saepissime claustra foresque ac portas omnes fregit ac disiecit.* (Cuspinian, De Caesaribus, S. DCXX.)

Die Intestina Friedrichs wurden in der Stadtpfarrkirche zu Linz bestattet, seine Gebeine 1513 feierlich im Grabmale zu St. Stephan beigesetzt. In jenem Monumente, das in seiner Größe und Aufmachung den traditionellen Vorstellungen von Bestimmung und Zweck eines Grabmales entwachsen und zum repräsentativen Sinnbild des spätmittelalterlichen Kaisertumes überhaupt geworden war.

In seiner Studie zum Begriff des Porträts wurde von Hermann Deckert die Forderung gestellt, daß das Porträt als Sichtbarkeit niemals nur Wiedergabe der Erscheinung eines Menschen, sondern Deutung des Menschen sein solle. Dem Grundsatz jedoch, klar den Charakter des Porträtierten zu offenbaren, kann der Künstler nur innerhalb bestimmter Grenzen nachkommen, denn mit den Mitteln, die der bildenden Kunst zur Verfügung stehen, vermag sie ja doch nur alle menschliche Innerlichkeit an Äußerlichkeiten zu entwickeln, so daß die im Bilde überlieferte physiognomische Erscheinung eines Menschen niemals restlosen Aufschluß über dessen Wesen geben wird, sondern lediglich zur Erhellung des Charakterbildes mit beitragen kann.

Zweifelsohne bedeutet in der Porträtmalerei eine stärkere Beachtung des Auges, des allgemein in höherem Grade Seelisches zu verraten scheint, auch verstärktes Interesse an der Seele des Menschen. Und dennoch, obwohl der Blick Hauptmittel der Individualisierung ist, verzichtet die frühe Porträtkunst auf dieses Gestaltungsmoment und bedient sich vor allem des Profilbildes. En-face-Darstellungen sind im 15. Jahrhundert äußerst selten, von Friedrich ist nur ein einziges ins Dreiviertelprofil gewandtes Kopfstück bekannt. Was aber dem Profilbildnis an individualisierter seelischer Wirkung durch den Wegfall der Durchgestaltung der Züge um Auge und Mund abgeht, sucht es durch die unpersönlich-sachliche Ausdruckskraft der Umrißlinie zu ersetzen.

Vor allem bei den Profilbildnissen wird Friedrichs ausgeprägter Prognathismus inferior deutlich, er scheint der erste Träger des späteren Merkmales des Habsburger Familientypus gewesen zu sein. Sein Vater, Ernst, zeigte bereits die Anlage zu schmallippigem Prognathismus, durch das Hinzutreten der kräftigen Unterlippe der Mutter, Cimburgis von Masovien, dürfte es bei Friedrich zu ausgeprägtem Prognathismus gekommen sein, denn ihm waren sowohl das lange, kräftige, ausladend vorgebaute Kinn, wie auch eine fleischige Unterlippe eigen.

Maximilian, sein Sohn, erbt die Mißbildung, die Anlage wird von burgundischer Seite weiter begünstigt und bleibt von nun an der Familie als dominierendes mendelndes Merkmal erhalten. Durch den Prognathismus wird einerseits die Sprache schwer verständlich, andererseits richtiges Kauen unmöglich, so daß Friedrich durch das gewohnte Verschlingen unzerkleinerter Nahrung an Magenbeschwerden gelitten haben mag und wahrscheinlich dadurch gezwungen war, wenig und bescheiden zu essen und vom Alkoholgenuß ganz abzusehen.

Friedrichs große, lange und stark abwärts sinkende Nase scheint ebenfalls in der Grundanlage bei Ernst vorgebildet und von Friedrich über Maximilian den späteren Generationen weitervererbt worden zu sein. Ferner legen die Bildnisse für Friedrichs äußere Erscheinung fest, daß er dichtes, langes, leicht gewelltes Haar von dunkelblonder Farbe besaß, über seinen kleinen und tiefliegenden Augen, über die die Lider zumeist wie schläfrig halb gesenkt waren, wölbten sich kräftig und edel geschwungene Brauenbogen.

Sein Mund, in der Jugend klein und schmallippig, zeigt mit zunehmendem Alter verstärkt die offen zutage tretende Kieferanomalie, durch die, sowie durch frühen Zahnausfall, ein Mißverhältnis von Ober- und Unterlippe entsteht.

Überblickt man die Reihe der Bildnisse, so ergeben sie, ebenso wie die literarischen Berichte der Zeitgenossen, keinen eindeutigen Befund. Vermögen die Züge des Monarchen in jungen Jahren zu fesseln, so stoßen sie im Alter ab. Sie unterstreichen und bekräftigen das Bild der umstrittenen und rätselhaften Herrscherpersönlichkeit, die am Ausgange des Mittelalters die Zukunft des Hauses Habsburg durch das starke Bewußtsein einer hohen Sendung vorbereitet hat. Es scheint aus den Porträts jener zögernd handelnde, der Welt und seiner Umgebung durch frühe Resignation mißtrauende Herrscher zu sprechen, der aber mit zäher Entschlossenheit seine Ziele verfolgte, und entgegen jeder Anschuldigung bezüglich seiner Habsucht und seines Geizes ungewohnten Prunk entfaltete, wenn es die Repräsentation der monarchischen Würde verlangte.

Zeit seines Lebens war Friedrichs Streben nach der Realisierung seiner Idee vom universalen christlichen Kaisertum gerichtet; aus dem in ihm tief verwurzelten Glauben an seine gottgewollte Aufgabe erwuchs ihm eine unangreifbare Würde. Stark ausgeprägter Persönlichkeits- und Familienkultus, den auch Maximilian übernehmen sollte, um ihm noch deutlicher und mit mehr Aufwand zu huldigen, als sein Vater, prägte schon in Friedrichs jungen Jahren einen für ihn charakteristischen Wesenszug. Friedrich sah im Grabmal die Möglichkeit, sich und seiner Regierung ein monumentales Denkmal zu setzen, das das Überleben seiner Herrschaftsidee unter Beweis stellen sollte, ordnete es aber doch dem die Tumba umschließenden Rahmen, einem Schiff jener Kirche, die Rudolf IV. als seine Königskathedrale errichtet wissen wollte, unter. Steinerne Reliefs legen am Friedrichsgrabe Zeugnis ab von des Monarchen Ahnenverehrung und dem Drang nach Verewigung seiner Taten. Maximilian läßt seinerseits freiplastische Figuren, Standbilder aus Bronze, von demselben Streben künden; seine Grabanlage beherrscht einen Kirchenraum.

Kaiser Friedrich ist der erste seiner Familie, von dem mehrere bildliche Darstellungen erhalten sind, darunter auch Repräsentations- und Staatsporträts, Urkunden herrscherlicher Würde, die offenbar über Auftrag des Fürsten entstanden waren. Von keinem dieser Bilder ist jedoch der Meistername erhalten, es sind mit Ausnahme der italienischen Miniatur Werke eher minder qualitätvoller, provinziell arbeitender Künstler. Ähnlich liegt das Verhältnis bei Friedrichs Stiftungen: wohl gibt er Altäre in Auftrag, beschäftigt aber durchschnittliche Maler. Wie sehr fällt doch jener Altar, den er 1447 herstellen ließ, von der großartigen Stiftung seines Vorgängers Albrecht II. ab.

Es drängt sich im Zuge dieser Betrachtung geradezu der Gedanke auf, Friedrich habe lediglich an das Überleben des Steines geglaubt. Bei Werken der Bildhauerkunst bedient er sich qualitätvollster Künstler, um sie monumentale Werke im Dienste der Manifestation seines Herrscherbewußtseins schaffen zu lassen, um jene Vorstellungen sichtbar zu machen, die er sich in seiner wunderlichen Phantasiewelt gebildet haben mag.

Peter Pusica beauftragte er mit der Errichtung der Wappenwand, einen namentlich bislang nicht bekannten, jedoch sicher bedeutenden Plastiker mit seinem Standbild. Für das Grabmal berief er einen der bedeutendsten Künstler überhaupt.

Anders als sein Vater bediente sich Maximilian auch zur Herstellung von Tafelbildnissen, Miniaturen und Druckgraphiken der berühmtesten Meister, deren er habhaft werden konnte. Keineswegs jedoch, um seinem Kunstsinn Genüge zu leisten, sondern lediglich, und hier ist der Berührungspunkt mit Friedrich abermals deutlich, um die Kunst in ihrer höchsten Vollendung seinen eigenen Entwürfen und Gedanken dienstbar zu machen. In der Illustration allein sieht er den Zweck der Kunst. So preßt er auch Bildnisse seiner Eltern, seiner Gemahlinnen und seiner selbst in ein von ihm erdachtes Schema, legt seine Anordnungen bezüglich der Komposition, wie ein Bildnis Friedrichs — heute im Musée des Beaux-Arts in Nantes — zeigt, nicht nur den heimischen Künstlern, sondern selbst niederländischen Malern vor.

Sind von Friedrich nur so viele Bildnisse erhalten, daß der Wandel seiner äußeren Erscheinung in den wesentlichsten Altersstufen belegt ist, so war Maximilian überaus bedacht, seine Züge der Nachwelt in einer tunlichst großen Anzahl von Porträts zu erhalten, möglichst jedes seiner Lebensjahre bildlich zu dokumentieren.

Es steht außer Zweifel, daß Friedrich Geschmack und Kunstsinn eigen waren, brachte er doch auch, wie aus Eneas Bericht hervorgeht, der italienischen Renaissance Interesse entgegen. Aber auch hier wiederum jener merkwürdige Zug: er besucht Künstler und empfängt sie, jedoch keinen von den Großen, wie es dem selbstbewußten Kaiser gebührt hätte. Er trifft vielmehr, wie schriftlich belegt ist, z. B. in Padua mit einem Francesco Squarcione zusammen.

Maximilian hingegen versammelte die illustresten Künstler an seinem Hofe, eine nach festen Grundsätzen gebildete Hofkünstlerschaft gab es aber damals ebensowenig, wie zur Zeit Friedrichs.

Zusammenfassend läßt sich sagen, daß in fast allen Bereichen der bildenden Kunst eine merkbare Kontinuität der Entwicklung von Vater zu Sohn festzustellen ist, und daß Maximilian, entgegen seiner sonstigen Gewohnheit, Ideengut und Grundsätze Friedrichs zu perhorreszieren, hier wesentliches übernimmt und darauf aufbaut, um das Streben des Vaters zu einer glanzvollen Höhe zu führen.

QUELLENVERZEICHNIS:

Antoninus Florentinus, Chronicon Universale, Bd. 3, Nürnberg 1484 (Hain 1159).

Caeremoniale Romanum von 1488, bei: Marcello Christophorus, Rituum eccles. sive sacr. cerimoniarum SS. Rom. Libri tres, Venedig 1516.

Columbanus de Pontremulo, Descriptio coronationis Friderici III., bei: Denis, Codices MSS. bibl. palat. Vind. I, I, Wien 1793.

Ioannis Cuspiniani viri clarissimi, poeta et medici ac divi Maximiliani Augusti Oratoris, de Caesaribus atque Imperatoribus Romanis opus insigne. Anno MDXL.

Thomas Ebendorfer von Haselbach, Chronica regum romanorum, kritisch erörtert und hg. von Alfred Francis Pribram; MIÖG Erg. Bd. III (1890—1894), 38—222.

Enea Silvio Piccolomini, De vita et rebus gestis Friderici III. imperatoris, sive historia austriaca, hg. von Adam Kollar; Analecta monumentorum omnis aevi Vindobonensia II., 1761, col. 1—475.

Der Briefwechsel des Enea Silvio Piccolomini, hg. von Rudolf Wolkan; ff. rer. Austr. II., Bd. 61, Wien 1909—1918.

Relation des Kaspar Enenkel über den Zug Friedrichs III. nach Italien im Jahre 1452, hg. in: Die Chroniken der deutschen Städte, Bd. 22, Augsburg 3, Anhang X, Leipzig 1892, 307—328.

Friedrich III., Notizbuch, hg. von Alphons Lhotsky, MIÖG LX (1952), 155—193.

Johann Nepomuk Fronner, Monumenta Novaecivitatis Austriae, lib. II., De arce Caesarea Neostadii anno MDCCCXXVIII.

Josef Grünpeck, Historia Friderici III. et Maximiliani I., hg. von Joseph Chmel; Österreichischer Geschichtsforscher I., Wien 1838, 64—97.

Nikolaus Lanckmann von Falkenstein, Historia Desponsationis et Coronationis Friderici III. et conjugis Eleonorae, hg. von Hieronymus Pez; Scriptores rerum Austriacarum II., 569—606.

Dr. Pfotel, Berichte an Markgrafen Friedrich von Ansbach-Bayreuth aus dem Jahre 1492, hg. von C. Höfler, Fränkische Studien, AFÖG 1851, 1—146.

Jakob Unrest, Österreichische Chronik, hg. von Karl Grossmann, MGH., SS. rer. Germ., nov. ser. XI., Weimar 1957.

Angiolo dei Veghi, Diario delle cose di Perugia dal 9 gennaio 1423 al 16 luglio 1491; Bibl. Aug. Com. di Perugia, Ms. 1799. Hg. von Ariodante Fabretti, Cronache della Città di Perugia, Vol. II (1393 bis 1561), Torino 1888.

Urkunden und Regesten aus dem k. k. Haus-, Hof- und Staatsarchiv in Wien, hg. von Heinrich Zimerman, Jb. d. kh. S. I/2, 1883.

Urkunden und Regesten aus dem k. k. Statthalterei-Archiv in Innsbruck, hg. von David Schönherr, Jb. d. kh. S., Wien 1884, II/2.

LITERATURVERZEICHNIS:

B a l d a s s, Ludwig von, Die Bildnisse Kaiser Maximilians I., Jb. d. kh. S., XXXI., Wien—Leipzig 1913, S. 247—343.

B e i s s e l, Stehpan, Majestätssiegel Kaiser Friedrichs III., Zeitschrift f. christl. Kunst, Jg. 10, Düsseldorf 1898, S. 155—158.

B e r e n d t, Heinz, Kieferanomalien in der Kunst, Grünenthal-Waage, 6/2. Bd., Aachen 1961/62, S. 189 bis 194.

B l a u e n s t e i n e r, Kurt, Manuskript zu einer Habsburger-Ikonographie bis auf Maximilian I. im Besitze von Univ.-Prof. Dr. Alphons Lhotsky und Dr. Waltraud Blauensteiner.

B ö h e i m, Ferdinand Carl, Chronik von Wiener Neustadt, 2 Bde., Wien 1830.

B u c h n e r, Ernst, Das deutsche Bildnis der Spätgotik und der frühen Dürerzeit, Berlin 1953.

B u s c h o r, Ernst, Bildnisstufen, München 1947.

C h m e l, Joseph, Geschichte Kaiser Friedrichs IV. und seines Sohnes Maximilian I., 2 Bde., Hamburg 1840—42.

D e c k e r t, Hermann, Zum Begriff des Porträts, Marburger Jahrbuch für Kunstwissenschaft, Bd. 5, Marburg a. L. 1929, S. 261—284.

D o m a n i g, Karl, Porträtmedaillen des Erzhauses Österreich, Wien 1896.

E g e r, Hanna, Ikonographie Kaiser Friedrichs III., Phil. Diss., Wien 1965.

H a b i c h, Georg, Die deutschen Schaumünzen des 16. Jahrhunderts, Text- und Tafelband I/1, 2 München 1929; Text- und Tafelband II/1, München 1932.

H a e c k e r, Theodor, Der Familientypus der Habsburger, Zeitschrift für induktive Abstammungslehre VI, Berlin 1911/12, S. 68—89.

H a l l e r, Brigitte, Friedrich III. im Urteil der Zeitgenossen, Wien 1965 (Wiener Dissertationen aus dem Gebiete der Geschichte 5).

H e r a e u s, Karl Gustav, Bildnisse der regierenden Fürsten und berühmter Männer vom 14. bis zum 18. Jahrhundert, Wien 1828.

H e r r g o t t, Marquard, Monumenta Augustae Domus Austriacae, Tom. I—IV, Wien 1750 — Freiburg/Breisgau 1772.

H i l l, George Francis, A corpus of Italian medals of the Renaissance before Cellini, 2 Bde., London 1930.

J o b s t, Johann, Die Neustädter Burg und die k. k. Theresianische Militärakademie, Wien und Leipzig o. J., (1908).

K e m m e r i c h, Max, Die deutschen Kaiser und Könige im Bilde, Leipzig 1910.

K ü h n e l, Harry, Die Leibärzte der Habsburger bis zum Tode Friedrichs III., Mitteilungen des österreichischen Staatsarchivs, Bd. 11, Wien 1958, S. 1—36.

L h o t s k y, Alphons, Manuskript einer Ikonographie der Habsburger bis auf Maximilian.

L h o t s k y, Alphons, Die Geschichte der Sammlungen, Festschrift des kunsthistorischen Museums zur Feier des 50jährigen Bestandes, 1. und 2. Teil, Wien 1941—1945.

M a y e r, Josef, Geschichte von Wiener Neustadt, 2 Bde., Wiener Neustadt 1926.

P ä c h t, Otto, Österreichische Tafelmalerei der Gotik, Augsburg—Wien 1929.

P o s s e, Otto, Die Siegel der deutschen Kaiser und Könige, 5 Bde., Dresden 1909—1913.

S c h e f f l e r, Willy, Die Porträts der deutschen Kaiser und Könige im Mittelalter von Adolf von Nassau bis Maximilian I., Repertorium für Kunstwissenschaft Bd. 33, Berlin 1910, S. 427—431.

S t a n g e, Alfred, Die deutsche Malerei der Gotik, Bd. 11, München—Berlin 1961.

W a c h a, Georg, Die Fußamputation an Kaiser Friedrich III. zu Linz, Heilmittelwerke-Jahrbuch 1956, Wien 1955, S. 20—24.

Z i m e r m a n, Heinrich, Handschriftlicher Nachlaß über Habsburger-Bildnisse, aufbewahrt in der Bundessammlung von Medaillen, Münzen und Geldzeichen, Kunsthistorisches Museum, Wien.

Brigitte Haller

KAISER FRIEDRICH III. IN LITERARISCHEN ZEUGNISSEN SEINER ZEIT UND SEIN ANDENKEN IM 16. JAHRHUNDERT

I.

Kaiser Friedrich III. hat es nicht als eigene Aufgabe betrachtet, seine Person den Zeitgenossen in einem bestimmten Lichte vorzustellen, noch war er bemüht, sein Persönlichkeitsbild bei der Nachwelt zu sichern. Er hat keine Autobiographie geschrieben, schon gar nicht etwas, das man den literarischen Leistungen seines Sohnes Maximilian vergleichen könnte, dessen autobiographische Romane Stoffgrundlage und Anregung für die Legendenbildung um diesen Herrscher abgaben. Friedrich hat niemals zum Zwecke persönlicher Propaganda Hofhistoriographen beschäftigt und auch sonst nicht auf Publizität geachtet. Seine Hofhaltung war relativ bescheiden und bot für die Untertanen wenig Schauspiel und Anregung der Phantasie.

Es gab freilich offizielle Anlässe, wo der Herrscher an die Öffentlichkeit trat und größerer Prunk entfaltet wurde. Friedrich wurde dann auch in Reden apostrophiert oder in Gedichten gefeiert. Wir kennen eine Reihe dieser höfischen Schilderungen der Person des Kaisers. Sie sind im allgemeinen nicht vom Hofe ausgegangen, veranschaulichen also kein offizielles Programm, sondern wurden von außen herangetragen.

Ausländische Gesandte wollten sich durch den Lobpreis des Herrschers diesen für ihren Auftrag genehm machen. Reiste der Kaiser selbst, empfing man ihn mit schönen und kunstvollen Worten. Besonders die Italiener zeigten sich anläßlich Friedrichs Zug zur Kaiserkrönung nach Rom als Meister der politischen Rhetorik. Unter den Verfassern von Reden auf Kaiser Friedrich finden sich berühmte Humanisten wie Antonio Beccadelli und sogar Poggio Bracciolini, dessen Rede allerdings nie gehalten wurde.

Auch eine Unzahl von Gedichten ist Friedrich III. gewidmet worden, darunter viele von humanistischen Poeten, die im Kaiser den Mäzen suchten (Quintus Aemilianus Cimbriacus, C. Paulus Amaltheus, Petrus Bonomus, Bernhard Perger, Konrad Celtes u. a.). Später wurden auch noch Maximilian, der ja ein ganz besonderer Förderer der Humanisten war, Dichtungen auf seinen Vater überreicht(Joachimus Vadianus u. a.).

Was den Inhalt dieser höfischen Schilderungen Friedrichs betrifft, so findet sich sehr wenig, das speziell auf seine Person abgezielt ist. Das ist nur ausnahmsweise der Fall, etwa wenn Beccadelli in großer Ausführlichkeit auf des Kaisers *temperantia* eingeht, seine Mäßigkeit im Essen und Trinken sowie seine Art, nur wenig zu sprechen, und wenn er die Jerusalemfahrt zur Kennzeichnung des frommen Sinns schon des ganz jungen Herrschers erwähnt. Oder wenn im Jahre 1457 ein griechischer Diplomat, der den Kaiser zum Türkenkampf aneifern soll, auf Friedrichs astronomische und astrologische Neigungen zu sprechen kommt — übrigens eine frühe Erwähnung dieser Beschäftigungen Friedrichs, die sonst hauptsächlich für den alten Kaiser bezeugt sind. Überwiegend handelt es sich dabei nicht um panegyrisch übersteigerte Wirklichkeit, sondern einfach um die traditionellen Formen des Herrscherlobs, die allein die Verbindung mit dem Namen des Kaisers davor bewahrt, ganz im Allgemeinen und Abstrakten stecken zu bleiben. Kaiser Friedrich wird mythologischen und geschichtlichen Helden an die Seite gestellt, er wird mit allen nur erdenklichen Tugenden ausgestattet, und seinem Namen werden tönende Epitheta beigegeben. Hierher gehören vor allem die humanistischen Poeme auf den Kaiser, die kaum je zur Charakteristik des Gefeierten wirklich beitragen. Diesem Schema sind auch viele Partien der lateinischen Leichenrede auf Friedrich III. verhaftet, die Bernhard Perger im Namen Maximilians gehalten hat. Sicherlich erwartet man in einer Leichenrede kaum ein nüchtern abwägendes Urteil über den Verstorbenen. Sie soll hier jedoch erwähnt werden, weil sie noch 1493 in zwei Drucken erschien und damit ein wenn auch nicht sehr charakteristisches und einprägsames Bild des verstorbenen Kaisers einem größeren Kreise nahebrachte. Ebenfalls noch im selben Jahr erschienen acht weitere Druckwerke, zwei davon in lateinischer und sechs in deutscher Sprache, mit Berichten über die Begräbnisfeiern, d. h. im wesentlichen Verzeichnissen und Ranglisten der Teilnehmer sowie kurzen Zusammenfassungen des prunkvollen äußeren Ablaufs der Feierlichkeiten. Nur eine der deutschen Ausgaben dieser Ur-Zeitungen wird etwas ausführlicher und bietet auch Resümees der Reden der ausländischen Gesandtschaften, vor allem der *kostenlichen oration* der Venezianer, die betonten, daß der Dahingeschiedene seine Regierung *loblich unnd erlich* geführt und dabei persönlich *senfftmüdig und gutig* sowie ein *frommer furst* gewesen.

II.

Bei weitem interessanter und aufschlußreicher für uns sind die auf Privat- oder andere als Hofinitiative zurückgehenden historiographischen Leistungen, die Stellungnahmen zur Persönlichkeit Friedrichs III. enthalten. Solche sind in reicher Zahl überliefert, und auf ihnen basieren zu einem wesentlichen Teil die modernen Beurteilungen dieses Herrschers. Einige der markantesten Beispiele sollen im folgenden herausgegriffen werden, wobei mitunter auch kurz auf die Person des Schreibers eingegangen werden muß, um eine richtige Bewertung seiner Aussage zu ermöglichen. Es wird auch zu beachten sein, ob das betreffende Werk sich als Biographie Friedrichs III., bzw. als umfassendes Geschichtswerk mit vollständiger Schilderung seiner Regierung gibt oder ob der Kaiser nur Hintergrundsfigur ist.

Über den jungen Herzog haben wir kaum gleichzeitige literarische Berichte, im wesentlichen nur die kurze Erwähnung in der Reisebeschreibung des kastilischen Edelmannes Pero Tafur. Als dieser 1439, nachdem er den Hof Albrechts II. besucht hatte, auch nach Wiener Neustadt kam, erscheint ihm Friedrich im Vergleich zum königlichen Vetter

„nicht eben ein so großer Herr", doch erfährt Tafur, der Herzog sei außerordentlich reich und verstehe sein Vermögen wohl beisammen zu halten. Tafur wird freundlich aufgenommen und darf eine Woche lang an der herzoglichen Tafel speisen. Daß er kurz nach dem Kaiser in Jerusalem war, empfiehlt ihn sofort, und die beiden Herren „ergötzen sich" beim Austausch von Reiseerlebnissen.

Für Friedrichs Königszeit fließen die Quellen wesentlich reicher. Stephan von Spanberg aus dem Kloster Melk berichtet in einem lateinischen Brief des Jahres 1441 von der spontanen Abneigung der „niederösterreichischen" Bevölkerung gegen den jungen Leopoldiner Friedrich. Auf der Ständeversammlung zu Wien, die über die Vormundschaftsführung für Ladislaus Postumus verhandelte, sollen sogar Rufe „Kreuzigt ihn!" laut geworden sein. Das bezeugt auch ein deutsches Chronikfragment, das die Ereignisse sogar noch dramatischer schildert, sowie eine Aufzeichnung im persönlichen Notizbuch Friedrichs III. Die Melker selbst waren wohl gemäßigt genug, auch die Schwierigkeiten Friedrichs zu sehen, der ein recht problematisches Erbe antrat; das Gros der Bevölkerung jedoch war weniger objektiv und ließ sich hauptsächlich durch Gefühle leiten. Kaiser Friedrich ist es trotz seiner langen Regierung nie gelungen, die albertinischen Lande für sich einzunehmen, und so hören auch die Berichte über Haßkundgebungen und Beschimpfungen nicht auf.

Friedrichs Aachener Krönungsreise des Jahres 1442 wurde durch einen Anonymus, der selbst daran teilnahm, festgehalten. Die Aufzeichnungen bieten wohl keine Stellungnahme des Autors zum König, doch bringen sie unter anderem eine ansprechende Schilderung des herzlichen Empfanges, den man Friedrich in Freiburg im Üchtland in den habsburgischen Vorlanden bereitete. Die Begeisterung der Freiburger, die nach Aussage des Anonymus zum Teil bis zu Tränen gerührt waren, muß hohe Wellen geschlagen haben, war doch lange schon kein Herr von Österreich bei ihnen gewesen. Dieser Bericht zeigt somit ein freundliches Gegenbild zu den Nachrichten aus Österreich.

Die Krönungsreise Friedrichs fand auch in Schweizer Quellen ihren Niederschlag. Die Annalen, Rats- und Zunftbücher der Orte, die er berührte, erwähnen meist den Tag der Ankunft und Abreise, die Ehrengeschenke und Festlichkeiten und freilich auch die Kosten, die der Gemeinde dadurch entstanden. Sie enthalten aber im allgemeinen keine Stellungnahme zum König. Doch als Friedrich in der Hoffnung auf Rückgewinnung alt-habsburgischer Besitzungen in die Schweizer Wirren eingriff und dadurch den auf beiden Seiten mit großer Heftigkeit geführten Züricher Krieg entfesselte, wurde seine Person in die Parteipolemik hineingezogen, die sogar im Volkslied nachwirkte. Als er schließlich gar die schrecklichen Söldnerscharen der Armagnaken in das Land rief, so war das Urteil über ihn gefällt. Man hatte am eigenen Leibe zu spüren gemeint, daß er ein schlechtes Reichsoberhaupt war. Wir finden bei den Schweizer Geschichtsschreibern nur mehr scharfen Tadel für König Friedrich, und auch noch Jahrzehnte später entzündet sich der Haß der Schweizer immer wieder an diesen Ereignissen, die in lebhafter Erinnerung geblieben waren.

Im Jahre 1443 trat der Italiener Eneas Silvius Piccolomini als Sekretär in die Kanzlei Friedrichs III. ein. Seine verschiedenen historischen Werke, Traktate und zahlreichen Briefe enthalten eine Menge lebendiger, da aus der unmittelbaren Anschauung geschöpfter Äußerungen über die Person Friedrichs. Eneas Silvius war ein feiner Beobachter und dazu ein ausgezeichneter Stilist, so ist er ganz entschieden unser interessantester und ergiebigster Berichterstatter. Wie noch zu zeigen sein wird, haben schon etwas jüngere Zeitgenossen ihn als Vorbild anerkannt und es sich erspart, selbst eine Charakteristik Kaiser Friedrichs zu formulieren, sie haben statt dessen Eneas Silvius ausgebeutet.

Wir haben mitunter wohl allen Grund, die Ehrlichkeit Eneas' anzuzweifeln. Er war ehrgeizig und wollte aus seiner zunächst recht untergeordneten Stellung möglichst rasch aufsteigen, so ist er äußerst vorsichtig mit seinen Bemerkungen und schmeichelt vielleicht auch seinem Herrn. Später, als er sein Ziel erreicht hatte, verfolgte er wiederum oft Zwecke der Selbstapologetik und verteidigt vor allem seine politischen Ratschläge an den Kaiser. Trotzdem ist er uns eine unschätzbare Quelle. Auch sind seine Privatbriefe sicherlich meist spontan und zumindest im Moment ehrlich gemeint.

Noch im Jahre 1443 widmete Eneas Silvius König Friedrich einen umfangreichen Traktat, den *Pentalogus de rebus ecclesiae ac imperii*. Seine Absicht in dieser Schrift ist es, den König aus seiner Lethargie aufzurütteln und zu einer aktiven Kirchen- und Italienpolitik anzuspornen. Das geschieht in einem fiktiven Fünfgespräch, in dem König Friedrich selbst auftritt, weiters sein Kanzler Schlick, zwei seiner geistlichen Räte und Eneas Silvius. Der König, wie ihn der *Pentalogus* schildert, ist energielos, übertrieben sparsam und mit einem Gesichtskreis, der nicht über seine Stammlande hinausreicht, dabei von einer bei einem jungen Herrscher überraschenden persönlichen Bedürfnislosigkeit und Integrität. Er besitzt also alle „Hausvatertugenden", ist aber kein künftiger Imperator; zu dem wird ihn erst die Befolgung der Ratschläge Eneas' machen. Neben stärkerer Aktivität des Herrschers fordert Eneas Silvius auch ein königliches Auftreten, etwas größeren Aufwand und vor allem die Pflege und Förderung von Kunst und Wissenschaft. Diese Ratschläge werden oft recht geschickt unter Bedachtnahme auf die Wesensart Friedrichs an diesen herangebracht — Eneas spricht nicht allein von ideellen Verpflichtungen, sondern betont auch die realen Vorteile, die aus einer solchen Politik erwachsen könnten —, und da die anderen Gesprächspartner einstimmen, läßt sich der König des *Pentalogus* schließlich überzeugen. In Wirklichkeit scheint König Friedrich kaum Notiz von dieser Schrift genommen zu haben. Später, als Eneas Silvius der maßgebliche Berater Friedrichs geworden war, konnte er die königliche Politik in die hier skizzierten Bahnen lenken, doch erfahren wir dann nichts mehr über die Argumente, die er zur Überredung des Königs benutzte, da er sie nun mündlich und direkt vorbringen konnte.

1443 schrieb der Erzbischof von Mailand, Francesco Pizzolpasso, einen Brief an Eneas Silvius, um vorzufühlen, wie sich König Friedrich in der Kirchenfrage verhalten werde. Der Brief enthält eine längere und schmeichelhafte Charakteristik des Königs, die freilich nur aus dem Hörensagen schöpft, doch immerhin wieder besonders den Ernst und die Mäßigkeit des jungen Herrschers hervorhebt. Mit den Werken des Eneas Silvius überliefert, wurde Pizzolpassos Brief ebenso wie diese später häufig ausgeschrieben.

1444 entstand Eneas' *Tractatus de fortuna*, in dem vor allem die etwas eingehendere Beschreibung des Äußeren König Friedrichs interessiert — mehr als mittelgroß, breitschultrig, blondes, glattes Haar, bedächtiger Schritt, dabei selten lächelnd und wortkarg. Eneas sieht sich im Traum in den Hain der Fortuna versetzt, wo er König Friedrich unter den Lieblingen der Göttin erblickt. Der König jedoch flieht die Fortuna, die ihm deshalb schon zu zürnen droht. Wollte Eneas damit sagen, daß seinem Herrn die Gabe fehlte, eine glückliche Gelegenheit zu nützen?

Zahllose weitere Bemerkungen über König Friedrich in Eneas' Traktaten und Briefen müssen hier übergangen werden. Seine eigentlichen historischen Schriften, voran die *Historia Austrialis*, früher meist unter dem Titel *Historia Friderici III. imperatoris* bekannt, führen bereits in eine spätere Zeit. Die *Historia Austrialis* behandelt ja im wesentlichen die Aufgabe der Neutralität in der Kirchenfrage, den Romzug mit der Kaiserkrönung und die österreichische Empörung 1451/52. Auch hier beschreibt Eneas kurz die äußere Erscheinung König Friedrichs, was eigens hervorgehoben werden soll, weil wir Ähnliches in anderen zeitgenössischen Quellen meist vermissen; nirgends aber entwirft er ein selbständiges, von der Erzählung abgelöstes Bild seines Königs, sondern charakterisiert ihn nur indirekt, das jedoch mit großer Ausführlichkeit und reichen Details. Eine zusammenfassende direkte Charakteristik Friedrichs III. enthält dafür Eneas' *Europa*. Es werden hier die beiden ungleichen Brüder Friedrich und Albrecht einander gegenübergestellt, wobei Friedrich trotz seinen Schattenseiten — vor allem Trägheit und große Sparsamkeit, die nicht unerwähnt bleiben — als der Bedächtigere dem unsteten und verschwenderischen Bruder vorgezogen wird. Das Volk freilich ziehe Albrecht vor. An weiteren Einzelzügen Friedrichs werden hervorgehoben: die stattliche Erscheinung, das ruhige Temperament, guter Verstand und Gedächtnis, Religiosität, anderseits großes Ruhebedürfnis und übermäßige Hingabe an seine Gärtnerleidenschaft und die Edelsteinsammlung.

Neben der eben erwähnten Stelle aus der *Europa* hat vor allem die Anekdotensammlung des Eneas Silvius, die er König Alfons von Neapel gewidmet hat, das Friedrich-Bild bei den Späteren geformt. Die zahlreichen Geschichtchen, die er hier von König Friedrich zu erzählen weiß, wurden äußerst populär und finden sich bis in das frühe 19. Jahrhundert immer wieder in den Geschichtsdarstellungen. Freilich liegt bei der Anekdote das Hauptinteresse bei der pointierten Geschichte und erst in zweiter Linie bei der Person, von der sie erzählt wird. Eneas Silvius kannte aber den Kaiser zu gut, um ihn zum Helden einer ganz unwahrscheinlichen Situation zu machen. Im einzelnen berichtet er mehrere Aussprüche Friedrichs, die diesen als Moralisten und Philosophen erscheinen lassen, wie z. B., daß allzu strenge Fürsten fürchten müßten, nach ihrem Tode selbst ebenso streng gerichtet zu werden oder die resignierte Feststellung, daß es seinen Gunstbezeugungen gegeben sei, aus Treuen Untreue zu machen. In seinem Notizbuch hat sich schon der junge Herzog deutsche und lateinische Sprüche aufgeschrieben, so mag er wohl auch gesprächsweise derartiges erwähnt haben. Andere der Geschichten illustrieren des Kaisers Edelmut und strenge Rechtlichkeit. Eneas erzählt unter anderem, man habe Friedrich nahegelegt, Ladislaus beiseite schaffen zu lassen, was er natürlich von sich gewiesen, da er lieber ein frommer und gerechter König sein wollte als ein reicher und mächtiger. Wieder andere der Anekdoten, die davon handeln, daß der Kaiser Warnungen und Verdächtigungen in den Wind schlägt oder sich für schwere Beleidigungen nicht rächt, zeigen ihn als Mann von stoischer Lebenshaltung. Selbst Friedrichs Aversion gegen das Tanzen und das Weintrinken wird in drei Geschichten erwähnt. Als der Thronfolger auf sich warten ließ, sollen Ärzte der Kaiserin Leonore das Weintrinken empfohlen haben, was der Gatte ihr aber empört verbot, eine Geschichte, die zu den beliebtesten der Sammlung gehörte, was die zahllosen Nacherzählungen beweisen.

Etwa gleichzeitig mit Eneas Silvius Piccolomini schrieb der Wiener Theologieprofessor Thomas Ebendorfer seine beiden großen historischen Werke, die Kaiserchronik und die österreichische Chronik. Er war der erste Berater und Sprecher des jungen Königs gewesen, hatte sich aber bald zurückgezogen, weil die durch Eneas Silvius angeregte Kirchenpolitik seinen Überzeugungen zuwiderlief. Der Bruch mit dem König wurde endgültig, als Ebendorfer zur Partei des Ladislaus überging. Die Kaiserchronik geht sogar auf einen Auftrag Friedrichs zurück, der über seine Reichsvorgänger informiert werden wollte, sie wurde aber letztlich als privates historisches Tagebuch weitergeführt.

Aus dem eben Gesagten ergibt sich, daß wir auch bei Ebendorfer mit Tadel für Kaiser Friedrich rechnen müssen. Ebendorfer lobt wohl des Kaisers bescheidenes Auftreten beim Romzug und seine Schonung der Bevölkerung; er bewundert auch seine Mäßigkeit, denn selbst während der Krönungs- und Hochzeitsfeierlichkeiten wich Friedrich nicht von seinen einfachen Gewohnheiten ab. Letzteres erscheint ihm aber schon fast unmenschlich und vollends erst die völlige Ungerührtheit des Herrschers gegenüber Irreverenz und Beleidigungen. Ebendorfer berichtet, er hätte während der Zeit, als er Friedrich nahe war, niemals ein Zeichen einer Gemütsbewegung bei ihm gesehen oder ein heftiges Wort von ihm gehört. Mit äußerster Bitterkeit aber spricht Ebendorfer über Friedrichs Versagen als Landesfürst. Er habe das Land Österreich, das unter räuberischen Söldnerbanden, Bürgerkrieg, dem unsinnigen ungarischen Krieg und wirtschaftlicher Not infolge der Münzverschlechterung zu leiden hatte, geradezu an den Rand des Ruins geführt. Wenn auch als Anhänger der „klein-österreichischen" Auffassung überhaupt Friedrichs Politik gegenüber kritisch eingestellt, urteilt Ebendorfer hier doch vor allem aus der begründeten Besorgnis eines ehrlichen Patrioten.

Zahlreiche italienische Quellen nehmen Bezug auf Friedrichs Zug zur Kaiserkrönung nach Rom. Man hatte ihn in Italien voll Erwartung und mit großen Festlichkeiten empfangen, zugleich aber auch in die internen Parteiungen hineinzuziehen versucht. Daß der Kaiser sich geschickt aus den inneritalienischen Angelegenheiten heraushielt, verdarb ihm die Sympathien mancher, die ihn für ihre Partei zu benützen dachten. Auch sein persönliches Auftreten enttäuschte, denn in Italien war man damals ganz anderen Fürstenglanz gewöhnt. Erzbischof Antoninus von Florenz findet nichts von kaiserlicher Majestät an ihm, er sieht nur, wie gierig er Geschenke annimmt. Geiz wirft ihm auch Poggio vor, der, nachdem er Friedrich zu Gesicht bekommen hatte, seinem Söhnchen das Auswendiglernen der schönen Rede an den Kaiser ersparte. Ähnliches hört man allerorts. Friedrichs Geiz ist sogar in die schöne Literatur Italiens eingegangen. Eine Novelle der *Porretane* (1478) des Giovanni Sabadino degli Arienti erzählt, wie der Kaiser zum Gespött wurde, weil er dem Hofnarren des Königs Alfons von Neapel ein lächerliches Trinkgeld gab und dieser darauf Friedrichs eigenem Narren ein fürstliches Geschenk überreichen ließ. Obwohl ein „Barbar", empfand der Kaiser schließlich selbst, daß er beschämt worden war.

Im Jahre 1464 starben sowohl Eneas Silvius Piccolomini (Pius II.) als auch Thomas Ebendorfer. Wir verlieren damit zwei gut informierte und ausführliche Berichterstatter, und da sie keinen Nachfolger von ähnlichem Rang fanden, sind die mittleren Regierungsjahre König Friedrichs weniger gut bezeugt als die früheren. Johann Hinderbach, wie sein Lehrer Eneas Silvius zeitweilig Sekretär der kaiserlichen Kanzlei und Rat Friedrichs, versuchte zwar eine Geschichtsdarstellung im Anschluß an Eneas, als er aber bald darauf Bischof von Trient wurde, verlor er das Interesse an ihrer Fortführung. So blieb es bei einigen Bemerkungen über das Jahr 1462, dessen wesentliches Ereignis die Belagerung Friedrichs III. in seiner Burg zu Wien war. Hinderbach erklärt in der Vorrede, der Milde und Langmut des Kaisers, den kein widriges Schicksal erschüttern könne, ein Denkmal setzen zu wollen, anderseits berichtet er von der Empörung der Kaiserin über die Nachgiebigkeit des Gatten. Im bereits unruhigen Wien — es drohte schon der Aufstand, der wenig später ausbrach und zur Belagerung der Burg führte — wartete Eleonore sehnlichst auf die Ankunft des Gatten. Dieser verharrte indes geduldig drei Tage vor den Toren der Stadt, bis man ihn einließ. Da meinte sie, wenn ihr Söhnchen Maximilian einmal ähnlich milden Sinns sein sollte, täte es ihr leid, ihn geboren zu haben.

Die Belagerung der Wiener Burg ist auch der Hauptinhalt eines umfangreichen (12.800 Reimzeilen!) dichterischen Werkes. Es ist das *Buch von den Wienern* des aus kleinbürgerlichem Milieu stammenden Sängers Michael Beheim, der sich im Gefolge des Kaisers bei den Belagerten befand. Die gebundene Form sollte das Werk sangbar und damit populär machen, doch ist dem Autor die Berichterstattung wichtiger als die künstlerische Form. Beheims Darstellung ist als die eines einfachen Mannes, der auch ein breites Publikum ansprechen will, wenig hintergründig und beschränkt sich meist auf eine ausführliche und episodenhafte Schilderung der Ereignisse. Es mangelt Beheim der Blick für die Zusammenhänge und das Wesentliche, ohne daß dies mit dem Fehlen einer persönlichen Bewertung verbunden wäre. Beheim ist ein überzeugter und ergebener Anhänger des Kaisers, wie wir ihn sonst kaum unter den Zeitgenossen getroffen haben. Den Ungehorsam der Wiener vergleicht er unter anderem mit dem Tanz der Juden um das goldene Kalb und kann sich nicht genug tun in Beschimpfungen der Wiener. An Kaiser Friedrich lobt er die große und verehrungswürdige Frömmigkeit, und empört berichtet er, daß selbst das den Wienern mißfallen habe, die meinten, Kaiser Friedrich eignete sich besser zum Mönch als zum Herrscher. Der Kaiser aber *pet in allen die hels ab,* und mit Gottes und König Georgs Hilfe sei er unbesiegt geblieben. In mehreren Episoden schildert Beheim, wie der Kaiser selbst zugriff bei den Verteidigungsarbeiten, daß er z. B. beim Aufziehen eines Geschützes half oder Schießpulver im Mörser zerstieß. Er und seine Familie mußten die schmale Kost der übrigen Besatzung teilen, besonders daß auch der kleine Maximilian Hunger litt, erweckt Beheims Mitleid. Mit des Kaisers Milde gegenüber den Wienern nach der Aufhebung der Belagerung ist Beheim schließlich trotz seiner großen Verehrung für Friedrich nicht einverstanden. Von dieser Verzeihung war nur der Bruder Albrecht ausgeschlossen. Beheim berichtet, daß Friedrich ihn bei der ersten Begegnung nicht angesehen und gesagt habe ,*Mit kainem solchen reden wir nitl*‘

Die Belagerung des Kaisers durch die Wiener Bürger erregte verständlicherweise großes Aufsehen. Selbst Ebendorfer, der die Dinge gewiß nicht so einseitig kaiserlich wie Beheim sah, sondern meinte, Friedrich hätte durch sein Verhalten dazu herausgefordert, spricht von einem seit Jahrhunderten unerhörten Mangel an Ehrfurcht. Die Kunde von den Ereignissen drang auch nach Süddeutschland, wo die gleichzeitige Augsburger Chronik des Burkard Zink das Unglück, das dem römischen Kaiser und Haupt der Christenheit widerfuhr, heftig beklagt.

Um die gleiche Zeit erscheint der Kaiser in den Pamphleten des Cusanus-Streits. Durch die Aufgabe der kirchlichen Neutralität war Friedrich ein Bündnis mit dem päpstlichen Stuhl eingegangen. Politisch gesehen war das eine geschickte Maßnahme, sie brachte ihm jedoch auch erbitterte Gegnerschaft. Gregor Heimburg, der die literarische Verteidigung Herzog Siegmunds von Tirol gegen Nikolaus von Kues übernommen hatte, griff neben Papst Pius II. heftig den Kaiser an. Von päpstlicher Seite erhielt er deshalb einen Verweis, den er aber bald mit neuen Angriffen auf Friedrich beantwortete.

Nach dem Tod des Kusaners (1464) trat Heimburg in die Dienste Georgs von Podiebrad. Hatte er im Cusanus-Streit dem Kaiser vor allem Lässigkeit und Schädigung des Ansehens des Reichs vorgeworfen, kommt in den Schriften für Podiebrad die Anschuldigung der Käuflichkeit und des Geizes dazu. Speziell vom Geiz des Kaisers erzählt er immer neue Geschichten. Einmal sagt er, Friedrich komme ihm vor wie jemand, der einen großen Getreidehaufen mit einem langen Stock bewacht und sich nicht einmal selbst ein Korn gönnt, obwohl er am Verhungern ist. Seine Schätze häufe Friedrich nur auf, und auch, wenn er sich in mißlichen Lagen befinde, greife er seine Rücklagen nicht an. Das Volk werde von Friedrich ausgesaugt, seine Barone und Edlen unterdrückt, und, um dabei völlig freie Hand zu haben, versuche der Kaiser, den aufrechten König Georg mit Hilfe des Papstes zu vernichten.

Das waren Äußerungen in ausgesprochenen Streitschriften, doch auch in den Geschichtswerken der verschiedenen deutschen Territorien spürt man die Erregung über die Zeitereignisse. In der Pfalz ergreift man eifrig Partei für Friedrich den Siegreichen, den Landesherrn, dessen Regierung Friedrich III. nie anerkannt hatte, und ist deshalb gegen den

Kaiser eingestellt. Der sächsische Minorit Matthias Döring, ein treuer Anhänger der Konzilspartei, ereifert sich vor allem über die Kirchenpolitik Friedrichs, den nach seinem Urteil Gott der deutschen Nation zur Drangsal geschickt habe, weil sie es nicht besser verdiene. Die verschiedenen Stadtchroniken verfolgen mißtrauisch die Regierungshandlungen des Reichsoberhauptes, stets befürchtend, es geschehe etwas zum Schaden der Städte.

Als Kaiser Friedrich 1473 in das Reich kam, um zur Trierer Zusammenkunft mit Herzog Karl dem Kühnen von Burgund zu reisen, erhielt dieses Mißtrauen neue Nahrung, und auch die Reichsfürsten wurden unruhig. Es war gelungen, den Verhandlungsgegenstand geheim zu halten, und die wesentlichen Verhandlungen in Trier fanden ebenfalls hinter verschlossenen Türen statt. Die Reichsfürsten fühlten sich übergangen und äußerten ihren Verdruß. In den Reichsstädten aber, die sich ohnedies durch die aufstrebenden Territorialmächte bedroht fühlten, stieg der Haß gegen Karl den Kühnen ins Unermeßliche und mußte auch den Kaiser, der mit dem Burgunder verhandelte, treffen.

Die Anwürfe gegen Friedrich sind dabei überall die gleichen. Er ist untätig und stellt die herrschenden Übel nicht ab, wobei niemand in Erwägung zieht, ob eine jedermann befriedigende Lösung überhaupt möglich ist. Weiters unternimmt der Kaiser nichts gegen die vordringenden Türken. Meist bleibt er in seinen Erblanden, wo er seinen unkaiserlichen Liebhabereien frönt, dem Vogelfang und dem Obstbau, das einzig Persönliche, das von ihm bekannt ist. Kommt er aber ins Reich, zieht er umher *alsz ein betteler* und sammelt Steuern und Ehrengeschenke, die schwebenden Probleme führt er keiner Lösung zu. Man ist schließlich froh, wenn er wieder heimkehrt, und das Gesamturteil über ihn lautet, er wäre ein *unnützer kaiser* und *regiert nit wol*.

Die Erblande erleben weiterhin unruhige Zeiten, und immer wieder werden Klagen laut. Eine anonyme deutsche Chronik der Jahre 1454 bis 1467 bedauert das Los der unbeteiligten Bevölkerung im Bruderkrieg zwischen Friedrich und Albrecht. 1470 wird in Wien ein Pamphlet gegen den Kaiser angeschlagen, das acht Jahre später in einer neuen Fassung in Innerösterreich auftaucht. Der Verfasser, wohl ein Bettelmönch, fühlt sich berufen zu reden, da die höheren geistlichen Autoritäten pflichtvergessen schweigen, und er beginnt mit dem Aufruf an Friedrich: *stannd auff von dem slaff, darinn du lanng nach leibs lust gelegen bist.* Es gelte, die Einfälle der Türken zu bekämpfen. Friedrich solle sein Geld nicht horten, sondern es endlich zur Landesverteidigung ausgeben. Er dürfe nicht sagen, die Untertanen verdienten keine andere Behandlung, denn Ungehorsam der Untertanen sei immer nur eine Folge der Pflichtvergessenheit der Fürsten. Er hätte die Gewohnheiten des Landes verletzt, schlechte Münze geschlagen, Mauten und Zölle vermehrt, neue Steuern eingeführt, und das Gerichtswesen funktioniere nicht, wie solle ihn das Volk da lieben. Wenn er sich auf seine Pflichten als Landesfürst besänne, würde er schon Gegenliebe finden.

Es folgten die traurigen Zeiten eines neuen Ungarnkrieges, der zur Besetzung Niederösterreichs durch König Matthias führte. Aus diesen Jahren besitzen wir die privaten Tagebuchnotizen des Wiener Arztes und Universitätsprofessors Johann Tichtl. Zum Jänner 1484 vermerkt dieser, Friedrich habe einen Brief der Stadt Wien erst nach 13 Wochen beantwortet, obwohl in Niederösterreich die Ungarn immer mehr an Boden gewännen. So wichtig sei diesem Wien. Die endlich eingetroffene Antwort habe noch dazu wenig Hoffnung auf Hilfe enthalten. Im Laufe der weiteren Ereignisse beginnen die Wiener und mit ihnen Tichtl an einer Hilfe Friedrichs überhaupt zu verzweifeln. Es bleibt nichts anderes übrig, als Friedensverhandlungen mit Matthias Corvinus aufzunehmen. Die Wiener sind dazu um so eher bereit, als bei ihnen jede Sympathie für den Kaiser, der sie im Stich gelassen hat, geschwunden ist. Auch Tichtl ruft dem Kaiser nur noch ein verächtliches Lebewohl zu — *Vale ... mi cesar! qui omnibus Austrie principibus tua negligencia et pecuniarum amore magnam maculam iniecisti.* (Leb wohl mein Kaiser, der du durch deine Pflichtvergessenheit und Liebe zum Geld allen österreichischen Fürsten Schmach angetan hast!) Dann geht er zu König Matthias über.

In Kärnten in St. Martin am Techelsberg verfaßte zu dieser Zeit der kleine Landpfarrer Jakob Unrest umfangreiche Chroniken. Auch er vermerkt genau das Vordringen der Ungarn in seiner österreichischen Chronik. Er bejammert den Fall Wiens und kann Friedrichs Ruhe, mit der dieser auch Wiener Neustadt preisgibt, nicht begreifen. Unrest erhebt, wie viele andere der Zeitgenossen, Klage über des Kaisers Münzpolitik sowie neue Mauten und Zölle. Er schilt, daß Friedrich in der Baumkircherfehde zunächst handelte *als ainer, der seiner zeyt erwarten chann,* wodurch die Bevölkerung zu großem Schaden kam; noch dazu bestehe der Verdacht, er hätte das nur aus Geiz getan, um den ausständigen Sold nicht bezahlen zu müssen. Nicht einmal der Innerösterreicher Unrest also steht besonders positiv zu Kaiser Friedrich, wenn er ihn auch gelegentlich einen frommen Fürsten nennt. In seiner ungarischen Chronik spendet er sogar dem Landesfeind Matthias Corvinus großes Lob als Türkenbekämpfer, was doch verwunderlich erscheint.

Seit den frühen sechziger Jahren gibt es keinen Geschichtsschreiber mehr in der Umgebung Friedrichs III. So sind wir um so dankbarer für einen gelegentlichen Bericht durch einen Besucher bei Hof, der seine Eindrücke schriftlich niederlegte. Es fällt dabei mitunter ein recht interessantes Licht auf die Situation bei Hof, oder wir finden eine Schilderung des alten Kaisers, die auf persönlicher Anschauung beruht. 1467 erschien der böhmische Edelmann Leo von Rožmital, Schwager Georgs von Podiebrad, auf seiner Pilgerfahrt durch das Abendland beim Kaiser in Graz. Zwei seiner Begleiter führten ein Reisetagebuch, worin wir erfahren, daß Friedrichs Hofhaltung bescheiden sei. Nur wenige seiner Kammerherrn habe er ständig bei sich in der Burg, das übrige Gefolge sei in der Stadt untergebracht. Von den großen Schätzen Friedrichs, deren wertvollste in der Grazer Burg aufbewahrt sein sollen, bekommen sie nur ein edelsteinbesetztes Gewand zu sehen. Die Böhmen nehmen an Ritterspielen teil, die zu Ehren des Herzogs Albrecht von Sachsen, der gerade in Graz weilt, veranstaltet werden; der Kaiser soll dabei mit großem Vergnügen zugesehen haben. Rožmital wird auch in Audienz empfangen. Der Kaiser zeigt sich *ser genediglich mit worten,* aber *lutzel erzeigt mit werken,* denn er weigert sich, die Reisekasse, in der bereits Ebbe herrschte, aufzufüllen. Der Empfang bei der Kaiserin in Wiener

Neustadt ist um vieles herzlicher. Rožmital brachte Briefe vom portugiesischen König, dem Bruder der Eleonore, und war deshalb sehr willkommen. Es wurden Schlittenfahrten und Tanzunterhaltungen für die Gäste veranstaltet, die sich hier äußerst wohl fühlten.

Im Auftrag Bischof Georgs von Chiemsee, dem er in zwei Briefen Bericht erstattete, kam 1484 Dr. Andreas Schenck an den Grazer Hof. Zunächst wird Schenck nicht zum Kaiser vorgelassen, so schildert sein erster Brief nur die Stimmung in der Residenz. Er findet die Untertanen Friedrichs uneins; Feinde drohen von außen, und allgemeine Unruhe herrscht im Land. Trotzdem bemerkt er keine wirksamen Maßnahmen zur Wiederherstellung von Ruhe und Ordnung. Es wimmle zwar von barbarischen tschechischen Söldnern mit unaussprechbaren Namen, doch diese verbrächten ihre Zeit bei Trinkgelagen. Schon 1469 hatte ein Gesandter des Galeazzo Maria Visconti nach Italien berichtet, daß Friedrich seinen eigenen Untertanen so sehr mißtraue, daß er die Kriegführung mit Ungarn ganz ausländischen Söldnerführern übertragen habe, die aber nur nach eigenem Gewinn trachteten und ihn um so mehr hintergingen.

Schencks zweiter Brief schildert die Audienz beim Kaiser: Der Palast entbehrt aller Großartigkeit, man sieht kein königliches Gefolge. Ein Riegel wird zurückgeschoben, und Schenck steht vor Friedrich, der ganz allein ist. Statt wie erwartet, einen Kaiser zu finden, sieht er sich einem Greis gegenüber, und so meint er, Friedrichs Versagen müßte man dem Alter zuschreiben. Ganz hinfällig sei der Kaiser allerdings auch wieder nicht, und diese verbliebene Frische habe er seiner Mäßigkeit zu verdanken. Schenck bringt dann seine Aufträge vor, und zwar auf ausdrücklichen Wunsch des Kaisers in deutscher Sprache, eine Forderung, die den Humanisten in ihm empört. Friedrich antwortet kurz und ruhig, aber, da er schon keine Zähne mehr hat, mit leiser, kaum verständlicher Stimme.

Zwei Jahre später war Friedrich nochmals im Reich aus Anlaß der Königswahl Maximilians. Johann Reuchlin, der sich damals als Vertreter Eberhards von Württemberg eine Zeitlang in der Umgebung des Kaisers aufhielt, hat ein sehr freundliches und menschliches Bild des alten Kaisers gezeichnet. Er berichtet, wie Friedrich einschlief, als ihn eine lange Rede langweilte, und wie ihn seine Edelsteine mehr als die Regierungsgeschäfte interessierten. Statt die brandenburgischen Gesandten zu verabschieden, unterhält er sich lieber mit einem Kaufmann, der neue Steine gebracht hat.

Friedrichs Verhältnis zu seinem Sohn wird durch zwei Episoden am Rande der Hauptereignisse beleuchtet. Sieben jungen Herrn sollte der Ritterschlag erteilt werden, und Maximilian bestand darauf, daß nicht er, sondern der Kaiser selbst die Zeremonie vornehme. Reuchlin beobachtete, wie sehr das Friedrich recht war — *dät doch dem keiser von hertzen wol, das in der sun wolt die er geben, das sach man wol an allen sinen geberden.* Der Kaiser lehnte Turniere ab, doch als sich in diesen Tagen Maximilian gegen das ausdrückliche Verbot des Vaters an einem solchen Wettkampf beteiligte und dabei ungefährlich stürzte, soll er lachend hinuntergerufen haben, man solle den König nur liegenlassen.

Die Berichte des Dr. Pfotel an Markgrafen Friedrich von Ansbach-Bayreuth aus dem Jahre 1492 zeigen eine völlig veränderte Situation am Hofe: Das Einvernehmen zwischen

Vater und Sohn ist dem Mißtrauen des alten Kaisers gegen den römischen König gewichen. Friedrich fühlt sich von seinen Untertanen verraten und verlassen, weil diese sich schon vielfach an den jungen Herrscher anschließen. Er klagt dem Dr. Pfotel, *vill fursten schlugen sich an seinen son ... Nu wolt er doch das Regiment in seinen Henden behalten und redt lateinisch ,ne des alienis honorem tuum'*. Die Eifersucht Friedrichs auf Maximilian soll so weit gegangen sein, daß er abreisen wollte, als er hörte, der Sohn werde zu ihm kommen. Pfotel macht für diese Verstimmung zum Teil auch die Räte der beiden Herrscher verantwortlich. Friedrichs Räte scheinen ihm überhaupt verdächtig, es geschähen allerlei *practica* heimlich am Hofe, und man nütze es aus, daß Friedrich ein *verlebter* Herr sei, der die Dinge nicht mehr fest in der Hand habe.

Vater und Sohn verkehrten damals meist nur durch Boten. Eine Reihe von ihren Briefen ist erhalten geblieben, vor allem solche des Freiherrn Siegmund Prüschenk, der auch das Vertrauen des alten Kaisers besaß und daher oft den Verbindungsmann spielte. Während der letzten Lebenstage Friedrichs befand sich ein Passauer Kleriker im Auftrag Maximilians beim Kaiser in Linz. Seine Relation, die bereits nach dem Tod Friedrichs abgefaßt wurde, ist ebenfalls überliefert. Er hatte den Auftrag gehabt, den Kaiser nach letztwilligen Verfügungen an seinen Sohn zu befragen und bei der Gelegenheit den Aufbewahrungsort eventueller geheimer Schätze des Kaisers zu ergründen. Als der Kleriker dem Kaiser die Frage nach den Schätzen zunächst in der Beichte vorlegte, wurde er empört abgewiesen, als er sie aber bei anderer Gelegenheit wiederholte, antwortete der Kaiser, er hätte keine großen und verborgenen Schätze, was er habe, solle dem Sohn nicht verborgen bleiben, auch wolle er noch selbst mit ihm darüber sprechen. Im übrigen läßt der Kaiser dem Sohn seine Diener ans Herz legen.

In den achtziger und neunziger Jahren entstanden auch die meisten der schon eingangs erwähnten lobrednerischen Humanistengedichte auf den Kaiser. Daneben haben aber dieselben Poeten private Gedichte verfaßt, die ein ganz anderes Bild des Kaisers geben. Meist geht es dabei um die Klage, daß der Kaiser ihre Dienste nicht genügend belohne, daß er also knausrig sei und ohne Kunstverständnis. Nur eines der Gedichte des Bonomus fällt aus diesem Rahmen. Es handelt von der Menschenscheu des Kaisers. Bonomus sagt, so lange Friedrich gesund gewesen sei, hätte er stets allein sein wollen und niemanden zu sich vorgelassen, so wolle nun auch niemand zu ihm gehen, da er sich, seit er krank ist und ihm ein Bein abgenommen werden mußte, plötzlich Gesellschaft wünscht.

Von den Nachrufen und der Leichenrede auf Kaiser Friedrich war schon die Rede.

Diese kurzen Skizzen konnten vielleicht einen Eindruck vermitteln, daß die zeitgenössischen Zeugnisse über Kaiser Friedrich III. sehr vielfältig sind, was sich eigentlich von selbst versteht, wenn man die lange Zeit bedenkt, die er im Vordergrund bewegter Ereignisse stand. Diese Nachrichten verteilen sich freilich recht ungleichmäßig auf seine Regierungszeit, und manche Phasen sind um vieles weniger gut erfaßt. Die Beurteilung, die der Kaiser erfährt, ist sehr unterschiedlich und oft von den eigenen Verhältnissen des Schreibers diktiert, der ja auch selbst in die Zeitereignisse verflochten war. Im allgemeinen überwiegen allerdings die negativen Urteile. Die Ausstrahlung, die Friedrichs Persönlichkeit besessen hat, war nicht groß und beeindruckend. Es muß wohl als eine nie ganz lösbare, wenn auch immer wieder lockende Aufgabe betrachtet werden, mit Hilfe aller uns sonst zur Verfügung stehenden Geschichtsquellen des 15. Jahrhunderts, die Akzente richtiger zu setzen, als es die Zeitgenossen getan haben. Auf die Farbe, die diese unmittelbaren Zeugnisse unserem Geschichtsbild verleihen, werden wir aber nie verzichten können.

III.

Abschließend soll noch auf einige nachzeitgenössische Berichte über Friedrich III. eingegangen werden, um zu zeigen, wie die folgenden Generationen ihn einschätzten.

Maximilian hat im Gegensatz zu seinem Vater sehr viel für sein *gedachtnus* bei der Nachwelt getan und einen ganzen Historikerstab beschäftigt. Unterstützt von mehreren Mitarbeitern hat der Kaiser überdies selbst autobiographische Werke verfaßt. Diese geben allerdings wenig Aufschluß über Friedrich. Die lateinische Autobiographie enthält zwar ein hohes Lob der Mutter, sagt jedoch wenig zum Vater. Die beiden ersten Teile des *Weisskunig* erwähnen Kaiser Friedrich, den „alten Weisskunig", wohl häufig. Der erste Teil bietet ja eine Geschichte der Eltern, d. h. vor allem ihrer Hochzeit und Krönung in Rom, doch erschöpft sich der Bericht in der Aufzählung der Festlichkeiten, und den in diesem prächtigen Schauspiel agierenden Personen fehlen alle menschlichen Züge. Im zweiten Teil wird das geistige und seelische Heranreifen des jungen Maximilian zum Herrscherberuf geschildert. Maximilian erscheint dabei schon so bald als fertige Persönlichkeit, die ihre Bildung selbsttätig in die Hand nimmt, daß für den Einfluß des Vaters nicht allzu viel Raum bleibt. Immerhin erfahren wir, daß der alte Weisskunig in der Sternenkunde bewandert war, denn er erforscht das spätere Schicksal seines Sohnes aus der Konstellation der Geburtsstunde. Er ist auch ängstlich, sein Sohn könnte vom christlichen Glauben abirren und warnt ihn vor der schwarzen Kunst. Schließlich sorgt er für eine angemessene Erziehung des Sohnes, denn er weiß, daß *wiewol ain jeder kunig ist wie ain ander mensch, so muessen doch die kunig, die selbs regiren, mer wissen dann die fursten und das volk, damit das ir regierung by inen beleib.* Hochgelehrte Meister werden an den Hof berufen, doch in die Geschäfte der Kanzlei führt der alte Weisskunig den Sohn persönlich ein.

Die *Historia Friderici III. et Maximiliani I.* des Joseph Grünpeck, eines Mitglieds des maximilianeischen Gelehrtenstabs, zeigt große Ähnlichkeiten mit dem *Weisskunig*, sowohl in der Darstellung als auch im Bilderschmuck, der ebenso wie beim *Weisskunig* ein integrierender Bestandteil des Werkes ist. Grünpecks Geschichte war für Karl, den jungen Enkel Maximilians, gedacht und wurde vom Kaiser persönlich durchgesehen.

Die frühe Regierungszeit Friedrichs wird ziemlich summarisch und formelhaft abgehandelt, denn darüber hat Grünpeck, der offenbar keine schriftlichen Quellen heranzog, nicht mehr viel erfahren. Über den alten Kaiser berichtet er dafür umso ausführlicher. Was er aufzeichnet, scheint lebendige Hoftradition gewesen zu sein. Der verstorbene Kaiser war damals wohl noch oft Gesprächsstoff, **und so konnte Grünpeck seine Informa-**tionen sammeln. Es geht dabei weniger um den Regenten, sondern hauptsächlich um Persönliches, Friedrichs Gewohnheiten, seine Liebhabereien und Interessen. Grünpeck erwähnt nur nebenher, daß Friedrichs III. Regierung äußerst bewegt war und er vielen Beleidigungen und Angriffen ausgesetzt war, um bei dieser Gelegenheit Friedrichs wunderbare Geduld zu preisen. Auch Grünpeck erzählt aber, daß die Kaiserin Eleonore wünschte, ihr Gatte würde Beleidigungen nicht so widerspruchslos hinnehmen. Nur die unbotmäßigen Reichsfürsten wurden dadurch zur Räson gebracht, daß der Kaiser sein Schiedsrichteramt nicht ausübte und in Streit geratene Parteien bis zur Erschöpfung miteinander kämpfen ließ. Die dazugehörige Illustration zeigt recht anschaulich den Kaiser mit einem Netz in der Hand, in das ein geistlicher und ein weltlicher Kurfürst verstrickt sind. Der größte Raum ist dem privaten Leben des alten Kaisers gewidmet, als er sich schon immer mehr von den Regierungsgeschäften zurückzog. Von der Tageseinteilung und des Kaisers Schlaf- und Eßgewohnheiten angefangen erfahren wir zahlreiche Details. Grünpeck, der sich auch selbst mit Horoskopstellen und Volksmedizin beschäftigte, hebt dabei besonders die astrologischen und alchemistischen Studien Friedrichs hervor und schmückt seinen Bericht phantastisch aus, so daß er etwa den Kaiser in der Goldmacherei erfolgreich sein läßt und ihm die Erfindung eines allheilenden Wundermittels zuschreibt. Um einige Stufen höher als Grünpeck steht ein zweiter der am Hofe Maximilians wirkenden Historiker, der humanistisch gebildete und äußerst vielseitige Johannes Cuspinian. Er hat für seine Geschichtsschreibung auch Quellenstudien betrieben, was ihn anderseits als Berichterstatter weniger wertvoll macht. Während Grünpeck nämlich aus der lebendigen mündlichen Tradition schöpft und seine naive Darstellung unser Bild Friedrichs um verschiedene neue Einzelheiten bereichert, stützt sich Cuspinian auf den uns ohnedies bekannten Enea Silvio Piccolomini, so daß die zusammenfassende direkte Charakteristik Friedrichs in seinem *De caesaribus et imperatoribus Romanorum* im wesentlichen die Charakteristik aus Eneas *Europa* wiederholt mit nur einigen kleineren Ergänzungen. In seinem Urteil ist Cuspinian jedoch durchaus eigenständig. Man hat darauf hingewiesen, daß seine Kaisergeschichte in Widerspruch zum Titel in eine Geschichte der österreichischen Staatspolitik, wie sie Friedrich III. und Maximilian trieben, ausläuft und daß dabei ein äußerst aktiver Friedrich in den Mittelpunkt gestellt wird als Vertreter des Unteilbarkeitsprinzips gegen seinen Bruder und Verteidiger der habsburgischen Erbansprüche an Böhmen und Ungarn. Auch Cuspinian berichtet Anekdotisches, manches wieder aus Enea Silvio, doch darüber hinaus einiges Neue, wie z. B. daß Friedrichs Alters-Fußleiden darauf zurückzuführen sei, daß er Türen mit dem Fuß zu öffnen pflegte, wobei auch gelegentlich die Tür zerbrach. In der *Austria* erzählt Cuspinian weiters, daß der Kaiser, den der frühe Tod zweier seiner Kinder tief erschütterte, der Kaiserin daran schuld gab, die ihre Kinder nach portugiesischer Sitte mit ausgesuchten Näschereien großzog. Als die kleine Kunigunde auch zu kränkeln begann, ließ er sie daher in sein eigenes Gemach bringen und nach seinen Anweisungen mit heimischen Speisen aufziehen. Nachdem Kunigunde erwachsen war, soll Friedrich daran gedacht haben, sie dem Eroberer von Konstantinopel, Sultan Mohammed II., zur Frau zu geben, wenn dieser dafür den Christenglauben annehme, welchen Plan aber Herzog Siegmund von Tirol durchkreuzte, indem er in Abwesenheit Friedrichs eine Heirat mit Herzog Albrecht von Bayern zustandebrachte. In Deutschland erlebte in den ersten Jahrzehnten des 16. Jahrhunderts die Geschichtsschreibung einen neuen Aufschwung durch den Humanismus. Die damals entstandenen Werke wurden auch schon durch den Buchdruck verbreitet. Im Jahre 1493 erschien der umfangreiche *Liber chronicarum* des Nürnberger Arztes Hartmann Schedel, den man eine „scholastische Arbeit im humanistischen Gewand" genannt hat. Schedel berichtet nur Positives über Friedrich III. Wieder ist Enea Silvio die Quelle, und zwar wurde aus verschiedenen seiner Werke entlehnt und dabei meist auch seine Formulierung übernommen. Auch Johannes Nauclerus stützt sich in seiner 1516 erschienenen Weltchronik ausschließlich auf Enea Silvio, während der wesentlich jüngere Johannes Trithemius wohl einige Episoden von dem Italiener übernimmt, doch auch eine kurze eigene Charakteristik des Kaisers bietet. Trithemius ist ebenfalls voll des Lobes für Kaiser Friedrich; er nennt ihn einen guten Regenten, gebildet, klug, vorsichtig, friedliebend und vor allem fromm und der Geistlichkeit freundlich gesinnt. Jakob Wimpfeling ist etwas kürzer, doch der Tenor seiner Aussage ist der gleiche.

Im Unterschied zu den früher erwähnten lokalen Geschichtswerken, die meist negativ über Kaiser Friedrich urteilen, stehen also diese vom Humanismus beeinflußten universalhistorischen Werke ausnahmslos positiv zum Kaiser. Nirgends finden wir hier die leidenschaftliche Parteinahme und das unmittelbare Mitleben, die z. B. die Stadtchronistik oder die Zeugnisse aus den österreichischen Erblanden auszeichnen. Dagegen ist das Bild Friedrichs III. bei den eben erwähnten Autoren ein äußerst farbloses. Obwohl diese Gelegenheit hatten, Kaiser Friedrichs Regierung um Jahrzehnte länger zu verfolgen als der schon 1464 verstorbene Enea Silvio — dessen Schriften überdies zum Teil wesentlich früher verfaßt wurden — sind ihre Schilderungen des Kaisers fast ausschließlich aus Eneas Werken kompiliert und bringen darüber hinaus kaum Neues. Hier dürfte jedoch noch nicht so sehr der zeitliche Abstand wirksam geworden sein — die Geburtsdaten dieser Männer liegen zwischen 1425 und 1462 —, sondern es drückt sich darin eine gewisse akademische Distanzierung von den Zeitereignissen aus. Auch fanden die Humanisten sicher Gefallen an den schönen Wendungen Enea Silvios.

Deutsche Quellen des 16. Jahrhunderts überliefern weiteres umlaufendes Anekdotengut zu Kaiser Friedrich. Die erstmalig 1508 in lateinischer Sprache erschienenen *Facetiae* Heinrich Bebels, die weite Verbreitung auch in deutschen Übersetzungen fanden, enthalten fünf Geschichten über ihn, von denen allerdings keine besonders charakteristisch ist. Martin Luthers Tischreden, die eine sehr ergiebige Quelle für Maximilianlegenden sind, erwähnen auch Friedrich III. (1532), und zwar erscheint der Kaiser hier als Schwarzkünstler in einer Situation, die später auf Dr. Faust übertragen wurde. Bei einer zweiten Erwähnung geht es um das Geschenk einer goldenen Wiege, das Friedrich anläßlich der Geburt des Thronfolgers Maximilian von den Venezianern erhielt. In weiser Vorsicht habe der Kaiser zunächst einen Hund in die Wiege legen lassen, den es darin sofort zerriß. Während im ersteren Fall das Wissen um Friedrichs naturwissenschaftliche und abergläubische Studien zugrundeliegen mag, sind im anderen Fall eindeutig spätere Ereignisse, nämlich Maximilians Auseinandersetzungen mit den Venezianern, in die Vergangenheit projeziert worden.

Die 1566 abgeschlossene Zimmerische Chronik ist reich an Nachrichten über Kaiser Friedrich, einige davon offensichtlich aus erster Hand, da die Grafen von Zimmern in enger Verbindung zum Hof Siegmunds von Tirol gestanden waren. Die Bewertung des Kaisers ist überwiegend ungünstig. Es wird erzählt, er habe sein Mündel Siegmund zum Domherrn machen wollen, um Land und Schätze einziehen zu können und wurde daran nur durch das energische Vorgehen der Tiroler Stände gehindert. Siegmunds Handeln bei der Verheiratung der Kaisertochter Kunigunde an den bayrischen Herzog und die Verpfändung österreichischer Herrschaften an Bayern wird beschönigt und des Kaisers Zorn darüber sowie die Ächtung der Räte Siegmunds, unter denen sich auch ein Graf von Zimmern befand, als ungerechtfertigt empfunden. Dabei spielt die Chronik ebenfalls auf den Plan einer türkischen Heirat für Kunigunde an, doch wird Mohammeds Sohn Bajazet II. (geb. 1447) als Bräutigam genannt. Das Fußleiden Friedrichs, dem er ja im 78. Lebensjahr erlag, wird auf einen Mummenschanz zurückgeführt, an dem er in seiner Herzogszeit teilnahm. Als göttliche Strafe für seine Beschäftigung mit der schwarzen Kunst wäre die damals zugezogene Wunde nie verheilt. Friedrichs Beschäftigung mit der schwarzen Kunst erscheint überhaupt sehr verdächtig und verwerflich. Graf Hugo von Werdenberg, Friedrichs vertrautester Kammerherr, wäre der einzige gewesen, der bei den nächtlichen Zaubereien des Kaisers Zeuge sein durfte, dieser soll aber Erschreckliches gesehen haben. Friedrich habe auch bei seinem Tod eine große Zahl von Büchern über die schwarze Kunst hinterlassen, die sein frommer Urenkel Ferdinand später verbrennen ließ. Ähnlich wie Bonomus berichtet die Zimmerische Chronik, daß während des Kaisers letzter Krankheit niemand mehr bei ihm bleiben wollte. Er habe sich um Geldgeschenke Gesellschaft erkaufen müssen. Auch habe er Dukaten in seinem Zimmer versteckt, die die am Hofe erzogenen Pagen suchen durften und ihm so durch ihre Spiele die Zeit vertrieben. Als Gewährsmann führt der Chronist den Grafen Christoph von Werdenberg an, der damals Page bei Friedrich war. Sicher handelt es sich hier um Übertreibungen und spätere Ausschmückungen, doch zeigt sich der historische Kern deutlicher und leichter greifbar als bei Bebel und Luther. In anderen anekdotischen Erzählungen der Zimmerischen Chronik erscheint der Kaiser ohne negatives Vorzeichen, selbst über Hugo von Werdenberg, den Erzfeind der Grafen von Zimmern, fallen einmal ein paar freundliche Worte, denn die alten Parteiungen und Rivalitäten hatten damals schon ihre Aktualität verloren.

Eine steirische Geschichtslegende aus der zweiten Hälfte des 16. Jahrhunderts berichtet von einem 1470 stattgefundenen Landtag, auf dem zwei Herrn, die wegen ihrer Parteinahme für Albrecht VI. in Ungnade gefallen waren, durch Vermittlung eines Grafen Khevenhüller Verzeihung erlangten. Was von Kaiser Friedrich III. hier in Erinnerung geblieben war, ist der großmütig verzeihende Herrscher.

Daneben sehen wir Kaiser Friedrich anachronistisch in Probleme und Auffassungen des 16. Jahrhunderts hineinbezogen. Als Beispiel sei Sebastian Franck erwähnt, ein früher Verfechter der Friedensidee — man vergleiche sein *Kriegsbüchlein des Friedens*. Franck spendet Kaiser Friedrich hohes Lob als Friedenskaiser und wirft seinen bisherigen Geschichtsschreibern vor, sie hätten diese Persönlichkeit arg mißverstanden. In dem 1538 erschienenen *Germaniae Chronicon* heißt es also: *... sein weiß regiment haben wir tollen Teutschen, die keinen verstand dann zu kriegen haben, weder verstanden noch auffzeichnet. Es ist aber ein weiser Fürst gwesen, ein rechter Fridenreicher Solomon, der wol regiert, gern frid und wenig krieg hat gefuert, aber sein histori bleibt weit dahinden, weil er nit kriegt hat, sunder einem yeden das sein gelassen, er das sein behalten.*

Der Straßburger Reformator Kaspar Hedio wiederum meint, Friedrich hätte, nachdem er die kirchliche Einheit Deutschlands wiederhergestellt hatte, was an sich eine lobenswerte Maßnahme gewesen, aber verhindern müssen, daß der Papst Deutschland durch seine finanziellen Auflagen aussaugen konnte.

Im 16. Jahrhundert finden wir also im Vergleich zu den zeitgenössischen Nachrichten Kaiser Friedrich III. in einem freundlichen und manchmal geradezu verklärten Lichte dargestellt. Die inzwischen vergangene Zeit hatte alten Haß gegenstandslos gemacht. Bei gelehrten Autoren erwies sich Enea Silvios Darstellung des Kaisers als das allgemeine Vorbild, das mehr oder weniger wortgetreu kopiert wird. Großer Beliebtheit erfreuten sich auch Eneas Friedrich-Anekdoten, die aus der noch lebendigen Erinnerung an den alten Kaiser durch neue Geschichten ergänzt wurden. Die Hofgeschichtsschreibung unter Maximilian trägt noch Wesentliches zur Charakteristik Kaiser Friedrichs bei, wenn auch der Sohn selbst in den eigenen Schriften wenig über den Vater aussagt. Schon im frühen 16. Jahrhundert sind anderseits die Berichte über Kaiser Friedrich dort, wo sich keine direkte Tradition mehr findet, nichtssagend oder phantastisch, öfters wirken sich auch aktuelle Gesichtspunkte auf die Beurteilung Friedrichs III. aus.

QUELLEN UND LITERATUR:

F r a n c k, Sebastian, Chronica. Straßburg 1531.
F r a n c k, Sebastian, Germaniae Chronicon. Augsburg 1538.
H a l l e r, Brigitte, Kaiser Friedrich III. im Urteil der Zeitgenossen. Wien 1965 (Wiener Dissertationen aus dem Gebiete der Geschichte 5.) mit allen weiteren Quellen- und Literaturangaben.
H e d i o, Caspar, Chronica der alten christlichen Kirchen. Straßburg 1545.
L i n d n e r, Franz, Die Zusammenkunft Kaiser Friedrichs III. mit Karl dem Kühnen von Burgund im Jahre 1473 zu Trier. Greifswald 1876.
L u t h e r, Martin, Tischreden, hrsg. v. Ernst Kroker, 6 Bde., Weimar 1912—1921.
S a b a d i n o d e g l i A r i e n t i, Giovanni, Le Porretane. Bari 1914.
S c h o t t e n l o h e r, Otto, Hrsg., Drei Frühdrucke zur Reichsgeschichte. Leipzig 1938.
W a a s, Glenn Elwood, The Legendary Character of Kaiser Maximilian. New York 1941.
Z a h n, Josef von, Hrsg., Steiermärkische Geschichtsblätter 1 (1880).
Zimmerische Chronik, hrsg. v. K. A. Barack, 4 Bde., Tübingen 1869. (Bibliothek des literarischen Vereins in Stuttgart 91—94.)

Gertrud Gerhartl

WIENER NEUSTADT ALS RESIDENZ

... pei steirmark in dy newenstat
da der kaiser sein wunung hat.

(Michael Beheim's Buch von den Wienern, 339, 13.)

Der Kaiser, den dieser Chronist des 15. Jahrhunderts meint, ist der Habsburger Friedrich III., eine Persönlichkeit, der sowohl durch die zeitgenössischen als auch durch die späteren Historiographen nur selten eine positive Beurteilung zuteil geworden ist — wohl nicht ganz zu Recht, wie es auf Grund neuerer Forschungen nun immer deutlicher zu Tage tritt. Aber wie dem auch sei — von der Warte Wiener Neustadts aus gesehen war dieser Landesfürst der beste Herr, den sich die mittelalterliche Stadt wünschen konnte; ihr gegenüber hat er sich immer großzügig verhalten und Wiener Neustadt verdankt es ihm, als seine Residenz fast ein halbes Jahrhundert lang in den Blickpunkt der europäischen Geschichte gerückt worden zu sein.

Der Grund dafür, daß der spätere Kaiser Friedrich III. gerade die inmitten der eher unwirtlichen Ebene des Steinfeldes gelegene alte Babenbergerstadt Neustadt zu seinem Lieblingsaufenthalt gewählt und hier viele Jahre residiert hat, lag vielleicht darin, daß bereits sein Vater Herzog Ernst „der Eiserne" (1377 bis 1424) in Wiener Neustadt einen großen Teil seiner Regierungszeit verbrachte. Zwar haben — abgesehen von den Babenbergern, die sich gewiß oft innerhalb der festen Mauern ihrer Gründung aufhielten — auch Vorfahren des Habsburgers Friedrich III., vor allem die Vertreter der leopoldinischen Linie, in deren Gebiet die Stadt lag, längere Zeit hier gewohnt; aber tatsächlich residiert scheint in Wiener Neustadt doch erstmals Herzog Ernst zu haben. Etwa seit dem Jahre 1410 weilte dieser sehr häufig in der Wiener Neustädter Burg; hierher brachte er 1412 auch seine zweite Gemahlin Cimburgis, die Tochter des Piastenherzogs Ziemovit IV. von Masowien. Nach der Hochzeit in Krakau gaben 600 Krieger aus der Leibwache des Polenkönigs Wladislaw Jagello, dessen Nichte Cimburgis war, dem jungen Paar sicheres Geleit bis Wiener Neustadt. Nachdem sie für ihre Mühen reichlich entschädigt worden waren, kehrten die polnischen Ritter, die gewiß großes Aufsehen erregt hatten, wieder in ihre Heimat zurück. In Wiener Neustadt schlugen nun Herzog Ernst und Herzogin Cimburgis ihr Hoflager auf.

Cimburgis weilte gewiß auch dann in Wiener Neustadt, wenn Regierungsgeschäfte, Reisen oder Kriegshändel ihren Gemahl von der Stadt fernhielten; nur selten begleitete sie den Herzog auf seinen Reisen, wie dies z. B. 1415 der Fall war. Damals weilten Ernst und Cimburgis in Tirol und so kam es, daß ihr erster Sohn Friedrich nicht in der Wiener Neustädter Residenz seiner Eltern, sondern am 21. September 1415 in Innsbruck geboren wurde.

Unter Herzog Ernst sind in Wiener Neustadt prächtige ritterliche Feste gefeiert worden, so im Sommer 1418 ein solches *mit stechen, rennen und turnieren.* An der Burg hat der

Herzog verschiedene bauliche Erweiterungen vornehmen lassen; schon vor 1420 war mit dem Bau einer Kapelle begonnen worden, die über der im Osttrakt gelegenen Marienkapelle errichtet wurde. Ernst ließ die neuerbaute Kapelle zu Ehren des Gottesleichnams weihen (er selbst erlebte allerdings nur die Fertigstellung des Chores).

Außer Friedrich (V.) wurden dem herzoglichen Paar noch vier Söhne — die Reihenfolge ist leider ungewiß — und vier Töchter geboren. Davon kam Albrecht (VI.) am 18. Dezember 1418 in Wien zur Welt, Rudolf, Leopold, Ernst (II.), Margaretha, Katharina, Alexandra und Anna könnten eventuell in Wiener Neustadt geboren worden sein. Alexandra, Rudolf und Leopold sind ganz jung gestorben: im Jahre 1422 ließ ihnen ihr Vater im Presbyterium der Liebfrauenkirche zu Wiener Neustadt ein Grabdenkmal errichten. Vermutlich 1423 entstand im Auftrag des Herzogs das als Votivbild für die Gottesleichnamskapelle gedachte Glasgemälde, auf dem Ernst mit seinen damals noch lebenden drei Söhnen Friedrich (V.), Albrecht (VI.) und Ernst (II.), dargestellt ist. — Zwei Jahre, nachdem Herzog Ernst seinen frühverstorbenen Kindern ein Grabmal hatte setzen lassen, ist er selbst, erst 47 Jahre alt, am 10. Juni 1424 auf einer Reise in Bruck a. d. Mur gestorben und im steirischen Zisterzienserstift Rein beigesetzt worden. Sein ältester Sohn Friedrich (V.) war damals kaum 9 Jahre alt, Albrecht (VI.) 6 Jahre, Margaretha, Katharina, Anna und Ernst (II.) standen noch im zartesten Kindesalter. Es ist mit einiger Sicherheit anzunehmen, daß Herzoginwitwe Cimburgis auch weiter in Wiener Neustadt wohnen blieb und ihr Leben — neben der Erziehung ihrer sechs unmündigen Kinder, die zumindest noch in den nächsten Jahren unter ihrer unmittelbaren Aufsicht standen — den Werken der Frömmigkeit widmete. Die Vormundschaft über die Kinder hatte der Bruder Ernsts, Herzog Friedrich IV. von Tirol übernommen; dieses Amt führte den Herzog in den Jahren 1424—1428 sehr oft nach Wiener Neustadt zu seiner Schwägerin und seinen Mündeln. Friedrich IV., der trotz seines Beinamens „mit der leeren Tasche" ein geschickter Finanzmann war, erwies sich als tüchtiger Verwalter des ernestinischen Erbes und ließ auch der Stadt Wiener Neustadt seine Förderung angedeihen; so hatte er 1426 der Stadt das Recht, ein Grundbuch sowie ein Grundsiegel zu führen, verliehen.

Als Vormund brachte Friedrich von Tirol auch die Verlobung seiner (vermutlich ältesten) Nichte Margarethe mit Herzog Friedrich II. von Sachsen zustande. Die Verlobung wurde am St. Georgstag des Jahres 1428 in Wiener Neustadt gefeiert. Über den jungen Friedrich erfährt man in dieser Zeit nur, daß er ein sehr frommer Jüngling war und 1429 als Mitglied der Bruderschaft Unserer Lieben Frau in Innsbruck — wo er vielleicht längere Zeit bei seinem Vormund geweilt hat — beigetreten ist. Ungefähr ein Jahr nach diesem gewiß sehr festlich begangenen Verspruch ihrer ältesten Tochter ist die fromme Cimburgis von Masowien während einer Wallfahrt nach Mariazell vom Tode ereilt worden. Sie starb am 28. September 1429 in Türnitz und wurde im Kloster Lilienfeld bestattet. Schon wenige Wochen danach folgte ihr ihre Tochter Anna im Tode nach; Anna ruht neben den anderen Geschwistern in der Wiener Neustädter Liebfrauenkirche.

1431 hatte Ernsts und Cimburgis' ältester Sohn Friedrich (V.) seine Großjährigkeit erlangt; doch er fügte sich ohne Widerspruch darein, als sein Oheim ihn nicht aus der

Vormundschaft entließ, sondern sich die Verwaltung des ernestinischen Besitzes des Hauses Habsburg auch weiterhin vorbehielt. Im Jahre 1431 fand die Vermählung Margarethes mit dem Kurfürsten Herzog Friedrich II. von Sachsen statt; Herzogin Margarethe hielt auch nach ihrer Übersiedlung nach Sachsen die Verbindung zu ihrer Vaterstadt Wiener Neustadt aufrecht und nahm immer wieder Einfluß auf ihre Brüder, mit denen sie in stetem Briefverkehr stand. Auf die Hochzeit Margarethes folgte kurze Zeit darauf schon wieder ein Begräbnis: am Laurentiustag des Jahres 1432 starb in Wiener Neustadt der jüngste Bruder Herzog Friedrichs V., Ernst der Jüngere; er war der letzte der Geschwister, der in der Liebfrauenkirche zu Wiener Neustadt in der rotmarmornen, wappengeschmückten Tumba seine letzte Ruhestätte fand. 1432 war die einst so große Familie Ernsts „des Eisernen" schon stark zusammengeschmolzen. In der Wiener Neustädter Burg lebten nun der siebzehnjährige Friedrich V., der vierzehnjährige Albrecht VI. und die noch bedeutend jüngere Katharina einträchtig beisammen und erwiesen sich Friedrich IV. von Tirol gegenüber als fügsame Mündel. Erst im Jahre 1434 wurde das Auftreten Herzog Friedrichs des Jüngeren dem Vormund gegenüber etwas energischer. Als nämlich auch zu diesem Zeitpunkt — 1434 hatte Albrecht VI. ebenfalls seine Großjährigkeit erreicht — der Tiroler Friedrich keine Anstalten traf, die beiden Brüder, wie ursprünglich versprochen, gemeinsam aus der Vormundschaft zu entlassen, setzte Friedrich (V.) sich dagegen zur Wehr. 1434 trafen Onkel und Neffen in Wiener Neustadt zusammen und entschlossen sich hier, die Entscheidung in dieser Sache einem Verwandten von der österreichischen Linie ihres Hauses, Herzog Albrecht V., zu überlassen. Dieser entschied, daß der leopoldinische Besitz in eine innerösterreichische und eine vorderösterreichische Ländergruppe geteilt werden sollte. Friedrich V. behielt — was naheliegend war — die innerösterreichische Gruppe; am 11. Juni 1435 konnten Bürgermeister, Richter und Rat von Wiener Neustadt dem jungen Herzog Friedrich V. als ihrem eigentlichen Herrn huldigen und wenige Tage später auch den Eid leisten.

Die erste Tat des jungen Herzogs war der Versuch, die aus dem Nachlasse seines Vaters stammenden Kleinodien sowie das Silbergeschirr seiner Eltern von seinem Vormund Herzog Friedrich IV. von Tirol zurückzuerhalten. Albrecht V. hatte ihm diese Kostbarkeiten zugesprochen und diesem Schiedsspruch fügte sich Friedrich IV. bereitwillig; noch im Monat Juni traf in Wiener Neustadt eine Gesandtschaft aus Tirol ein, die das Silberzeug aus dem Besitz Ernsts und Cimburgis' überbrachte. Die zweite Sendung, Kleinodien des Herzogs Ernst, wurde in Graz deponiert.

Auch als „regierender" Herzog hielt sich Friedrich V. zumeist in Wiener Neustadt auf; bis zum Jahre 1439 wechselte er seine Hofhaltung nur zwischen dieser Stadt und Graz. Allerdings verließ er 1436 für einige Zeit seine Länder, um — wie einst sein Vater — eine Wallfahrt ins Heilige Land zu unternehmen. Im Sommer 1436 brach Friedrich mit seinem Gefolge, dem auch zahlreiche Adelige und Ritter, die in Wiener Neustadt Hausbesitz hatten, angehörten, nach Jerusalem auf. Ende des Jahres 1436 kehrte er in die Heimat zurück, und zwar zunächst nach Graz; er kam aber bald darauf nach Wiener Neustadt, von wo er noch im selben Jahr seinem Schwager, dem Kurfürsten Herzog Friedrich II. von Sachsen, das restliche Heiratsgut seiner Schwester Margarethe auszahlen ließ. Margarethe konnte übrigens im selben Jahr dem Rat der Stadt Wiener Neustadt die Geburt ihres ersten Kindes bekanntgeben und die Bitte äußern, mit ihr für das Wohl der kleinen Prinzessin zu beten. — Den Urkunden ist zu entnehmen, daß Herzog Friedrich V. von Jänner bis Dezember 1437 in Wiener Neustadt residierte und von hier aus seine Regierungsgeschäfte erledigte. Dieser lange andauernde Aufenthalt des Landesfürsten kam der Stadt überaus zugute. Bald nachdem Friedrich in seinen Erblanden die Regierung übernommen hatte, fanden sich nach und nach zahlreiche Adelige und Ritter aus Steiermark, Kärnten und Krain in Wiener Neustadt ein, um ihre Belehnungen durch den jungen Herzog erneuern zu lassen, Geistliche erschienen, um Friedrich ihre Wünsche vorzutragen und in vielen Streitfällen wurde er als Schiedsrichter angerufen. 1439 erhielt der Herzog den Besuch des kastilischen Edelmannes Pero Tafur, der nach anderen Ländern auch Böhmen und Österreich bereist hatte und dessen bemerkenswerte Reiseschilderungen erhalten geblieben sind. Nachdem er den Hof König Albrechts II. aufgesucht hatte, kam Pero Tafur zu Herzog Friedrich V. nach Wiener Neustadt, wo er freundlich aufgenommen wurde. Der Umstand, daß er bald nach Friedrich ebenfalls eine Fahrt ins Heilige Land unternommen hatte, erwies sich für Tafur als günstig: eine ganze Woche durfte er als Gast des Herzogs in Wiener Neustadt weilen und, da es Friedrich offensichtlich großen Spaß machte, sich mit dem weitgereisten Mann zu unterhalten und mit ihm Reiseerlebnisse auszutauschen, sogar an der herzoglichen Tafel speisen. Als Tafur später die Eindrücke über seinen Neustädter Besuch niederschrieb, verglich er die dortige Hofhaltung des jungen Herzogs mit der König Albrechts II. und kam dabei zu der Ansicht, daß Friedrich V. „nicht eben ein so großer Herr" wie sein königlicher Vetter sei. Doch Pero Tafur hatte in Erfahrung gebracht, daß Herzog Friedrich V. für außerordentlich reich galt und in dem Ruf stand, sein Vermögen ausgezeichnet zusammenzuhalten.

Der rege Zustrom von Fremden war von nicht zu unterschätzender Bedeutung für die Wirtschaft der Stadt. Der junge Herzog war selbst ganz offensichtlich bemüht, die Bedeutung von Wiener Neustadt, das ihm lieb und wert war, nach Möglichkeit zu heben. Neben der Burg, wo er seinen Wohnsitz hatte, besaß der Herzog noch eine ganze Reihe anderer Häuser und Liegenschaften — Stallungen, Wirtschaftshöfe, Mühlen, Gärten usw. Der Hofstaat, den Friedrich V. in den ersten Jahren seiner Regierung in Neustadt um sich versammelte, war recht ansehnlich. Für die täglichen Bedürfnisse dieses Hofes wurden beträchtliche Mengen von Lebensmitteln, Wein, Brennholz usw. von Neustädter Bürgern bezogen, was mithalf, die Wirtschaft der Stadt merklich zu heben. Die Hofbeamten suchten natürlich nun auch in der Residenzstadt des Herzogs seßhaft zu werden; ebenso begannen bereits damals weltliche und geistliche Große des Landes in Wiener Neustadt Hausbesitz zu erwerben. So setzte nun in Wiener Neustadt eine rege Bautätigkeit ein. Der Befestigung wurde durch erhebliche Verstärkung der Stadtmauer besonderes Augenmerk geschenkt; die Vorstädte erhielten durch die Anlage eines Palisadenzaunes weitgehenden Schutz. Aber auch in der Burg nahmen die baulichen Veränderungen kein Ende; die noch im Auftrag seines Vaters begonnene Gottesleichnamskapelle im Osttrakt der Burg ließ

Friedrich V. nun ebenfalls vollenden. 1439 wurde mit den Arbeiten, die bis zum Jahre 1450 dauerten, begonnen. Der junge Herzog ließ die Kapelle bis zur Hofseite verlängern; auch die Oratorien und die reichgeschmückte Vorhalle entstanden in dieser Zeit. Die Wandverkleidung des Oratoriums der Gottesleichnamskapelle scheint aus einer Anzahl von Temperagemälden, auf denen Heiligenfiguren dargestellt waren, bestanden zu haben. Ungefähr um 1440/41 hat Friedrich V. für diese Kapelle einen St. Georgsaltar gestiftet; von diesem Altar stammt vermutlich das Bronze-Standbild des hl. Georg, das heute in der St. Georgskirche in der Burg steht. — Schon als junger Mann zeigte sich Herzog Friedrich V. überaus kunstsinnig und ließ den Kunsthandwerkern der Stadt seine besondere Förderung angedeihen; so kam es, daß Wiener Neustadt bereits in den Dreißigerjahren des 15. Jahrhunderts ein Anziehungspunkt für fremde Künstler war.

Die Bedeutung Wiener Neustadts als Residenz steigerte sich noch beträchtlich, da zwei Todesfälle eine grundlegende Änderung der Stellung Herzog Friedrichs V. bewirkten: Am 24. Juni 1439 war Herzog Friedrich IV. von Tirol unter Zurücklassung eines unmündigen Sohnes gestorben und wenige Monate später, am 27. Oktober desselben Jahres, hatte auch Herzog Albrecht V. von Österreich (seit 1438 als römisch-deutscher König Albrecht II.) das Zeitliche gesegnet. Da Letztgenannter keine männlichen Erben hinterließ, war nun plötzlich der kaum fünfundzwanzigjährige Herzog Friedrich V. Senior des Hauses Habsburg und vereinigte in seiner Hand (als Vormund des zwölfjährigen Herzogs Siegmund von Tirol) die Regierung aller habsburgischen Länder. Als im Februar 1440 König Albrechts II. nachgeborener Sohn Ladislaus zur Welt kam, übernahm Friedrich auch die Vormundschaft über diesen und damit zusätzlich die Regierung in Österreich sowie Ansprüche auf Böhmen und Ungarn.

Mit der am 2. Februar 1440 in Frankfurt am Main erfolgten Wahl Herzog Friedrichs V. zum römisch-deutschen König begann die glanzvollste Periode in der Geschichte Wiener Neustadts. Am 9. Februar traf das Schreiben der Kurfürsten bei Friedrich in Wiener Neustadt ein, das ihm von der Wahl Mitteilung machen sollte; Herzog Friedrich V. entschloß sich jedoch erst nach einigem Zögern zur Annahme der angebotenen Königswürde. Nach etwa fünfwöchiger Bedenkzeit ließ er in der Karwoche des Jahres 1440 mit den Vorbereitungen beginnen, um seine Erklärung in feierlicher Form abgeben zu können. Dies sollte, da der bauliche Zustand der Burg für eine derartige Zeremonie noch nicht geeignet schien, nach dem Wunsch des zukünftigen Königs in der geräumigen Pfarrkirche zu Unserer Lieben Frau in Wiener Neustadt vor sich gehen. Als Termin hiefür hatte er den Ostersonntag, der im Jahre 1440 auf den 27. März fiel, vorgesehen. Um der Feierlichkeit möglichst viel Ansehen und Würde zu geben, forderte Friedrich die Universität Wien auf, eine Deputation zu wählen, die bei der Feier im Wiener Neustädter Dom anwesend sein sollte. Der Rektor der Wiener Universität berief daher eine Versammlung ein, in der beschlossen wurde, daß je ein Deputierter der vier Fakultäten ihn nach Wiener Neustadt begleiten sollte — und zwar auf Kosten der Universität. Aus unbekannten Gründen wurde jedoch die Feier verschoben und fand erst nach Ostern statt. Inzwischen mag auch die von Herzog Friedrich bereits im Februar in Wien empfangene und aus den Räten der

Kurfürsten bestehende Gesandtschaft in Wiener Neustadt eingetroffen sein. Aufgabe der Deputation war es, dem Herzog von der Wahl auch mündlich und in feierlichster Form Mitteilung zu machen. Die Ansprachen wurden am 31. März 1440 gehalten. Nachdem Dr. Heinrich Leubing Friedrich V. die Wahl angezeigt hatte, richtete Propst Tilman von St. Florian in Koblenz an Friedrich die Bitte, die Wahl anzunehmen und für die Herstellung der kirchlichen Einheit Sorge zu tragen. Die Antwort darauf erteilte ihnen der Herzog erst eine Woche später. Am 6. April 1440 versammelten sich zu Wiener Neustadt in der oben genannten Liebfrauenkirche die Gesandten der Kurfürsten, die Vertreter der Universität, hohe Geistliche und der Adel, um die feierliche Erklärung Herzog Friedrichs V., die Wahl zum römisch-deutschen König anzunehmen, zu hören. Diese Erklärung hatte Dr. Thomas Ebendorfer von der Universität Wien für den jungen Herzog verfaßt und vermutlich auch in dessen Namen verlesen. Über die Annahme der römisch-deutschen Königswürde vermerkte Friedrich (nunmehr der IV.) in seinem Memorandenbuch: *... und hab das aufgenomen zu der Neustatt in unser fraunpfarkiern mit der czirhait die darezue gehört.* — Zur Erinnerung an seine in Frankfurt erfolgte Wahl zum König ließ Friedrich einige Jahre später eine Steinplastik über dem Eingang des von ihm gegründeten Zisterzienserstiftes Neukloster anbringen: Unter einer Figurengruppe, darstellend die Krönung Mariens, sind in einem krabbenbesetzten Bogen drei Wappen angeordnet. Der Bogen trägt die Inschrift FRIDERIC(US) DEI GRATIA REX ROMANOR(UM) SEMPER AUGUSTUS ELECTUS IN DIE PURIFICATIONIS AN(N)O D(OMI)NI MCCCCXXXX. Darunter befindet sich die Devise AEIOU mit der Jahreszahl 1444.

Als König hielt sich Friedrich ebenfalls häufig in Wiener Neustadt auf, so daß die Stadt in den nächsten Jahrzehnten eine überaus bedeutende Rolle im politischen Leben der habsburgischen Länder spielte. Friedrich war selbst ganz offensichtlich bemüht, Wiener Neustadt ein einer königlichen Residenzstadt würdiges Gepräge zu geben. Eine der ersten in diese Richtung zielenden Maßnahmen Friedrichs mag der vermutlich noch im Jahre 1441 begonnene Ausbau der Liebfrauen-Pfarrkirche gewesen sein, denn zur Erfüllung seiner Repräsentationspflichten war für den römisch-deutschen König eine geräumige und prächtige Hauptkirche in seiner Residenz von größter Wichtigkeit. Die Kosten dafür trug zum Teil der König, zum Teil wurden die für den Bau notwendigen Summen aus Schenkungen und Vermächtnissen der Bürgerschaft aufgebracht. Das unzulängliche alte Querschiff sowie das bereits sehr schadhafte kleine Presbyterium ist damals großzügig im Stile der Zeit erneuert worden; man hat daran allerdings lange Jahre gebaut. Ungefähr gleichzeitig entstand auch vermutlich der Plan, die landesfürstliche Burg selbst mit einer großen Kirche zu versehen; so wurde um das Jahr 1440 an der Westseite der Burg mit dem Bau der *kirche ob dem tor,* der späteren St. Georgskirche, begonnen. Der Baumeister war der Steinmetz Peter von Pusika, ein angesehener Mann seines Faches, der noch viel von sich reden machen sollte. Die massive gewölbte Torhalle, über die die neue Kirche gebaut wurde, ist ungefähr im Jahre 1445 vollendet worden.

Seit 1440/41 mag auch die berühmte Krone des hl. Stephan in Wiener Neustadt — vermutlich im Schatzgewölbe der Burg — aufbewahrt worden sein. Nach der Krönung ihres

Sohnes Ladislaus in Stuhlweißenburg hatte die Königinwitwe Elisabeth die Krone an sich genommen; aus nicht mehr ersichtlichen Gründen gab sie die Stephanskrone jedoch dem zum Vormund ihres Sohnes bestimmten König Friedrich IV. zur Aufbewahrung. Dadurch, daß die Krone in Wiener Neustadt lag, war König Wladislaw gezwungen, sich bei seiner Krönung in Ofen (ebenfalls noch im Jahre 1440) die Totenkrone des hl. Stephan aufs Haupt setzen zu lassen. — Friedrich, der ein begeisterter Sammler war, ließ anläßlich seiner Vormundschaft über Ladislaus Postumus auch eine große Anzahl kostbarer Bücher aus dem Besitz Albrechts V. in die Burg nach Wiener Neustadt — wo sein Schatz zu einem Teil hinterlegt war — bringen.

Am 3. Februar 1442 brach Friedrich IV. mit einem ansehnlichen Gefolge von Graz zur Königskrönung nach Aachen auf; er blieb ein ganzes Jahr seiner Residenz Wiener Neustadt fern.

Wieder zurückgekehrt, scheinen die Auseinandersetzungen, zu denen es zwischen Friedrich IV. und seinem Bruder Herzog Albrecht VI. wegen der Vormundschaft über Ladislaus gekommen war, wieder aufgeflammt zu sein, Auseinandersetzungen, die aber vorderhand noch durch Verträge (und nicht, wie es dann später der Fall war, durch Krieg) bereinigt werden konnten.

Offensichtlich nahmen den König nach wie vor seine eigenen Pläne mehr in Anspruch als die Reichsangelegenheiten: so konnte er 1444 endlich sein langgehegtes Vorhaben, in Wiener Neustadt ein Zisterzienserkloster zu gründen, in die Tat umsetzen. 1443 fand dieser Wunsch des Landesfürsten die Zustimmung des Ordensgenerals der Zisterzienser; nun bot jedoch der Mangel an einer geeigneten Unterkunft für die Mönche des hl. Bernhard wieder gewisse Schwierigkeiten und verzögerte die Stiftung. Erst als es 1444 möglich war, die Dominikaner zu Wiener Neustadt aus ihrer bisherigen Behausung an der östlichen Stadtmauer in das damals eben freigewordene Dominikanerinnenkloster St. Peter a. d. Sperr im Norden der Stadt zu versetzen, stand das alte Dominikanerkloster für die Zisterzienser zur Verfügung; diese wurden noch im selben Jahr vom König nach Wiener Neustadt berufen. Die Stiftungsurkunde für dieses „Neustift zu der H. Dreifaltigkeit" (bald bürgerte sich jedoch der Name „Neukloster" ein) stammt vom 5. April 1444. Nach der Reliefdarstellung auf dem Grabmal Friedrichs im Wiener Stephansdom zu schließen, waren es außer dem Abt noch 23 Mönche, die 1444 von Reun nach Wiener Neustadt gekommen sind. Für das Neukloster, das sich auch in Zukunft als Lieblingsstiftung des Königs und späteren Kaisers erweisen sollte, sorgte Friedrich in ganz besonders großzügiger Art und Weise; er stattete es mit ansehnlichen Einkünften und wertvollen Rechten aus und nahm das Kloster in seinen besonderen Schutz. Als zwei Jahre nach der Gründung ein Inventar über den Besitz des Neuklosters aufgestellt wurde, war der Reichtum dieser ersten geistlichen Stiftung König Friedrichs IV. in Wiener Neustadt bereits erstaunlich. 1446 hatte Friedrich dem Kloster auch ein eigenes Wappen verliehen. In der Kirche der Zisterzienser entwickelte sich bald eine rege Bautätigkeit; für den schon nach wenigen Jahren vollendeten Chor schenkte der König 1447 den Mönchen einen prachtvollen Flügelaltar, dessen Predella die Devise Friedrichs und die Jahreszahl 1447 trug. Der Altar soll auf Anordnung Friedrichs IV. aus dem Kloster Viktring hiehergebracht worden sein. Gleichzeitig mit der Gründung des Zisterzienserklosters rief König Friedrich IV. am 4. April 1444 in Wiener Neustadt ein Stift weltlicher Chorherren ins Leben und gab diesen die Marienkapelle in der Burg zur Betreuung. Ob mit dieser Kapelle die Gottesleichnamskapelle, die einen Marienaltar hatte, gemeint gewesen ist, oder die damals noch im Bau befindliche Burgkirche, die ursprünglich der hl. Maria geweiht war, ist vermutlich zugunsten der erstgenannten zu entscheiden. Das Kapitel der weltlichen Chorherren in der Burg bestand aus dem Propst (Wolfgang Günther, der erste Propst dieses Stiftes, war Geheimschreiber Friedrichs IV. gewesen), einem Dechant und elf Kapitularen; das Präsentationsrecht stand Friedrich zu. Die Schenkungen, die der König dem Chorherrenstift machte, waren zwar zahlreich, aber doch bedeutend bescheidener als die Versorgung der Zisterzienser. Zur besseren Dotierung übergab Friedrich 1445 den weltlichen Chorherren die außerhalb der Mauern Wiener Neustadts gelegene Pfarre St. Ulrich, ein Jahr später verlieh er dem Stift auch ein eigenes Wappen. Die Gründung des Stiftes weltlicher Chorherren ist ebenfalls auf der Tumba Friedrichs dargestellt.

Eine der Reliefdarstellungen auf dem Friedrichsgrab im Dom zu St. Stephan zeigt die Wiener Neustädter Dominikaner, und zwar zehn Mönche, die um den in der Mitte sitzenden hl. Petrus und zwei knienden Bischöfe gruppiert sind. Diese Darstellung weist darauf hin, daß die von dem jungen König 1444 in die Wege geleitete Transferierung der Wiener Neustädter Dominikaner in das von den Nonnen verlassene Dominikanerinnenkloster St. Peter a. d. Sperr an der nördlichen Stadtmauer ebenfalls als fromme Stiftung Friedrichs angesehen wird. Der von den Dominikanern übernommene Klosterkomplex zu Sankt Peter a. d. Sperr war äußerst bescheiden, so daß die Mönche bald nach dem Einzug in dieses Gebäude sich zu einem großzügigen Umbau von Kirche und Kloster entschließen mußten, mit dessen Durchführung sie den Vater ihres Mitbruders Melchior, Meister Peter von Pusika, beauftragten. Die mehr als zwei Jahrzehnte dauernden Bauarbeiten verursachten die finanzielle Notlage, in welche die Dominikaner im letzten Drittel des 15. Jahrhunderts gerieten.

Es ist aber König Friedrich IV. in dieser Zeit doch nicht vergönnt gewesen, sich ausschließlich seinen Stiftungen und Bauten zu widmen. Es waren nicht so sehr Reichsangelegenheiten, die ihn beschäftigten, als familiäre Probleme: die im Jahre 1446 erfolgte Verheiratung (die Verlobung hatte in der Wiener Neustädter Burg stattgefunden) seiner jüngsten Schwester Katharina mit dem Markgrafen Karl von Baden scheint Friedrich noch die geringsten Sorgen gemacht zu haben. Große Schwierigkeiten bereiteten ihm jedoch seine Vormundschaftspflichten. 1446 sah er sich durch die energischen Vorstellungen der Tiroler gezwungen, den inzwischen großjährig gewordenen Herzog Siegmund, der zeitweilig auch in Wiener Neustadt gelebt hatte, aus der Vormundschaft zu entlassen; noch empfindlichere Unannehmlichkeiten erwuchsen ihm noch im selben Jahr aus der Verwaltung des Erbes seines Mündels Ladislaus; die Ungarn unter ihrem Reichsverweser

Johannes Hunyadi, der — um der Forderung nach Entlassung des Ladislaus aus der Vormundschaft mehr Nachdruck zu verleihen — 1446 plötzlich mit seinem Heerbann vor Wiener Neustadt erschien, machten dem König besonders zu schaffen. Erst um Weihnachten 1446 gab Hunyadi die Belagerung von Wiener Neustadt auf und zog sich wieder nach Ungarn zurück. Diese unerwartete Bedrohung mag Friedrich dazu angeregt haben, den bei der Wiener Neustädter Burg gelegenen Tiergarten mit einer Mauer zu umgeben; Der Bau, mit dem noch 1446 begonnen wurde, nahm allerdings fast zwei Jahrzehnte in Anspruch.

Für Wiener Neustadts Handel war die 1448 durch den König erfolgte Verleihung des wichtigen Niederlagsrechtes eine höchst willkommene Förderung. Durch dieses Privileg blieben der einheimischen Kaufmannschaft weite Einkaufsreisen erspart — es war ihr die Möglichkeit gegeben, ihre Bedürfnisse in der Stadt selbst zu decken.

Ungefähr zu diesem Zeitpunkt (1447/48) entschloß sich der damals bereits dreiunddreißig Jahre alte König eine Ehe einzugehen; die als zukünftige Frau Friedrichs in Aussicht genommene Prinzessin war Eleonora, Tochter des Königs Duarte von Portugal. Im Februar des Jahres 1448 begaben sich als Bevollmächtigte König Friedrichs IV. Georg von Volkersdorf und Dr. Ulrich Riederer auf Brautschau nach Portugal. Als die Gesandten voll des Lobes über Prinzessin Eleonora zurückkamen, entschloß sich Friedrich, um die portugiesische Königstochter zu werben. Bei den diplomatischen Vorbereitungen der Heirat mit der Portugiesin, insbesondere aber bei jenen der von Friedrich angestrebten Krönung zum Kaiser, war es der hochgebildete und mit großem diplomatischem Geschick ausgestattete Kanzler Eneas Silvius, der dem König dabei überaus wertvolle Dienste leistete: Friedrich IV. hatte anläßlich seiner Krönungsfahrt nach Aachen den aus Siena stammenden päpstlichen Sekretär Eneas Silvius de Piccolomini kennengelernt und 1442 in seine Dienste genommen. Der 1445 nach Empfang der priesterlichen Weihen zunächst zum Bischof von Triest und drei Jahre später zum Bischof von Siena ernannte Eneas Silvius lebte von 1442 bis ca. 1455 am Hofe Friedrichs — er verbrachte demnach auch viel Zeit in Wiener Neustadt. Einen Erziehungstraktat für Ladislaus Postumus hat Eneas 1450 in Wiener Neustadt verfaßt. Im September desselben Jahres nahm der dem König bereits unentbehrlich gewordene Diplomat an der Gesandtschaft teil, die in Lissabon die Heirat Friedrichs und Eleonorens betreffenden komplizierten Abmachungen traf. Nach den Ungarn waren nun auch die Österreicher, die zum großen Teil nicht in Friedrich, sondern in dem kleinen Ladislaus, dem Sohn des verstorbenen Landesfürsten Albrecht V. (II.), ihren rechtmäßigen Herrn sahen, mit ihrer Forderung nach Auslieferung des Ladislaus Postumus immer dringlicher geworden. Doch König Friedrich IV. nahm von diesem Verlangen ebenso wenig Notiz wie von den Wünschen der böhmischen Gesandtschaft, die im März 1451 nach Wiener Neustadt kam und ebenfalls versuchte, Friedrich zur Herausgabe Ladislaus' — der als ihr König die Ruhe im Lande wiederherstellen sollte — zu bewegen.

Im Sommer dieses Jahres traf in Wiener Neustadt der berühmte Prediger Johannes Capistran ein, dem man hier einen überaus feierlichen Empfang bereitete. Eine von den Bürgern der Stadt gemeinsam mit dem in großen Scharen herbeigeströmten Landvolk gebildete Prozession, die von Priestern, die das Allerheiligste trugen, begleitet wurde, zog Capistran entgegen. Er weilte mehrere Tage in Wiener Neustadt, wo vermutlich auch König Friedrich seine Predigten hörte. Ehe Johannes Capistran seine Reise fortsetzen konnte, sandten die Wiener eine Abordnung angesehener Bürger nach Wiener Neustadt, um den heiligmäßigen Mann dazu zu bewegen, auch nach Wien zu kommen und dort zu predigen. Nachdem im August 1451 in Lissabon die Prokurationsheirat stattgefunden und Eleonore Mitte November mit ihrem Gefolge die Reise nach Italien angetreten hatte, brach König Friedrich IV. (begleitet von Albrecht VI. und Ladislaus Postumus) im Dezember 1451 von Graz aus zu seiner ersten Romfahrt auf. Am 24. Februar 1452 hatten Friedrich und Eleonora in Siena ihre erste Begegnung; die Hochzeit fand am 16. März 1452 in Rom statt, die Kaiserkrönung drei Tage später. In Friedrichs Gefolge befanden sich nicht nur zahlreiche in Wiener Neustadt ansässige Adelige und Geistliche, es waren auch Bürger mit dem König nach dem Süden gezogen. So soll eine mit Edelsteinen, Perlen und Email schön verzierte und einen Kreuzpartikel enthaltende goldene Reliquienkapsel ein Geschenk des Papstes an zwei zur Kaiserkrönung Friedrichs abgeordnete Mitglieder des Wiener Neustädter Rates gewesen sein.

In gutem Einvernehmen mit seinem sonst etwas schwierig zu behandelnden Bruder Albrecht und seinem Mündel Ladislaus trat der junge Kaiser im Frühsommer des Jahres 1452 wieder die Rückreise in seine Lande an. Doch bereits in Villach erhielt Friedrich III. schlechte Nachricht von den Verhältnissen, die sich in Österreich während seiner Abwesenheit entwickelt hatten. Die österreichischen Stände forderten nun bereits geschlossen die Auslieferung des Ladislaus Postumus. Bei der in Villach abgehaltenen Beratung der Kaiserlichen neigten die meisten Herren dazu, Friedrich III. anzuraten, sich nicht nach dem gefährdeten Wiener Neustadt, sondern nach Graz zu begeben. Den Ausschlag gab jedoch schließlich die von Eneas Silvius geäußerte Meinung, der Kaiser solle doch nach Wiener Neustadt gehen und damit zeigen, daß er keine Furcht vor der Nähe der Feinde hege. Von hier sei er nach Italien aufgebrochen und hierher müsse er seine Gemahlin führen. Auch für Besprechungen mit Böhmen und Ungarn sei Neustadt besser geeignet. Friedrich III. beeilte sich daraufhin seine Residenz Wiener Neustadt, deren Grenzlage sie auch für Verhandlungen mit dem aufständischen Adel gut geeignet erscheinen ließ, zu erreichen. Um seine junge Gemahlin Eleonora nicht einer eventuellen Gefahr auszusetzen, ließ er sie in Leoben bzw. in Graz zurück. Der Kaiser begab sich allein in seine Residenzstadt, der er bereits kurze Zeit nach seinem Eintreffen für die Treue, die sie seinen Vorfahren und auch ihm jederzeit — nun auch während seines Romzuges — erwiesen hatte, eine besonders ehrenvolle Wappenbesserung zuteil werden ließ. Am 11. Juni 1452 verlieh Friedrich III. dem Bürgermeister, Richter und Rat von Wiener Neustadt das Recht, einen schwarzen, mit einer silbernen Kaiserkrone halsgekrönten kaiserlichen Doppeladler in goldenem Feld im Wappen zu führen. Wie es in dem vom Kaiser über diese Verleihung ausgestellten Wappenbrief hieß, konnten die Wiener Neustädter Bürger daneben auch ihr altes Stadtwappen, darstellend einen zweitürmigen Torbau mit dem österreichischen Bindenschild zwischen den Türmen, nach Belieben verwenden. Auch die Vereinigung beider Wappen war ihnen erlaubt. Nach der Wappenverleihung an Wiener Neustadt hat Kaiser Friedrich III. in der Folge auch noch zwei anderen Städten die Führung des Doppeladlers zugebilligt: Im Jahre 1461 der Stadt Wien und 1463 der Doppelstadt Krems-Stein. Der Wiener bzw. Kremser Doppeladler unterschied sich jedoch durch seine Goldfarbe (auf schwarzem Grund) von dem Wiener Neustädter, dessen Farbe wie bei dem vom Kaiser geführten Doppeladler schwarz war; abgesehen davon ist der Wiener Neustädter Adler halsgekrönt, während bei den letztgenannten die Krone zwischen den beiden Häuptern des Wappentieres schwebt. Dieses von Friedrich III. der Stadt Wiener Neustadt verliehene Wappen kann mit als Sinnbild für die Sonderstellung, die Wiener Neustadt im 15. Jahrhundert als Residenz Friedrichs III. gehabt hat, angesehen werden.

Bald nach dem Eintreffen des Kaisers in Wiener Neustadt verliehen auch schon die österreichischen Stände ihrer Forderung nach Auslieferung des kleinen Ladislaus gewaltsam Ausdruck. Am 27. August 1452 erschien das 16.000 Mann starke Heer der österreichischen Aufständischen unter der Führung des Grafen Ulrich von Cilli und des Hauptmannes Ulrich von Eytzing vor Wiener Neustadt und begann die „allzeit getreue" Stadt, in deren Mauern der Kaiser weilte, zu belagern. Unter dem Oberbefehl des mährischen Freiherrn Georg Tschernahora hielten sich 1600 Mann an kaiserlichen Truppen in der Residenz auf. Am 28. August kam es bereits zu heftigen Kämpfen, bei denen die Kaiserlichen durch die ständischen Truppen von der durch Zäune geschützten äußersten Verteidigungslinie in den Mauerring zurückgedrängt wurden. Zu einem besonderen heftigen Kampf kam es beim Äußeren Wienertor; hier bewährte sich besonders der dem Kaiser sehr ergebene Andreas Baumkircher, dessen ungeheuren Körperkräften und großem Mut es zu verdanken war, daß dieses Stadttor noch rechtzeitig vor den anstürmenden Feinden geschlossen werden konnte. Inzwischen waren als Friedensvermittler neben dem Markgrafen von Baden Erzbischof Siegmund von Salzburg und die Bischöfe von Freising und Regensburg (Eneas Silvius, der Bischof von Siena, war gleichzeitig mit dem Kaiser hier angekommen) in Wiener Neustadt eingetroffen. Auf Rat des Eneas Silvius erklärte sich Friedrich bald zu Verhandlungen bereit; damit wurde für den 29. und 30. August Waffenruhe erreicht. Das Zusammentreffen Friedrichs III. mit Ulrich von Cilli vor dem im Westen der Stadt gelegenen Fleischhackertor brachte keinen Erfolg; so wurde eine neuerliche Unterredung für den nächsten Tag (31. August) festgesetzt. Zu einem Übereinkommen kam es jedoch erst am 2. September; zwei Tage später übergab eine Abordnung des Kaisers den zwölfjährigen Ladislaus Postumus bei der gotischen Wegsäule „Spinnerin am Kreuz" außerhalb der Mauern Wiener Neustadts dem Grafen Ulrich von Cilli, der als Vertreter der Stände den kleinen König in Empfang nahm. Damit war — zumindest für kurze Zeit — die Ruhe im Lande wiederhergestellt.

Nun, da wieder Friede herrschte, konnte der Kaiser auch seine junge Gemahlin nach Wiener Neustadt bringen. Welchen Eindruck mag wohl die Portugiesin von ihrer zukünftigen

Residenzstadt empfangen haben? Die alte Grenzfestung Wiener Neustadt bot gewiß um die Mitte des 15. Jahrhunderts das Bild einer wohlhabenden und vor allem ausgezeichnet befestigten Stadt: Eine insgesamt 2,5 km lange zinnenbekrönte und mit hölzernen Wehrgängen versehene, etwa 12 m hohe Stadtmauer umgab die Siedlung; außerdem verstärkten (die befestigten Stadttore nicht mitgerechnet) zwölf Türme und ein breiter Stadtgraben die Anlage. Durch den Bau von Vorwerken, Palisadenzäunen und neuen Toren war für die Sicherheit der Vorstädte, deren es damals schon mehrere gab, gesorgt worden. In die Stadt selbst gelangte man durch vier Stadttore. Ein Straßenkreuz — die vier Hauptstraßen führten zu den Stadttoren — teilte die Stadt in vier Viertel. — Es ist anzunehmen, daß Wiener Neustadt samt Vorstädten Mitte des 15. Jahrhunderts 7000 bis 8000 Einwohner gehabt hat; der Anteil der Bürger an dem Besitz in der Stadt war jedoch verhältnismäßig gering. So ist z. B. das den Südosten der Stadt einnehmende „Dreifaltigkeitsviertel", das sich um das der hl. Dreifaltigkeit geweihte Zisterzienserstift Neukloster entwickelt hatte, zu zwei Drittel im Besitz des Landesfürsten gewesen; in diesem Viertel — und zwar besonders dicht gedrängt in der Neunkirchner Straße, nahe der Burg — lag auch der Großteil des adeligen Hausbesitzes, die sogenannten „Freihäuser", die von allen steuerlichen und anderen Lasten der Stadt befreit waren. Ähnlich gehörte nahezu die halbe Fläche des „Deutschherrenviertels" (benannt nach der dort befindlichen Kirche und dem Kloster des Deutschen Ritterordens) im Nordosten der Stadt dem Landesfürsten sowie dem Deutschen Ritterorden. Das „Frauenviertel" (dessen Mittelpunkt die große Liebfrauenkirche war und wo auch die zahlreichen Benefiziatenhäuser lagen), das den Nordwestteil der Stadt ausmachte, war zu einem Drittel im Besitz der Geistlichkeit. Der Bürgerschaft blieb als eigentliches Wohngebiet nur das „Brüderviertel"; in diesem um die alte Minoritenniederlassung im Südwesten der Stadt entstandenen Stadtteil wohnte jedoch nicht nur die Mehrzahl der christlichen Bevölkerung, hier befand sich auch die Judenstadt. Während der Regierungszeit Kaiser Friedrichs III. erreichte die Ausdehnung der jüdischen Ansiedlung in Wiener Neustadt ihren Höhepunkt; Zentrum des Judenviertels, wo auch Synagoge, Talmudschule, das jüdische Spital und die Fleischbank der Juden lagen, war der heutige Allerheiligenplatz gewesen. — Am Hauptplatz selbst, damals „kornmarkt" genannt, waren allerdings fast nur Bürgerhäuser; dort befand sich auch das „Stadthaus", das den Versammlungen des Rates und Gerichtssitzungen diente. Vor dem Äußeren Wienertor war die „Schwerindustrie" konzentriert: Hier gab es einen Eisenhammer, eine Eisenziehmühle, eine Rohrschmiede, eine Glockengießerei und eine Schleifmühle. — Wiener Neustadt besaß im 15. Jahrhundert ein wirtschaftlich gut fundiertes Bürgerspital mit einer der hl. Elisabeth und dem hl. Antonius geweihten Spitalskirche; das Spital, das bei dem großen Brand von 1433 sehr gelitten hatte, und dessen Instandsetzung viele Jahre in Anspruch nahm, lag in der Äußeren Wiener Straße. Die Stadtschule war in dem 1449 fertiggestellten und mit einem kunstvollen gotischen Erker geschmückten Haus in der Wiener Straße untergebracht. Außerdem verfügte die Stadt noch über drei Bäder sowie zahlreiche Gast- und Unterkunftsstätten. Wiener Neustadt war also um die Mitte des 15. Jahrhunderts mit allem versehen, was eine große mittelalterliche Residenzstadt, die regelmäßig von einheimischen und fremden Kaufleuten, ausländischen Diplomaten, weltlichen und geistlichen Bittstellern, usw. aufgesucht wurde, an notwendigen Fürsorge- und anderen Einrichtungen aufweisen mußte. Die Geschäfte der Stadt lenkte die aus Bürgermeister, Stadtrichter und zwölf Räten bestehende Gemeindevertretung, die jedes Jahr neu gewählt und vom Landesfürsten bestätigt werden mußte.

Die Haupteinnahmsquelle für Wiener Neustadt bildeten die Erträgnisse aus dem Handel und zwar in erster Linie aus dem Handel mit Wein; auch der Handel mit venezianischen Waren, Salz, Eisen und Eisenwaren ist nicht unbedeutend gewesen.

Vielleicht noch im Herbst des Jahres 1452 ist Kaiserin Eleonore in Wiener Neustadt eingezogen und hat hier in der Burg ihren Wohnsitz aufgeschlagen. Ob sich die an das Klima ihrer südländischen Heimat und den Prunk und Luxus des väterlichen Königshofes gewöhnte junge Frau sofort hier wohlgefühlt hat, bleibe dahingestellt.

Von außen mag die weitläufige viertürmige Burganlage, der an der Süd- und Ostseite zur besseren Verteidigung Galerien vorgelagert waren, ja recht stattlich ausgesehen haben. Bogengänge, die auf jonischen Säulen ruhten und bis zum dritten Stockwerk reichten, gestalteten den inneren Hofraum; die dem Burghof zugewendeten Wände waren vermutlich allesamt mit auf Goldgrund aufgetragenen Fresken bedeckt gewesen. Im Westtrakt wurde um das Jahr 1452 wahrscheinlich noch an der neuen *kirche ob dem tor* gebaut. Die an der dem inneren Hofraum zugewendeten Ostwand dieser Kirche angebrachte berühmte Wappenwand — 107 Wappen (93 Phantasiewappen und 14 Wappen der habsburgischen Länder), die das in einer Nische unter einem gotischen Baldachin befindliche Standbild Friedrichs umgeben — ist etwa um das Jahr 1453 entstanden. Bis zur endgültigen Fertigstellung der neuen Burgkirche mag die Gottesleichnamskapelle für den von den weltlichen Chorherren versehenen Gottesdienst der Burgbewohner gedient haben. Für die sehr fromme Kaiserin ist die dem hl. Christoph und dem hl. Florian geweihte Kapelle in der Burg geschaffen worden. Ein Meßgewand *von silber und goldt*, hatte Eleonore *mit eigner handt gemacht* und vermutlich für die Priester, die den Gottesdienst in ihrer Kapelle versahen, bestimmt.

Über die Anordnung der Gemächer in der Wiener Neustädter Burg gibt es leider nur wenig brauchbare Angaben. Die Räume, die das kaiserliche Paar bewohnte, lagen hauptsächlich im südlichen Teil der Burg; hier, im eigentlichen Palasttrakt, ließ Kaiser Friedrich den die gesamte Länge dieses Traktes einnehmenden zweischiffigen Thronsaal neu erbauen. Einem Inschriftstein nach zu schließen, wurde dieser imposante Saalbau im Jahre 1461 vollendet. Mit ziemlicher Sicherheit ist auch anzunehmen, daß sich sowohl im südöstlichen als auch im südwestlichen Turm geräumige Schatzgewölbe befanden, in denen Friedrich III., der ein begeisterter und überaus versierter Sammler gewesen ist, seine Kostbarkeiten in Truhen und Schränken aufbewahren konnte. Für die — vermutlich dem Geschmack des der Mäßigkeit huldigenden Kaisers entsprechende — eher einfache Ausstattung der Räumlichkeiten in der Burg, mag die Kaiserin vielleicht durch den östlich anschließenden schönen Tiergarten entschädigt worden sein. Dort, wo sich einst Wald und sumpfige Wiesen ausdehnten, hatte Friedrich, der ein besonderer Gartenfreund, aber auch ein großer Jagdliebhaber gewesen war, einen wohlgepflegten Park anlegen lassen; dieses in den Jahren 1446—1465 im Auftrag Friedrichs mit der sogenannten „Zeiselmauer" umgebene ausgedehnte Grundstück wurde zum größten Teil von dem *tännelgarten* — dem Tiergarten, in dem Damwild weidete — eingenommen. Um für das Wild eine geeignete Tränke zu schaffen und gleichzeitig die die Burg umgebenden tiefen Gräben mit Wasser zu versorgen, hatte der Kaiser auf seine Kosten 1453 einen Arm des „Kehrbaches" (eine Ableitung der Schwarza bei Peisching) in seinen Tiergarten lenken lassen. Auf Friedrich III. geht auch die erste Allee des Parks zurück. Neben dem Tiergarten mag aber auch ein ansehnlicher Obstgarten neben der Burg bestanden haben, ein Garten, in dem, wie Eneas Silvius zu berichten weiß, das Obst wie in den Gärten der Hesperiden reifte, ein Garten mit sprudelnden Quellen, schönen grünen Wiesen, wo zur gegebenen Zeit die verschiedensten Blumen blühten. Dieser Garten war nach des gelehrten Bischofs Ansicht auch der Hauptgrund, warum Friedrich Wiener Neustadt so liebte. Außerdem schätzte der Kaiser, Eneas Silvius zufolge, diese geruhsame Stadt, weil er hier alles fand, was ihm Freude machte und weil er sich hier so ungestört seinen Liebhabereien widmen konnte. — Kaiser Friedrich III. verdanken wohl auch manche der zahlreichen Wiener Neustadt umgebenden Föhrenwälder ihre Entstehung, denn in seinem Auftrag wurde 1457 die Heide nördlich der Stadt mit Föhrensamen bebaut.

Auch außerhalb des Burgbezirkes hatte der Kaiser ansehnlichen Besitz in der Stadt. Der Burg gegenüber lag das „Harnischhaus", im Deutschherrenviertel der kaiserliche Marstall, der Renthof befand sich in der Pognergasse, das kaiserliche Vogelhaus, in dem die Jagdfalken untergebracht waren, in der Deutschgasse; außerdem gehörten Friedrich mehrere außerhalb der Stadtmauer gelegene Mühlen, eine Faßbinderei und noch ansehnlicher Wald- und Weingartenbesitz sowie eine Ziegelei in der näheren Umgebung der Stadt.

Der Hofstaat des Kaisers war natürlich — an dem Hofstaat des jungen Herzogs gemessen — beträchtlich gewachsen. Daß die Inhaber der Hofämter in der Burg wohnten, ist kaum anzunehmen; sie haben vermutlich Häuser in der Stadt gehabt. Die Zahl der Hofbeamten Friedrichs war recht stattlich, denn außer dem Kanzler und seinen Räten benötigte er einen Hofmarschall, einen Kämmerer, einen Truchseß, einen Schenken, einen Oberstallmeister, einen Kellermeister; wir hören ferner von Harnischmeistern, Plattnern, Türhütern, Uhrmeistern, Jägern und vielen Dienern. Dazu kommt noch die große Zahl der in der kaiserlichen Kanzlei beschäftigten Notare, Sekretäre und Schreiber; davon werden natürlich eine ganze Reihe auch in der Burg Quartier gehabt haben. Unentbehrlich waren dem Hof die Handwerker (Hofschuster, Hofbäcker, Hofschneider, Hofkoch, Hofzimmermann, Hofkürschner, Hofgärtner, Heizer, Barbiere), die aber alle in der Stadt Hausbesitz hatten. Als Besitzer städtischer Häuser begegnen uns auch die Wundärzte des Landesfürsten, von denen sich der Jude Waruch der besonderen Gunst des Kaisers erfreute und das Privileg erhielt, sich mit seiner Familie in Wiener Neustadt steuerfrei niederlassen zu dürfen. Nicht zu vergessen sind die Trompeter, Pfeifer, Posaunisten, Orgelmeister und *chorsinger*, die der musikliebende Kaiser an seinen Hof zog.

Natürlich hatte auch Kaiserin Eleonore ihren — wenn auch entsprechend kleineren — Hofstaat. Wie aus den Namen der Dienerinnen und Diener der Kaiserin hervorgeht, waren dies Einheimische. Die einzige bekannte Ausnahme bildete die Kammerfrau Beatrix Lopi, die der Kaiserin aus Portugal in die neue Heimat gefolgt war, aber nur kurze Zeit hier in Wiener Neustadt gelebt hatte. Bereits am 9. April 1453 ist sie gestorben und wurde in der Neuklosterkirche beigesetzt. Den Auftrag für den kunstvollen Grabstein, der die Verstorbene in Lebensgröße zeigt, könnte Kaiserin Eleonore gegeben haben. Der Tod ihrer Landsmännin mag für die zu jener Zeit in der deutschen Sprache gewiß noch nicht sehr gewandten Eleonore sehr betrüblich gewesen sein.

Eines war sowohl dem Hofstaat Friedrichs als auch Eleonorens gemeinsam: den ihr zustehenden Sold erhielt die Dienerschaft selten in Bargeld; sie wurde zumeist durch Anweisung auf gewisse dem Kaiser zustehende Einnahmen, oder, was Friedrich III. besonders gerne tat, durch Vermittlung günstiger Heiraten mit reichen Bürgersöhnen, bzw. -töchtern belohnt.

Die Tatsache, daß Wiener Neustadt nun sogar Residenz eines Kaisers war, trug viel zur Hebung des Ansehens der Stadt sowie zur Mehrung des Reichtums ihrer Bürger bei. Die aufwendige Art der Lebensführung des Hofes und der nun überaus zahlreich in der Stadt ansässigen adeligen Geschlechter kam besonders der Kaufmannschaft und den Handwerkern zugute. Die fast Tag für Tag in Wiener Neustadt eintreffenden fremden Delegationen aus Deutschland, der Schweiz, aus Ungarn und Böhmen, aus Italien, ja sogar aus Polen und Frankreich, brachten viel Geld in die Stadt und gaben außerdem den Bürgern Gelegenheit, fremde Sitten und Gebräuche kennenzulernen und dadurch eine gewisse Weltläufigkeit zu gewinnen. Für die Wohlhabenheit der Neustädter Bürger spricht es auch, daß sie um jeden Preis dem Vorbild der Höflinge nachzueifern trachteten. So genügten ihren gesteigerten Ansprüchen nicht mehr die Waren, die ihnen die gewöhnlichen Handwerker der Stadt liefern konnten — die Schuhe etwa mußten vom Hofschuster, die Kleider vom Hofschneider bezogen werden, usw.

Trotz des beachtlichen Reichtums der Wiener Neustädter Bürgerschaft wäre es dieser allein nicht möglich gewesen, die Stadt mit derart ansehnlichen Bauten und Kunstwerken auszustatten, wie es im Laufe des 15. Jahrhunderts geschehen ist. Jene oft gerühmte äußerliche Pracht verdankt Wiener Neustadt doch dem Umstand, daß der Kaiser es zur nahezu ständigen Residenz erkoren hatte. Friedrich III. war natürlich bestrebt, seiner Residenzstadt ein Gepräge zu geben, das auch die zahlreichen, oft von weither kommenden Abordnungen und Besucher beeindrucken sollte. Seine Baulust, die, abgesehen von der Burg und den Befestigungsanlagen, in erster Linie den Klöstern und Kirchen der Stadt zugute kam, bewirkte ihrerseits wieder, daß sich nach und nach zahlreiche in ihrem Fache überaus tüchtige Handwerker, insbesondere aber Baumeister und Steinmetzen, in Wiener Neustadt niederließen, wo sie zahlreiche und lohnende Aufträge zu erwarten hatten. Unter ihnen befand sich ein Meister allererersten Ranges: der vermutlich aus Polen stammende Peter von Pusika. Dieser, Besitzer eines Hauses in der Neunkirchner Straße und

Mitglied des Rates, hat vermutlich seit 1439 für Friedrich gearbeitet; er baute für ihn an der Burg, vollendete den Bau der Gottesleichnamskapelle, und die St. Georgskirche mit der Wappenwand ist ebenfalls sein Werk. Auch die Neustädter Klöster beschäftigten den kaiserlichen Baumeister gerne und oft. So ist die Kirche und das Kloster St. Peter a. d. Sperr, die Niederlassung der Dominikaner ebenso ein Werk Peter Pusikas, wie die Kirche des Zisterzienserstiftes Neukloster. Der Meister ist 1475 in Wiener Neustadt gestorben. Nach seinem Tode war in Wiener Neustadt der angesehenste Vertreter seines Faches Sebald Werpacher († 1503), ebenfalls Hausbesitzer in der Neunkirchner Straße, der wohl noch manche der von Pusika begonnenen Bauten fortgeführt hat. Werpachers Werk mag auch der neuere Teil der Minoritenkirche St. Jakob und das Presbyterium des Wiener Neustädter Domes sein. Die Bauwerke des Kaisers bzw. der Geistlichkeit, vermutlich aber auch die Wohnungen des Adels, der Ritterschaft und der Patrizier, waren gewiß — wie es Relikte heute noch beweisen — großzügig mit Werken der Plastik, der Malerei und der Goldschmiedekunst ausgestattet gewesen. In Wiener Neustadt hat auch der berühmte Bildhauer Nikolaus Gerhaert von Leyden einige Jahre gewirkt und zwei seiner bekanntesten Werke — die Grabdenkmäler für das kaiserliche Paar — geschaffen. Nikolaus Gerhaert, der 1473 in Wiener Neustadt gestorben ist, wurde in der dortigen Domkirche beigesetzt. Von den Holzschnitzern ist in erster Linie Meister Lorenz Luchsperger zu nennen, dem die um 1490 zur Ausschmückung des Wiener Neustädter Domes bestimmten Apostelfiguren sowie die Verkündigungsgruppe zugeschrieben werden. Seiner Werkstätte hat jener anonyme Künstler angehört, dem wir die ebenfalls im Wiener Neustädter Dom befindliche Figur des hl. Sebastian verdanken.
Besondere Nachfrage mag in der Kaiserresidenz Wiener Neustadt nach Malern geherrscht haben, so daß auch eine große Anzahl durchwegs hervorragender Vertreter dieses Metiers aus Ungarn, den Niederlanden, vom Rhein und den oberdeutschen Städten damals in die Stadt gekommen ist. Der berühmteste Vertreter der Wiener Neustädter Malergilde ist wohl der 1433 erstmals erwähnte Hans von Tübingen († 1462) gewesen, der bei Friedrich III. besonders hoch in der Gunst stand und für ihn auch als Einkäufer von Kunstwerken tätig sein durfte. Hans von Tübingen, der mit angesehenen und wohlhabenden Wiener Neustädter Bürgern verschwägert war, ist auch Genannter des Rates gewesen. — Eine außerordentliche Blüte hat zu jener Zeit die Glasmalerei erlebt — nahezu von jeder der zahlreichen Kirchen der Stadt wissen wir, daß sie im 15. Jahrhundert mit neuen Glasfenstern ausgestattet wurde. Es ist vor allem der aus Ungarn stammende Maler Hans (Jenusch) Miko († 1478), Genannter des Rates, von dem Glasgemälde in der Gottesleichnamskapelle, in der Minoritenkirche und wohl auch in der Liebfrauenkirche stammten. Auch mit Wandgemälden waren die geistlichen und profanen Prunkbauten der Zeit geschmückt gewesen — so gab es einst sowohl in der St. Georgskirche der Burg als auch im Chor der Domkirche große Wandfresken, die den von Kaiser Friedrich III. ganz besonders verehrten hl. Christophorus darstellten.
Ein blühendes Goldschmiedegewerbe erlaubt es, und zwar noch mehr als alles andere Kunstgewerbe, auf Wohlstand in allen Gesellschaftsschichten einer Stadt zu schließen. So

ist auch das durch besonders günstige Voraussetzungen (Friedrich III. war ja ein außergewöhnlich guter Kenner und Sammler von Kleinodien) Mitte des 15. Jahrhunderts überaus bedeutend gewordene Goldschmiedehandwerk in Wiener Neustadt als Beweis für den Reichtum der Stadtbewohner anzusehen. Die Anwesenheit des Hofes, die große Sicherheit, die die ausgezeichnet befestigte Stadt bot, sowie der Reichtum der Bürger zogen u. a. auch viele fremde Goldschmiede nach Wiener Neustadt. Bekannte Namen sind dabei der aus Siebenbürgen zugewanderte Sigmund Langenauer († 1449/50), Heinrich Meyrhirss († 1451), der viel für den königlichen Hof arbeitete und Wolfgang Nachschuss († um 1481), der im Auftrag Friedrichs III. für dessen zweiten Romzug Geschenke herstellte; Nachfolger des Heinrich Meyrhirss als Hofgoldschmied war der mit der berühmten Nürnberger Goldschmiedefamilie Jamnitzer verwandte Meister Leonhart Jamnitzer. Er erfreute sich der besonderen Gunst Friedrichs, der ihn 1440 nach Wiener Neustadt berufen hatte. Jamnitzer hat es in Wiener Neustadt nicht nur zu Reichtum gebracht, er war auch als Ratsherr Inhaber wichtiger Stadtämter. Wolfang Zulinger, der zirka 1490 verstorbene Goldschmied, ist als mutmaßlicher Schöpfer des weltberühmten Corvinusbechers bekannt geworden.

Das erste Jahr, das Kaiserin Eleonore in Wiener Neustadt verbrachte, verlief friedlich. Am 6. Jänner 1453 bestätigte der Kaiser in Wiener Neustadt das Privilegium Maius und vermehrte die österreichischen Hausprivilegien unter anderem um die Bestimmung, daß die Angehörigen der „steirischen" Linie der Habsburger fortan den Titel „Erzherzog" tragen sollten. Die Verleihung des Erzherzogtitels scheint zwischen den beiden feindlichen Brüdern Friedrich und Albrecht wieder eine gewisse Einigkeit hergestellt zu haben. Ein äußeres Zeichen für das gebesserte gegenseitige Verhältnis könnten die vor der Hauptfassade der Neuklosterkirche erbauten Kapellen sein, die um diese Zeit (die südliche vermutlich vom Kaiser, die nördliche von Erzherzog Albrecht VI.) gestiftet worden waren. Am 12. März 1453 legte Albrecht VI. eigenhändig den Grundstein für die St. Barbara-Kapelle; in der noch erhaltenen Inschrifttafel apostrophiert Albrecht seinen Bruder Friedrich als „ruhmreichsten Kaiser". Die brüderliche Einigkeit ist aber schon bald wieder getrübt worden und Friedrich III. begann bereits in den nächsten Jahren der Verbesserung der Befestigungsanlagen seiner Residenzstadt Wiener Neustadt besonderes Augenmerk zu schenken, um auch für den Kriegsfall gerüstet zu sein. Der Kaiser betraute im Spätherbst des Jahres 1455 den seit einigen Monaten in der Stadt weilenden Markgrafen Albrecht „Achilles" von Brandenburg, einen deutschen Reichsfürsten, den er sehr hoch schätzte, mit der Ausarbeitung einer Verteidigungsordnung für Wiener Neustadt. Markgraf Albrecht kam diesem kaiserlichen Befehl sehr rasch nach und übergab Friedrich bereits am 2. November 1455 seinen zu Papier gebrachten Entwurf einer Kriegsordnung für die Kaiserresidenz. Die Brandenburgische Verteidigungsordnung gibt eine gute Übersicht über den damaligen Zustand der Stadtbefestigung. Bei der Gliederung der waffenfähigen Bürgerschaft ging Markgraf Albrecht von der Viertelseinteilung der Stadt aus; so bestimmte er acht Viertelmeister, denen wieder die Rottmeister unterstanden. Wir erfahren, daß es damals in der Stadt 650 wehrhafte Bürger gegeben hat; dazu kamen noch 200 Handwerksknechte, die in nach Zünften geschiedene Rotten eingeteilt waren und von den jeweiligen Meistern befehligt wurden. Im Kriegsfall sollte ein Teil der kaiserlichen Söldner die Burg und die dem Kaiser gehörigen Gebäude außerhalb derselben verteidigen; für jedes Statdviertel bestimmte der Markgraf noch zusätzlich je zwölf kaiserliche Reisige. Um eine längere Belagerung aushalten zu können, schlug der Brandenburger dem Kaiser vor, den Bürgern und Inwohnern der Stadt die Einlagerung von Lebensmitteln für ein Jahr anzubefehlen und die Vorräte durch den Bürgermeister und zwei Ratsmitglieder überprüfen zu lassen. Jeder Dachboden sollte mit Wasserbottichen und Feuerhaken versehen sein; zu eventuellen Löscharbeiten riet Markgraf Albrecht, die Geistlichen, die Bader und die *gemainen frawen* heranzuziehen. — Noch im selben Jahr begannen die vom Markgrafen von Brandenburg für dringlich erachteten Befestigungsbauten; die Kosten dafür mußten nicht — wie es sonst üblich gewesen war — durch die Bürger allein aufgebracht werden, sondern auch der in Wiener Neustadt ansässige Adel sowie die jüdische Bevölkerung der Stadt hatten die Lasten mitzutragen.

Von großer Wichtigkeit für Wiener Neustadt war die um das Jahr 1455 erfolgte Wiederbelebung der alten landesfürstlichen Münzstätte daselbst. Für den Kaiser, der hier der Münzherr war, erfloß aus der Münzprägung und zwar aus dem „Schlagschatz", überaus reicher Gewinn. Da jedoch dieser Gewinn des Münzherrn in dem geringen Feingehalt der Münzen lag, wurde bald recht ungünstig über die „Wiener Neustädter Schinderlinge" geurteilt. Als Münzmeister hatte der Kaiser den aus dem Rheinland stammenden Erwein vom Stege nach Wiener Neustadt berufen. Friedrich räumte jedoch auch dem Rat der Stadt gewissen Einfluß auf die Prägestätte ein; so hatten vier Ratsmitglieder die Aufgabe, täglich die geprägten Münzen zu beschauen; auch die sogenannten „Probierer", ein Amt, zu dem Zinngießer, Goldschmiede usw. herangezogen wurden, sind der Bürgerschaft entnommen worden.

Nach dreijähriger Ehe war dem kaiserlichen Paar am 16. November 1455 als erstes Kind ein Sohn geboren worden, der bei der Taufe den Namen Christoph erhielt. Dem kleinen Erzherzog war aber keine lange Lebenszeit beschieden; am 16. März 1456 ist er in der Wiener Neustädter Burg, wo er auch das Licht der Welt erblickt hatte, gestorben. Seine Eltern ließen Christoph im Chor der Neuklosterkirche beisetzen, wo heute noch ein kleiner, rotmarmorner Grabstein an ihn erinnert. Dem Sohne Friedrichs folgte ein Jahr später auch des Kaisers ehemaliges Mündel, der achtzehnjährige König Ladislaus, in den Tod nach. Das Hinscheiden des jungen Königs von Ungarn und Böhmen sowie Herzogs von Österreich bzw. die Erbschaft, die er hinterließ, bewirkte ein überaus heftiges Wiederaufflammen der Feindseligkeiten zwischen Albrecht VI. und Friedrich III., aber auch zwischen den Ständen und dem Kaiser. Am 24. Jänner 1458 war vom Landtag in Pest der Sohn des Türkenhelden Johannes Hunyadi, Matthias Corvinus, zum König von Ungarn gewählt worden. Die Krone des hl. Stephan, der man zur Krönung des neuen Herrschers bedurft hätte, befand sich aber in den Händen Friedrichs III., der sie in Wiener Neustadt aufbewahrte; eine im August 1458 beim Kaiser in Wiener Neustadt vorsprechende ungarische Gesandtschaft hatte deren Auslieferung vergeblich gefordert. Nicht zuletzt deswegen, weil er im Besitz dieser wichtigen Krönungsinsignie war, wurde Friedrich III. von einigen mit Matthias Corvinus nicht einverstandenen ungarischen Magnaten am 17. Februar 1459 zum König von Ungarn gewählt. In Wiener Neustadt soll sich damals gerade Erzbischof Siegmund von Salzburg, dem der Kaiser besonders vertraute, aufgehalten und die Krönung Friedrichs zum ungarischen König vorgenommen haben. Die Festlichkeit wurde am 4. März 1459 in Wiener Neustadt und zwar vermutlich in der Liebfrauenkirche, abgehalten.

Im Jahre 1459 gelang es dem Kaiser endlich, in Wiener Neustadt ein Stift regulierter Chorherren zu errichten. Die Zustimmung des Papstes hatte er bereits am 7. April 1452 in Rom erhalten; aus Mangel an Dotationsgut erfolgte die Gründung jedoch erst sieben Jahre später. Dadurch, daß die weltlichen Chorherren an die Liebfrauenkirche versetzt worden waren, stand die Pfarrkirche in der Vorstadt St. Ulrich für die regulierten Chorherren zur Verfügung. Es bedurfte allerdings noch einer Reihe anderer Schenkungen, um wenigstens bescheiden für die 32 Kanoniker gesorgt zu haben.

Am 25. März 1459 taufte Siegmund von Volkersdorf, Erzbischof von Salzburg (vermutlich in der Burgkirche) den zwei Tage vorher geborenen zweiten Sohn Friedrichs und Eleonorens. Der Knabe, als dessen Taufpate der reiche Magnat Niklas Ujlak fungierte, erhielt den Namen Maximilian. Erzherzog Maximilian hat gemeinsam mit seiner Mutter die ersten Lebensjahre in Wien verbracht. In Wien wurde auch am 3. November 1460 die kleine Prinzessin Helena geboren; sie ist jedoch schon nach wenigen Monaten wieder gestorben. Obwohl ihr Tod in Wien erfolgte (Ende Februar 1462), ist sie dennoch nach Wiener Neustadt überführt und in der Neuklosterkirche neben ihrem Bruder Christoph beigesetzt worden. Maximilian verband zeit seines Lebens keine angenehme Erinnerung mit Wien. Das Kind vergaß nicht so schnell die Not, die es gemeinsam mit seinen Eltern anläßlich der Belagerung der Wiener Burg durch die Anhänger seines Oheims Albrecht VI. im Jahre 1462 hatte leiden müssen. Auch für Eleonore und Friedrich bedeutete es gewiß eine Erleichterung, als sie sich nach der Befreiung durch den Böhmenkönig Georg von Podiebrad mit dem kleinen Maximilian wieder in das sichere und loyale Wiener Neustadt begeben konnten. Am 12. Dezember 1462 wurde die Reise nach Neustadt angetreten; der ganz auf Seiten des Kaisers stehende Chronist der Wiener Belagerung, Michael Beheim, berichtet darüber und ist voll des überschwänglichen Lobes für die allzeit getreue Stadt:

> Wir furn van den verretern
> zun frummen newen stetern,
> von den man nie ver nam nach hart,
> daz sy kain übel schand nach mart
> an irem herren hand getan,
> dar umb sy mein lob mussen han.
> Dan preis wil ich in geben
> dy weil ich han daz leben.

Die Stimmung, die unter den Kaiserlichen damals bei dieser Fahrt nach Wiener Neustadt geherrscht haben soll, gibt Beheim folgendermaßen wieder:

Von wien bis in dy newenstat
wir wurden aller fröden sat,
alz dy sel in dem baradeis,
so sy kummen in solcher weiss
auss der weisz, dem feg feüre
in dy stat sa geheüre.

Der Hof blieb seit dem Jahresende 1462 wieder in Wiener Neustadt. Im Sommer des Jahres 1463 bemühten sich eine Anzahl hier zusammengetroffener hoher geistlicher Würdenträger, unter denen sich auch Domenico de Domenichi, päpstlicher Legat und Bischof von Torcello, befand, zwischen Kaiser Friedrich III. und dem Ungarnkönig Matthias Corvinus zu vermitteln. In dem im Juli dieses Jahres abgeschlossenen Vertrag erhielt Matthias Corvinus die Stephanskrone und den Besitz Ungarns zugesprochen; Friedrich III. aber erwuchsen aus diesem Vertrag nicht nur bedeutende materielle Vorteile, sondern es wurde ihm neben der Anwartschaft auf Ungarn auch die Führung des ungarischen Königstitels zugestanden. Schon am 24. Juli 1463 langte eine glänzende Schar von Abgesandten des Königs Matthias vor den Mauern von Wiener Neustadt an, um die Krone des hl. Stephan in Empfang zu nehmen. Der Kaiser, erschrocken über diesen gewaltigen Heerhaufen, ließ von den 3000 Mann nur 200 in die Stadt einreiten. Auch bei der Übergabe der Krone herrschte eine eher unfreundliche Stimmung; es kam zu keinem Versöhnungsfest und aus diesem Grund, sagt eine Legende, hätte der Kaiser den als Geschenk für den Ungarnkönig vorbereiteten „Corvinusbecher" zurückbehalten; einer anderen Tradition zufolge soll der Prunkpokal eine Gegengabe des Corvinen für die ihm so wertvolle Stephanskrone gewesen sein.

Praktisch erfolglos blieb der im Oktober 1463 in Wiener Neustadt von weltlichen und geistlichen Großen angestellte Versuch, zwischen den feindlichen Brüdern Friedrich III. und Albrecht VI. eine Versöhnung herbeizuführen. Obwohl diese Bestrebungen durch Kaiserin Eleonore und des Kaisers Schwester, die Markgräfin Katharina von Baden, eifrig unterstützt wurden, kam es zu keinem Ausgleich. Das Problem wurde erst durch den Tod des Erzherzogs gelöst: Am 2. Dezember 1463 teilte die in Wien weilende Markgräfin dem Kaiser mit, daß ihr Bruder Albrecht plötzlich gestorben sei.

Bereits im Jänner des Jahres 1464 begab sich eine Deputation der Stadt Wien zum Kaiser nach Wiener Neustadt und bat demütig um Gnade; es kam zu einer vollständigen Aussöhnung und die Wiener erhielten alle Privilegien, die ihnen 1462 abgesprochen worden waren, wieder zurück. In demselben Jahr weilte auch eine Gesandtschaft böhmischer Herren in Wiener Neustadt, wo — wieder im Beisein des Bischofs von Torcello — über die Absetzung des böhmischen Königs Georg von Podiebrad verhandelt wurde, der als Anhänger der Lehre des Johann Hus galt. Kaiser Friedrich, der dem Böhmenkönig die

Befreiung aus der belagerten Wiener Burg nicht vergessen hatte, verhinderte jedoch diese Absetzung.

Seine Fürsprache für einen Hussiten kompensierte der Kaiser dadurch, daß er sich mit besonderem Eifer für die Heiligsprechung des österreichischen Markgrafen Leopold III. einsetzte und 1466 auch wirklich erreichte, daß Papst Paul II. drei Kardinälen den Auftrag gab, das für die Heiligsprechung notwendige Material zu sammeln. Die Kardinäle wählten wieder Subdelegierte, die an Ort und Stelle, also in Österreich, die notwendigen Informationen sammeln sollten. Einer dieser fünf Subdelegierten war ein Mann, der im religiösen Leben Wiener Neustadts im 15. Jahrhundert eine bedeutende Rolle gespielt hatte: Michael Altkind, Propst des Stiftes weltlicher Chorherren in Wiener Neustadt und seit 1465 Bischof von Petena.

Erzherzog Maximilian, seit dem Tod seiner Schwester Helena wieder das einzige überlebende Kind des kaiserlichen Paares und gewiß überaus sorgfältig gehüteter Thronfolger, wurde in der Wiener Neustädter Burg gemeinsam mit einer Schar von Söhnen des in der Stadt ansässigen Adels aufgezogen. Der Prinz hatte bereits als Kind seinen eigenen kleinen Hofstaat, bestehend aus Diener, Türhüter, Heizer, Schneider, Kellner, usw. Zum Teil allein, zum Teil gemeinsam mit seinen Gespielen erhielt Maximilian Unterricht. Als ersten Lehrer für seinen Sohn hatte der Kaiser Jakob von Fladnitz, den Rektor der Wiener Bürgerschule zu St. Stephan, nach Wiener Neustadt berufen. Als Jakob von Fladnitz 1466 starb, wurde die Oberaufsicht über die Erziehung des Prinzen und dessen Gespielen Herrn Peter Engelbrecht, Dechant der weltlichen Chorherren in Wiener Neustadt, anvertraut; dieser, ein überaus gestrenger Mann, schreckte nicht davor zurück, seinen hochgeborenen Schüler ab und zu derb zu züchtigen — was ihm Maximilian sein ganzes Leben lang nicht vergaß. Der kleine Prinz war vermutlich sehr viel mit seiner Mutter beisammen, die ihn wohl recht arg verwöhnte. An fremdländischen Süßigkeiten, die ihm die Kaiserin gab, hatte er sich einmal derart übergessen, daß er fast daran gestorben wäre. Diese unvernünftige Art Eleonorens, ihre Kinder mit Leckereien zu überfüttern, trug nach ihres überaus mäßig lebenden Gemahls Ansicht die Schuld an dem frühen Tod Christophs und Helenas. Als nun auch die am 16. März 1465 in Wiener Neustadt geborene kleine Prinzessin Kunigunde plötzlich erkrankte, ließ Friedrich diese kurzerhand in seine Gemächer bringen und sorgte dafür, daß sie fortan heimische Kinderkost vorgesetzt bekam.

Nachdem Friedrich III. bereits im Jahre 1463 hier ihre beiden Söhne belehnt hatte, kam auch des Kaisers Schwester, Herzogin Margarethe von Sachsen, nach langer Zeit wieder einmal in ihre Vaterstadt und verbrachte den Winter 1464/65 bei Bruder und Schwägerin in der Wiener Neustädter Burg.

Am 8. August 1466 wurde dem Kaiserpaar abermals ein Sohn (Johannes) geboren; seine Geburt schien Eleonore sehr geschwächt zu haben, so daß sie noch im September dieses Jahres Wiener Neustadt verließ und nach Baden reiste, um in den dortigen Thermen Heilung zu suchen. Wieder zurückgekehrt, erhielt die Kaiserin einen lieben Besuch, und zwar

Herrn Leo von Rožmital, einen Schwager des Böhmenkönigs. Der böhmische Adelige, den eine lange Reise durch West- und Südeuropa geführt hatte, traf Anfang des Jahres 1467 mit seinen Begleitern in Wiener Neustadt ein. Vorher hatten die böhmischen Herren bereits Kaiser Friedrich III., der zu dieser Zeit in Graz weilte, ihre Aufwartung gemacht, waren aber während der vierzehntägigen Rast in Graz nicht übermäßig gastfreundlich behandelt worden. Wie ganz anders verlief dagegen der Aufenthalt in Wiener Neustadt: Leo von Rožmital und sein Gefolge wurden von der Kaiserin überaus freundlich aufgenommen und während der acht Tage, die sie in der Stadt weilten, ist großzügig für die Unterhaltung der Gäste gesorgt worden. Sie waren *al tag bei der keiserin in frauenzimmer*, es wurde fleißig getanzt, musiziert und geplaudert; man unternahm auch Schlittenfahrten in die Umgebung. Eleonore, die Leo von Rožmital schon zu Beginn seiner großen Reise ein Empfehlungsschreiben an ihren Bruder, den König von Portugal, mitgegeben hatte, war besonders glücklich, nun die weitgereisten Böhmen über die Verhältnisse in ihrer alten Heimat erzählen zu hören. Mit Stolz und Freude vernahm sie der böhmischen Herren Lob über die großzügige Gastfreundschaft, die ihnen durch den portugiesischen König zuteil geworden war; sie freute sich überaus, als man ihr die Mohren und Affen zeigte, die ihr königlicher Bruder der Reisegesellschaft geschenkt hatte, und war hoch entzückt, als Leo von Rožmitals Lautenschläger ihr *etlich portugalisch tänz* vorspielte, die er während seines Aufenthaltes in Lissabon gelernt hatte. Obwohl die Böhmen Gäste der Kaiserin waren, scheint sich doch der Aufenthalt in Wiener Neustadt sehr kostspielig gestaltet zu haben, denn Herr Leo sah sich gezwungen, einem Wiener Neustädter Juden *einen kostlichen ermel*, der zehntausend Gulden wert war, um zwölfhundert Gulden zu versetzen. Rožmital und seine Begleiter wurden auch *in monasterium novum* (wahrscheinlich ist damit die Kirche in der Burg und das sie betreuende Chorherrenstift gemeint) geführt, das der Kaiser sich als Begräbnisstätte hatte errichten lassen; damals wurde bereits am Grabmal gearbeitet. Vom Stein, der das Grab einst abschließen sollte, hieß es, daß er 1100 Goldstücke kostete.

Kaum war Herr Leo von Rožmital mit seinen Begleitern abgereist, kehrte wieder Trauer in der Wiener Neustädter Burg ein: Am 10. Februar 1467 ist Johann, der jüngste Sohn Friedrichs und Eleonorens, gestorben; er wurde wie seine früher verstorbenen Geschwister in der Neuklosterkirche beigesetzt. Kaiserin Eleonore selbst hat ihren kleinen Sohn nur wenige Monate überlebt. Nachdem die Kaiserin sich im Sommer dieses Jahres für kurze Zeit in Graz aufgehalten hatte, reiste sie — wahrscheinlich Ende Juli — nach Wiener Neustadt zurück. Hier erlag sie am 3. September 1467 vermutlich einem Magenleiden; Eleonore war bei ihrem Tod kaum dreißig Jahre alt. Am 11. September 1467 ist sie gehüllt in ein Leichengewand aus roter Seide, neben ihren drei ihr im Tode vorangegangenen Kindern beim Hochaltar in der Neuklosterkirche (diesen Platz hatte sie sich selbst durch ein eigenes Dekret im Jahre 1465 ausgesucht) bestattet worden. Kaiser Friedrich III. hat seiner Gemahlin ein prunkvolles Grabdenkmal setzen lassen und mit der Ausführung desselben wahrscheinlich den noch im Herbst 1467 in Wiener Neustadt eingetroffenen Straßburger Bildhauer Nikolaus Gerhaert von Leyden betraut. Der Künstler hat auf dem Grabstein aus rotem Marmor die Kaiserin in voller Lebensgröße, mit Krone, Szepter und Reichsapfel unter einem Baldachin stehend, dargestellt.

Die Vermutung, daß der Tod der Kaiserin einen Wendepunkt — und zwar zum Schlechteren hin — für die politische, wirtschaftliche und kulturelle Situation Wiener Neustadts bedeutet hat, ist nicht von der Hand zu weisen. Immer häufiger blieb Kaiser Friedrich III. seiner bisher so favorisierten Residenzstadt fern und zog den Aufenthalt in Graz vor — eine Tatsache, die sich, zunächst allerdings nur langsam und noch kaum spürbar, auch auf das gesellschaftliche und wirtschaftliche Leben Wiener Neustadts auswirkte. Das soll natürlich nicht besagen, daß Friedrich an seiner alten Residenz überhaupt nicht mehr Anteil nahm — dazu war er mit Wiener Neustadt doch zu sehr verbunden.

Am 15. August 1468 gab er von Graz aus Anweisungen dafür, wie der erste Todestag der Kaiserin Eleonore in Wiener Neustadt begangen werden sollte und ordnete an, daß in der Kirche des Zisterzienserstiftes Neukloster am 4. September, in der Dominikanerkirche St. Peter a. d. Sperr am 4. September feierlich seiner toten Gemahlin gedacht werden sollte.

Im selben Jahr brach der Kaiser zu einer Wallfahrt nach Rom auf; ein für Wiener Neustadt überaus wichtiges Ergebnis dieses zweiten Romzuges war die Zustimmung des Papstes für einen lange gehegten Plan Friedrichs III.: mit Bulle vom 18. Jänner 1469 bestätigte Papst Paul II. die Errichtung des Bistums Wiener Neustadt; gleichzeitig wurde auch die Erlaubnis zur Schaffung eines Bistums in Wien sowie zur Gründung des St. Georgs-Ritterordens erteilt. Es wurde festgelegt, daß der Kaiser und seine Nachfolger — unabhängig vom Erzbischof von Salzburg — berechtigt seien, den Bischof zu ernennen; der Bischof sollte oberster Vorsteher des Stiftes weltlicher Chorherren in Wiener Neustadt sein und Aufenthalt in dem bisherigen Propsthof gegenüber der neuen Kathedrale nehmen. Die Dotation für das neue Bistum war aber zunächst derart unzulänglich — die Diözese Wiener Neustadt reichte kaum über das eigentliche Stadtbild hinaus — daß der Bischofsstuhl erst 1476, nachdem bereits acht Jahre seit der Errichtung vergangen waren, besetzt werden konnte. Der Kaiser ernannte den von ihm sehr geschätzten Dechant der weltlichen Chorherren und langjährigen Erzieher Maximilians, Peter Engelbrecht, zum ersten Bischof von Wiener Neustadt. Auf Kosten Friedrichs III. begab sich Herr Peter Engelbrecht 1477 nach Rom, wo er am 25. März vom Papst selbst zum Bischof geweiht wurde. Nach seiner Rückkehr aus Rom hat Bischof Petrus in Wiener Neustadt eine sehr lebhafte Tätigkeit entwickelt. So führte er zwei neue Marientage ein und ordnete eine jährliche Synode für die ihm unterstehende Geistlichkeit an; 1480 ließ Engelbrecht an die Katharinenkapelle im Bischofshof einen Trakt für eine Bibliothek, die zur besseren Fortbildung der Geistlichkeit der Diözese dienen sollte, anbauen. Zusammenhängend mit der Errichtung des Bistums wurde nun auch die zur Kathedrale erhobene ehemalige Kollegiatkirche zu Unserer Lieben Frau weiter ausgebaut, was vermutlich bis Ende der Siebzigerjahre gedauert hat. Im Bereiche des Domes (die Altäre in der Doppelkapelle St. Katharina im Bischofshof sowie im St. Michaels-Karner auf dem Friedhof miteingerechnet) gab es damals insgesamt 32 Altäre.

Daß Kaiser Friedrich III. nicht allein durch Klostergründungen, Schenkungen, Erteilung von Privilegien, usw. die Kirche gefördert, sondern auch aktiv am religiösen Leben teilgenommen hat, zeigt u. a. die Tatsache, daß der Kaiser um das Jahr 1477 der vornehmsten religiösen Bruderschaft in seiner Residenz Wiener Neustadt, der Gottesleichnamsbruderschaft, als Mitglied beigetreten ist. Der spätere Hochmeister des St. Georgs-Ritterordens Hans Siebenhirter, der kaiserliche Hofmarschall Georg Fuchs von Fuchsberg und andere Herren aus der Umgebung Friedrichs III. gehörten ebenfalls dieser Bruderschaft an.

Im Jahre 1478 hatte der Kaiser auch den gleichzeitig mit dem Bistum Wiener Neustadt bestätigten St. Georgs-Ritterorden von dem bisherigen Ordenssitz in Millstatt nach Wiener Neustadt übertragen lassen.

Die Georgsritter erhielten die von den regulierten Chorherren verlassene Burgkirche und in der Folge, trotz Widerstandes der weltlichen Chorherren, auch den Dom zur Betreuung. Am 24. Juni 1479 vereinigte Papst Sixtus IV. die Kathedrale samt allen Besitzungen dieser Kirche, des Bischofs und der Chorherren mit dem St. Georgs-Ritterorden. Als Hochmeister setzte der Kaiser seinen Günstling und Küchenmeister Hans Siebenhirter ein. An der Spitze des Ordens, dem Hochmeister vorgesetzt, stand der Bischof von Wiener Neustadt — ein Zustand, gegen den jedoch der Hochmeister mit Erfolg protestierte. Eine vollständige Vereinigung der beiden Körperschaften scheint nie stattgefunden zu haben. Der St. Georgs-Ritterorden hatte seinen Hauptsitz nicht an der Domkirche, sondern in der Burg; zu dieser Zeit wurde auch aus der neuen, ursprünglich der hl. Maria geweihten Kirche *ob dem tor* eine St. Georgskirche.

In der Burgkirche hatte der Kaiser — vermutlich in den Siebzigerjahren — einen großen, hölzernen, vergoldeten und mit den österreichischen Wappenschildern gezierten Reliquienschrein aufstellen lassen, der auf vier hohen bronzenen Säulen inmitten der Kirche stand. Die Reliquien, die darin untergebracht gewesen sind, waren meist solche, die der Kaiser anläßlich seiner Romfahrt erworben hatte. Es ist mit ziemlicher Sicherheit anzunehmen, daß Friedrich III., der diese große, schöne Kirche in der Burg als Begräbnisstätte für sich und seine Familie bestimmte, gewiß auch geplant hatte, später den Grabstein der Kaiserin und jene seiner drei frühverstorbenen Kinder hier aufzustellen. Zum Jahre 1479 erfahren wir, daß über Wien des ... *allergnedigisten herrn ... des Romischen kaiser etc. grabstain in die Neustat gefurt* worden war.

Die letzte geistliche Stiftung Kaiser Friedrichs III. für Wiener Neustadt erfolgte im Jahre 1480: Am 10. April dieses Jahres stellte Friedrich in Wien die Gründungsurkunde für ein Paulinerkloster in Wiener Neustadt aus. An der in der Niederländergasse gelegenen Kirche dieses Ordens ist bis 1493 gebaut worden. Die Pauliner erhielten vom Kaiser in allen Jahren bis zu seinem Tode noch Güterschenkungen in der Umgebung Wiener Neustadts, doch kann die Dotation — der damals finanziellen Situation Friedrichs entsprechend — nicht allzu großzügig gewesen sein.

Die kaiserlichen Finanzen waren gerade um das Jahr 1480 durch Kriege in den Niederlanden, gegen die Ungarn, usw. derart erschöpft, daß Friedrich sich gezwungen sah,

Kleinodien zu verpfänden, um zu Bargeld zu kommen. Selbst in seiner sonst „allzeit getreuen" Residenz Wiener Neustadt scheint Kaiser Friedrich III. damals auf eine gewisse Zahlungsunwilligkeit gestoßen zu sein; um dieser zu begegnen und um Mißtrauen zu zerstreuen, beschloß er, sich in der Stadt zu zeigen: im Jahre 1480, zur Osterzeit, fuhr Friedrich, begleitet von seiner Tochter Kunigunde, in einem Wagen um den Tiergarten sowie durch die Gassen der Stadt und *sprache den Landherren und Bürgern freundlich zu* (Fugger, Ehrenspiegel).

Mit der Gründung des Paulinerklosters im Jahre 1480 ist die Zeit der bedeutenden Privilegien sowie der großzügigen Stiftungen des Kaisers für Wiener Neustadt endgültig vorbei. Wohl weilte Friedrich in den Jahren 1482, 1483 und 1486 immer wieder in seiner alten Residenz, jedoch nur für kurze Zeit. Schuld daran mag der 1477 ausgebrochene Krieg gegen Matthias Corvinus gewesen sein; der Ungarnkönig drang rasch in die Länder des Kaisers vor, aus diesem Grunde erschien wohl auch ein Verweilen Friedrichs in der durch ihre Grenzlage sehr bedrohten Wiener Neustadt nicht eben ratsam. Der Hofhalt wurde allmählich nach dem Westen verlegt — so hatte der besorgte Vater vor allem seine Tochter Kunigunde, die zu einer gefeierten Schönheit herangewachsen war, nach Innsbruck geflüchtet; er selbst zog mehr und mehr den Aufenthalt in Linz vor. Inzwischen rückte das Heer des Ungarnkönigs immer näher und die am 16. Februar 1486 an Bürgermeister, Richter und Rat von Wiener Neustadt ergangene Nachricht, daß Maximilian I. in Frankfurt zum römisch-deutschen König gewählt worden sei, traf bereits in einer belagerten Stadt ein. Die Hilferufe Wiener Neustadts, die in der Folge an die beiden Fürsten gerichtet wurden, blieben praktisch ohne Erfolg. Diese untätige Haltung, die Kaiser Friedrich III. den Eroberungszügen des Königs Matthias gegenüber einnahm, ist überall im Lande sehr bedauert und verurteilt worden. Völlig unbegreiflich aber erschien es zeitgenössischen Chronisten wie z. B. Johann Tichtel und Jakob Unrest, daß der Kaiser auch dann, als seine langjährige Residenzstadt von den Ungarn belagert wurde, in seiner Lethargie verharrte und dieses Wiener Neustadt, das *sein allerliebste wonung gewesen* war, preisgab: *... da hat er seinen lust gehabt, da het er guette notturft gehabt, ... da het er im seine rue nach seinem tod pey seinem gemahel erwelt. Das hat er alles liederlich verlassen ...* (Unrest).

Zwei Jahre lang gelang es der in Wiener Neustadt liegenden starken Besatzung unter dem tüchtigen Stadthauptmann Hans von Wulfersdorf, sich gegen die Belagerer zu halten. Als aber die erwartete Hilfe nicht eintraf, mußte sich die Stadt schließlich am 7. August 1487 ergeben. König Matthias und seine Gemahlin Beatrix waren bei der feierlichen Übergabe anwesend. Genau drei Jahre blieb Wiener Neustadt unter — allerdings sehr milder — ungarischer Herrschaft; erst am 17. August 1490 zog König Maximilian wieder in der befreiten Stadt ein, wo ihm im Rathaus der Treueid geleistet wurde. Der junge König feierte in diesem Jahr in Wiener Neustadt auch das Weihnachtsfest und bestätigte bereitwillig seiner Vaterstadt alle Privilegien. Daß sich der Sohn schon ganz als Landesfürst gebärdete und so rasch die Liebe und Verehrung der Neustädter zu gewinnen wußte, mißfiel dem alten Kaiser, der nach wie vor in Linz saß, gründlich — er hat es jedoch seiner alten Residenzstadt niemals entgelten lassen und ist ihr bis zu seinem Tode im Jahre 1493 gewogen geblieben. Friedrich III. wurde übrigens nicht, wie er es gewünscht hatte, in der Kirche *ob dem tor* in der Wiener Neustädter Burg, sondern im Dom zu St. Stephan beigesetzt.

Nach dem Tode Kaiser Friedrichs III., des großen Gönners und Förderers der Stadt, war die Periode des Glanzes für Wiener Neustadt endgültig vorbei: die beträchtlichen, noch von der ungarischen Belagerung herrührenden baulichen Schäden, die Verheerungen, die 1494 eine Feuersbrunst angerichtet hatte, die Abwanderung des kaiserlichen Hofstaates, des wohlhabenden Adels sowie der dem kaiserlichen Hofe nachziehenden Künstler, ferner die von Maximilian I. 1499 anbefohlene Vertreibung der Juden — all das trug zur Minderung des Ansehens, viel mehr aber noch zum Absinken des wirtschaftlichen Wohlstandes der Stadt bei. Der Niedergang der einst so bedeutenden Residenz Wiener Neustadt war Ende des 15. Jahrhunderts nicht mehr aufzuhalten.

GEDRUCKTE (ERZÄHLENDE) QUELLEN:

Michael Beheim's Buch von den Wienern, 1462—1465; hrsgg. v. Th. G. v. Karajan, Wien 1843.
Des böhmischen Herrn Leo's von Rožmital Ritter- Hof- und Pilger-Reise durch die Abendlande, 1465 bis 1467. Beschrieben von zweien seiner Begleiter; hrsg. v. J. A. Schmeller, Bibliothek des literarischen Vereines in Stuttgart, VII; Stuttgart 1844.

URKUNDEN- UND REGESTENWERKE:

C h m e l, Josef, Regesta chronologico-diplomatica Friderici IV. Romanorum regis (imperatoris III.), Wien 1838—1840.
C h m e l, Josef, Materialien zur österr. Geschichte, 2 Bde., Wien 1837 u. 1838.

LITERATUR:

B o d o, Fritz, Wiener Neustadt: Ein Überblick über die Bevölkerungsbewegung und Herkunft der Bevölkerung, Jahrbuch f. Landeskunde von N.-Ö., N. F., XXXII, 1955/56, Wien 1958.
B o e h e i m, Wendelin, Beiträge zur Geschichte der Liebfrauen-Kirche in Wiener Neustadt, Mittheil. d. k. k. Central-Commission, XII. Jg., N. F., Wien 1886.
B o e h e i m, Wendelin, Die Gottesleichnamskapelle in der ehem. Burg zu Wiener Neustadt, in: Berr. u. Mittheil. d. Alterthums-Vereines zu Wien, Bd. IX, Wien 1865.
B o e h e i m, Wendelin, Alte Glasgemälde in Wiener Neustadt, in: Mittheil. d. k. k. Central-Commission, XIV. Jg., N. F., Wien 1888.

B o e h e i m, Wendelin, Maler und Werke der Malerkunst in Wiener Neustadt im XV. Jahrhundert, in: Berr. u. Mittheil. d. k. k. Alterthums-Vereines zu Wien, Bd. XXV, Wien 1889.

B o e h e i m, Wendelin, Der Corvinusbecher in Wiener Neustadt, in: Berr. u. Mittheil. d. k. k. Alterthums-Vereines zu Wien, Bd. XXVIII, Wien 1892.

B o e h e i m, Wendelin, Aufgefundene altdeutsche Wandbilder in der Burg zu Wiener Neustadt, Monatsblatt d. Alterthums-Vereines zu Wien, III. Bd., 9. Jg., Wien 1892, Nr. 12.

B o e h e i m, Wendelin, Steinmetzzeichen an gothischen Bauwerken in Wiener Neustadt, Monatsblatt d. Alterthums-Vereines zu Wien, III. Bd., 9. Jg., Wien 1892, Nr. 11.

B o e h e i m, Wendelin, Baumeister und Steinmetzen in Wiener Neustadt im XV. Jahrhundert und ihre Werke, in: Berr. u. Mittheil. d. k. k. Alterthums-Vereines zu Wien, XXIX. Bd., Wien 1893.

B o e h e i m, Wendelin, Goldschmiede in Wiener Neustadt im XV. Jahrhundert, in: Berr. u. Mittheil. d. Alterthums-Vereines zu Wien, Bd. XXXII, Wien 1896.

C h m e l, Josef, Geschichte Kaiser Friedrichs IV. und seines Sohnes Maximilian I., 2 Bde., Hamburg 1840.

D u d i k, B., Des Hoch- und Deutschmeisters Erzherzog's Maximilian I. Testament und Verlassenschaft vom Jahre 1619, Archiv f. Kunde österr. Geschichts-Quellen, 33. Bd., Wien 1865.

D w o r s c h a k, Fritz, und K ü h n e l, Harry, Die Gotik in Niederösterreich, Wien 1963.

F i c h t e n a u, Heinrich, Der junge Maximilian (1459—1482), Österreich Archiv, Wien 1959.

F r o d l - K r a f t, Eva, Corpus vitrearum medii aevi, Österreich Bd. I: Wien; Graz—Wien—Köln 1962.

F r o n n e r, Johann Nepomuk, Monumenta Novae Civitatis Austriae, Liber IV, Wiener Neustadt 1837.

F u g g e r, Johann Jacob, Spiegel der Ehren, Nürnberg 1668.

G e r h a r t l, Gertrud, Michael Altkind, Bischof von Petena; Jahrbuch d. Stiftes Klosterneuburg, N. F., Bd. 4, Klosterneuburg 1964.

G e r h a r t l, Gertrud, Das Schulwesen in Wiener Neustadt, Festschrift des Bundesrealgymnasiums für Mädchen und wirtschaftskundlichen Realgymnasiums in Wiener Neustadt, Wiener Neustadt 1965.

G r a d t, Johann, Wiener Neustadt im Mittelalter, in: Berr. u. Mittheil. d. Alterthums-Vereines zu Wien, Bd. XIV, Wien 1874.

H a l l e r, Brigitte, Kaiser Friedrich III. im Urteil d. Zeitgenossen; Wiener Dissertationen aus dem Gebiete der Geschichte, Wien 1965.

H a n t h a l e r, B. Chrysostomus, Fasti Campililienses, tom. II, pars II, Linz 1754.

H e r r g o t t, Marquard, Topographie principum Austriae, tom. IV, pars I, St. Blasien 1772.

J ä g e r, Albert, Der Streit der Tiroler Landschaft mit Kaiser Friedrich III. wegen der Vormundschaft über Herzog Sigmund von Österreich, von 1439—1446, in: Archiv für österr. Geschichte, 49. Bd., Wien 1872.

J ä g e r - S u n s t e n a u, Hans, 500 Jahre Wappenbrief für die Stadt Wien, in: Jahrbuch d. Vereines f. Geschichte der Stadt Wien, Bd. 17/18, Wien 1961/62.

J e d i n, Hubert, Bischof Domenico de Domenichi und Kaiser Friedrich III., Festschrift zur Feier des 200jähr. Bestandes d. Haus-, Hof- u. Staatsarchivs, II. Bd., Wien 1951.

J o b s t, Johann, Die Neustädter Burg und die k. k. Theresianische Militärakademie, Wien 1908.

K l a a r, Adalbert, Ein Beitrag zur Baugeschichte d. mittelalterlichen Burg in Wiener Neustadt, in: Alma mater Theresiana, Jahrbuch 1963.

K r o n e s, Franz v., Leonor von Portugal, Mittheil. d. Histor. Vereines f. Steiermark, XLIX. Heft, Graz 1902.

K ü h n e l, Harry, Die Leibärzte der Habsburger bis zum Tode Kaiser Friedrichs III., in: Mitteil. d. Österr. Staatsarchivs, II. Bd., Wien 1958.

K ü h n e l, Harry, Kaiser Friedrich III. und der Hof zu Wiener Neustadt, Alte u. moderne Kunst, 4. Jg., 6. Heft, Wien 1959.

K ü m m e l, Emil, Zur Geschichte Herzog Ernst des Eisernen (1406—1424), in: Mittheil. d. Histor. Vereines f. Steiermark, XXV. Heft, Graz 1877.

K u r z, Franz, Österreich unter Kaiser Friedrich dem Vierten, 1. Teil, Wien 1812.

L e c h n e r, Anneliese, Das Wiener Neustädter Bürgerspital während des Mittelalters und der frühen Neuzeit (14., 15. u. 16. Jh.), ungedr. Diss., Wien 1965.

L i n d, Karl, Inländische Glasgemälde mit Bildnissen von Mitgliedern des Hauses Habsburg, Mittheil. d. k. k. Central-Commission, XVIII. Jg., Wien 1873.

L i n d, Karl, Die St. Georgskirche in der ehem. Burg zu Wiener Neustadt, in: Berr. u. Mittheil. d. Alterthums-Vereines zu Wien, IX. Bd., Wien 1865.

L i n d, Karl, Die österreichische kunsthistor. Abtheilung auf der Wiener Weltausstellung, in: Mittheil. d. k. k. Central-Commission, XVIII. Jg., Wien 1873.

L h o t s k y, Alphons, Die Geschichte der Sammlungen, 1. Hälfte, in: Festschrift des Kunsthistorischen Museums zur Feier des fünfzigjährigen Bestandes, 1. Hälfte, Wien 1941—1945.

L h o t s k y, Alphons, Quellenkunde zur mittelalterlichen Geschichte Österreichs; Mitteil. d. Instituts f. Geschichtsforsch., Erg. Bd. XIX, Graz—Wien—Köln 1963.

L u s c h i n - E b e n g r e u t h, Arnold, Kriegsordnung des Markgrafen Albrecht Achilles von Brandenburg für Wiener Neustadt (2. November 1455), in: Berr. u. Mittheil. d. Alterthums-Vereines zu Wien, Bd. XV., Wien 1875.

M a i e r, August Richard, Niklas Gerhaert von Leiden, Straßburg 1910.

M a y e r, Josef, Geschichte von Wiener Neustadt, 1. u. 2. Bd., Wiener Neustadt 1924 u. 1926.

M a y e r, Josef, Siebenbürger in Wiener Neustadt, Correspondenzblatt des Vereines für Siebenbürg. Landeskunde, Nr. 2, 1889.

M a y e r, Josef, Acten d. Gottesleichnamsbruderschaft in Wiener Neustadt, Monatsblatt d. Alterthums-Vereines zu Wien, Bd. IV, 11. Jg., Wien 1894, Nr. 78.

M i h a l i k, Sandor, Die ungarischen Beziehungen des Glockenblumenpokals, in: Acta historiae artium academiae scientiarum hungaricae, tom. VI; Budapest 1959, S. 33 ff.

P a u l h a r t, Herbert, Ein Wiener Neustädter Bücherverzeichnis von 1480, Mitteil. d. Instituts f. österr. Geschichtsforschung, LXXI. Bd., Graz—Wien—Köln 1963.

S c h o b e r, Karl, Das bürgerliche Leben zu Wiener Neustadt im Zeitalter Friedrichs IV., in: Blätter d. Vereines f. Landeskunde v. N. Ö., N. F., XIX. Jg., Wien 1885.

S t a u b, Franz, Aus Neustadts bewegtesten Tagen, in: Illustrierter Wiener Neustädter Kalender, 7. Jg., Wiener Neustadt 1897.

S t e i n w e n t e r, Arthur, Beiträge zur Geschichte der Leopoldiner, Archiv für österr. Geschichte, 58. Bd., Wien 1879.

Topographie des Erzherzogtums Österreich unter der Enns, 9. bzw. 13. Bd., Wien 1835.

W i m m e r, Friedrich, K l e b e l, Ernst, Das Grabmal Friedrichs III. im Wiener Stephansdom; Österreichs Kunstdenkmäler, 1. Bd., Wien 1924.

W i n k e l b a u e r, Walter Franz, Der St. Georgs-Ritterorden Kaiser Friedrichs III., ungedr. Diss., Wien 1949.

W o d k a, Josef, Die St. Pöltner Bestände des ehemaligen Wiener Neustädter Bistumsarchiv, Festschrift zur Feier des 200jähr. Bestandes d. Haus-, Hof- u. Staatsarchivs, I. Bd., Wien 1949.

W o d k a, Josef, Kirche in Österreich, Wien 1959.

Z e i s s b e r g, H. R. v., Der österr. Erbfolgestreit nach dem Tode des Königs Ladislaus Posthumus (1457 bis 1458) im Lichte der habsburg. Hausverträge, in: Archiv f. österr. Geschichte, 58. Bd., Wien 1879.

Berthold Sutter

DIE RESIDENZEN FRIEDRICHS III. IN ÖSTERREICH

Die Entwicklung der Mehrzahl der heutigen österreichischen Landeshauptstädte wurde entscheidend dadurch beeinflußt, daß sie bereits im Spätmittelalter und darüber hinaus auch noch in der Neuzeit längere oder kürzere Zeit Residenzstädte gewesen sind, denn die Huld des in der Stadt residierenden Landesfürsten, mochte er nun wie bei Salzburg ein geistlicher sein, oder wie bei Innsbruck, Linz und Graz dem Hause Habsburg entstammen — freie Reichsstädte gab es im ganzen Bereich der habsburgischen Erbländer ebenso wenig wie freie Reichsklöster — erstreckte sich nicht nur auf Verbesserungen des Stadtwappens und der rechtlichen Stellung der Bürgerschaft und des Rates, sondern auch auf wirtschaftliche Privilegien, welche den Wohlstand der betreffenden Residenzstadt mehrten und festigten. Gerade dann aber, wenn eine Stadt ihren Residenzcharakter wieder verlor, war sehr wohl zu merken, wie viel der Hof unmittelbar und zusätzlich zu den Privilegien für sie bedeutet hatte. Es ist sehr bezeichnend, daß Klagenfurt niemals, Linz aber stets nur kurze Zeit Residenz gewesen ist. Der Rang von Wien, Graz und Innsbruck als Residenzen habsburgischer Linien wurde durch Universitätsgründungen ebenso erhöht, wie der von Salzburg als Residenz des zur Landeshoheit gelangten Salzburgischen Erzbischofs.

Gerade Friedrich III., dem der Begriff einer zentralistischen Reichshaupt- und Residenzstadt noch völlig fremd war, hat für seine verschiedenen Residenzen entscheidende Bedeutung gehabt. Dies gilt für Wiener Neustadt ebenso wie für Graz oder Linz, wobei nicht übersehen werden darf, daß Wiener Neustadt gewiß einige Zeit die bevorzugteste, aber keineswegs einzige Residenz Friedrichs III. gewesen ist. Allerdings läßt sich bei Graz nicht die Fülle der Belege wie bei Wiener Neustadt für all das erbringen, was die Hofhaltung Friedrichs III. wirtschaftsgeschichtlich, staatssoziologisch, bau- und kulturgeschichtlich bedeutete, da das Wiener Neustädter Stadtarchiv wohl erhalten ist, das von Graz aber, nachdem man es zuvor hatte vermodern lassen, in seiner Gesamtheit 1820 in die Mur geworfen worden ist.

Der notwendige Kontakt und später der scharfe Gegensatz zu Wien hatte Friedrich III. veranlaßt, Wiener Neustadt, das damals noch zur Steiermark gehörte, und bereits von seinem Vater, Herzog Ernst dem Eisernen, nicht selten als Aufenthaltsort gewählt worden war, besonders zu begünstigen. Wiener Neustadt ist geradezu als ein „Trutz"-Wien bezeichnet worden. Durch seine Wiener Neustädter Residenz war Friedrich III. in unmittelbarer Nähe von den politischen Geschehnissen in Österreich und in Ungarn. Diese Nähe bedeutete Vorteile, jedoch bei den zunehmenden Spannungen allerdings auch direkte Gefährdung. Ebenso darf nicht übersehen werden, daß, wenn er auch deutscher

König und römischer Kaiser war, Friedrichs III. Machtbasis zuerst auf dem vom Vater ererbten Länderbesitz beruhte, auf jenem Innerösterreich, das im wesentlichen die Herzogtümer Steiermark, Kärnten und Krain umschloß. Wiener Neustadt mit seiner Umgebung aber lag an der Grenze Innerösterreichs, vor der großen Gebirgskette, nur durch die Straßen über den Semmering oder über den Wechsel erreichbar, und somit eigentlich, geographisch gesehen, Innerösterreich vorgelagert. Wiener Neustadt war ein wichtiger Brückenkopf des steirisch-innerösterreichischen Friedrichs gegenüber den österreichischen Herzogtümern, aber auch mit allen Gefahren, die ein so vorgeschobener Brückenkopf — der schließlich ja auch der Steiermark verloren ging — mit sich bringt. Friedrich hat, um einer engeren Fühlungnahme mit den innerösterreichischen Erbländern willen sich sofort nach seiner Entlassung aus der Vormundschaft seines Oheims auch um seine zweite Residenz, um Graz, das im Inneren seiner Erblande gelegen war, gekümmert und mit ihrem Ausbau begonnen. Graz war zudem die Hauptstadt des Herzogtums Steier und dieses wiederum ohne Zweifel das wichtigste der innerösterreichischen Herzogtümer.

Bereits seit der im Neuberger Vertrag von 1379 erfolgten habsburgischen Länderteilung hatte Graz an Bedeutung gewonnen. Denn es war die Residenz der „Leopoldinischen Linie" geworden. Nur der Tod Herzog Leopolds 1386 in der Schlacht bei Sempach und die Mutschierung und Auszeigungen innerhalb der „Leopoldinischen Linie" minderten wieder die eindeutige Vorrangstellung von Graz. Seine erste Glanzzeit aber setzt jetzt durch Friedrich III. ein. Die zweite beginnt 1564 mit der habsburgischen Erbteilung nach dem Tode Kaiser Ferdinands I. und endet schon 55 Jahre später, 1619, mit der Krönung des „steirischen" Ferdinand zum Kaiser und seiner dadurch bedingten Übersiedlung nach Wien, wobei Ferdinand II. den Hofstaat seines Vorgängers Matthias auflöste und seinen Grazer Hofstaat mit nach Wien nahm. Wie Graz war auch Innsbruck 1564 abermals Residenz geworden, doch bleibt es dies 46 Jahre länger als Graz, nämlich bis 1665 — ganz abgesehen davon, daß es unter den beiden fürstlichen Gouverneuren Karl von Lothringen und Karl Philipp von Pfalz-Neuburg wieder eine Art Hofleben in Innsbruck gab — was sich heute noch im Bild und Charakter der beiden Städte ausdrückt.

Mit planmäßiger und ausdauernder Zähigkeit begann der kaum achtzehnjährige Friedrich III. 1433 in Graz eine Reihe von Häusern, Hofstätten und Gärten nächst der Pfarrkirche St. Ägydius durch Kauf oder Tausch zu erwerben. Erst 1440 sind diese Grundarrondierungen abgeschlossen, welche die Voraussetzung zum Bau der Grazer Burg schufen, über den wir leider fast gar keine Nachrichten besitzen. Nach der Jahreszahl auf dem Wappenstein, der beim Abbruch der Burg 1854 gerettet wurde, hat Friedrich III., wenn nicht schon früher, so spätestens 1438 mit dem wahrscheinlich einstöckigen und erst von seinem Sohn Maximilian I. erhöhten Bau begonnen, der sich entlang der heutigen Hofgasse gegenüber der Domkirche erhob, und der als Palas gedient hat.

Die gleiche Jahreszahl 1438 aber ließ sich auch an der sogenannten „Friedrichsburg", dem kastellartigen Burgfried und an der Ägydiuskirche, dem heutigen Dom, feststellen. Palas, Burgfried und Hofkirche sind demnach als eine Einheit geplant worden.

Am wehrhaften Charakter der Grazer Burg ist nicht zu zweifeln. Sie stand — und dies ist in Wien ebenso der Fall gewesen wie in Wiener Neustadt oder in Leoben — in einer Ecke des Stadtmauergürtels und war, da die Nordostecke die gefährdetste war, ein wichtiger Bestandteil und eine entscheidende Verstärkung des Wehrgürtels mit welchem Friedrich III. Graz umgab. Hier hat die landesfürstliche Burg noch ihre unmittelbare Funktion.

Diese Anlage am Fuße des Schloßberges war mit dem Hauptschloß auf dem Berg unmittelbar durch einen hölzernen Wehrgang entlang der Innenseite der Stadtmauer verbunden. Und oben im befestigten Hauptschloß befand sich auch das Schatzgewölbe, in welchem Friedrich III. neben wichtigen Urkunden einen Teil nicht nur der Kleinodien seiner Eltern verwahrte, die ihm sein Oheim 1435 als rechtmäßiges Erbe hatte ausliefern müssen, sondern auch einen Großteil jener, die er als ein leidenschaftlicher Sammler und als ein Kenner ersten Ranges selbst erworben hatte. Mit Recht wurde davon gesprochen, daß Kaiser Friedrich III. schon vor dem Erlöschen der „Albrechtinischen Linie" 1457 „einer der reichsten Kleinodienbesitzer seiner Zeit war" (A. Lhotsky). In der Zusammenziehung des im wesentlichen gesamten Kleinodienbesitzes der „Leopoldinischen Linie" nimmt er die Wiedervereinigung der habsburgischen Länder und Linien — die ja sein großartiges, zäh verfolgtes Lebensziel ist — vorweg, auch wenn er dabei Siegmund von Tirol um sein väterliches Erbe brachte. Es ist sehr bezeichnend, daß Friedrich III., der die habsburgische Machtfülle aus ihren seit 1379 entstandenen Teilen wieder zusammenfügte, Geschenke aus seinem Kleinodienbesitz vermied, diesen geradezu ängstlich hütete und unbeirrbar zusammenhielt, auch wenn ihm dies den Vorwurf des Geizes eintrug. Friedrichs Reichtum war ja kein Geheimnis, obwohl er seine kostbaren Schätze nicht gerne gezeigt hat. In der im Auftrage des Leo von Rožmital, des Schwagers des Königs von Böhmen, niedergeschriebenen „Ritter- Hof und Pilgerreise durch das Abendland" wird von seinem Besuch 1466/67 in Graz berichtet und davon, daß der Kaiser hier auf seinem Schlosse seine kostbarsten Kleinodien verwahre. „Auf dem Schlosse zu Graz hält sich der Kaiser häufig auf. Doch nimmt er dahin gewöhnlich nur wenig Dienerschaft mit und läßt die übrige in der Stadt. Eben auf dem Schlosse, heißt es, sind auch die Schätze des Kaisers verwahrt; man zeigte sie uns aber nicht, wie anderwärts Könige es getan, außer einem Mantel von rotem Damast, dessen Saum handbreit in mäandrischer Form mit Goldhaften und Edelsteinen besetzt ist. Die Räte des Kaisers sagten uns, wenn derselbe Geld nötig hätte, brauchte er bloß diesen Mantel zu verpfänden, und er bekäme leicht 500.000 Dukaten dafür, denn einige Juwelen, die sie uns vorwiesen, sollten 20.000 bis 30.000 Dukaten wert sein. Ob das auch wahr sei, weiß ich nicht. Sie sagten es wenigstens. Wir aber glaubten nicht sehr daran. Am fünften Tage verließen wir Graz ..."

Durch den Verlust von Wien und Wiener Neustadt an Matthias Corvinus lagen schließlich in den Schatzgewölben von Graz, Linz, Innsbruck und der steirischen Burg Strechau die Kleinodien, die Friedrich III. seinem Sohn Maximilian I. hinterließ. Und manches von dem, was im Mai 1525 unter Ferdinand I. auf dessen Befehl aus dem Schatzgewölbe des Grazer Schlosses an Wertvollem nach Wien kam, hatte wohl noch zum Großteil sein Urgroßvater Friedrich III. zusammengetragen.

Eneas Silvius weiß in seinem am 16. September 1443 an den Erzbischof Dionys von Gran gerichteten Brief von der Stadt nur zu sagen, daß sie — wie man es übersetzen mag — „hübsch" oder „freundlich" sei. Dagegen berichtet er vom Schloßberg, daß mitten aus der Ebene ein ungemein hoher Berg aufstrebe, der allenthalben felsig abfalle. Auf seiner Spitze sei ein Schloß, geschützt sowohl durch die natürliche Lage, als auch durch Menschenwerk, so daß der Kaiser darauf stolz sein könne.

Der schon bestehenden Schloßanlage auf dem Berg fügte Friedrich III. die Burganlage am Fuße desselben hinzu .Dabei kann sich die sogenannte Grazer „Friedrichsburg" mit der Wiener Neustädter Burg Friedrichs III. gewiß nicht messen, doch sind beide auch unvergleichbar. Die Grazer „Friedrichsburg", anstelle des alten landesfürstlichen Schreibhofes von Friedrich erbaut, wurde ihrer militärischen Bestimmung gemäß noch während seiner Regierungszeit mit Kriegsmaterial angefüllt und auf diese Weise zum landesfürstlichen Zeughaus. Der Grazer „Friedrichsburg" entspricht in Wiener Neustadt das „Harnischhaus", welches gegenüber der dortigen Burg lag. Nur die Gesamtanlage der Grazer Burg, von der uns Gustav Schreiner in seinem 1843 erschienenen historisch-topographischen Gemälde von Graz noch ein anschauliches Bild bietet, darf mit der Wiener Neustädter Burg verglichen werden, wobei durch die Zweiheit von Hauptschloß auf dem Berge, das 1809 auf Veranlassung Napoleons geschleift werden mußte, und der Wohnanlage am Fuße des Berges die Grazer Anlage in ihrer Gesamtheit ohne Zweifel die imposantere gewesen sein muß, auch wenn man die Zubauten unter Maximilian I. und unter Erzherzog Karl II. von Innerösterreich in Abzug bringt.

Aus der Zeit Friedrichs III. stammt wahrscheinlich auch schon die alte Burgkapelle, für die später zum Unterschied zu der während der zweiten Residenzzeit eingerichteten Hofkapelle der Ausdruck „Kammerkapelle" gebräuchlich wurde. Auch hier steht Friedrichs Wollen nicht isoliert da. Die Burgkapelle hat innerhalb der Burganlage eine zentrale Funktion, und das ist in Graz nicht anders als in Wiener Neustadt oder bei der Wiener Hofburg. Es ist gewiß „eine merkwürdige Fügung des Schicksals", daß gerade Friedrich III., der Wien nie geliebt und der dieser Stadt durch die dort erfahrenen Widerwärtigkeiten so wenig gut gesinnt war, eine der wichtigsten Erweiterungen und Verschönerungen der Wiener Hofburg durch die Erbauung der heute noch bestehenden Burgkapelle durchgeführt hat, aber die Gründung derselben durch Friedrich III., in seiner Eigenschaft als Vormund über Ladislaus Postumus, ist an sich nicht Schicksalsfügung sondern Ausdruck seiner geistigen Grundhaltung als Herrscher.

Gleichzeitig mit dem Bau der Grazer Burg begann Friedrich III. 1438 — die Jahreszahl ist am mittleren Schlußstein der Barbarakapelle erhalten — mit dem seiner Hofkirche, dem heutigen Dom. Es war ohne Zweifel sein Wille, der zum Maßstab wurde und durch den der Bau über das Nützliche und Notwendige ins Repräsentative und Monumentale gesteigert wurde. Es wird beim Grazer Dom immer wieder die „Einfachheit" der Außenfassade und des Inneren hervorgehoben und diese „Prunklosigkeit" auf die Geldknappheit Friedrichs III. zurückgeführt. Dabei wird völlig übersehen, daß Friedrich III. innerlich noch ein zutiefst gotischer Mensch gewesen ist, daß äußere Prunkentfaltung ihm in seiner menschlichen Größe überhaupt nicht eigen war und daß gerade durch die imponierende Schlichtheit und die edle, würdige Größe die Hofkirche als das hervorragendste Architekturwerk ihrer Periode bezeichnet werden kann. Zudem widersprechen die bei den beiden jüngsten Restaurierungen gefundenen ornamentalen und figürlichen Fresken, besonders jene im reichen Netzgewölbe, geradezu der Behauptung der „Schmucklosigkeit".

Baumeister des Grazer Domes war der aus Schwaben zugewanderte Hans Niesenberger, der sich 1459 auf dem Hüttentag zu Regensburg als „Meister von Graz" eintrug. Aber nicht nur in ihrer ganzen Anlage repräsentierte sich dieser Neubau als Hofkirche. Schon das schlichte Hauptportal an der Westfassade wird geziert durch das AEIOU als Devise Friedrichs III., durch Kaiseradler und Bindenschild, durch das Wappen Portugals und den steirischen Panther. Die Devise kehrt im vordersten Gewölbezwickel des Chores, die Wappen, vermehrt um jene der habsburgischen Länder und Herrschaften, auch auf den Schlußsteinen des Gewölbes im Längsschiff wieder und sie verkünden mit den dort abgebildeten Heiligen von oben herab, daß es sich hier um die Hof- und Residenzkirche des deutschen Königs und römischen Kaisers, um die eines Habsburgers handelt. Wie bei der Wiener Neustädter Wappenwand handelt es sich auch hier um ein politisches Programm. Über dem Ausgang an der Südseite aber erhebt sich ein leider nur mehr sehr fragmentarisches Fresko des heiligen Christophorus, der, geschmückt mit einem Herzogshut, in einer großartigen Sinndeutung die Porträtzüge Friedrichs III. trägt.

Die „bürgerliche" Liebfrauenkirche in Wiener Neustadt — wie sie R. K. Donin einmal nannte — hat Friedrich III. ausgebaut. Die Grazer Hofkirche aber ist — mag auch eine romanische Kirche an ihrer Stelle gestanden sein — in ihrer gesamten Anlage neu geplant und ausgeführt worden, und sie hat ihren großartigen Baucharakter bis heute ungeschmälert erhalten. Ihre weiträumige Architektur entsprach dem Streben nach kaiserlicher Machtentfaltung mehr als die Liebfrauenkirche, denn das dreischiffige Langhaus der Grazer Hofkirche konnte auch größere Volksmengen aufnehmen.

Die Pfarrer der Grazer Hofkirche sind zumeist hohe Beamte der innerösterreichischen landesfürstlichen Kanzlei. So ist Konrad Zeidlerer, er nennt sich schon 1436 „pfarrer der burg", gleich seinem Vorgänger Georg, Protonotar und Kanzler Friedrichs III. Gegenüber der Hofkirche unmittelbar an der Stadtmauer beim Burgtor aber errichtete Friedrich III. eine Schule, deren Schüler zur verherrlichenden Teilnahme an der kirchlichen Feierlichkeiten in der Hofkirche herangebildet werden sollten.

Allein schon auf Grund ihrer Vorrangstellung wurde die Grazer Hofkirche zum Vorbild bei Neu- oder Umbauten anderer Kirchen in der Stadt, so für die Stadtpfarrkirche und für die heutige Franziskanerkirche. Aber sie wurde mit dem Wiener Stephansdom und der Wiener Neustädter Neuklosterkirche zum Vorbild für die von Pius II. in seinem zum Bischofssitz Pienza erhobenen ärmlichen Heimatdörfchen Corsignano neben einem Dutzend von Renaissancepalästen erbauten Kathedrale, einer dreischiffigen Hallenkirche. Diese hatte ihr Bauherr, der vom Geheimschreiber Friedrichs III. Stufe um Stufe bis zum Papst aufgestiegen war, nach seiner eigenen Aussage in seinen Comentarii nach dem Muster, welches er „apud Germanos in Austria" gesehen hatte, in Auftrag gegeben.

Die Grazer Hofkirche ist nicht die einzige Kirche, die Friedrich III. hier in dieser Residenz erbaute. In Wiener Neustadt hat er neben verschiedenen klösterlichen Gründungen, wie beispielsweise das vom Zisterzienserkloster Reun bei Graz besiedelte Neukloster und das 1480 errichtete Paulinerkloster, den Dominikanern das Kloster St. Peter an der Sperr zugewiesen. In Graz siedelte Friedrich III. die Dominikaner ex voto an. Er ließ in der Judengasse eine Corporis-Christi-Kapelle, die im südlichsten Seitenschiff der Haupt- und Stadtpfarrkirche zum heiligen Blut heute noch erhalten ist, erbauen und schenkte diese am 5. April 1466 den Dominikanern, die zu Beginn des 16. Jahrhunderts mit dem Bau der heutigen dreischiffigen Stadtpfarrkirche begannen und vermutlich im Konsekrationsjahr 1512 das für Friedrich III. so bezeichnende Patrozinium — es sei nur an die Gottesleichnamskapelle in Wiener Neustadt erinnert — in das für den Dominikanerorden charakteristische Patrozinium „zum heiligen Blut" änderten. Den Franziskanern aber widmete er — der Erzbischof von Salzburg bewilligte 1463 die Stiftung — das heute nicht mehr erhaltene Kloster zum heiligen Leonhard.

Als Patron der Grazer Stadtpfarre hat Friedrich III. — wieder mit einer Zielstrebigkeit, die man ihm nicht gerne zubilligt — die Vereinigung der zu Wohlstand gekommenen Pfarre St. Andrä in der Murvorstadt mit der recht bescheiden gewordenen Grazer Stadtpfarre St. Ägydius angestrebt und sie auch dadurch erreicht, daß er dem Bischof von Seckau sein Patronatsrecht auf die Pfarre Schwanberg abtrat, dafür aber das von diesem bis dahin innegehabte Patronat über die Pfarre St. Andrä in der Murvorstadt erhielt. Damit waren die Patronate beider Pfarren in der Hand des Kaisers, der so 1475 um die schließlich auch gewährte Unierung nachsuchen konnte.

Friedrich III. baute nicht nur in Wien, in Wiener Neustadt und in seiner Grazer Residenz, sondern allenthalben im ganzen Land, so etwa in Rottenmann, wo unter seinem Protektorat und mit seiner Hilfe die Gründung eines Augustiner-Chorherrenstiftes abgeschlossen werden konnte, so etwa in Vordernberg um 1454 die dem Heiligen Laurentius geweihte Pfarrkirche und so etwa auch in Aussee, wo sich im Heiligen-Geist-Kirchlein des Marktspitals der 1449 von Friedrich III. gestiftete Hauptaltar, ein Flügelaltar von besonderer Schönheit, erhalten hat.

Die Anwesenheit Friedrichs III. in Graz strahlt, besonders nach seiner Königswahl und seiner Kaiserkrönung, über seine Residenz weit in das Land selbst hinaus, das eben nicht Provinz oder nur eines zahlreicher Kronländer ist, sondern Haupt- und Stammgebiet des Kaisers. Friedrich III. wird leider nur allzu oft vom Gesichtswinkel seiner Auseinandersetzung mit den österreichischen Ständen beurteilt und dabei wird nur zu gerne übersehen, welche wirkliche Bedeutung er als innerösterreichischer Landesfürst hatte. Den Österreichern erschien die Vormundschaft des „steirischen" Friedrichs über ihren minderjährigen Ladislaus als eine ausgesprochene Fremdherrschaft, und was sie am tiefsten kränkte war, daß landfremde, nämlich steirische Räte, Einfluß auf die österreichischen Angelegenheiten zu gewinnen begannen. Der Gegensatz war so tief, daß die österreichischen Stände Ladislaus nach seiner Auslieferung vorerst in ein Bad brachten, um von ihm alles Steirische abzuwaschen. Friedrich III. hat im Sinne einer werdenden Gesamtstaatsidee weitaus österreichischer gedacht als die österreichischen Stände. Allerdings — auch die steirisch-innerösterreichischen Stände haben gegenüber Friedrich III. nicht viel anders als die österreichischen gehandelt. Das wohlausgewogene „dualistische Ständeterritorium", in welchem angeblich die Stände und der Landesfürst harmonisch zusammenwirkten und sich die Waage hielten, hat es nie gegeben. Die Stände hatten die Übermacht und ließen dies Friedrich III. deutlich genug fühlen. Von hier aus ist auch des Kaisers Handlungsweise gegenüber Andreas Baumkircher und Andreas Greissenegger zu verstehen. Als während der Baumkircherfehde in der Not der Tage Friedrich III. im böhmischen Söldnerführer Jan Holub einen Baumkircher ebenbürtigen Kriegsmann fand, der übrigens von Herzog Ludwig von Bayern erst nach langem Sträuben dem Kaiser abgetreten wurde, fügten sich die steirischen Stände keinesfalls seinem Kommando, denn er sei noch „ein bub". Ein billiger Vorwand für die kriegsunlustigen Stände, die den Kaiser so zwangen, ohne das ständische Aufgebot den Kampf fortzusetzen, einen Kampf, den König Matthias von Ungarn zudem als willkommenes Erpressungsmittel an dem Kaiser benützte. Aber selbst in dieser Situation ergab sich Friedrich III. nicht einfach den so eigensüchtigen Ständen. Als diese eigenmächtig für den 3. Dezember 1469 einen Landtag nach Voitsberg ausschrieben, verwahrte er sich energisch gegen diese Eingriffe in seine landesfürstlichen Rechte und berief selbst einen Generallandtag ein. Der Kampf zwischen dem Landesfürstentum und den Ständen ist lange nicht entschieden worden. Diese haben fast eineinhalb Jahrhunderte das gegenüber dem Landesfürstentum vorhandene Übergewicht reichlich ausgenützt und in tragischer Weise ihr politisches Machtstreben mit religiösen Fragen verquickt — bis Ferdinand II. endgültig ihre Vormacht bricht, ohne ihnen jemals das vergelten zu lassen, was sie seit Friedrich III. an der inneren Konsolidierung des Landesfürstentums gesündigt hatten. Das wohlverstandene Interesse des Landesfürsten fiel mit dem des Bürgerstandes zusammen, und doch fehlt ein Versuch Friedrichs III., mit Hilfe der Stände und des Bürgertums den übermächtigen Einfluß des Adels im Lande zu brechen, denn „Herr im Lande war der Großgrundbesitz, nach dessen Wünschen die Landesordnung festgesetzt wurde, dessen Forderungen sich Friedrich hatte fügen müssen" (F. Tremel). Und dennoch ist Friedrich III. keineswegs ein Herrscher, der sich einfach treiben ließ. Er ist kein Neuerer, keiner, der die Zeitströmungen für sich einzuspannen weiß, der in der Wirtschafts- und Verwaltungspolitik neue Wege geht, aber er handelt, wenn auch aus überkommenen Anschauungen. Das Bild des alten Kaisers ist so sehr auch auf den jungen Herzog übertragen worden, der bereits mit 25 Jahren das Oberhaupt des Gesamthauses ist und der ein Leben lang gegen Widerwärtigkeiten anzukämpfen hatte, daß man allzu gerne auch schon dem jungen Friedrich die Züge eines alten Mannes zuschreibt.

Die Neuordnung des steirischen Eisenwesens zeigt am deutlichsten die Leistungen Friedrichs III. als innerösterreichischer Landesfürst, und es ist kein Zufall, daß gerade die Kirchenbauten in Vordernberg und Aussee mit seinem Namen zusammenhängen. In den von Friedrich III. erlassenen Verordnungen für das steirische Eisen- und Salzwesen zeichnen sich die Grundsätze einer einheitlichen Kammergutswirtschaftspolitik ab. Aus den Bergordnungen Friedrichs III. von 1448 und 1449 für das steirische Kammergut spricht dasselbe regalistische Prinzip, das gleichzeitig in der Saline Aussee zur so bedeutungsvollen Rücknahme des Pachtbetriebes in die Eigenregie des Landesfürsten führte.

So wirkt die Anwesenheit Friedrichs III. in Graz — um es noch einmal nachdrücklich zu betonen — über die Residenzstadt weit hinaus, auch wenn diese den unmittelbarsten Vorteil aus der Hofhaltung zieht. Friedrich III. hat von 1444 bis 1471 seine Erblande nicht verlassen. So mußten in erhöhtem Maß neben den Königen und Fürsten auch die Reichsstände und Reichsstädte ihre Abgesandten an das Hoflager des Kaisers senden, besonders wenn sie beim kaiserlichen Kammergericht ihr Recht suchten. Päpstliche Legaten wie Eneas Silvius, wie der Erzbischof von Kreta Hieronymus Landus, der sich seit dem November 1461 unermüdlich um friedliche Einigungen im Reich und mit Ungarn bemühte, oder wie der Bischof von Ferrara Laurenz Rovarella haben monatelang in Graz geweilt. So manche Wiener Ratsbotschaft stellte sich in Graz ein und aus dem bereits erwähnten Reisebericht, der im Auftrag des Leo von Rožmital niedergeschrieben worden ist, erfahren wir, daß Friedrich III. 1466 mit dem Markgrafen von Meißen und Herzog Albrecht von Sachsen in Graz Ritterspiele abhielt. Auch Rožmitals Begleiter haben mit etlichen Edlen getjostet.

Im Oktober 1470 trafen die Gesandten der Stadt Frankfurt in Graz den Markgrafen von Baden, zwei Herren von Württemberg, die Gesandten der Reichsstädte Nürnberg, Hagenau, Kolmar und Schlettstadt an. Mit hundert Pferden weilten die Räte des Königs von Polen am Grazer Hof, der Bischof von Brixen und der Söldnerführer Andreas Baumkircher unterhandelten mit dem Kaiser und am 23. Oktober trafen mit dreihundert Pferden auch die Abgesandten des Königs von Ungarn ein. Vom Kammergericht wurden die Räte der Herzoge Wilhelm von Sachsen, Ludwig von Bayern und Albrecht von München vernommen. Im März 1471 kam der Markgraf Albrecht von Brandenburg persönlich nach Graz und im Feber 1473 hielt sich hier Peter von Hagenbach als Bevollmächtigter Herzog Karls des Kühnen von Burgund auf. Im Oktober 1478 erschien am kaiserlichen Hof zu Graz der Erzbischof von Salzburg mit Abgesandten Herzog Ludwigs von Landshut als eben auch wieder venetianische Gesandte des gemeinsamen Türkenkrieges wegen hier dem Kaiser Vorschläge unterbreiteten. Diese Beispiele mögen genügen. Graz ist damals eine der entscheidenden europäischen Hauptstädte. Man blickt in Rom ebenso wie in Venedig oder in Prag nach Graz, zumal um diese Zeit Wiener Neustadt längst seine Stellung als Lieblingsresidenz des Kaisers verloren hatte. Allerdings, und das muß doch noch hinzugefügt werden, große Hoffeste und Turniere sind bei Friedrich III. auch in Graz äußerst selten. In ihm ist das mittelalterliche „Maßhalten" noch zutiefst lebendig. Er lebte im allgemeinen bescheiden und zurückgezogen — und gerade dies haben ihm weder seine Zeitgenossen noch bisher seine Historiographen verziehen. Wie einfach Friedrich III. in seiner Grazer Residenz lebte, schildert uns Dr. Andrä Schenck, der im Auftrag des Bischofs von Chiemsee 1484 nach Graz gekommen war. Er fand den Kaiser von tschechischen Söldnerführern umgeben. Die Aussprache ihrer Namen sei schon ein Greuel, der Kaiser verbringe seine Zeit mit Knausern und Schlafen, während seine barbarischen Höflinge mit den unaussprechlichen Namen ihren Bauch bei Trinkgelagen füllten. Der Palast entbehre, schreibt Schenck seinem bischöflichen Herrn, aller Großartigkeit. Man sehe kein königliches Gefolge. Ein Riegel wurde zurückgeschoben und Schenck stand vor dem Kaiser, der ganz allein sei. Über ausdrücklichen Wunsch des Kaisers mußte dieser seinen Auftrag in deutscher Sprache vorbringen, was ihn als Humanisten tief empörte, zumal er wußte, daß der Kaiser des Lateinischen sehr wohl mächtig war.

All diese Gesandten, Räte und Legaten brachten Geld in die Stadt. Die Bürger wurden wohlhabend und neue Handelsbeziehungen eröffneten sich. Es ist sehr bezeichnend, daß erst 1448 die Grazer Bürger durch Kauf eines Hauses im aufgelassenen Judenviertel zu einem eigenen Rathaus kamen, das in der zweiten Hälfte des 16. Jahrhunderts auf den Hauptplatz verlegt wurde. Die Stadtgeschäfte wuchsen durch die Residenz so an, daß eine Verkleinerung des Wirkungskreises des Stadtrichters notwendig wurde, und so erscheint am 7. Feber 1446 zum ersten Mal in einer Urkunde ein Bürgermeister von Graz. Jahre zuvor, 1441, hatte Friedrich III. Graz einen zweiten Jahrmarkt, und zwar jeweils am 1. Mai gewährt. Auch die älteste nachweisbare steirische Gesellenordnung, und zwar für die „Schuechknecht zu Grätz" entsteht nun. Und auf Grund der Vorrangstellung von Graz wurden die Handwerksordnungen in den übrigen Städten und Märkten zumeist nach dem Vorbild der Satzungen der Grazer Zünfte verfaßt.

Einzelne bürgerliche Familien in Graz wußten sehr wohl die Gunst der Stunde zu nützen. Vor allem sind hier die Rottal, die unter Maximilian I. emporsteigen, und die Eggenberger zu nennen, die aus Radkersburg nach Graz eingewandert waren. Balthasar Eggenberg, der sich 1444 mit der Tochter des Grazer Ratsbürgers Christoph Seidennater vermählt, wird zum Münzmeister und zum Geldgeber Friedrichs III. Während der zweiten Residenzzeit von Graz wird dann Hans Ulrich von Eggenberg als Ratgeber des „steirischen" Ferdinands seinen Weg beginnen, der ihn nach der Kaiserkrönung seines Herrn bis zur Herzogs- und Reichsfürstenwürde emporführte.

Aber Graz wurde durch Friedrich III. nicht nur ein politisches und wirtschaftliches, sondern auch ein kulturelles Zentrum. Hier wurde 1439 bis 1443 Sigmund von Tirol, der Sohn jenes Friedrich des Älteren, der einst die Vormundschaft über Friedrich III. geführt hatte, und hier wurde dann auch Ladislaus, der nachgeborene Sohn König Albrechts II., als Mündel Friedrichs III. erzogen. Denn nicht nach Wiener Neustadt, das durch seine geographische Lage gefährdet war, sondern nach Graz, das durch die Gebirgsketten einen natürlichen Schutz genießt, hatte Friedrich III. sein Mündel Ladislaus gebracht. Als Lehrer Siegmunds (geboren 1427) — er durfte sich erst nach dem 8. Dezember 1477 Erzherzog nennen — hatte Friedrich III. neben dem bekannten Dr. Fuchsmagen keinen geringeren als Eneas Silvius bestellt, der 1443 von Graz aus für Siegmund den Brieftraktat über Fürstenerziehung schrieb.

Mit den beiden Prinzen wurden auch Söhne des innerösterreichischen Adels erzogen, so etwa jener mit Siegmund fast gleichaltrige Andreas Greisenegger, der einer der mächtigsten Herren der Steiermark wurde, Friedrich III. oft mit Darlehen aushalf, sich dafür wichtige landesfürstliche Herrschaften als Pfand übertragen ließ, und der am 23. April 1472 auf Befehl Friedrichs III. in Graz verhaftet, gemeinsam mit seinem Schwager Andreas Baumkircher am gleichen Abend noch zwischen dem Murtor und dem Brückentor durch Henkershand enthauptet und noch in der gleichen Nacht begraben wurde. Es war ein kurzes, formloses Verfahren, welches Kaiser Friedrich III. hier angewandt hatte, und gerade dieser, später mit Sagen umwobene Vorfall zeigt, daß Friedrich III. sehr wohl verstand, energisch und tatkräftig durchzugreifen, wenn ihn die Not und seine Stellung dazu zwangen. Wie Friedrichs III. Handlungsweise auch beurteilt werden mag, sie hatte jedenfalls den großen politischen Erfolg, daß damit mit einem Schlag dem Fehdeunwesen in der Steiermark ein Ende bereitet worden ist. Dem Kaiser selbst brachte sie zudem einen bedeutenden Machtzuwachs, indem er den Großteil der Güter aller Beteiligten einzog und dadurch zugleich die Macht der Stände schwächte.

Mag Wiener Neustadt auch die Lieblingsresidenz Friedrichs III. gewesen sein, in Graz hat er am längsten residiert. Wenn mit dem Tod seiner Gemahlin Eleonore am 3. September 1467 Wiener Neustadt immer stärker in den Hintergrund tritt, so hängt dies doch ursächlich weniger mit dem Hinscheiden der Kaiserin als mit der allgemeinen politischen Lage zusammen. Und diese ist es auch, die Friedrich neun Jahre vor seinem Tod veranlaßt, auch Graz zu verlassen. Am 10. Oktober 1484 hat der Kaiser zum letzten Mal in Graz geweilt, das nach den ergebnislosen Verhandlungen mit Matthias Corvinus und nach der Besetzung wichtiger steirischer Orte durch die Ungarn nicht weniger gefährdet schien als Wiener Neustadt. Während dieses aber von den Ungarn belagert und auch erobert wurde, blieb Graz von solcher Feindesnot verschont. Mit dem Weggang des Kaisers 1484 sinkt die äußere Bedeutung von Graz rasch herab. Auch seine wirtschaftliche Entwicklung gerät ins Stocken. Im Jahre 1619 ist dies nicht anders, auch wenn die innerösterreichischen Zentralbehörden in Graz überraschend lange selbständig weiterexistieren. Aber die Anziehungskraft fehlte, da es keinen Mittelpunkt mehr gab, der politisch, wirtschaftlich und kulturell auszustrahlen imstande gewesen wäre.

Neben Graz wären noch andere innerösterreichische Städte als Aufenthaltsorte Friedrichs III. zu nennen, so etwa Bruck an der Mur oder Leoben, wo Herzog Ernst der Eiserne die an der Nordwestecke der Stadtmauer gelegene Dümmerstorfferburg erwarb, um auch hier einen Stützpunkt seiner Macht zu besitzen. Hier hat die Kaiserin Eleonore 1453 gewohnt, als sie vor der Belagerung von Wiener Neustadt flüchtend, in Leoben ihren Aufenthalt nehmen mußte. Aus unbegreiflichen Gründen hat man jüngst erst — charakteristisch für unsere baulichen Geschichtsdenkmälern so feindliche Zeit — diese zwar schmucklose aber in ihrer Anlage höchst eindrucksvolle landesfürstliche Burg abgerissen, um Platz für einen modernen Rathausbau zu gewinnen. Aber die Hofhaltung in all diesen Orten war niemals von so langer Dauer, daß sie sich auf die betreffende Stadt über den Augenblick hinaus ausgewirkt hätte.

Linz dagegen ist wirkliche Residenz Friedrichs III. gewesen. Durch den vertraglichen Ausgleich zwischen dem Kaiser und seinem ihm charakterlich so ungleichen Bruder Erzherzog Albrecht VI. war 1458 Linz zum ersten Male fürstliche Residenz geworden. Von Linz aus kündigte Albrecht VI. seinem kaiserlichen Bruder am 19. Juni 1461 den Frieden auf, von hier aus zog er mit 600 Rittern nach Wien. Mit dem Tod des unruhigen Albrechts am 2. Dezember 1463 verlor Linz seine bevorzugte Stellung. Friedrich III. zog erst 1467, als sich in Böhmen die kirchlichen Fragen zugespitzt hatten, Georg Podiebrad in Rom wegen Ketzerei verurteilt, ihm dort seine königliche Würde abgesprochen worden war und der zweite Hussittenkrieg des Jahrhunderts entbrannte, zum ersten Male, begleitet von Herzog Albrecht von Sachsen und einem großen Gefolge, in Linz ein. In der Türnitz der Burg zu Linz hat Friedrich III. dem Gesandten des Königs von Böhmen geantwortet, daß er ihm mit Gut und Blut widerstehen werde. 1475 ist Friedrich III., abermals wegen der böhmischen Ereignisse in Linz, aber erst im Oktober 1484 wird diese Stadt seine Residenz. Hier nun wird, nachdem sich nach längerem Widerstand am 1. Juni 1485 Wien und am 17. August 1487 Wiener Neustadt nach tapferer Gegenwehr den Ungarn hatten ergeben müssen, 1489 über den Frieden mit Matthias Corvinus verhandelt, hier nun werden auf dem Hauptplatz vom 31. Oktober 1489 bis zum 17. Jänner 1490 Turniere — es sind die ersten in Linz — abgehalten, an denen auch Maximilian I. und Herzog Erich von Braunschweig teilnahmen. All die Reichsgeschäfte, die Friedrich III. vorher von Wiener Neustadt oder von Graz aus besorgt hatte, erledigt er nun eben in Linz. Und wiederum kommen und gehen die Abgesandten, etwa die des Markgrafen Friedrich von Ansbach oder der Republik Venedig. Von der Burg zu Linz aus verhängt Friedrich III. am 1. Oktober 1491 die Reichsacht über Regensburg und hier empfängt er zu Weihnachten 1492 seinen Schwiegersohn Herzog Albrecht von Bayern, der acht Jahre zuvor Kunigunde, die Tochter des Kaisers, geheiratet hatte. Hier, im Linzer Schloß, krönt Friedrich III. am 20. Juli 1492 in Gegenwart venetianischer Gesandter, die sich nicht genug über die Ärmlichkeit der Stadt und der kaiserlichen Burg wundern können, den Dichter Delius zum Poeta laureatus. Hier wird von ihm Johannes Reuchlin als Gesandter des Grafen Eberhard im Barte von Württemberg in Audienz empfangen. Beim gelehrten Leibarzt des Kaisers, Jakob ben Jehiel Louas, kann Reuchlin seine Hebräischkenntnisse erweitern. Hier, am Hof des alternden Friedrich, holt sich Reuchlin das Rüstzeug für das Verständnis des alten Testamentes aus dem Urtext, das wie die von Erasmus von Rotterdam besorgte Edition des griechischen Neuen Testamentes die Voraussetzung für die Reformation, die Bibelübersetzung Luthers war. Zu den bedeutenden Männern am Linzer Hofe Friedrichs III. gehörten vor allen auch die Führer der Wiener Humanistenbewegung, der kaiserliche Sekretär Petrus Bonomus und sein Bruder Franz, der Kanzler und Superintendent der Wiener Universität Bernhard Perger sowie die Regenten der Universität Johann Fuchsmagen und Johann Krachenberger. Ein Teil der Büchereien dieser Gelehrten war ständig im Linzer Schloß untergebracht.

Aber es ist nicht mehr der gleiche Friedrich, der, aus seiner Vormundschaft entlassen, in Graz und Wiener Neustadt eine reiche Bautätigkeit entfaltet hatte. Der alte Friedrich lebt in Linz höchst bescheiden, selbst seine Hofküche war nicht in Ordnung, aber umgeben von einem Kreis geistig bedeutender Männer. Und hier in Linz gehen auch die Tage Friedrichs III. zu Ende, denn auch nach dem Tod von Matthias Corvinus und der Rückeroberung von Wien und Wiener Neustadt, selbst nach Beendigung der Bedrohung von Ungarn her, bleibt er in Linz, kehrt er nicht in seine Lieblingsresidenz Wiener Neustadt oder nach Graz zurück.

Es heißt, Friedrich III. habe seit Jahren die Gewohnheit gehabt, die Türen mit dem Fuß zuzuschlagen und es sei so ein bösartiges Geschwür entstanden. Wie dem auch gewesen sei — am 8. Juni 1493 wurde dem Kaiser, nachdem er eingeschläfert worden war, der rechte Fuß am Schienbein amputiert. Einige Wochen später, am 13. August 1493 schloß er — infolge übermäßigen Melonengenusses auch noch an Ruhr erkrankt — in einem Linzer Stadthaus für immer die Augen. In Linz aber wurden nur seine Eingeweide begraben. Der Leichnam mit dem amputierten Bein wurde weder nach Graz noch nach Wiener Neustadt, sondern in einem Steinsarg zu Schiff nach Wien gebracht und gerade in dieser Stadt, die er so wenig geliebt hatte, zu St. Stephan gegraben.

Die Reihe der Städte, die in Friedrichs langem Leben eine Rolle spielten, ist lang und sie beginnt mit Innsbruck. Und doch ist es mehr der Zufall politischer Konstellationen, daß er gerade dort geboren worden ist. Des Kaisers Aufenthalte in Innsbruck in seinem Alter sind bedingt durch seine Sorge, der leichtfertige Erzherzog Siegmund könnte seinen gesamten Länderbesitz an die Wittelsbacher verwirtschaften. Aachen und Rom bedeuten die Höhepunkte seines Lebens, dort wurde er zum deutschen König, hier zum König der Lombardei und zum römischen Kaiser gekrönt, hier auch mit Eleonore von Portugal vermählt. Zahlreich sind auch die Städte, in welchen Friedrich kaiserliche Entscheidungen von hoher Tragweite in wichtigen Reichsangelegenheiten traf. Vom März bis Dezember 1487 residierte er etwa in der freien Reichsstadt Nürnberg. Schließlich muß hier auch noch einmal Wien genannt werden, das für Friedrich III. so viele Enttäuschungen und Drangsale bereithielt. Aber Residenzen Friedrichs III. im eigentlichen Sinn waren nur Wiener Neustadt, Graz und Linz — drei Städte, in denen sich durch ihn die Schnittlinien der großen europäischen Politik trafen.

Antonia Zierl

KAISERIN ELEONORE, GEMAHLIN FRIEDRICHS III.

Während über Kaiser Friedrich III. eine Vielzahl erzählender Quellen vorliegt, die sehr klar das Wesen und Aussehen dieses Mannes skizzieren, der gerade durch die Schwächen, die ihm vorgeworfen wurden, das Geschehen seiner Zeit oft unbewußt so lenkte, daß es heute durchaus berechtigt erscheint, das 15. Jahrhundert als das „Zeitalter Friedrichs III." zu bezeichnen, so wird erstaunlicherweise seiner Gemahlin Eleonore kaum Beachtung geschenkt. Wohl gibt es Nachrichten über Herkunft und Aussehen der Herrscherin, aber über ihre Persönlichkeit wird sehr wenig berichtet. Wer war eigentlich Eleonore von Portugal, deren Bestimmung es sein sollte, mit einem der unverstandensten und eigenwilligsten Fürsten ihrer Zeit vermählt zu werden, und durch deren Herkunft der „domus Austriae" bereits die Richtung gewiesen wurde, die man zwei Generationen später wieder einschlagen sollte? Die eigenwillige Persönlichkeit Eleonores verdient nicht zuletzt aus dem Grund Beachtung, weil sich einige Wesenszüge der Herrscherin im Charakter ihres Sohnes Maximilian I. wiederfinden sollten.

Eleonore war nicht die erste Prinzessin, deren Hand dem Habsburger Friedrich angeboten worden war. Bereits als Fünfzehnjährigen wollte ihn sein Oheim Friedrich IV. von Tirol, im Falle eines frühzeitigen Todes seines eigenen Kindes Siegmund, mit der französischen Prinzessin Radegundis vermählen. Später erhoffte sich die Witwe Albrechts II., Elisabeth, durch eine eventuelle Verbindung mit dem inzwischen zum König gewählten Friedrich, eine Entlastung ihrer finanziellen Sorgen. Bald nach seiner Krönung in Aachen kam Friedrich auch nach Lausanne, um die Tochter des Herzogs Amadeus von Savoyen und damaligen Gegenpapstes Felix V., Margarethe, als in Frage kommende Braut zu begrüßen. Doch soll er, nachdem er die Prinzessin gesehen hatte, nicht mehr den Wunsch geäußert haben, sich mit ihr zu vermählen. Nach der Unterbreitung eines weiteren Heiratsprojektes, diesmal mit Margarethe von Anjou, das aber ebenso erfolglos verlief wie alle bisher erwähnten, war es in dieser Beziehung einige Zeit ruhig um Friedrich.

Friedrich war bereits ein Mann von 32 Jahren, also durchaus kein Jüngling mehr, als er durch den Hof von Burgund auf die portugiesischen Infantinnen aufmerksam gemacht wurde, denen der Ruf großer Schönheit vorausging. Der Herzog von Burgund, Philipp III., war selbst mit einer portugiesischen Prinzessin, Isabella, vermählt und dachte durch enge verwandtschaftliche Bindungen mit den Nichten seiner Frau, sich sowohl den jungen Ladislaus, dessen Ansprüche auf Luxemburg er zu gewinnen hoffte, als auch Friedrich selbst zu verpflichten, um durch diesen die Erhebung seiner Länder zum Königreich zu erreichen. Die ehrgeizigen Pläne des Herzogs sollten nicht in Erfüllung gehen, aber die Verhandlungen mit dem burgundischen Hof waren wichtige Wegbereiter für die

Verbindung Friedrichs mit Eleonore. Warum er sich gerade für eine portugiesische Infantin entschied, ist nicht leicht durchschaubar, aber vielleicht spielten bei seiner Wahl auch traditionsbedingte Motive eine Rolle, denn von jeher war bei diesem Geschlecht sehr stark die Tendenz einer Bindung an den romanischen Westen und Süden spürbar. Erinnern wir uns nur an Blanche de Valois, Isabella von Aragon und Jeanne de Ferrette, die bereits vor Eleonore von Portugal ausersehen waren, durch ihre Abstammung von den ältesten Geschlechtern Europas und durch ihre Bildung die Beziehungen der Habsburger mit den kulturell hochstehenden Ländern des Abendlandes zu festigen und darüber hinaus verwandtschaftliche Bindungen zu deren Herrscherhäusern herzustellen. Bei der Werbung Friedrichs um Eleonore von Portugal darf überdies nicht außer acht gelassen werden, daß die Infantin aus einem reichen Hause kam, ja mehr noch, daß sie aus einem Land kam, das eben die ersten Schritte zu einer weltumspannenden Expansionspolitik getan hatte und die Mitgift Eleonores daher sehr groß zu werden versprach. Die Infantin dürfte zum Zeitpunkt der ersten Werbung Friedrichs ungefähr dreizehn Jahre alt gewesen sein. Um das spätere Verhalten Eleonores Friedrich gegenüber zu verstehen, ist es unerläßlich, den Lebenskreis und das Land, aus dem sie kam, etwas näher zu betrachten.

Leider ist, wie so vieles im Leben dieser Frau, auch ihr Geburtsdatum ungewiß, denn die Angaben schwanken zwischen den Jahren 1434 bis 1437. Vermutlich wurde Eleonore am 8. September 1436 in Torres Vedras in Portugal als viertes Kind des portugiesischen Königs Eduard (1433 bis 1438) aus dem Hause Avis, das sich auf das altburgundische Geschlecht zurückführte, und der Königin Leonor, einer Tochter König Fernandos IV. von Aragon, geboren. Sowohl väterlicher- als auch mütterlicherseits konnte die Infantin auf eine ansehnliche Ahnenreihe zurückblicken. So erwählte sich der Großvater Eleonores, Johann I., eine englische Prinzessin zur Gemahlin, jene berühmte Philippa von Lancaster, die eine sehr gebildete und vielseitig interessierte Frau war und die auch ihren zehn Kindern ihr Bildungsideal weiterzugeben vermochte. In die Regierungszeit des Großvaters Eleonores fiel auch der Beginn der Entdeckungsfahrten, die von weltanschaulicher, politischer und merkantiler Bedeutung nicht nur für Portugal, sondern für ganz Europa werden sollten und deren auslösendes Moment die Verbreitung des Glaubens war, verbunden mit Entdeckungslust, Wißbegierde und dem Drang, noch unbekannte Länder zu erschließen. Anderseits war in kaum einem anderen Land Europas der ritterliche Geist so stark wie in Portugal, an dessen Peripherie noch immer die Verteidigung des Glaubens gegenüber den Mauren vornehmste Pflicht und oft drückende Notwendigkeit war. Nach dem Tode Johanns I. führte dessen ältester Sohn Eduard, der Vater Eleonores, die Expansionspolitik fort, der eigentliche Organisator der weiteren Entdeckungsfahrten aber war ein Onkel Eleonores, der unter dem Namen „Heinrich der Seefahrer" bekannt wurde. Die Kindheit Eleonores war aber trotz dieser großartigen Erfolge ihrer Familie nicht glücklich, denn sehr früh verlor sie ihren Vater, der an der Pest starb und ihre Mutter mit sechs unmündigen Kindern zurückließ. Die Mutter, Leonor, eine sehr ehrgeizige Frau, die die Regentschaft Portugals an sich reißen wollte, vernachlässigte ihre Kinder und verließ sie sogar, um in ihrer Heimat Aragon Söldner gegen Portugal zu werben. Eleonore sollte ihre

Mutter nie mehr wiedersehen. Sie lebte mit ihren Schwestern meistens im königlichen Palast in Lissabon unter der Obhut ihres Onkels Pedro, eines Bruders ihres Vaters, der die Regentschaft und die Sorge für die unmündigen Kinder übernommen hatte. Er ließ seinen Neffen und Nichten wahrscheinlich eine ausgezeichnete Erziehung angedeihen, denn er selbst war nicht nur weit gereist, sondern auch sehr gebildet. Auf einer seiner Reisen war er nach Wien gekommen, wo er von der Bevölkerung aufs freundlichste empfangen worden war und wobei auffiel, daß er zwar nicht Deutsch, dafür aber um so besser Latein sprach. Auch mit Friedrich III. stand er eine Zeitlang in diplomatischem Verkehr und vermutlich erging eine erste Werbung Friedrichs um Eleonore noch an Pedro. Leider fiel der Infant bald darauf (1449) im Kampf gegen seinen Neffen Alfons (als König Alfons V.), den ältesten Bruder Eleonores, der es nicht mehr erwarten konnte, aus der Vormundschaft des Oheims entlassen zu werden. Alphons V., der den Beinamen „der Afrikaner" führte, weil unter seiner Regierung teilweise die Erschließung des afrikanischen Kontinents glückte, empfing die erste Gesandtschaft Friedrichs III. Zwei Vertraute Friedrichs hatten den Auftrag erhalten, in Begleitung eines Malers nach Portugal zu reisen, um Informationen über das Aussehen der Infantin Eleonore einzuholen. Voll des Lobes über ihre Vorzüge kehrten die Gesandten nach Österreich zurück und erstatteten ihrem Herrn Bericht. Bald danach erfolgte die briefliche Werbung Friedrichs um Eleonore. Die eigentlichen Heiratsbesprechungen aber spielten sich am Hof von Neapel ab, wo ein Bruder der Mutter Eleonores, König Alfons V. von Aragon-Sizilien, residierte. Doch noch bevor es zu den sehr langwierigen Heiratsverhandlungen in Neapel kam, hatte sich ein neuer Bewerber, der Dauphin von Frankreich und spätere König Ludwig XI., um die Hand Eleonores beworben. Der portugiesische König schien nicht abgeneigt, diesem Fürsten seine Schwester zur Frau zu geben, weil ihm eine Verbindung seines Hauses mit dem „rex christianissimus" noch ehrenvoller erschien, als aber Eleonore selbst vor die Wahl gestellt wurde, den künftigen Kaiser oder den König von Frankreich zu wählen, da soll sie sich ohne zu zögern sofort für Friedrich entschieden haben. Außerdem betonte sie, wenn sie nicht den Kaiser zum Mann bekomme, dann wolle sie sich überhaupt nicht vermählen. Eneas Silvius Piccolomini, der spätere Papst Pius II., der diesen naiven Wunsch der Infantin überlieferte, berichtete weiter, daß sie sich schon maßlos auf den Titel „Kaiserin" und auf die Aussicht, Braut des Kaisers genannt zu werden, gefreut habe. Diesen Titel sollte Eleonore tatsächlich bald führen, aber die Wirklichkeit sah anders aus als in den Träumen der Vierzehnjährigen. Bald nach dieser Entscheidung Eleonores wurde im Dezember 1450 am Hof in Neapel zwischen den Gesandten Friedrichs und dem Bevollmächtigten Portugals der Ehevertrag aufgesetzt, wobei die Mitgift der Infantin auf 60.000 Gulden festgesetzt wurde. Darüber hinaus dürfte Eleonore sehr schönen und kostbaren Schmuck nach Österreich mitgebracht haben, den später ihre Tochter, Kunigunde, erbte. In dem Heiratsvertrag wurde weiters beschlossen, daß die Ehe zwischen Friedrich und Eleonore durch Bevollmächtigte Friedrichs „per procurationem" in Portugal geschlossen werden solle. Die eigentliche Hochzeit aber wollte Friedrich mit der Krönung verbinden und beides in Rom feiern. Mitte März 1451 sandte er nur zwei Kleriker niedrigen Ranges nach Portugal, um seine Braut abholen zu lassen. Ungenügend ausgestattet, total erschöpft von den Anstrengungen einer langen und gefahrvollen Reise, in deren Verlauf sie auch Wegelagerern in die Hände gefallen und von diesen ausgeplündert worden waren, kamen die Gesandten in Portugal an, wo man sie auf Grund ihrer ärmlichen Kleidung zunächst gefangennahm. Erst nachdem sich die Priester als Prokuratoren Friedrichs ausgewiesen hatten, wurden sie vom portugiesischen König sehr huldvoll empfangen, der sie persönlich zu seiner Schwester führte, damit sie ihr ihre Aufwartung machen konnten. Einige Tage später, am 1. August, erfolgte die Trauung zwischen Eleonore und einem der Bevollmächtigten Friedrichs als Stellvertreter. Nach Abschluß dieser Feierlichkeiten wurde Eleonore von ihren Landleuten nur mehr mit dem Titel „regina Romanorum" angesprochen. Von einem der beiden Prokuratoren, Nikolaus Lanckmann von Falckenstein, wird uns ein sehr anschauliches Bild der Ereignisse in Portugal und der anschließenden Seereise Eleonores nach Italien, wo sie mit Friedrich zusammentreffen sollte, vermittelt. Den Gesandten Friedrichs, die an die sparsame Hofhaltung ihres Herrschers gewöhnt waren, zeigte sich in Lissabon eine völlig andere, bunte Welt. Immer wieder entzückten die zur Schau gestellten reichen Schätze und die großartigen Feste, die zu Ehren der jungen Königin veranstaltet wurden, Lanckmann, so daß er begeistert ausrief: „Ecce potentia!" Die zwei Wochen ohne Unterbrechung dauernden Feste unterschieden sich aber nicht nur in der Farbenpracht und dem Reichtum ihrer Aufzüge von denen der meisten deutschen Fürstenhöfe, sondern auch in ihrem Wesen, denn in ihrem Mittelpunkt stand plötzlich nicht mehr der Mann mit seinem Waffenspiel, sondern die Dame, die zur Zentralfigur wurde. Der Kontrast der Umwelt Eleonores am Hof zu Lissabon zu dem in Wiener Neustadt kann nicht stark genug hervorgehoben werden.

Mitte November 1451 verließ die Königin auf dem Seeweg ihre Heimat Portugal, die sie nicht mehr sehen sollte, um mit einem Mann vermählt zu werden, den sie noch nie gesehen hatte und der ihr nur auf Grund seiner Würde erwählenswert schien. Noch in Portugal hatte Eleonore angeblich mit dem Studium der deutschen Sprache begonnen, aber die zur Abreise erforderlichen Vorbereitungen hatten ihr nicht genügend Zeit dazu gelassen, so daß sie sich vornahm, das Versäumte auf ihrer langen Seereise nachzuholen. Allerdings dürfte sie kaum Zeit dazu gefunden haben, denn obwohl die Schiffe sehr gut und sicher gebaut und sehr kostbar ausgestattet worden waren, hatten Eleonore und ihre Begleitung doch sehr unter den Unbilden der See zu leiden. Außerdem wurde die Flotte der Königin mehrmals von Piraten überfallen, wobei sogar zwei Schiffe von diesen gekapert wurden. Nach Aussagen ihrer Reisegenossen aber sollen diese unangenehmen Zwischenfälle Eleonore nicht übermäßig berührt haben, obwohl auch sie sehr an der Seekrankheit litt. Nachdem die Flotte entlang der nordafrikanischen, der spanischen und der französischen Küste gesegelt war, gelangte sie nach einer 82 Tage dauernden Fahrt, wobei Eleonore nur einmal an Land gegangen war, endlich an die westitalienische Küste, und landete in Livorno, einem Hafen in der Nähe der Stadt Pisa. Vertraglich war als Landungsort eigentlich Telamone in der Nähe von Siena festgesetzt worden, doch wegen ungünstiger Winde mußte dieses Vorhaben aufgegeben werden. Friedrich, der in der Zwischenzeit von Wiener

Neustadt aus seine Romreise angetreten hatte, um sich in Siena mit seiner Braut zu treffen, befand sich eben in Florenz, als ihm die Nachricht von der Ankunft Eleonores in Livorno überbracht wurde. Glücklich über ihre Landung, bat er sie, bereits in diesem Hafen an Land zu gehen und von hier aus auf dem Landweg nach Siena zu reisen. Da Eleonore erst sehr viel später als vereinbart in Italien angekommen war, waren die wildesten Gerüchte über ihren mutmaßlichen Aufenthaltsort laut geworden. Eines davon besagte, die junge Königin sei noch gar nicht auf See gegangen, in einem anderen hingegen hieß es, sie sei auf ihrer Reise in Afrika gefangengenommen worden und müsse jetzt als Sklavin bei den Heiden dienen.

Als Eleonore zwar erschöpft von den Strapazen der langen Reise, aber doch wohlbehalten, in Livorno an Land ging, wurde sie schon von den Gesandten Friedrichs empfangen, unter denen sich auch Eneas Silvius befand. Man zog in Richtung Siena, wo die erste Begegnung der Brautleute stattfand. Augenzeugen dieses denkwürdigen Ereignisses wissen zu berichten, daß Friedrich, als er Eleonore erblickte, ganz blaß geworden sein soll, denn ihre Gestalt erschien ihm, der sehr groß war, zu klein. Doch als er sie aus der Nähe sah, war er beglückt über ihren zierlichen Wuchs und ihre anmutigen Bewegungen, so daß bald wieder die Farbe in seine Wangen zurückkehrte. Eneas, dem die große Ehre zuteil wurde, Eleonore Friedrich zuführen zu dürfen, liefert eine sehr genaue Schilderung der äußeren Erscheinung der Königin, die durch die vorhandenen bildlichen Darstellungen bestätigt wird. Nach seinen Aussagen war Eleonore eine typische Romanin, klein, zart und mit dunklem Haar. Er gibt ihr Alter zum Zeitpunkt ihres Eintreffens in Siena mit sechzehn Jahren an und bewundert das makellos schöne Antlitz, die herrlichen schwarzen Augen und den kleinen Mund der Fürstin. Darüber hinaus aber hebt er die königlichen Manieren und die gescheiten Antworten Eleonores besonders hervor. Friedrich konnte demnach mit seiner Wahl durchaus zufrieden sein; überall war Eleonore durch ihre gute Erscheinung, ihre geschmackvolle Kleidung und ihren kostbaren Schmuck der Mittelpunkt und Liebling aller. Von Siena aus zog das königliche Paar nach Rom weiter, wo es am 16. März 1452 von Papst Nikolaus V. getraut und einige Tage später gekrönt wurde. Diese Kaiserkrönung sollte die letzte sein, die in Rom stattfand und Friedrich III. war der erste und auch der letzte Habsburger, der in der Ewigen Stadt gekrönt wurde. Eleonore wurde in der selben Weise gesalbt wie ihr Gemahl und mit einer Krone, die einst die Gattin Kaiser Siegmunds, Barbara von Cilli, getragen hatte, zur Kaiserin gekrönt. Das nächste Ziel ihrer Reise war Neapel. Hier wurde dem Herrscherpaar ein großartiger Empfang bereitet, doch waren sich Friedrich und Eleonore bis dahin menschlich kaum näher gekommen. Der Vollzug der Ehe fand erst über Wunsch König Alfons an seinem Hof statt. Getrennt, wie sie nach Neapel gekommen waren, verließen sie diese Stadt und trafen einander erst in Venedig wieder, von wo sie gemeinsam die Weiterreise nach Österreich antraten. Über Portenau, Villach und Bruck an der Mur kamen sie endlich in Wiener Neustadt an. Waren der jungen Kaiserin die Tage bis zu ihrer Ankunft in Österreich in launiger Kurzweil verstrichen, so wurden sie jetzt von sehr trüben und schicksalsschweren abgelöst, denn bereits als „Willkommensgruß" belagerten Parteigänger König Ladislaus', des

Mündels Kaiser Friedrichs, das kaiserliche Paar in Wiener Neustadt. Nachdem Ladislaus aus der Vormundschaft Friedrichs entlassen worden war, herrschte für kurze Zeit Ruhe in der unmittelbaren Umgebung der Kaiserin. Allerdings sollte dieser ernüchternde Beginn in der neuen Heimat gleichsam zum bösen Omen im Leben Eleonores werden. In den ersten Jahren scheint sie vollauf damit beschäftigt gewesen zu sein, sich den sowohl klimatisch als auch kulturell andersartigen Voraussetzungen ihrer neuen Heimat anzupassen, denn ihre Aufgabe war es, sich nicht nur die Landessprache anzueignen, sondern auch sich in ihrer Lebensweise umzustellen. Wiener Neustadt war die Stadt, in der die Kaiserin, bis auf einige Unterbrechungen, als sie in Graz, Leoben und Wien lebte, residierte. Zumindest am Anfang ihres Aufenthaltes dürfte die enge und langweilige Atmosphäre am Hof ihres Gemahls Eleonore bedrückt haben. Außerdem hatte sie außer einer einzigen namentlich erwähnten portugiesischen Dienerin, Beatrix Lopi, wahrscheinlich keine Dienerschaft aus ihrer Heimat mitgebracht, mit der sie sich hätte unterhalten können. Ihr weiblicher Hofstaat setzte sich meist aus Töchtern und Frauen Wiener Neustädter Bürger zusammen, die ihr anfangs wahrscheinlich von Friedrich empfohlen worden waren.

Als Eleonore ihr erstes Kind erwartete, griffen wieder Anhänger Ladislaus', während Friedrich in Graz war, Wiener Neustadt an und drangen bis in die Vorstadt ein, so daß die Kaiserin gezwungen war, sich in die befestigte Burg zurückzuziehen. Hier schenkte sie am 16. November 1455 ihrem ersten Sohn das Leben, der Christoph genannt wurde. Leider starb dieses Kind schon am 25. März des folgenden Jahres. Drei Jahre später, am 22. März 1459 gebar Eleonore wieder ein Kind, Maximilian, den einzigen Sohn, der überlebte. Mit diesem Kind übersiedelte sie später in die Burg in Wien, wo ein Mädchen, Helena, zur Welt kam, doch starb auch dieses Kind bald nach seiner Geburt. Neben diesem persönlichen Leid bekam Eleonore natürlich auch die Zuspitzung der politischen Situation als Frau des Kaisers zu spüren. Schon bald nach dem Tod des letzten Albertiners, Ladislaus, hatte sich die schon länger dauernde Mißhelligkeit zwischen den Brüdern Friedrich III. und Albrecht VI. derart verschärft, daß eine Lösung nur noch durch eine kriegerische Auseinandersetzung möglich schien, die schließlich in der Belagerung der kaiserlichen Familie in der Burg zu Wien gipfelte. In dieser Auseinandersetzung, in der es um die Aufteilung des Erbes Ladislaus' ging, kam der Stadt Wien eine sehr große Bedeutung zu, denn Albrecht erhoffte diese Stadt, die dem Kaiser zugesprochen worden war, für sich zu gewinnen, um dadurch auch in den Besitz Niederösterreichs zu gelangen. Da sich Eleonore mit Maximilian seit einiger Zeit in Wien aufhielt, wurde sie in den Strudel der Ereignisse hineingezogen und die Zeit, die sie in dieser Stadt verlebte, kann mit Recht als die bitterste und schmachvollste im Leben der Kaiserin bezeichnet werden. Als Albrecht bereits mit seinem Heer von Linz in Richtung Wien zog, um die Stadt zu belagern, richteten die Wiener Bürger, die sich sehr lange kaisertreu verhielten, einige Bittbriefe an Friedrich, der sich damals gerade in Graz aufhielt, und ersuchten ihn, er möge kommen, um ihnen, seiner Frau und seinem Sohn im Falle eines Angriffes beizustehen. Doch Albrecht stand bereits mit seinen Truppen vor Wien und der Kaiser kam noch immer nicht. In dieser kritischen Situation tritt plötzlich die Kaiserin Eleonore in den Vordergrund und greift, gezwungen durch das passive Verhalten ihres Gemahls, in das Geschehen ein. Als beim Anmarsch Albrechts auf Wien alle Glocken dieser Stadt läuteten, um das Volk zu sammeln, zog Eleonore mit ihren Hofdamen auf das Feld vor St. Tibolt, wo die Verteidiger lagerten und ermunterte die Bevölkerung zum Widerstand. Auch als sich einige Zeit später die Gesinnung der Wiener änderte und sie ihre feindselige Stimmung gegen Friedrich auch die Kaiserin merken ließen, da war es wieder Eleonore, die unterstützt von ihren Räten, versuchte, auf friedlicher Basis mit den Anführern der aufständischen Wiener, die sich auf die Seite Albrechts geschlagen hatten, zu verhandeln. Leider hatten ihre Bemühungen keinen Erfolg. Als Friedrich endlich mit einem Heer vor Wien erschien, verweigerte der Bürgermeister der Stadt, Wolfgang Holtzer, dem Herrscher den Einzug. Der Kaiserin, die sich in der Stadt befand, wurde von diesem Vorfall berichtet und auch darüber, daß Friedrich gar nicht erst versucht habe, sich mit Hilfe seiner kaiserlichen Autorität Einlaß in die Stadt zu verschaffen. Nach diesem Bericht konnte Eleonore ihr romanisches Temperament nicht mehr zügeln und erzürnt über ihren Gemahl, rügte sie sein Benehmen mit harten Worten. Sie betonte, daß Portugals königliches Blut von Natur aus ganz anders reagiere, denn es schmeichle nie den Hochmütigen und Widerspenstigen, dafür aber erweise es sich gnädig gegenüber den Schwachen und Besiegten. Nachdem sie mit diesen Worten ihrer Entrüstung Luft gemacht hatte, wandte sie sich an den kleinen Maximilian und gab ihm zu verstehen, sie hoffe, daß er einmal anders handeln werde als sein Vater: *si scirem, inquit, te, mi fili, hunc animum esse habiturum, dolerem te principem* [1].

Bald nach dem Einzug Friedrichs in Wien, der ihm von den Bürgern endlich gewährt worden war, wurde die kaiserliche Familie von den Wienern, die dem Kaiser den Gehorsam aufgesagt hatten, in der Burg belagert. Die Demütigungen, die Friedrich und seine Familie dabei auszustehen hatten, mußten besonders für die stolze Eleonore erniedrigend sein, denn sie bekam die Gehässigkeit der Wiener sehr zu spüren. Diese hatten es nämlich gewagt, die Zimmer der Kaiserin unter Beschuß zu nehmen, so daß sie sich in eine Kammer hinter der Burgkapelle flüchten mußte. Die Belagerten hatten außerdem sehr unter Hunger zu leiden, unter dem auch der kleine Maximilian litt. Erst durch das Eingreifen des Böhmenkönigs Georg Podiebrad wurde die kaiserliche Familie aus ihrer Notlage befreit. Die Belagerung in Wien sollte Maximilian sein Leben lang nicht vergessen, obwohl Eleonore ausdrücklich verboten hatte, in Gegenwart des Prinzen diese furchtbare Zeit zu erwähnen, denn sie wollte nicht, daß er den Wienern gegenüber einmal voreingenommen sei. Nicht nur in dieser Anordnung zeigte sich die Besorgnis Eleonores um die Erziehung ihres Sohnes, sondern sie war auch immer bestrebt, diesen zum Gebet anzuhalten, und es gefiel ihr gar nicht, wenn er lieber mit Spielgefährten im Hof der Neustädter Burg herumtollte. Eleonore war es auch, die sich um die künftige Bildung ihres Sohnes Sorgen machte und aus diesem Grund einen ihrer Vertrauten, Johann Hinderbach, ersuchte, ihr einen Erziehungstraktat, den einst Aeneas Silvius Piccolomini für den jungen

---

[1] Johann Hinderbach, Historiae rerum a Friderico tertio imperatore gestarum continuatio. Hgg. v. Adam Kollar, Analecta monumentorum omnis aevi Vindobonensia, 2, Wien 1762, 622.

Ladislaus verfaßt hatte, zu besorgen. Leider sollte Maximilian die fürsorgliche Leitung seiner Mutter nicht sehr lange genießen.

Nach der aufregenden Zeit in Wien lebte die Kaiserin wieder in Wiener Neustadt, wo sie noch zwei Kindern das Leben schenkte, 1465 Kunigunde und 1466 einem Sohn, Johannes. Aber auch Johannes starb sehr bald nach seiner Geburt. Von den insgesamt fünf Kindern des Herrscherpaares sind drei im Säuglingsalter gestorben. Friedrich gab seiner Gemahlin Eleonore die Schuld am frühen Tod ihrer Kinder und behauptete, sie seien an ihrer ungesunden Ernährung mit portugiesischen Süßigkeiten so früh gestorben. Als einmal auch Kunigunde erkrankte, ließ sie Friedrich in sein eigenes Schlafzimmer bringen, wo er sie mit „einheimischen" Nahrungsmitteln wieder gesundpflegte. Schon in diesen Alltäglichkeiten zeigte sich die unterschiedliche Einstellung und Mentalität der beiden Ehepartner. Denn so verschieden sie schon in ihrem Aussehen voneinander waren, so groß war auch die Diskrepanz ihrer Charaktere. Friedrich war sehr verschlossen, wortkarg, sparsam, den Ereignissen seiner Umwelt gegenüber scheinbar oft passiv eingestellt, anderseits aber zäh und unbeirrbar an Dingen festhaltend, die ein anderer schon längst aufgegeben hätte. Eleonore hingegen war ein fröhlicher Mensch, sie war kontaktfreudig, großzügig, aber auch jähzornig und impulsiv, sie liebte den Tanz und fröhliche Feste und verstand wohl kaum die bedächtige Art ihres Gatten. Nur manchmal, in den ersten Wochen ihrer Ehe, konnte sie Friedrich dazu bewegen, seine Aversion gegen den „unmoralischen" Tanz ihr zuliebe zu überwinden. In späteren Jahren lebten sie meist lange Zeit voneinander getrennt, Eleonore in Wiener Neustadt, Friedrich in Graz, und dürften einander dadurch noch mehr entfremdet haben. Lediglich in zwei Punkten sollten sich ihre Anschauungen treffen. Eine Gemeinsamkeit stellte die Abneigung beider gegenüber dem unmäßigen Genuß von Alkohol dar. Es scheint nicht von ungefähr, daß Friedrich ein Mitglied jenes Mäßigkeitsordens war, dessen Begründer der Großvater Eleonores mütterlicherseits, Ferdinand von Aragon, war. Als die Ehe des Paares anfangs längere Zeit ohne Kinder blieb, gaben die Ärzte dem Kaiser den guten Rat, seiner Gemahlin viel Wein zu trinken zu geben, dann werde sie bestimmt bald Kinder bekommen. Doch Friedrich erwiderte ihnen ganz erbost, er wolle lieber eine unfruchtbare Frau, als eine, die womöglich ständig Wein trinke. Der zweite und weitaus wichtigere Punkt einer eventuellen inneren Annäherung zwischen Friedrich und Eleonore könnte die große Frömmigkeit gewesen sein, von der beide erfüllt waren. Während aber bei Friedrich dabei auch ideologisch-politische Motive eine Rolle spielten, war es bei Eleonore das spontane innere Empfinden, wie es der Mentalität des Südländers entspricht. In ihren letzten Lebensjahren setzte sich Eleonore sehr für die Kanonisation des Babenbergers Leopold III. ein. Auch einige Schenkungen, die die Kaiserin verschiedenen Pfarren machte, zeugen nicht nur von der Aufgabe der Landesherrin, sondern auch von ihrer Frömmigkeit. Diese große Frömmigkeit, die auch von den Zeitgenossen der Kaiserin immer hervorgehoben wird, bestärkte ihren Sohn Maximilian in der Annahme, daß seine Mutter zu den Seligen zu zählen sei. Er scheint zeit seines Lebens eine tiefe Zuneigung für seine Mutter bewahrt zu haben, die er sehr früh verloren hatte; er war erst acht Jahre alt, als Eleonore starb. Knapp vor ihrem Tod besuchte die

Kaiserin noch die Heilquellen Badens bei Wien, weil sie sich seit ihrem letzten Kindbett nicht wohlfühlte. Auf der Rückreise von Heiligenkreuz, wo sie sich zu Andachtsübungen zurückgezogen hatte, nach Wiener Neustadt wurden die Gepäckswagen der Kaiserin von Gefolgsleuten eines niederösterreichischen Adeligen, Wilhelm von Puchheim, in der Nähe seines Schlosses Raueneck überfallen und ausgeplündert. Doch anders als Friedrich, der es nicht liebte, allzu streng zu urteilen, verlangte Eleonore sofort die Belagerung dieser Burg und die Auslieferung ihrer Bewohner, um sie ihrer gerechten Strafe zuzuführen. So unerbittlich konnte Eleonore handeln, wenn sie sich durch jemanden in ihrer fürstlichen Dignität getroffen fühlte. Die Kaiserin besaß ein starkes Empfinden für die Würde des Herrschers und dessen Aufgabenkreis. Trotzdem muß eine politische Bedeutung Eleonores in Abrede gestellt werden, denn obwohl sie zum Beispiel mit dem Böhmenkönig Georg Podiebrad und auch mit dem ungarischen König Matthias Corvinus korrespondierte und ihnen in einigen Belangen Verhaltensmaßregeln gab, so mischte sie sich nur in sehr kritische Situationen ein und auch dann nur, um zu intervenieren und ernste Zusammenstöße zu vermeiden. So hatte die Kaiserin auch versucht, zwischen Friedrich und seinem Bruder Albrecht eine gütliche Einigung herbeizuführen.

Noch sehr jung, kaum 31 Jahre alt, starb Eleonore am 3. September 1467 in Wiener Neustadt, wahrscheinlich an einem Magenleiden. Sie wurde, wie ihre verstorbenen Kinder, in der Zisterzienserabtei, Neukloster, begraben. Die schöne Grabplatte mit dem Porträt der Kaiserin erinnert an sie.

Wenn wir Rückschau auf das Leben Eleonores halten, so ist leicht ersichtlich, daß die Kaiserin kaum über den Wirkungskreis hinaustrat, der ihr in erster Linie als Frau gegeben war. Nur wenn sie sich durch das Verhalten ihres Gemahls dazu veranlaßt fühlte, griff sie ab und zu in das Geschehen ihrer Zeit ein. Nicht außer acht gelassen darf jedoch werden, daß gerade durch ihre Ehe mit Friedrich nicht nur die verwandtschaftlichen, sondern auch die kulturellen Kontakte zu Burgund und der Iberischen Halbinsel eng waren. Die zeitgenössischen Aussagen betonen einhellig, daß Eleonore eine schöne Frau war und darüber hinaus sehr fromm und liebenswürdig. Der Dichter Michael Beheim, der sich einige Zeit in der Nähe der Kaiserin aufgehalten hat, faßte in einem Gedicht die Vorzüge Eleonores zusammen und sagt in ein paar Verszeilen alles Wesentliche über die Gattin Friedrichs III. aus:

„Sy waz gotvörcht, weis vnd klug,
suptil, gelimpfig, gutig,
erntreich, milt vnd gutig.
    Vol aller tugend waz ir leib,
Sy waz ain frum vnd erber weib.
ander frumer weiber ich mit
irem lob wil schelten nit.
kain frummer weib so werde
ich nie erkant auff erde." [2]

[2] Theodor G. v. Karajan, Michael Beheims Buch von den Wienern, Wien 1843, 192/8—15.

LITERATUR:

B i r k, Ernst, D. Leonor von Portugal. Gemahlinn Kaiser Friedrich des Dritten. 1434—1467. Ein Vortrag gehalten in der feierlichen Sitzung der kaiserlichen Akademie der Wissenschaften am 31. Mai 1858, Wien 1858.

F i c h t e n a u, Heinrich, Der junge Maximilian, Österreich Archiv. Wien 1959.

K r o n e s, Fr., Leonor von Portugal, Gemahlin Kaiser Friedrichs III. des steirischen Habsburgers, (1436—1467), Sonderabdruck aus den Mittheilungen des hist. Vereines f. Stmk. 49. Heft, Heft 1902, Graz 1901.

L a n c k m a n n   v o n   F a l c k e n s t e i n, Nikolaus, Historia Desponsationis et coronationis Friderici III, et conjugis ipsius Eleonorae. Hgg. v. Hieronymus Pez, Scriptores rerum Austriacarum (veteres ac genuini . . .), 2, Leipzig 1725.

M a y e r, Josef, Geschichte von Wiener Neustadt, 2, Wr. Neustadt 1926.

P i c c o l o m i n i, Aeneas Silvius, Historia rerum Friderici III. imperatoris. Hgg. v. A. F. Kollar, Analecta monumentorum omnis aevi Vindobonensia, 2, Wien 1762.

S c h ä f e r, Heinrich, Geschichte von Portugal, 2, Hamburg 1839.

Z i e r l, Antonia, Kaiserin Eleonore und ihr Kreis. Eine Biographie (1436—1467). Philosoph. Dissertation, Wien 1966.

Karl Gutkas

FRIEDRICH III. UND DIE STÄNDE DES LANDES ÖSTERREICH

Wenn Friedrich III. seinem Tagebuch anvertraute, die Österreicher seien schlechter gegen ihre Herrschaft verfahren als die Böhmen und Ungarn, sie hätten ihn von der Regierung des Landes verdrängt, und einige seiner geschworenen Räte seien seine ärgsten Gegner gewesen, so meinte er damit die Ereignisse zur Zeit seiner Vormundschaft über Ladislaus Postumus, im besonderen die Auseinandersetzungen der Jahre 1439 bis 1442 und 1451/1452. Man könnte diese Sätze aber als Leitspruch über die Darstellung seines Verhältnisses zum Lande Österreich stellen. Ob er Vormund des jungen Herzogs Ladislaus oder später selbst Landesfürst gewesen ist, ungeteilte Freude hatte er zu keiner Zeit mit den Österreichern, aber auch diese nicht mit ihm.

Den Österreichern erschien Friedrich als Herzog der Steiermark, als ein Herrscher, der versuchte, den Schwerpunkt der Macht nach „Innerösterreich" zu verlegen, der am liebsten von dort aus regierte, der das Land verkommen ließ und „österreichisches Geld zum Ausbau der steirischen Städte Wiener Neustadt und Graz verwendete", wie ihm Ulrich Eyczinger 1451 vorhielt.

Allerdings waren die ersten Berührungen der Stände des Landes Österreich mit Herzog Friedrich durchaus nicht feindlich. Als König Albrecht II. am 27. Oktober 1439 zweiundvierzigjährig und unerwartet in Ungarn starb, hinterließ er nur zwei Töchter und eine schwangere Frau. In einem angesichts des nahenden Todes rasch erstellten Testament hatte er den Zusammenhalt seiner Länder Österreich, Böhmen und Ungarn zu erhalten versucht. In allen drei Ländergruppen, so auch in Österreich, traten die Stände sofort nach Einlangen der Todesnachricht zu Landtagen zusammen und setzten sich mit der letzten Verfügung des verstorbenen Herrschers und mit der Nachfolgefrage auseinander. Nirgends hielt man sich an das Testament. Die Ungarn suchten wegen der Türkengefahr rasch einen neuen handlungsfähigen Herrscher, die Böhmen setzten im „Sühnbrief" (list mirnij) die Urkunden Albrechts, die Zwietracht stiften würden, außer Kraft, die Österreicher suchten den Inhalt des Testamentes mit der Nachfolgeordnung des Hauses Habsburg in Einklang zu bringen. Sie verhandelten auf einem Wiener Landtag mit dem fünfundzwanzigjährigen Herzog Friedrich der Steiermark und Kärnten, der auch schon die Vormundschaft über den minderjährigen Sproß der Tiroler Linie des Hauses innehatte, als dem ältesten Habsburger, trafen mit ihm ein Übereinkommen und ließen sich dieses im Perchtoldsdorfer Revers vom 1. Dezember 1439 bekräftigen. Demnach sollte Friedrich Verweser Österreichs und, falls die Königinwitwe Elisabeth einen Sohn zur Welt bringt, dessen Vormund als österreichischer Herzog sein. Er versprach hingegen, die Stände an der Regierung des Landes zu beteiligen, das Landesvermögen zu wahren und zu mehren, Land und Leute zu schützen und zu schirmen. Schatz und Archiv der österreichischen

Herzoge sollten in der Wiener Burg verwahrt werden, Friedrich und die Stände je einen Schlüssel dazu besitzen. So klar die geschlossene Übereinkunft war, deren Einhaltung und Auslegung wurde doch ein Jahrzehnt lang Gegenstand dauernder Auseinandersetzungen auf mehr als einem Dutzend Landtagen. Das Hauptproblem des Landes war in erster Linie die Schlichtung zahlreicher Fehden einheimischer Adeliger und die Abwehr der Einfälle mährischer und slowakischer Söldnerführer in das Weinviertel. Mit Hilfe rasch zusammengetrommelter Haufen ausgedienter Hussitenkrieger trugen sie Brand und Raub in das Land. Die Burgen Ottenstein und Grub waren das Ziel ständischer Feldzüge, Pankraz von Szent Miklos und Michel Orszag hießen die unruhigen Söldnerführer, die mehrmals von ihren Stützpunkten in der Slowakei aus über die March vordrangen.

Für die Erfordernisse der Landesverteidigung und zur Bezahlung der beträchtlichen von König Albrecht hinterlassenen Schulden reichten die Einkünfte des österreichischen Landesfürsten nicht aus, die Stände waren aber nicht leicht zur Gewährung außerordentlicher Steuern zu bewegen. Fünf Landtage mußten abgehalten werden, bis sie sich zur Lösung der finanziellen Probleme bereit fanden und Hilfe gewährten. Man würde ihnen aber unrecht tun, verträte man die Meinung, sie wären ohne Einsicht für die Landesnot gewesen. Bei den langwierigen Verhandlungen mit Friedrich oder dessen Vertretern wurden aber auch andere Fragen mit der Lösung der Finanzmisere verquickt.

Friedrich war nämlich erst nach langen Auseinandersetzungen, die auf dem Wiener Junilandtag des Jahres 1441 den Höhepunkt erreichten, als ihn erboste Ständemitglieder mit dem Ruf „Kreuzigt ihn" bedrängten, dazu bereit, die zu Perchtoldsdorf versprochene ständische Mitregierung einzusetzen. Als diese aber nach einigen Monaten ruhmlosen Wirkens ihr dorniges Mandat zurückgab, betrachtete er sich, wie man wieder seinem Tagebuch entnehmen kann, der Verpflichtungen ledig und setzte nur mehr im Falle seiner Abwesenheit — so 1442 bei seinem Krönungszug — Verweser seiner Wahl ein. Die österreichischen Stände, die zusehen mußten, wie Friedrich die Not der Königinwitwe Elisabeth ausnützte, ihr Heiratsgut und verbliebenen ungarischen Besitz, Königskrone und schließlich auch den Sohn gegen Geld abnahm, machte Friedrichs berechnendes Wesen mißtrauisch. Als er vorschlug, zur Bezahlung der Landesschulden die in der Sakristei der Wiener Hofburgkapelle verwahrten Kleinodien des Ladislaus an sich zu ziehen und nötigenfalls mit Ausnahme weniger besonders kostbarer Stücke veräußern zu können, traf er auf erbitterten Widerstand.

Wer waren nun diese Stände, die der Landesgemeinde und des minderjährigen Herzogs Interesse so selbstsicher gegenüber dem Vormund des Ladislaus vertraten? Um die Mitte des 15. Jahrhunderts waren die österreichischen Stände ein voll ausgebildetes Vertretungsorgan der Landbewohner und bestanden aus vier Gruppen, dem hohen Adel, der Ritterschaft, den Prälaten und den landesfürstlichen Städten. In diesen Jahrzehnten hatten Prälaten und Städte volles politisches Mitbestimmungsrecht, obwohl ihr Besitz als „landesfürstliches Kammergut im weiteren Sinn" angesehen wurde, also einem beschränkten Verfügungsrecht des Landesfürsten unterworfen war. Das Land ob der Enns hielt gelegentlich wohl schon Sonderlandtage ab, bildete aber vor 1450 noch ständig mit den übrigen Österreichern einen gemeinsamen Vertretungskörper. Umfangmäßig kann man als Land Österreich im damaligen Sinne das heutige Niederösterreich mit Ausnahme der Bezirke Wiener Neustadt und Neunkirchen, die der steirischen Linie der Habsburger unterstanden, und vom heutigen Oberösterreich das Traun- und Mühlviertel mit dem größten Teil des Hausruckviertels samt dem Salzkammergut umschreiben

Der hohe Adel — die Landherren — als der mächtigste und für die Landesverteidigung wichtigste Stand war in sich wieder stark gegliedert und gleichzeitig hinsichtlich seiner führenden Geschlechter einem starken Wandel unterworfen. Von den zwei im Lande sitzenden Grafengeschlechtern waren die oberösterreichischen Schaunberger ein blühendes Geschlecht, während von den um Retz begüterten Grafen von Hardegg aus dem Hause der Maidburger nur mehr ein Mann vorhanden war. Von den führenden Ministerialengeschlechtern, die im 14. Jahrhundert eine große Rolle gespielt hatten, waren die Maissauer entmachtet worden und bereits ausgestorben, die Kuenringer und die Wallseer nur mehr Schatten ihrer einstigen Macht, die im nordöstlichen Teil des Landes reich begüterten Liechtensteiner durch ihren Hauptsitz Nikolsburg ebenso stark der Markgrafschaft Mähren verpflichtet wie dem Herzog von Österreich. Im Herrenstand dominierten die Puchheimer als maissauische Erben zusammen mit den Pottendorfern und Ebersdorfern als Träger der erblichen Ämter eines Truchsessen, Kämmerers und Schenken, während andere alteingesessene Geschlechter wie die Losensteiner, Polheimer, Streun, Toppel und Rohr erst jetzt zu größerem Ansehen gelangten. Daneben finden wir andere in raschem Aufstieg begriffen, wozu ihnen die Verleihung des Freiherrentitels verhalf. Hier wären vor allem die Eyczinger zu erwähnen, die im ausgehenden 14. Jahrhundert als kleine Ritter aus dem bayrischen Innviertel nach Österreich gekommen, hier als hardeggische Lehensleute ebenso bescheiden begonnen hatten und plötzlich nach Besitz, Macht und Einfluß an die Spitze der Landherren traten. Dies war das Verdienst des Ulrich Eyczinger, der durch eine reiche Heirat zu Geld und Ansehen, als Hubmeister Albrechts II. zu Macht und Einfluß und als des Königs Helfer beim Sturz der Maissauer zu Burgen und Herrschaften gelangt war. Er war nicht nur ein guter Geschäftsmann und geschätzter Ratgeber, sondern auch eine politische Führernatur mit Hang zu großangelegter Intrige. Neben diesen Landherren bestand eine relativ breit gestreute Zahl von Rittern, im Besitz kleiner Herrschaften und Burgen meist landesfürstliche Lehensleute, vermögensmäßig ebenfalls recht verschieden. Die einflußreichsten Männer aus dem Ritterstand waren Träger von herzoglichen Hofämtern und Pflegschaften, wie der Hofmeister Niklas Truchsess, der Forstmeister Erhard Doss und später sein Sohn, Georg Scheck zu Wald und Aggstein, die Missingdorfer, Floyt, Rohrbacher und Neidegger. Nicht deutlich von den kleinen Rittern zu scheiden ist die breite Schicht der „edlen Knechte", die als Burggrafen des Landesfürsten oder der Landherren wichtige Schlüsselpositionen hüteten, oftmals aber nur auf kleinen Burgen und befestigten Höfen in den Dörfern saßen und sich als unterste Schicht der wehrhaften Klasse immer wieder aus dem Bauernstand ergänzten.

Diesen beiden Ständen war in erster Linie die militärische Macht anvertraut, wenn sich auch die Qualität des ritterlichen Aufgebotes in den Hussitenkriegen als von recht zweifelhaftem Wert erwiesen hatte. Daher trat es immer mehr zugunsten gemieteter Söldner zurück. Soldtruppen waren zur Genüge zu haben, weil die Hussitenkriege in Böhmen einen Stand von Männern hervorgebracht hatten, die nur mehr das Kriegshandwerk verstanden, aber nicht arbeiten wollten. Deshalb finden wir vorwiegend böhmische Namen bei den in Österreich anzutreffenden Söldnern.

Diesen beiden adeligen Ständen standen die Prälaten und die Städte zur Seite. Zum Prälatenstand gehörten die Äbte, Pröpste und Prioren der besitzreichen Landklöster, der Landmeister des Deutschen Ritterordens ebenso wie der Meister der Mailberger Johanniterkomende, die Pröpste von St. Stefan, Ardagger und Eisgarn, aber auch noch die im Lande begüterten Bischöfe von Regensburg, Passau und Freising und der Salzburger Erzbischof. Die Bürgerschaft war im Landtag durch die landesfürstlichen Städte, von denen Wien als volkreichste und mächtigste den halben vierten Stand repräsentierte, vertreten, während die übrige Hälfte um 1440 zwölf nieder- und sechs oberösterreichische Städte nebst vier niederösterreichischen Märkten bildeten.

Bei allen Ausschüssen und Organen der Landesvertretung war jeder dieser vier Stände in zahlenmäßig gleicher Stärke vertreten.

König Friedrich hatte seine Ansprüche als Vormund des Ladislaus Postumus auch gegen die Ungarn, wo der kleine Prinz im Jahre 1445 als König anerkannt wurde und der im Türkenkrieg bewährte Woiwode von Siebenbürgen Johann Hunyadi eine führende Rolle errungen hatte, ebenso zu verteidigen wie gegen Böhmen, wo er vollkommen einflußlos blieb. In den noch an den Folgen der Hussitenkriege leidenden Ländern der böhmischen Krone hatte sich bald eine auf seiten des Ladislaus stehende Partei, repräsentiert durch die südböhmischen Herren von Rosenberg, und eine in hussitischen Traditionen lebende ostböhmische „Nationalpartei" gebildet, deren Führer Hynce Ptaček von Pirkstein und nach dessen Tod Georg von Kunstat auf Podiebrad waren.

Um 1450 erfolgte nun eine Klärung der Machtverhältnisse auch in Böhmen. Im Oktober dieses Jahres anerkannte Friedrich Johann Hunyadi als Gubernator Ungarns, dieser König Friedrich als Vormund des Ladislaus, sehr zum Mißvergnügen der mütterlichen Verwandten des Prinzen, der Grafen von Cilli, die im ungarischen Reichstag verankert waren. Friedrich von Cilli, des Ladislaus Großonkel, und dessen Sohn Ulrich, den Aeneas Silvius in seiner Historia Austrialis als skrupellosen Menschen mit verbrecherischen Eigenschaften schildert, der aber auch ein ungemein begabter Politiker gewesen sein muß, schürten von Ungarn aus gegen den König und verlangten die Auslieferung des Ladislaus. In Böhmen anerkannte im Oktober 1451 Friedrich den Georg von Podiebrad als Gubernator, der einige Monate später auch vom Prager Georgilandtag dazu gewählt wurde. Die Rosenberger, damit in den Hintergrund gedrängt, verlangten nun des Ladislaus Auslieferung nach Böhmen, um wieder ins Spiel zu kommen.

So trafen denn zwei ausländische Einflüsse in Österreich zusammen und lösten, genährt durch die Unzufriedenheit mit Friedrichs Regierungsweise, eine gewaltige Ständerevolution aus, die als Mailberger Bund in die Geschichte eingegangen ist.

Die österreichischen Stände hatten Friedrichs Bestrebungen immer mit Mißtrauen betrachtet. Schon 1444 hatten auf einem Landtage einige Landherren mit Bezug auf die Bestätigung der Privilegien des Hauses Habsburg durch Friedrich im Juli/August 1442 festgestellt, der König wolle den Herzog Ladislaus um sein Erbe bringen. Man sprach aber nicht weiter darüber. Der Korneuburger Landtag von 1447 sah einen mächtigen Vorstoß der Stände, wohl von den Grafen von Cilli inszeniert, um Aufenthalt und Erziehung des Ladislaus in der Wiener Burg, also im Lande Österreich zu erreichen. Friedrich hatte abgelehnt. Unter Ulrich von Eyczings Führung, der mit den Grafen von Cilli wie mit den Rosenbergern in engem Kontakt stand, versammelten sich nun am 14. Oktober 1451 in der Johanniterkommende Mailberg sechzehn Adelige aus dem Weinviertel, drei Eyczinger, drei Liechtensteiner, ein Kuenringer und Friedrich von Hohenberg nebst einigen ihnen verpflichteten Rittern, schlossen ein Bündnis und verlangten mit Berufung auf das unerfüllt gebliebene Testament Albrechts II. die Auslieferung des Königskindes. Friedrich, damals mit den Vorbereitungen für seine Krönungs- und Heiratsreise nach Rom beschäftigt, wies diese Forderungen zurück, schritt aber auch nicht gegen die Verbündeten ein, als sich die Zahl der oppositionellen Adeligen vergrößerte und diese einen allgemeinen Landtag einberiefen. Während Friedrich in Graz residierte, versammelten sich am 12. Dezember 1451 in Wien die Stände des Landes, wobei es Eyczinger gelang, den Bund nicht nur mit Adeligen zu vergrößern, sondern auch die Prälaten und schließlich die meisten bedeutenden Städte zum Anschluß zu bewegen. Die Bündnisurkunde trägt 254 Siegel, die meisten Herrengeschlechter mit Ausnahme der Puchheimer, Ebersdorfer, Starhemberger und Winkel, viele Ritter und Knechte, fast alle im Lande seßhaften Prälaten und siebzehn Städte hatten sich gegen Friedrich gestellt. Die Landesversammlung sprach ihm die Vormundschaft über Ladislaus Postumus formell ab, richtete eine eigene Landesverwaltung in des Ladislaus Namen mit Ulrich Eyczinger als oberstem Hauptmann ein und warb Verbündete in den Nachbarländern. Während Friedrich, begleitet von seinem Bruder Albrecht, nach Rom zog, Ladislaus mit sich führte, am 19. März 1452 zum Kaiser gekrönt wurde und den Papst für sich gewinnen konnte, schlossen in Wien die Österreicher mit den Ungarn und mit den Grafen von Cilli ein Bündnis, brachten die Mährer und die böhmischen Rosenberger auf ihre Seite und verhandelten mit Sigismund von Tirol und Herzog Albrecht von Bayern. Nach halbjährigem Aufenthalt in Italien in Wiener Neustadt angekommen, fand Kaiser Friedrich in Österreich vollzogene Tatsachen vor. Nun schritt er, unterstützt von wenigen österreichischen Adeligen wie Georg von Puchheim und Rüdiger von Starhemberg, zum Krieg. Gegen das Heer der Stände konnte sich aber seine kleine Streitmacht nicht durchsetzen. Vor den Toren Wiener Neustadts, dessen Eroberung nur die persönliche Tapferkeit des steirischen Ritters Andreas Baumkircher verhinderte, mußte sich Friedrich zum Verzicht auf die Vormundschaft über Ladislaus und zur Auslieferung des Prinzen an den nun an Eyczingers Stelle als Führer der Fronde auftretenden Ulrich von Cilli verpflichten. Mit dem Vertrag vom 1. September 1452 hatte Kaiser Friedrich formell auf die Verwaltung des Landes Österreich, die er seit Dezember des vergangenen Jahres nicht mehr in praxi ausüben konnte, verzichtet. Wenige Monate später, als er ohne jeden Einfluß auf den Gang der Ereignisse in Österreich war, bestätigte er die von Rudolf IV. hergestellten österreichischen Freiheitsbriefe, die dem Herrscherhaus und dem Lande große Vorrechte brachten, und gab den Mitgliedern seiner steirischen Linie, nicht aber dem derzeitigen österreichischen Herzog, den Titel „Erzherzog". In Österreich war ein zwölfeinhalbjähriger Knabe Herzog geworden, den Ständeführern, die ihn auf den Thron gesetzt hatten, vielfach verpflichtet und auf sie angewiesen. Deshalb sind in den nächsten Monaten die Urkunden, worin er diesen klingenden Lohn anweist, recht häufig: Ulrich von Cilli erhielt eine Verschreibung über 6000 Gulden, Ulrich Eyczinger verschiedene Güter, darunter die Feste Gars auf Lebenszeit, Friedrich von Hohenberg das Schloß Rabenstein an der Pielach. Selbst solche, die sich neutral verhalten hatten, ließen sich nun dafür belohnen. Kein Wunder also, wenn in der Folge um den Einfluß auf den jungen Ladislaus heftig gerungen wurde und die Österreicher im Herbst 1453 auf dem Korneuburger Landtag die Verbannung des Cilliers erreichten. Die nun wieder als Landesverweser bestellten zwölf ständischen Anwälte, die bis zu des Ladislaus zwanzigstem Lebensjahr die Geschicke des Landes leiten sollten, standen zwar unter Ulrich Eyczingers Führung, doch vermochte dieser niemals jene Autorität zu erringen wie Georg von Podiebrad in Böhmen oder Johann Hunyadi in Ungarn. Sein Stern verblaßte auch bald; im Februar 1455 gewann der Cillier wieder seinen alten Einfluß auf Ladislaus zurück, Ulrich von Eyczing mußte in aller Stille die Stadt Wien verlassen.

Zu dieser Zeit hat sich Ladislaus mit seinem Oheim und gewesenen Vormund Kaiser Friedrich auch materiell ausgeglichen. Lang war die Liste der abzurechnenden Objekte. Nicht nur Renten und Einkünfte, Herrschaften und Burgen hatte Friedrich genützt, aus der Sakristei der Burgkapelle Schätze und Schuldbriefe entnommen, sondern sogar aus der Wiener Burg Hausrat, türkische Teppiche und Bücher, darunter solche, die vom Böhmenkönig Wenzel als mütterliches Erbe an Ladislaus gekommen waren, aus den Burgen Perchtoldsdorf, Purkersdorf, Baden, Laxenburg und Trautmannsdorf das Bettgewand nach Wiener Neustadt führen lassen. Zeigt dies den kleinlichen Geist der Zeit oder das geizige Wesen des Kaisers?

Als Ulrich von Cilli im November 1456 ein Opfer seines ehrgeizigen Strebens wurde und von Ladislaus Hunyadi in der Burg zu Belgrad ermordet wurde, hatte Ladislaus Postumus seinen stärksten Lenker verloren und war nur mehr ein Spielball der verschiedenen Interessen. Wohl ließ er Ladislaus Hunyadi hinrichten, gegen den Eyczinger in Österreich, vor allem aber gegen Georg von Podiebrad in Böhmen vermochte er sich aber nicht durchzusetzen. Am 23. November 1458 starb der junge König in Prag an der Beulenpest, in Österreich aber wollten die Gerüchte nicht verstummen, er sei von Podiebrad ermordet worden.

Der plötzliche Tod des achtzehnjährigen Königs Ladislaus Postumus ergab für Friedrich eine völlig neue Situation, denn jetzt hatte er die Möglichkeit, selbst österreichischer Landesfürst zu werden und des Ladislaus Erbe anzutreten. Dagegen stellte sich sein jüngerer Bruder Albrecht, während der dritte damals lebende Habsburger, Sigismund von Tirol, größeren Wert auf finanzielle Abfindung legte. Beide wollten eine Teilung des Erbes erreichen. Wie nach König Albrechts plötzlichem Tode liefen auch jetzt die Ereignisse den Entschließungen der Habsburger davon, denn Böhmen und Ungarn lösten die gemeinsamen Bande und wählten in den ersten Monaten des Jahres 1458 nationale Könige, hier Georg von Podiebrad, dort Matthias Corvinus, den sechzehnjährigen Sohn des Johann Hunyadi. So blieb als Streitobjekt nur das Herzogtum Österreich übrig. Fünf Jahre lang bemühten sich nun Friedrich und Albrecht, ihre Ansprüche durchzusetzen.

Die von Ladislaus hinterlassene ständische Regierung wurde durch eine Verweserschaft aus vier der angesehensten Adeligen ersetzt, denen ein ständischer Ausschuß von zweiunddreißig Mitgliedern zur Seite stand. Aus den Reihen der Verweser ragte neuerlich der sichtlich gealterte Ulrich Eyczinger hervor, dem man aber nachsagte, er habe gewettet, in Analogie der Entwicklung in den anderen Ländern des Ladislaus noch Herzog von Österreich zu werden.

Damit aber geriet er in Feindschaft zu Erzherzog Albrecht, der sich beim Tode des Ladislaus in Wien aufgehalten hatte, eine rege Werbung für seine Person entfaltete und bestrebt war, durch Ergreifung der Macht vollzogene Tatsachen zu schaffen. Am 5. März 1458 setzte Albrecht den Eyczinger gefangen und bereitete einen politischen Prozeß vor, indem er alle Anschuldigungen gegen den rasch emporgestiegenen Adeligen sammeln ließ. Solches Vorgehen erbitterte nicht nur Eyczingers Verwandte und Freunde — der Zusammenhalt seiner Familie bewährte sich wieder einmal — sondern gab auch Kaiser Friedrich eine Möglichkeit, gegen seinen Bruder Stellung zu nehmen.

Friedrich hatte immer auf dem Senioratsbegriff bestanden und die Rechtmäßigkeit seines Anspruches auf Österreich nie in Frage gestellt. Nun gedachte er die Stände für sich zu gewinnen, doch der größte Teil des Adels wollte sich nicht in Angelegenheiten des Herrscherhauses mengen, sondern aus dem Konflikt selbst Vorteile erringen: Besetzung der Ämter mit Landleuten, Rechtsschutz gemäß den Privilegien, Bezahlung der Schulden, die teilweise noch auf Albrecht II. zurückgingen, eine allgemeine Amnestie für frühere politische Engagements und wirtschaftliche Sicherheiten. Vordringend schien den Ständen die Aufrechterhaltung der Einheit des Landes. Man neigte aber doch immer stärker auf des Kaisers Seite. Albrecht, der zu raschem, gewaltsamen Handeln neigte, kam etwaigen Entscheidungen zuvor und ließ in der Nacht vom 25. zum 26. Juni 1458 Söldner in die Stadt Wien eindringen und die Gassen besetzen. Nun kam rasch eine Einigung zustande, die Albrecht das Land ob der Enns, Friedrich Österreich unter der Enns zusprach. Die Teilung bezog sich nur auf Verwaltung und Nutznießung, nicht auf Veräußerungsrechte und war auf drei Jahre befristet. Wien hatte allen drei Fürsten die Huldigung zu leisten. Friedrich, damit nicht zufrieden, verließ die Stadt und zog sich nach Neustadt zurück, gerade drei Tage bevor der Sturm, den die Eyczingische Partei mit Georg von Podiebrads Unterstützung zur Befreiung Ulrichs entfacht hatte, losbrach. In den nächsten Monaten wurde das Land nördlich der Donau schwer verwüstet, Albrecht, gegen den sich die Fehde richtete, mehrmals schwer geschlagen. Schließlich konnte Kaiser Friedrich, nunmehr Landesfürst in Österreich unter der Enns, am 2. Oktober den Frieden schließen, der Ulrich Eyczinger die Freiheit und dem Lande den böhmischen Abzug brachte. Friedrich konnte sich seines Erfolges aber nicht freuen, da er bald wieder mit einer Gruppe der Stände in Gegensatz geriet. Den Zündstoff gab eine Fehde im Marchfeld. Im Kampf gegen slowakische Söldner war der vom Kaiser mit der Burghut des Schlosses Orth betraute Ritter Gerhard Fronauer gefallen. Sein Bruder Gamareth, der Briefe des Kaisers fand, in denen zu lesen war, Gerhard Fronauer habe Orth gekauft, aber keinen Kaufbrief entdecken konnte, betrachtete Orth als sein Erbe, während es Friedrich zurückforderte. In unserem Jahrhundert würde ein derartiger Fall die Gerichte beschäftigen, im Spätmittelalter griff man zur Fehde. Gamareth Fronauer fand Sympathien bei einer Gruppe von Adeligen, die sich einst als Ulrich Eyczingers Helfer beim Mailberger Bund von Ladislaus Postumus hatte belohnen lassen und jetzt um diese Güter bangten. Die Rückendeckung gab ihnen Georg von Podiebrad, der sich auf ein Testament des Ladislaus berief, worin ihm der Schutz der österreichischen Stände anvertraut worden war. Diese Gruppe versammelte sich in den ersten Monaten des Jahres 1460 in Göllersdorf, Guntersdorf und Wullersdorf und wollte im Juni ein ähnliches Bündnis gegen Friedrich aufrichten, wie 1451 in Mailberg. Selbst die Urkunde ist ähnlich aufgebaut, die Bundesfreunde sollten wieder ihr Siegel anhängen. Diesmal scheiterte die Aktion, historische Ereignisse lassen sich eben nicht wiederholen. Nur achtzehn Ständemitglieder siegelten den Bund, aus dem Herrenstand außer Ulrich von Eyczing nur Albrecht und Reinprecht von Ebersdorf, als bedeutendster Ritter Niklas Truchsess.

Ein Mißerfolg war also Ulrich von Eyczings letzte politische Handlung. Am 20. November 1460 starb der ehrgeizige Adelige in seinem Schloß Schrattenthal. Mit ihm trat eine von der höfischen Historiographie aller Jahrhunderte schlecht beschriebene Persönlichkeit von der politischen Bühne. Wir sollten in ihm aber einen Vorkämpfer der ständischen Autonomie, die Frühform des neuzeitlichen Unternehmers und Geldaristokraten, einen guten Organisator und fähigen politischen Agitator sehen.

Als Friedrichs Hoffnung, sich bei einem allgemeinen Landtag in Tulln mit den Österreichern zu einigen, am schlechten Besuch der Versammlung gescheitert war, zog er sich ohne Regelung der schwebenden Fragen aus dem Lande zurück. Dies nützte neuerlich Erzherzog Albrecht, der sich mit Georg von Podiebrad, Sigismund von Tirol und Matthias Corvinus verständigte. Der Böhme verwies die ständische Opposition an Albrecht, die ihm huldigte und im Juni 1461 zu Melk die Absage an Friedrich beschloß. Auch hier waren nur die Liechtensteiner, Reinprecht von Wallsee und Sigmund Eyczinger mit ihren Ministerialen vertreten. Aber die Mehrheit der Stände setzte sich auch nicht für den Kaiser ein. Der für Ende Mai 1461 nach Tulln berufene Landtag blieb ohne Gehör, zwei Wochen später folgten nur vier Prälaten, sieben Städte, ein Herr und drei Ritter dem Rufe Friedrichs nach Korneuburg.

So konnte Albrecht das westliche Niederösterreich rasch erobern, Wien widerstand aber seinem Angriff. Dafür erhielt die Stadt vom Kaiser ein neues Wappen, den goldenen

Doppeladler im schwarzen Feld. Ein volles Jahr lang herrschte Chaos im Land, alle Versuche, zum Frieden zu gelangen, scheiterten. Als sich dann Friedrich zum Feldzug gegen seinen Bruder entschloß, nahmen ihm dies die Wiener übel. Am 12. August 1462 wurde der Rat in einem unblutigen Handstreich abgesetzt, Wolfgang Holzer, ein Anhänger der ständischen Opposition, zum Bürgermeister bestellt. Friedrich konnte, unterstützt von einem steirischen Heer, wohl einen Landtag in der Stadt abhalten, doch zu keinem Ergebnis führen. Als sich Heer und Stände verlaufen hatten, gewann in Wien die Opposition wieder die Oberhand. Der Kaiser blieb trotzig in der Stadt und wurde vom 17. Oktober an in der Hofburg mit seiner Familie von den Wienern belagert. Man beschoß die von etwa 250 Wehrfähigen verteidigte Burg mit Geschützen, deren Geschoße gegen die Gemächer der Kaiserin gerichtet wurden, warf Schanzen auf und warb Söldner ab. Als die Burg nicht bezwungen werden konnte, rief man Erzherzog Albrecht zu Hilfe. Dieser erschien sofort in der Stadt, schloß mit ihr ein Bündnis und versprach, die ständischen Wünsche zu erfüllen. Friedrich weigerte sich, aus der Burg abzuziehen und zugunsten seines dreijährigen Sohnes Maximilian auf Österreich zu verzichten. Nun gingen ihm hundert weitere Absagebriefe von Adeligen zu. Als sich seine Lage wegen Erschöpfung der Vorräte schon sehr verschlechtert hatte, kam Hilfe von Böhmen. Andreas Baumkirchner, einst vor Wiener Neustadt Friedrichs Retter, ritt Ende Oktober in drei Tagen nach Prag und erreichte ein allgemeines Aufgebot Georgs von Podiebrad, der seinen Sohn Viktorin mit einem Ersatzheer nach Österreich schickte. Verhandlungen brachten nach erfolglosem Sturm auf Wien am 2. Dezember 1462 eine Lösung. Der Kaiser sollte acht Jahre lang zugunsten Albrechts auf die Regierung Österreichs verzichten. Nun konnte die kaiserliche Familie nach Wiener Neustadt zurückkehren.

Der Kaiser betrachtete das Übereinkommen als erzwungen und setzte in der Folge mehr Regierungshandlungen für das ihm abgenommene Land Österreich als jemals zuvor. Die treu gebliebenen Städte Bruck, Hainburg, Korneuburg und Weitra, besonders aber Krems und Stein erhielten neue Privilegien. Niederlagsrecht und Venedighandel, Donaubrücke und Münzrecht wurden Krems übertragen und als äußeres Symbol ihr das Recht eingeräumt, den Reichsadler mit der Kaiserkrone im Wappen zu führen und mit rotem Wachs zu siegeln. Während sich die wirtschaftlichen Vorrechte nicht auszuwirken vermochten, ist die Wappenverleihung bis zum heutigen Tage ein sichtbares Zeugnis jener Ereignisse geblieben. Um Wien konzentrierte Friedrich aber Söldnertruppen unter der Führung treuer Anhänger — Andreas Baumkircher erhielt Korneuburg, Ulrich von Grafenegg Bruck und Hainburg, der Böhme Zdenko von Sternberg wurde oberster Hauptmann im Lande nördlich der Donau — und verhängte über die Stadt des Reiches Acht und Aberacht. So konnte die Regierung Erzherzog Albrechts für Österreich und im besonderen für Wien kein Abschluß einer unruhigen Periode werden. Wolfgang Holzer, der sich und die Stadt um den Erfolg betrogen sah, begann heimlich wieder mit dem Kaiser zu verhandeln. Am Karsamstag des Jahres 1463 wollte er den Söldnern des in Korneuburg stationierten Baumkircher die Tore öffnen. Nun zeigte sich neuerlich Albrechts plötzliche Entschlußkraft. Er stellte sich an die Spitze des Widerstandes und überwand die von Holzer eingelassenen Söldner. Der Bürgermeister konnte flüchten, wurde aber in Nußdorf erkannt und Albrecht ausgeliefert. Am folgenden Donnerstag wurde er zum Tod durch Vierteilen verurteilt, vier seiner Mitverschworenen und der Söldnerhauptmann fielen unter dem Schwert. Kaiser Friedrich ließ sich durch diesen schweren Rückschlag nicht entmutigen — und die Ereignisse gaben ihm darin recht. Bald wandten sich die ersten Ständemitglieder, denen Albrechts Stellung untergraben schien, ihm zu, dann traten einige Räte Albrechts über und wurden in Gnaden aufgenommen. Während nun ein neuerliches Aufflammen des Krieges befürchtet wurde, erkrankte Erzherzog Albrecht plötzlich und starb binnen weniger Tage am 2. Dezember 1463 an der Beulenpest. Eine endgültige Lösung der Konflikte schien damit gegeben.

Als Albrecht VI. starb, versammelten sich die österreichischen Stände gerade zu einem von Friedrich untersagten Landtag in Hadersdorf. Nun wurde dieser zum Huldigungstag für den allgemein als Landesfürst anerkannten Kaiser, dessen ehrliches Bemühen, dem schwergeprüften Lande endlich den Frieden zu geben, unverkennbar war. Er löste die Rechte ausländischer Herren ab, beendete die Fronauerfehde, ließ Albrechts Kanzler Jörg von Stein im Amt, gewährte seinen früheren Gegnern Verzeihung und erwies ihnen manche Ehre. Auch mit der Stadt Wien söhnte er sich aus, als er im April 1465 Bürgermeister und Ratsherren, Universität und Geistlichkeit in der Neustadt empfing. Seinen bewährten Anhängern, Hans von Rohrbach, Hans Hofkirchner und Heidenreich Truchsess von Grub gab er den Freiherrentitel, auch die Eyczinger wurden seine Freunde. Am schwierigsten war, das Land von den Söldnergruppen, den „Brüdern" zu befreien, da sich alle Nachbarländer gegen ihr Einströmen zur Wehr setzten. Aber nach kaum dreijähriger relativer Ruhe war man wieder so weit wie vorher. Als er Jörg von Stein seine Pflegschaft Steyr entzog, entstand eine neue Fehde, die weitere Nahrung erhielt, als sich Wilhelm von Puchheim anschloß. Von dessen Burg Rauhenstein war die Kaiserin, als sie von Baden nach Heiligenkreuz ritt, überfallen und die Burg darob gebrochen worden. Der verbannte Puchheimer wandte sich zu den Böhmen, deren Eingreifen provozierte aber der Kaiser selbst, als er gegen den ausdrücklichen Rat der österreichischen Stände mährischen Städten und Adeligen Unterstützung gegen Podiebrad zusagte. Dessen Sohn Viktorin, Markgraf in Mähren, fiel 1468 wieder in Österreich ein und verwüstete weite Landstriche. Der Kaiser, mit seinen Vorbereitungen für den zweiten Romzug beschäftigt, womit er ein während der Wiener Belagerung gegebenes Gelübde erfüllen wollte, rief Matthias Corvinus von Ungarn, um das Land von den Böhmen zu befreien und verschrieb ihm gegen Schutz des Landes Österreich vor allen seinen Feinden dessen Einkünfte auf ein Jahr.

Damit hatte Kaiser Friedrich den Ungarnkönig selbst nach Österreich gerufen. Fast zwanzig Jahre lang hatte er nun mit Matthias um das Land Österreich zu kämpfen und dabei manch bittere Niederlage einzustecken. Die ständischen Gegner des Kaisers fanden einen neuen Schutzherrn. Fortan war der Corvine anstelle Böhmens — Nachfolger des 1471 verstorbenen Georg von Podiebrad wurde mit Wladislav von Polen der Neffe des

Ladislaus Postumus — Rückhalt der österreichischen Opposition. Erstmals wurde dies 1471 deutlich, als im Zusammenhang mit der Baumkircherfehde in der Steiermark auch bedeutende Adelige, darunter Friedrichs Feldhauptmann Ulrich von Grafenegg sich gegen Friedrich verbanden. Dies blieb auch in den folgenden Jahren so, denn Unzufriedene gab es immer, zumal Kaiser Friedrich seine Helfer nur schleppend zu entlohnen pflegte und eingegangene finanzielle Verpflichtungen nicht einhielt. Deshalb waren nicht selten seine obersten Beamten mit ihm in Streit: Heinrich und Georg von Puchheim oder Georg und Friedrich von Pottendorf etwa.

Gleichzeitig schürte aber Matthias Corvinus fleißig weiter, indem er von der Slowakei aus österreichische Burgen besetzen ließ und sich neuerlich zum Schutzherrn des nun schon lange ruhenden Adelsbundes aufwarf. Dessen führende Glieder griffen wieder zu den Waffen, die Fehden nahmen trotz vieler Schlichtungsversuche ihren Fortgang, bis es im Juni 1477 zum offenen Krieg kam. Binnen kurzem mußte sich Friedrich in das westlichste Österreich zurückziehen, während Matthias weite Teile des Landes unter der Enns besetzte. Nur Hainburg, Wien und Krems hielten sich. Ein Türkeneinfall zwang die Ungarn zum Friedensschluß. Wieder mußte Friedrich alle Anhänger des Corvinen in Gnaden aufnehmen und unter der Garantie der österreichischen Stände 100.000 Gulden Kriegsentschädigung zahlen.

Als man aber zahlen sollte, war die Begeisterung der Stände sehr gering. Wie schon früher bei ähnlichen Anlässen, konnte erst nach mehreren Landtagen eine Lösung gefunden werden.

Kaiser Friedrich wie der Ungarnkönig ließen wenig Zweifel bestehen, daß sie an keinen langen Frieden glaubten. Während die Burgen und Städte des Landes befestigt wurden, versuchte Matthias, neue Stützpunkte in Österreich zu gewinnen und bediente sich dazu der auswärtigen Bischöfe, des Erzbistums Salzburg und des Bistums Passau. In beiden Fällen hatte Friedrich in letzter Zeit eingegriffen. Während er in Salzburg die Abdankung des Erzbischofes Bernhard von Rohr erzwingen und an seine Stelle den vor Matthias geflohenen Graner Erzbischof Johann Beckensloer setzen wollte, unterstützte er in Passau den Kardinal Georg Haßler, während das Domkapitel den bayrischen Kandidaten Friedrich Mauerkircher wählte. Dieser verpfändete nun im September 1481 dem Ungarnkönig die passauischen Städte St. Pölten und Mautern, auch Hans von Hohenberg überließ den Ungarn seine Burgen im südöstlichen Niederösterreich. Von diesen Stützpunkten begann der Corvine im Mai 1482 die Eroberung Österreichs. Zwar gelang ihm vorerst nur die Einnahme der Stadt Hainburg und die Verheerung des flachen Landes, im April 1483 traten aber die Bürger von Klosterneuburg zu den Ungarn über, im Februar 1484 wurde Bruck bezwungen und am 1. Dezember 1484 fiel Korneuburg. So war Wien eingeschlossen und mußte sich im Mai 1485 ergeben. Schon öfters in früheren Jahrzehnten hat Friedrich, wenn er im Begriff war, das Land Österreich oder Teile davon zu verlieren, symbolische Akte gesetzt oder setzen lassen. Nun, als der Ungarnkönig im Vormarsch war, wurde mit päpstlicher Bulle vom 6. Jänner 1485 die seit zwei Jahrzehnten betriebene Kanonisation des Markgrafen Leopold III. durchgeführt und damit Österreich sein Landesheiliger gegeben.

Während Kaiser Friedrich, der die letzten beiden Kriegsjahre meist in Graz und Linz verbracht und den Österreichern geschrieben hatte, er sei sich keiner Schuld bewußt, denn Krieg und Not des Landes seien durch die ungehorsamen Landleute heraufbeschworen worden, die Erblande verließ, ins Reich und in die Niederlande reiste, um erst im Herbst 1489 wieder in die Linzer Burg zurückzukehren, zog Matthias Corvinus in die Stadt Wien ein. Er hoffte nun nach Gewinnung der Hauptstadt auf allgemeine Anerkennung rechnen zu können. Zwar leistete ein Teil der Stände Huldigung, darunter die bedeutenden Puchheimer. Der Krieg, den auf seiten des Kaisers die Brüder Sigmund und Heinrich Prüschenk führten, war aber noch immer nicht gewonnen. 1486 konnten die Ungarn neben den Puchheimschen Orten Gmünd, Thaya und Raabs die Städte Zistersdorf, Laa, Feldsberg, Retz, Eggenburg und Klöster des Waldviertels gewinnen, 1487 wurde des Kaisers langjährige Residenz Wiener Neustadt bezwungen, an der Donau hielten sich aber Krems, Ybbs und Melk, im Waldviertel Waidhofen und Zwettl. Seit 1488 ruhten auf Grund eines Vertrages die größeren Kampfhandlungen, der Besitzstand blieb beiden Parteien gewahrt.

König Matthias Corvinus suchte sich als österreichischer Herzog einzurichten, vergab Privilegien, schrieb Landtage aus, konnte aber für die Hebung des Landes, in dem der Kleinkrieg fortdauerte, im allgemeinen wenig tun. Im August 1488 veranstaltete er eine Ständeversammlung, zu der Kärnten, Steiermark und Krain Vertreter entsandten und auch das dem Kaiser verbliebene Land ob der Enns Kontakte aufnahm. Es ist dies der erste österreichische Ständetag, der über die Grenzen eines Landes hinausragte. Diese Ausschußlandtage wurden im folgenden Jahrhundert zu einer häufigen Einrichtung.

Ab 1488 ist auch in den österreichischen Angelegenheiten Kaiser Friedrichs tatkräftiger Sohn Maximilian immer stärker in den Vordergrund getreten. Nicht unverdächtigt vom alten kranken Kaiser verhandelte er mit dem Ungarnkönig, als dieser am 6. April 1490 plötzlich in Wien starb. Nun konnte Maximilian rasch, von der Steiermark kommend, Österreich zurückgewinnen, Wien einnehmen und sich sogar um die Nachfolge des Corvinen als König von Ungarn bewerben.

Dazu dienten ihm die Einkünfte des Landes Österreich, auf das Kaiser Friedrich aber doch nicht ganz verzichtete. Von der Linzer Burg aus verwaltete er weiterhin das Land, ernannte Beamte, berief Landtage ein und versuchte, die zerrütteten Verhältnisse zu steuern. Gesehen hat er Österreich im letzten Jahrzehnt seines Lebens nicht mehr; als er am 19. August 1493 starb, wurde aber sein Leichnam in die Stadt Wien gebracht und im Stephansdom beigesetzt.

Friedrich als österreichischen Landesfürsten zu beurteilen, ist schwer. Selbst in jenen Zeiten, wo er unbestrittener Herr des Landes war, vermochte er sich nicht restlos durchzusetzen. Da er zu wenig Autorität besaß, bekam er von den Ständen nie genügend Geld, um großzügige Aktionen durchführen zu können, machte sich oftmals seine unbelohnt gebliebenen treuesten Diener zu erbitterten Feinden und kam mit den aktiven Mitgliedern der österreichischen Stände nie ganz zurecht. In einem rauhen und grobschlächtigen Zeitalter, das selbst in der Brutalität der künstlerischen Darstellung sein Wesen nicht verleugnen kann, hatte es ein Herrscher, der ungern in den Krieg zog, endlose Verhandlungen raschem Schlachtenentscheid vorzog und wichtige Probleme durch Vertagen und Verzögern regeln wollte, schwer, Anerkennung und Respekt zu finden. So war in den letzten Jahrzehnten seines Regierens Österreich ein begehrtes Ziel der Nachbarn, zum Schaden des Landes und seiner Bewohner.

QUELLEN UND LITERATUR:

Für die Ereignisse von 1439 bis etwa zum Tode Albrechts VI. sind die wichtigsten Chroniken die *Historia Austrialis* des Aeneas Silvius, fortgesetzt von Johann Hinderbach (ed. F. Kollar, Analecta mon. omnis aevi Vind., Bd. 2, 1772, übers. Th. Ilgen, Geschichtsschr. d. deutschen Vorzeit 88/9) und die *Cronica Austrie* des Thomas Ebendorfer (ed. H. Pez, SS. rer. Austr. II, 1725). Die Jahre 1454 bis 1467 schildert eine Chronik eines anonymen Wiener Verfassers (ed. Adrian Rauch, Rer. Austr. historia, 1794). Die Spätzeit, vor allem die ungarischen Kriege, ist dargestellt in der *Österreichischen Chronik* des Jakob Unrest (MG. SS. rer. Germ. NS. 11, 1957) und in den *Rerum Ungaricarum Decades quartour cum dimidia* des Anton Bonfini (ed. Hann. 1606 u. a.). Die übrigen erz. Quellen des Zeitalters sind besprochen bei A. Lhotsky, Quellenkunde z. m. a. Gesch. Österreichs, 1963, S. 345—358, 361—370, 413—421.

Urkunden und Regesten: J. Chmel, Materialien z. österr. Gesch., 2 Bde., 1838; Regesta chronologico-diplomatica Frid. IV, 2 Bde., 1838 ff.; Lichnowsky-Birk, Geschichte des Hauses Habsburg, Bd. 6—8, 1844, Regestenanhang; Monumenta Habsburgica I/1—3, 1854 ff.; FRA II/2, Landtagshandlungen nach Wiener Überlieferungen bei Kollar, aa. O. II, und FRA II/7; weitere Urk. und Regesten: FRA II/42, 44, FRA III/1, A. Rauch, Rer. Austr. Script. III, Quellen z. Geschichte d. Stadt Wien I/7, 8, II/2, 3; Archivber. aus N.-Ö. I, 1915; AÖG II; Gesch. Beilagen z. St. Pöltner Diözesanbl. Bd. 1—15.

Karl und Mathilde Uhlirz, Handbuch d. Gesch. Österreich-Ungarns, Bd. I², 1963; F. Kurz, Österreich unter Kaiser Friedrich d. Vierten, 2 Bde., 1812; M. Vancsa, Geschichte Nieder- und Oberösterreichs, 2. Bd., 1927; K. Gutkas, Geschichte d. Landes N.-Ö., Bd. 1², 1962; Geschichte der Stadt Wien, Hgg. v. Altertumsverein Bd. II/1, 2, III/1, 2, 1900—1907; Unvergängliches Wien, 1964; J. Chmel, Geschichte Friedrichs IV. und seines Sohnes Maximilian, 2 Bde., 1840—1843, reicht bis 1452; A. Lhotsky, Thomas Ebendorfer, Schr. d. Mon. Germ. hist. 15, 1957; B. Haller, Friedrich III. im Urteil der Zeitgenossen, Diss. Wien 1964; K. Schalk, Aus d. Zeit d. österr. Faustrechtes. Qu. u. Abh. z. Gesch. d. Stadt Wien III, 1919; O. Brunner, Beitr. z. Gesch. d. Fehdewesens i. spätma. Österreich, Jb. f. Lkde. v. N.-Ö. 22 (1929); Ders., Land und Herrschaft, 1959⁴; K. Gutkas, Landesfürst und Stände um die Mitte d. 15. Jahrhunderts, Mitt. oö. LA 8 (1964); H. Zeißberg, D. österr. Erbfolgestreit n. d. Tod d. K. Ladislaus, AÖG 58 (1879); K. Schober, Die Eroberung N.-Ö. durch Matthias Corvinus i. d. J. 1482—1490, Bl. f. Lkde. v. N.-Ö. 13, 14 (1879 f); E. Schaffran, Beiträge z. 2. und 3. Einfall d. Ungarn in N.-Ö. 1477 u. 1481—1490, Jb. f. Lkde. v. N.-Ö. 25 (1932); V. O. Ludwig, Der Kanonisationsprozeß des Markgrafen Leopold III. des Heiligen, Jb. Klosterneuburg 9 (1919); F. Wimmer u. E. Klebel, Das Grabmal Friedrichs III., 1924.

Alfred Hoffmann

DIE WIRTSCHAFT IM ZEITALTER FRIEDRICHS III.

In einer an den Bruder Kaiser Friedrichs III., Erzherzog Albrecht VI. im Jahre 1461 gehaltenen Ansprache hat der geborene Österreicher, Universitätsprofessor Dr. Thomas Ebendorfer, die Vorzüge seines Vaterlandes gerühmt und dabei vor allem die Fruchtbarkeit der Erde, das milde Klima, die Süße der Früchte und den Überfluß an Lebensmitteln hervorgehoben und des reichen Ertrages der Weingärten gedacht, die rings um den Silberstrom der Donau gelegen waren.

Er hat damit zugleich alle jene Voraussetzungen für das Wohlergehen des Menschen und ein gedeihliches Wirtschaftsleben geschildert, wie sie dem mittelalterlichen Menschen wesentlich erscheinen mußten. Angesichts der geringen Leistungsfähigkeit der damaligen Transportmittel war man ja vor Hunger und Not nur dann einigermaßen gesichert, wenn man im eigenen Lande eine sichere Ernährungsbasis hatte. Überfluß an Lebensmitteln aber bedeutete zugleich billigere Preise, damit niedrige Löhne und weiterhin eine der ausländischen Konkurrenz gewachsene gewerbliche Produktion, eine Steigerung des Exports ins Ausland. Alle diese Zusammenhänge und darüber hinaus andere volkswirtschaftliche Erkenntnisse waren, wie wir aus den verschiedenen Quellen ersehen können, den Zeitgenossen Friedrichs III. durchaus bekannt. Trotzdem werden von allen Seiten ständig Klagen über die ungünstige Wirtschaftslage vorgebracht, die dem Lob Ebendorfers Hohn zu sprechen scheinen. Wir wollen im folgenden versuchen, die für das Wirtschaftsleben maßgebenden Faktoren einer kritischen Beleuchtung zu unterziehen.

Ebendorfer hat seine Ausführungen hauptsächlich auf das österreichische Donauland und Wien bezogen; aber Friedrichs Machtbereich begriff außer den beiden Ländern Österreich ob und unter der Enns noch die ganze Gruppe der innerösterreichischen Länder, Steiermark, Kärnten, Krain, Görz, Istrien und Triest, in sich, womit wir in einen vielfach ganz anders gearteten Wirtschaftsraum geraten, der gebirgig und waldreich war und für Ackerbau und Weinbau ungleich weniger günstige Grundlagen bot als die Donauländer. Dafür waren aber dank der geologischen Grundlagen die alpinen Landschaften mit Bodenschätzen an Edelmetallen, Eisen und Salz versehen, deren Ausbeute den Ausgangspunkt für eine wirtschaftliche Blüte des Landes abgeben konnte; das Bergwesen wirkte deshalb so außerordentlich befruchtend auf die Wirtschaft, weil zunächst schon die Montanwerke als solche einer großen Zahl zusätzlicher, meist gewerblicher Wirtschaftszweige bedurften, weiterhin ihrerseits wiederum die Grundlage für eine Fertigwarenproduktion abgaben. Diese enge Verbindung einer ganzen Kette von Produktionsgruppen und Dienstleistungsgewerben hatte allerdings auch den Nachteil, daß die im Bergwesen oft außerordentlich schwankenden Konjunkturverhältnisse weite Rückwirkungen auf das Wirtschaftsleben ganzer Landschaften hatte.

Aber die in der Urproduktion, sei es nun in der Landwirtschaft, sei es im Bergwesen erzeugten Güter mußten auch einer Verwendung zugeführt werden und damit gelangen wir zu einem weiteren für Österreich außerordentlich wichtigen Wirtschaftszweig, nämlich dem Handel. Ein Handel, der zunächst das eigene Land mit Gütern zu versorgen hatte, wobei dann der Überschuß der eigenen Produktion zu exportieren war, die im Lande gar nicht oder in zu geringer Menge vorhandenen Waren importiert werden mußten. Damit war es noch nicht getan, denn die im Netz der mitteleuropäischen Fernhandelsstraßen außerordentlich günstige Lage der österreichischen Länder führte dazu, daß dem Durchzugs- oder Transithandel eine führende Rolle zukam. Hier, wie im gesamten Handel überhaupt, wird die Aufgabenteilung zwischen in- und ausländischen Kräften zu einem für die Wirtschaft des Landes ausschlaggebenden Faktor.

Der beste Boden, das mildeste Klima und die fleißigsten Bauernhände nützen der Wirtschaft nichts, wenn durch innere Unruhen das Land verwüstet und verdorben wird. Dies war in der Zeit Friedrichs III. allzuhäufig der Fall. Es sei hier nur auf das Vordringen des Ungarnkönigs Matthias Corvinus und die Einfälle der Osmanen verwiesen, die seit den Siebzigerjahren weite Strecken Niederösterreichs, der Steiermark und Kärntens verwüsteten, so gründlich, daß manche Siedlungen auf lange Zeit, ja auch dauernd wüst und öd lagen.

Nicht minder schlimm für die Bauern als der äußere Feind waren die im Gefolge der Erbschaftsstreitigkeiten zwischen Friedrich III. und seinen Widersachern ausgetragenen kriegerischen Auseinandersetzungen, die andauernden Fehden feindlicher Adelsgeschlechter und die zwischen Österreich und Böhmen abgewickelten Grenzfehden. Die Bauern wurden dabei „gehuldigt" und gebrandschatzt, ihre Häuser angezündet, das Vieh weggeführt. Wenn man die zahlreichen Berichte über diese Gewalttaten auf Kosten der Bauern liest, dann gewinnt man den Eindruck, daß es sich dabei nicht nur um einen Mißbrauch der rechtmäßigen Fehde, sondern direkt um einen beabsichtigten Raub handelt, haben sich doch z. B. einige Adelige miteinander einen „Huldigungsmeister" gehalten, dessen Aufgabe darin bestand, die Beute zu verteilen. Von diesen Plünderungen bis zum ausgesprochenen Straßenraub war kein weiter Schritt mehr.

In unseren Landen stand den Bauern dann, wenn sie sich ob der verschiedenen Drangsale nicht mehr hinaussahen, immer noch die Möglichkeit der Flucht in eine andere Gegend oder in ein anderes Land offen, denn weitaus die meisten von ihnen waren persönlich frei und nicht leibeigen. Alle aber unterstanden sie einem adeligen oder geistlichen Grundherrn, der nicht allein der Obereigentümer der von ihnen bebauten Gründe sondern zugleich ihre weltliche „Obrigkeit" war.

Für die ihnen überlassenen Güter hatten sie entweder Naturalabgaben oder Geld zu zinsen, dazu noch gewisse Hand- oder Spanndienste zu leisten. Der Herr aber war dafür zu Schutz und Schirm verpflichtet, d. h. er hatte ihnen in unverschuldeter Notlage Hilfe zu leisten.

Infolge der von einzelnen Grundherren gehandhabten Mehrbelastungen war es schon früher zu lokalen Aufständen gekommen. Im Zeitalter Friedrichs III. hören wir 1469 und 1478 von Bauernaufständen, bei denen Forderungen erhoben wurden, die an das grundsätzliche Verhältnis von Herrschaft und Bauer rührten. Die steirischen bzw. Kärntner Bauern wollten nicht allein ihren Grundherren höhere Zinse verweigern, die höheren Mauten und Aufschläge nicht bezahlen, sondern sich überhaupt neue Grundherren suchen oder gar direkt unter dem Kaiser stehen und ihre Richter selber wählen. Begründet wurde diese Lösung vom Untertanenverband damit, daß die adeligen Herren ihnen während der Türkeneinfälle keinen Schutz gewährt, ja sogar im Gegenteil mit dem Feinde konspiriert und diesem sogar die Wege gewiesen hätten. Die Bauern stellten tatsächlich ein eigenes Heer auf, für dessen Erhaltung sie Steuern einhoben, wurden jedoch von den Türken besiegt. Besonders interessant ist aber, daß der Kärntner Aufstand unter anderem dadurch ausgelöst wurde, daß die Bauern für die Lebensmittel höhere Preise verlangten, an die Grundherren aber nur einen entwerteten Zins zahlen wollten; die landesfürstlichen Pfleger griffen mit Strafen ein, worauf die Bauern einen über das ganze Land hin aufgerufenen Bund schlossen. Auf die für die Bauern sehr wesentliche Frage des Lebensmittelhandels, die übrigens gleichermaßen ihre Herren berührte, werden wir noch zurückkommen.

Haben die Unruhen und kriegerischen Einfälle auf der einen Seite zu Wüstungen geführt, so bemerken wir dennoch in der zweiten Hälfte des 15. Jahrhunderts in manchen Gegenden eine Siedlungsverdichtung, indem bäuerliche Anwesen (teilweise in sogenannten „Gemeinerschaften") auf mehrere Zinsleute aufgeteilt wurden. Auch eine andere Art der bäuerlichen Wohnstätten, nämlich die Häusel oder Keuschen, nahm in manchen Bezirken zu, meist wohl dort, wo wie in der Umgebung von Montanwerken die Aussicht auf einen Nebenverdienst bestand.

Treten uns in der Landwirtschaft hauptsächlich zwei soziale Schichten, nämlich die Bauern und ihre Grundherren, entgegen, so war die Aufteilung sowohl der Arbeit als auch der sich daraus ergebenden Produkte und Gewinne im Bergwesen ungleich komplizierter und zudem fast in jedem Fall verschieden geartet. Haben Staat bzw. Landesfürst in die landwirtschaftlich-grundherrschaftlichen Verhältnisse so gut wie gar nicht eingegriffen, es sei denn, daß durch Aufstände der innere Friede gefährdet war, so war dies im Bergwesen vermöge der dem Landesfürsten zustehenden Hoheits- und Regalrechte ganz anders. Nun war aber in der Zeit Friedrichs III. gewiß die Landesherrlichkeit schon ziemlich weit im Sinne des modernen, eine geschlossene Landesfläche umfassenden Staates entwickelt; in einigen Ländern wie in der Steiermark, vorab in Kärnten vermochten jedoch die hier mit reichem Grundbesitz ausgestatteten Erzbischöfe bzw. Bischöfe von Salzburg und Bamberg, die ja auch selbst Reichsfürsten waren, noch einige landesherrliche Rechte, so vor allem das Bergregal, weiter für sich zu beanspruchen.

Im Sinne der schon von seinen Vorfahren verfolgten Politik, alle derartigen Sonderrechte zu beseitigen, hat Friedrich III. systematisch getrachtet, im Wege der Erteilung von Bergwerksgerechtsamen an verschiedene Parteien seine Berghoheit zu demonstrieren und jene der auswärtigen Mächte zu reduzieren. Die Erzbischöfe von Salzburg haben sich gegen diese Tendenz zum Teil mit Erfolg zu wehren gesucht. Am heftigsten wogten die diesbezüglichen Auseinandersetzungen in Kärnten. Hier hat Friedrich III. den Hüttenberger Bezirk, in dem unter anderen das neben Eisenerz größte Eisenerzlager der östlichen Alpenländer ausgebeutet wurde, als ein vom Ungarnkönig Matthias Corvinus zurückeroberter Land für sich behalten und dem Erzbischof von Salzburg nicht mehr zurückgestellt.

Interessant ist, daß sich Salzburg seine Berghoheit durch einen im Jahre 1453 vom Berggericht in Lölling auf Ansuchen des salzburgischen Mautners zu Althofen gefällten Spruch sicherte, in welchem bestätigt wurde, daß alle Eisengewerke des Erzbischofs von Salzburg freies Eigen seien, dort niemand zu richten habe als der salzburgische Bergrichter zu Althofen, wohin auch alles Eisen an die Waage und Maut gebracht werden müsse. Einige Tage vorher hatte Friedrich III. an den Viztum einen Befehl gerichtet, daß aller Eisenhandel von Althofen in St. Veit durchgeführt werden müsse. Das Jahr 1453 wird uns als wichtiges Datum für die Regalansprüche der österreichischen Landesfürsten immer wieder begegnen, weil damals Friedrich III. als deutscher König bzw. Kaiser den österreichischen Landesfürsten ihre Privilegien in erweiterter Form bestätigte.

Die Einkünfte des Regalherrn bestanden vor allem im Zehnten, später Fron genannt, d. h. im zehnten Kübel der Ausbeute an Erz, manchmal auch einem Mitbaurecht, etwa zu einem Neuntel, gegen Leistung eines entsprechenden Betriebskostenanteils. Wichtiger war zumindest im Edelmetallbergbau der „Wechsel", d. h. die Einlösung des vom Bergbauunternehmer gewonnenen Metalls um einen bestimmten Preis, der wesentlich niedriger als der Marktpreis war. Weiters kam dem Regalherrn noch die Erteilung des Schurfrechtes zu, das den damit versehenen Unternehmer berechtigte, ohne Rücksicht auf die Rechte der Grundherren eine fündige Stelle zu nützen.

Im Zeitalter Friedrichs III. erscheinen als Bergbauunternehmer nicht mehr die tatsächlich arbeitenden Knappen sondern kapitalistische Unternehmer, welche die Betriebsmittel und die Arbeitslöhne aufzubringen hatten. Die Gewerken bildeten zusammen eine Art Aktiengesellschaft, deren Gewinne anteilsmäßig ausgeworfen wurden. Am häufigsten waren natürlich Kaufleute der benachbarten Städte, dann aber auch adelige Grundherren der Umgebung, ja gelegentlich sogar Bauern Mitglieder solcher Berggewerkschaften. Wir bemerken Ende des 15. Jahrhunderts schon das Eindringen oberdeutscher Kapitalisten, ein Vorgang, der vor allem in Tirol von Bedeutung werden sollte.

Unterstanden diese „privaten" Unternehmer nur den Berggerichten, die ihren Sitz in den größeren Bergwerksorten hatten, wobei deren Bürger die Geschworenen zu stellen hatten, so gab es auch einige Bergwerke, in denen der Regalherr einen darüber hinausgehenden Einfluß nahm bzw. direkt den ganzen oder Teile des Montanbetriebes in Eigenregie führte, d. h. durch von ihm bestellte und besoldete Organe besorgen ließ und natürlich auch den Gewinn der Produktion für sich bzw. seine „Kammer" in Anspruch nahm.

Die stärkste direkte Anteilnahme des Landesfürsten finden wir in den beiden Salinen Hallstatt und Aussee. In Hallstatt wurde schon von Anfang an die Solegewinnung in landesfürstlicher Eigenregie geführt. Anders verhielt es sich mit dem Salzsud, der an private Unternehmer vergeben war, von denen auch der Salzhandel besorgt wurde. Unter Friedrich III. begann man nun damit, diese Salzsudrechte abzulösen und den Salzsud ebenfalls in Eigenregie zu führen. Viel deutlicher kommt diese Tendenz zum Regiebetrieb jedoch in Aussee zum Ausdruck. Hier war nämlich anders als in Hallstatt auch der Bergbaubetrieb an private Einzelunternehmer übergegangen und Friedrich III. hat seit 1449 unter Ausübung eines gewissen Zwanges die Hallingerrechte zusammen mit den Salzsudeinrichtungen käuflich an sich gebracht. Weil er offenbar nicht den Marktpreis dafür bezahlte, wurde er sogar vor dem Femgericht beklagt. Im allgemeinen aber scheint man sich mit den ehemaligen Eigentümern ganz gut abgefunden zu haben, denn die meisten erhielten andere, einträgliche Posten im Rahmen der landesfürstlichen Kameralverwaltung.

Einen ähnlichen Vorgang können wir auch im Erzbistum Salzburg beobachten; im übrigen erscheint es problematisch, ob Friedrich III. schon im Sinne einer modernen Verstaatlichungsidee gehandelt hat. Es wäre durchaus möglich, daß diese Umwandlung vom privaten in den landesfürstlichen Betrieb mehr im Sinne einer gewissen Konzentration erfolgte, um damit im Wege der Verpachtung des gesamten Salzwesens an Großunternehmer, wie es schließlich tatsächlich geschehen ist, für die Landesfürstliche Kammer noch bessere Einnahmen zu erzielen. Die Idee dazu wird vielleicht von jenen „Kameralunternehmern", auf die wir noch näher zu sprechen kommen werden, ausgegangen sein.

Anders wieder verlief der Prozeß der verstärkten Einflußnahme der landesfürstlichen Gewalt im Falle des ganzen vom Eisenerzer Erzberg ausgehenden Eisenwesens. Auch hier hat Friedrich III. seit 1448 eine Reihe von Anordnungen erlassen, die auf eine gewisse Umwandlung schließen lassen, deren Ziel einerseits in erhöhten Einnahmen für die landesfürstliche Kammer, anderseits in der für das Gedeihen des ganzen Eisenwesens ausschlaggebenden sinnvollen Abstimmung der Wirksamkeit der einzelnen „Glieder" wie man sie gerne später bezeichnete, gelegen war. Da der Kern des ganzen Problems im „Verlag", d. h. in der Zurverfügungstellung des Betriebskapitals — freilich in einer Kette gegenseitiger Abhängigkeiten der einzelnen Glieder — bestand und das Verlagswesen vom kaufmännischen Unternehmertum ausgeht, ist es verständlich, daß das ganze System stark von jenen Gedankengängen her bestimmt ist, welchen wir bei der Städte- und Handelspolitik wiederum begegnen werden. Eine solche Abstimmung konnte nur durchgeführt werden, wenn man dafür eigene landesfürstliche Organe bestellte, die gewissermaßen unabhängig von den einzelnen hier beteiligten Interessentengruppen gewesen sind. Das ist durch die Bestellung des Innerberger Amtmanns und seiner untergeordneten Organe geschehen. Die früher allein tonangebenden Gewerken hat man durch die 1453 vorgenommene Trennung des Berggebietes in zwei Gemeinden von Innerberg und Vordernberg, die Gewährung einer bürgerlichen Selbstverwaltung beruhigt. Da auch die Ausbeute des Erzberges durch eine Vermarkungslinie in zwei Hälften geteilt war, hat man sowohl die Roheisenerzeugung wie die Herstellung des geschlagenen Zeugs in den Hammerwerken und schließlich den Eisenhandel in zwei großen Gruppen organisiert und dabei den naturgegebenen Standortsbedingungen große Aufmerksamkeit geschenkt. Vorort der südlichen Hälfte war Leoben, der der nördlichen Steyr.

Zwei andere wichtige Probleme waren ebenfalls zu klären, nämlich die Versorgung der Eisenwerke mit dem unentbehrlichen Brennrohstoff der Holzkohle, weiterhin damit verbunden eine Regelung in der Nutzung der dafür vorhandenen Waldungen und die Sicherstellung der Nahrungsmittel für die unfruchtbaren Gebirgsgegenden angehäuften Arbeitskräfte. Dazu kam schließlich in Zeiten einer inflationären Preisbewegung die Abstimmung der Lebensmittelpreise und der Löhne, natürlich auch die Festsetzung der Preise des Eisens. Alle diese Aufgaben hat man unter der Regierung Friedrich III. wohl unter Anlehnung an ein bereits übliches Herkommen aber doch irgendwie auch aus schöpferischer, neuer Planung zu lösen getrachtet. Sehr schön sehen wir dies z. B. aus den für die Gruppe der im südwestlichen niederösterreichischen Alpenvorland gelegenen „Proviantorte" bereits 1448 erfolgten Anordnungen. Im übrigen wurde das System der Widmungen, d. h. die Zuteilung bestimmter Holzbezugs- und Lebensmittelbezugsreviere in analoger Weise für das Gmundner Salzkammergut angewendet. Soeben wurde auf die wichtige Rolle der kaufmännischen Verlagsunternehmer hingewiesen und es ist daher an der Zeit, daß wir uns mit jener Schichte von Wirtschaftstreibenden befassen, denen die Rolle zukam, für die gewerbliche Produktion des Landes die Abnehmer zu finden. Es sind dies die in den Städten und Märkten des Landes sitzenden Kaufleute.

Um die von den mittelalterlichen Landesfürsten verfügte Städte- und Handelspolitik verstehen zu können, gilt es, kurz die Sonderstellung der „bürgerlichen" Siedlungen im Rahmen der mittelalterlichen Gesellschaft und Wirtschaft zu umreißen. Im Gegensatz zu den bäuerlichen Untertanen, die ihrer adeligen oder geistlichen Herrschaft gehorchen und dienen mußten, hatte man schon seit dem 13. Jahrhundert den in den Städten sitzenden Kaufleuten und Gewerbetreibenden das Recht zur Bildung einer mit Selbstverwaltung ausgestatteten Gemeinde, eine Reihe persönlicher Freiheiten, vor allem die freie Verfügung über die eigene Person und das Vermögen, nicht zuletzt gewisse Vorrechte in wirtschaftlichen Belangen gewährt. Die Ausübung des Handels, insbesondere des Fernhandels sowie fast aller Gewerbe sollte den Stadtbürgern allein vorbehalten sein.

Wie sah es aber nun im Zeitalter Friedrich III. hinsichtlich dieser Sonderstellung der Städte und ihrer Bürger tatsächlich aus? Vor allem muß betont werden, daß die bürgerlichen Siedlungen keineswegs eine einheitliche, mit gleichem Recht ausgestattete Gruppe darstellen, vielmehr jede einzelne Stadt ihre individuellen Freiheiten besaß, die recht verschiedenartig sein konnten. Äußerlich fällt zunächst einmal auf, daß es der Bezeichnung nach in Österreich zwei Gruppen bürgerlicher Siedlungen gibt, nämlich die Städte einerseits, die Märkte anderseits. Wenn auch im allgemeinen die Städte die bedeutenderen, mit mehr Freiheiten ausgestatteten Gemeinden gewesen sind, so läßt sich doch ein grundsätzlicher Unterschied nicht feststellen; auch die Ummauerung, die man vielfach als

Kennzeichen der Städte angeführt hat, kann angesichts der Tatsache, daß es sowohl befestigte Märkte wie unbefestigte Städte gegeben hat, nicht als ein entscheidendes Merkmal angeführt werden.

Ungleich wichtiger als die Bezeichnung Stadt oder Markt war die Stellung des Stadtherrn. Weitaus der günstigsten Stellung erfreuten sich jene Städte, die unter der Herrschaft des Landesfürsten standen; nach ihnen folgen jene, die bischöflichen Herren wie Salzburg, Passau, Freising, Bamberg zugehörten; diese Gruppe hatte vor allem in Kärnten eine wichtige Position. Daran schlossen sich die „privaten", adeligen oder klösterlichen zugehörigen Städte und vor allem die besonders in Niederösterreich sehr zahlreichen Märkte. Wie sehr die Bezeichnung Stadt ein Titel geworden war, ersehen wir aus jenen in der Zeit Friedrich III. vorgenommenen förmlichen Stadterhebungen, die für die damit bedachten Märkte keinerlei Besserung mit sich brachten, sondern bloß eine Ehrung ihres gleichzeitig in den Freiherrn- oder Grafenstand beförderten Herrn, etwa 1472 bei Schrattenthal für die Eyzinger und 1491 bei Grein für die Prüschenk erfolgt sind, also für solche Familien, die im Zusammenhang mit Finanzgeschäften arriviert waren und sich gerne als „Stadtherren" bezeichnen wollten.

Für das wirtschaftliche Leben interessanter aber ist ein anderer Begriff, der seit Anfang des 15. Jahrhunderts in den Beschwerdeschriften der landesfürstlichen Städte wiederholt verwendet wird, nämlich die Bezeichnung „Bannmärkte". Man verstand darunter jene Märkte, die auf Grund der für sie erteilten landesfürstlichen Privilegien die gleichen wirtschaftlichen Vorrechte wie die Städte, besonders die Betätigung ihrer Bürger im Fernhandel beanspruchten; die landesfürstlichen Städte sahen darin eine fühlbare Beeinträchtigung der ihnen früher allein überlassenen Wirtschaftsprivilegien. Tatsächlich sehen wir im 15. Jahrhundert und besonders im Zeitalter Friedrich III. eine steigende Beteilung privatherrlicher Märkte mit landesfürstlichen Privilegien, unter denen jene, die eine Gleichstellung mit den Städten hinsichtlich des Handels zu Wasser und zu Lande gewährten, diese Tendenz wesentlich verstärkten.

Im Zuge der Entwicklung der Landstände in die Gruppen der von höherem und niederem Adel (Herrn und Ritter), den grundbesitzenden Klöstern (Prälaten) und als rangletzten den landesfürstlichen Städten gebildeten „vier Parteien", war es den landesfürstlichen Städten möglich geworden, in einzelnen Ländern, vorab in der Steiermark und im Lande ob der Enns Einungen, d. h. Städtebünde zu schließen, auf deren Versammlungen sie ihre gemeinsamen Beschwerden formulierten und dann an den Landesfürsten herantrugen. In Niederösterreich hatte Wien eine derart überragende und führende Stellung, daß ein solcher Bund nicht nötig schien; in Kärnten war er angesichts der schon besprochenen Gewaltenteilung kaum durchzuführen.

Die Beschwerden der Städte gegen die Beeinträchtigung ihrer Vorrechte kommen jedoch nicht nur in den Beschlüssen ihrer Städtetage zum Ausdruck, sondern auch in den von allen „vier Parteien" besuchten Landtagen. Die auf den Landtagen zwischen dem Landesfürsten bzw. den von ihm entsendeten Vertretern und den Landständen geführten

Verhandlungen befassen sich zwar in erster Linie mit „politischen Fragen" im weitesten Sinne, jedoch waren damit untrennbar die Probleme hinsichtlich der Aufbringung der notwendigen finanziellen Mittel verbunden, woraus sich Auseinandersetzungen über die Leistungsfähigkeit der einzelnen Gruppen und letzten Endes über den Zustand der Wirtschaft im Lande überhaupt ergaben.

Wir wollen und können hier nicht die an anderer Stelle zu besprechende außerordentlich verwickelte äußere und innere Lage der Herrschaft des Hauses Österreich im Bereiche der Friedrich III. zustehenden Gebiete schildern. Immerhin kamen beide Seiten, nämlich der Landesfürst wie die Stände, zur Erkenntnis, daß eine Heranziehung des landesfürstlichen Kammergutes, dem man den Charakter eines dem Nutzen des Landes dienenden Besitzes zusprach, nicht mehr in Frage kam, weil die daraus erfließenden Einkünfte bereits zur Gänze verpfändet waren. Man sah sich daher gezwungen, zur Einhebung direkter und indirekter Steuern zu greifen, die an sich keine Neuigkeit waren. Was aber nunmehr in dieser Hinsicht gegenüber früheren Zeiten anders war, das war die Höhe der erforderlichen Summen und die Belastung der gesamten Bevölkerung, die hier entweder wohnte oder wirkte, also auch der damals als „Gäste" bezeichneten Ausländer.

Einer gleichmäßigen, auf dem tatsächlichen Einkommen beruhenden Besteuerung stand vor allem die vom Adel beanspruchte und auch anerkannte Freiheit von jedweder persönlicher Belastung entgegen, eine Freiheit, die mit dem Einsatz des adeligen Kriegers in der Landesverteidigung begründet wurde. Es war schon ein Zugeständnis, wenn sich der Adel bereit erklärte, seine bäuerlichen und bürgerlichen Untertanen besteuern zu lassen. Auch die Prälaten beanspruchten als Geistliche Steuerfreiheit, hinsichtlich ihres Besitzes war aber ihre Verpflichtung im Falle einer Landesnot größer als jene des Adels, da sie ja selbst unter der Schutzvogtei des Landesherrn standen und deshalb von ihm zum „Kammergut" gerechnet und daher stärker herangezogen werden konnten. Was schließlich die landesfürstlichen Städte betrifft, so wurden auch diese zum Kammergut im weiteren Sinne gezählt und ihre Beitragsleistung noch höher geschraubt als jene der Prälaten.

In den Landtagsverhandlungen haben sich diese vier „Parteien" andauernd um den Prozentsatz gestritten, den sie, bzw. ihre bäuerlichen Untertanen im Falle einer außerordentlichen Steuer oder eines Anlehens leisten sollten. Veranschlagt und eingenommen wurden die Steuern nicht etwa von landesfürstlichen Finanzorganen, vielmehr hat jeder Stand für sich die Steuern eingehoben und die Stände als solche eine Kontrolle über ihre zweckentsprechende Verwendung beansprucht. Faktisch beruhte die Hauptlast auf den bäuerlichen Untertanen, auf die man alles übergewälzt hat; es ist daher begreiflich, daß die Prälaten fürchteten, ihre Untertanen würden, falls jene des Adels nur leichter besteuert werden sollten, abwandern. Da die meisten Bauern ja keine Leibeigenen waren, lag eine solche Abwanderung durchaus im Bereich der Möglichkeit, wobei, wie diesbezügliche landesfürstliche Privilegien und umgekehrt ständische Beschwerden beweisen, hauptsächlich die Städte das Ziel dieser Landflucht waren.

Ein zweiter Weg war jener, es mit der Einhebung indirekter Abgaben zu versuchen. Schon Rudolf IV. hatte mit der Einführung des „Ungeldes", einer Getränkesteuer zu

Lasten des Konsumenten ein Vorbild geschaffen; aber bei solchen Maßnahmen mußte man stets den Widerstand gerade der ärmsten Schichten befürchten. Man trachtete daher lieber von den Gästen, den Ausländern, die im Lande reichen Besitz hatten oder mit ihren Handelsgeschäften verdienten, Geld hereinzubringen. Und hier hat Friedrich III. tatsächlich sogenannte „Neuerungen", d. h. nicht herkömmliche Methoden eingeführt, indem er neben den schon seit alters üblichen Zöllen noch auf bestimmte Warengruppen zusätzlich Aufschläge einhob. Als er 1453 den neuen großen Freiheitsbrief für das Haus Österreich ausstellen ließ, nahm er unter anderen auch eine neue Bestimmung auf, derzufolge die Herzoge neue Aufschläge, Mauten, Zölle und andere für die Verbesserung und Vermehrung ihrer Einkünfte geeignete Maßnahmen je nach Bedarf der Zeiten einrichten könnten.

Auf der anderen Seite haben sich die Landstände eingeschaltet und wollten die Weinaufschläge an der Donau nur so lange gelten lassen, bis die Landesfinanzen wieder in Ordnung gebracht und die Nutzen und Renten des Landes wiederum eingelöst sein würden. Es war aber nicht der Landesfürst allein, der solche neue Aufschläge einzuführen trachtete, die adeligen Grundherrn bemühten sich ebenfalls durch ähnliche von ihnen eingehobene Abgaben ihre Einkünfte zu verbessern. Die Landtagsverhandlungen, die Beschwerdeschriften der Städte sind erfüllt mit Klagen über die dadurch entstehenden Belastungen sowohl des Handels als des Konsums; ähnlich wendeten sich auch die aufständischen Bauern gegen diese „Neuerungen".

Wenn wir hier gleich anknüpfend uns nun dem Handelsleben im Zeitalter Friedrich III. zuwenden, so haben wir bereits bei der Erwähnung der Bannmärkte gesehen, daß im 15. Jahrhundert die wirtschaftlichen Vorrechte der Städte, insbesondere in bezug auf den Handel, weitgehend durchbrochen waren, handelte es sich doch bei den Märkten zwar um bürgerliche Siedlungen, aber doch um Mittelpunkte der grundherrlichen Wirtschaft; und so hören wir denn auch in den Beschwerden der Städte immer wieder vom Handel der Adeligen, der Prälaten und Geistlichen wie auch ihrer bäuerlichen Untertanen. Gewiß konnte man den Handel mit den selbsterzeugten Produkten den Bauern nie ganz verwehren, man trachtete ihn jedoch auf die städtischen Marktplätze zu lenken, wo er sich öffentlich und unter Aufsicht und vor allem gemäß dem von der städtischen Obrigkeit festgelegten Preissatz abwickeln sollte. Damit wollte man der städtischen Bevölkerung hinreichend Nahrungsmittel wie auch Rohstoffe für die Gewerbe zu einem möglichst konstanten Preis sicherstellen. Daher war auch der sogenannte Fürkauf, d. h. der Einkauf von Händlern direkt bei den Produzenten, schon immer verboten. Auf der anderen Seite mußte man aber den Grundherren ein gewisses Vorkaufsrecht auf die von ihren Untertanen erzeugten Landesprodukte, den sogenannten Anfailzwang, einräumen, der jedoch bloß zur Selbstversorgung der grundherrlichen Familie dienen sollte.

Die von den Landesfürsten den Städten immer neu bestätigten Vorrechte wurden aber in einer Zeit, in der alles aus den Fugen ging, völlig mißachtet. Wie schwer sich hier die landesfürstliche Macht durchzusetzen vermochte, zeigt sich darin, daß die Fürsten einerseits ihren Städten die alten Privilegien bestätigten, auch an den Landeshauptmann oder

Landmarschall den Auftrag erteilten, die Städte darin zu schützen, anderseits aber doch wieder selbst den adeligen und geistlichen Grundherren wie auch den bäuerlichen Untertanen Konzessionen machten, die das alte System der Stadtwirtschaft völlig über den Haufen warfen. Das gilt übrigens nicht allein für den Handel, sondern gleicherweise für die Ausübung der Gewerbe, die in der Hauptsache ebenfalls den Städten vorbehalten sein sollten, sich aber im 15. Jahrhundert auf dem Lande auszubreiten begannen.

Diese durch die Machtlosigkeit des Landesfürsten und den Zwang der allgemeinen Wirtschaftslage bewirkte allgemeine Wirtschaftsfreiheit, die jedem ermöglichte, so zu verdienen, wie es ihm am besten erschien, hätte nicht unbedingt eine schlechte Wirkung auf das Wirtschaftsleben haben müssen, wären dazu nicht die Schwierigkeiten, die sich aus dem Zusammenbruch der Währung und der allgemeinen Situation des Außenhandels ergeben haben, noch dazugekommen. Daß das Land keineswegs vollkommen verarmt war, zeigt uns übrigens der Reichtum an Bauwerken aus der Zeit Friedrichs III. vor allem an Landkirchen, deren Kosten doch auch irgendwie bestritten werden mußten.

Wie alle Inflationen löste jene, die Ende der Fünfzigerjahre mit einer Verschlechterung des Silbergehaltes der Münzen — die an anderer Stelle näher ausgeführt werden wird — einsetzte, sowohl am Inlandsmarkt wie im Außenhandel letzten Endes in der gesamten Wirtschaft eine Kettenreaktion aus, die hier nur kurz umrissen werden kann. Die zunächstliegende Folge war ein allgemeines Anheben der Preise aber auch der Löhne, kurz gesagt eine Teuerung. In welcher Richtung sich in Österreich die sogenannte Preisschere, d. h. ein verschiedenartiges Steigen der Lebensmittel bzw. der gewerblichen Erzeugnisse, bemerkbar machte, ist noch nicht hinreichend untersucht; da jedoch mit der Inflation auch einige Jahre Mißwachs zusammenfielen, muß man wohl, wie dies auch die zeitgenössischen Quellen berichten, entgegen dem bisher allgemein angenommenen Trend zu ungunsten der Lebensmittel, mindestens während der Inflation eher das Gegenteil annehmen.

Teuerung und Lebensmittelmangel rufen dann jene bekannten Erscheinungen von Schleichhandel und Preistreiberei hervor, über die sich selbstverständlich vor allem die Städte am heftigsten beschwerten. Die vom Landesfürsten anbefohlene Festsetzung von Höchstpreisen (man hat solche Satzungen für alle Warengattungen aber auch die Löhne tatsächlich herausgegeben) erwiesen sich, wie die Stadt Wien wiederholt mit guten Gründen erläuterte, als gänzlich wirkungslos. Der Mangel an Kleingeld, nämlich Pfennigen und Helblingen, und die Unmenge der höherwertigen Kreuzer entwertete diese und verteuerte den Einkauf, weil man gar nicht herausgeben konnte. Das Absinken der schlechten Silbermünzen gegenüber den ungarischen und rheinischen Goldgulden führte zu einem allgemeinen Mißtrauen gegen die Landeswährung, zu einer Flucht in die Sachwerte, was wiederum preissteigernd wirkte.

Aus innerösterreichischen Quellen erfahren wir, daß in den Siebzigerjahren die Gülten nur mehr ein Drittel von früher trugen, wogegen die Waren dreimal so teuer geworden waren. Die den Grundherren in Geld geleisteten Zinse hatten also stark an Wert verloren.

Da die seit langem fixierten Grundzinse nicht erhöht werden konnten, trachteten sich die Grundherren auf andere Weise zu helfen. Einmal dadurch, daß sie sich mit Hilfe des Anfallrechtes selbst in den Handel mit Landesprodukten einschalteten, weiters, daß sie in ihren Stadthäusern auch Weinschank und Handel trieben oder Räume an Gewerbetreibende vermieteten, und schließlich indem sie am Lande die gewerbliche Tätigkeit ihrer bäuerlichen Untertanen stützten und förderten und dementsprechend erhöhte Abgaben verlangten.

Kehren wir zu den Auswirkungen der Inflation zurück, so haben sich diese selbstverständlich auch im Außenhandel bemerkbar gemacht. Die mit ihren Waren in das Land hereinkommenden „Gäste" wollten diese nur gegen Geld oder hochwertige Münze abgeben; umgekehrt erwiesen sich die neuen Aufschläge, vor allem auf Wein, als ein großes Hindernis für den Absatz dieses wichtigsten Ausfuhrproduktes Österreichs, zumal die Amtleute den Auftrag hatten, die Gebühren nur in Gold oder in höherwertiger Münze einzuheben. Viele Kaufleute entfremdeten sich Wien und dem Lande und suchten Wege nach anderen Ländern und Herrschaften; man befürchtete, daß sie, statt wie bisher in „Osterwein" zu beziehen, ihren Bedarf nun in Franken und im Elsaß decken würden, daß sich Böhmen und Mähren mit ungarischem Wein versorgen würden und es sehr schwer fallen würde, den einmal verlorenen Weinexport wiederum in das Land hereinzubringen. Übrigens litt auch die Weinproduktion unter der Inflation und zwar deshalb, weil infolge der Lebensmittelteuerung die hier beschäftigten Leute mit ihrem Lohn das Auskommen nicht mehr fanden, infolge der geringen Zufuhr vom Lande überhaupt ein Nahrungsmittelmangel herrschte, weshalb sich die Bauleute einfach verliefen. Unter den armen Schichten Wiens ging das Gerede, daß sie nicht mehr länger Mangel leiden oder gar aus Hunger sterben, noch ihre Kinder verkaufen und auf die Straße setzen wollten. Wird auf der einen Seite das Ausbleiben der Wein einkaufenden Ausländer befürchtet, so hören wir anderseits im Zeitalter Friedrichs III. andauernd Klagen über die Tätigkeit der Gäste, welche den einheimischen Kaufleuten in zunehmendem Maße den Verdienst wegnahmen. Gemäß den von den Landesfürsten erteilten Privilegien wäre den Ausländern ja bloß auf den großen Jahrmärkten ein Direkthandel gestattet gewesen, sonst waren sie auch im Handel untereinander an die Vermittlung einheimischer Kaufleute gebunden. Ein direkter Einkauf oder Absatz am Lande sowie jeglicher Detailhandel war ihnen untersagt. Tatsächlich aber waren diese Grundsätze längst durchbrochen; zudem ließen sich viele Ausländer im Lande häuslich nieder oder hielten sich hier ständige Lager. Während der Inflation schalteten sie sich stark in den Lebensmittelhandel ein, ja man konnte sie zumindest in Wien für die Versorgung der Stadt auch gar nicht mehr missen. Sowohl in den Beschwerden der steiermärkischen Städte wie der Wiener werden in erster Linie die Oberländer, d. h. die süddeutschen Kaufleute, dann auch die Bayern und schließlich in Innerösterreich noch die Friauler als Konkurrenten erwähnt. In Wien hatten die Oberländer fast allen Wechsel von Gold, Silber und Münzen in der Hand, nach Meinung der steirischen Städte sollte man ihnen den Münzwechsel und Pelzhandel nicht gestatten. Dank der zwischen Friedrich III. und dem Erzbischof von Salzburg 1458 abgeschlossenen Verträge waren die Salzburger Kaufleute und Handwerker in innerösterreichischen Gebieten zur Ausübung eines offenbar ziemlich ausgedehnten Handels berechtigt.

Sowohl vom Adel als auch seitens der Städte wurde über die Tätigkeit der Juden Klage geführt und auf den Landtagen ihre Abschaffung verlangt. Obwohl doch 1421 eine große Judenverfolgung stattgefunden hatte, haben unter Friedrich III. die Juden doch wiederum eine nicht unbeträchtliche Rolle im Wirtschaftsleben erlangt, ja selbst Bauern waren, wie das Reuner Judenbuch aus dem Jahre 1489 beweist, an sie verschuldet. Friedrich III. hat gegenüber den Ständen auf das im großen Freiheitsbrief erwähnte Privileg der österreichischen Herzoge, Juden zu halten, hingewiesen, er hat aber auch seine kaiserliche Würde geltend gemacht, derzufolge es jedem Juden und Heiden gestattet wäre, bei ihm Zuflucht zu nehmen; im übrigen hat er auch hier wie anderswo den Ständen Versprechungen gemacht, die dann nicht eingehalten wurden. Diese Taktik entsprach teils einem Lavieren zwischen den verschiedenen Macht- und Interessensgruppen, teils wohl auch der bewußten Nichtachtung der ständischen Forderungen.

Ein solches Doppelspiel trieb aber nicht nur Friedrich III., auch die adeligen und geistliche Grundherren, die Bürger und Handwerker in den Städten und nicht zuletzt die bäuerlichen Untertanen machten es nicht anders. Alle forderten jeweils von den anderen Parteien die Einhaltung jener Normen des mittelalterlichen Wirtschaftslebens, die von der Wissenschaft recht einseitig als „Stadtwirtschaft" bezeichnet werden. Der Adel pochte darauf, daß er mit eigenem Leib und Gut das Land schützen müsse, aber Friedrich III. warf ihm mit Recht vor, daß er die Waffen lieber gegen den eigenen Landesherren als gegen die Feinde erhöbe, ja die bäuerlichen Untertanen standen nicht an, ihre Herren direkt als Landesverräter zu brandmarken. Wenn der Adel den Städten vorwarf, die Bürger machten mit der Teuerung nur Geschäfte, so gaben diese mit Recht zur Antwort, daß die Grundherren genau so handelten. Überhaupt zeigt uns das Eindringen der adeligen und geistlichen Grundherren in Handel und Gewerbe eine Gesinnung, die man mit gewissen Einschränkungen als „kapitalistisch" bezeichnen kann. Auch die von ihnen darin geschützten bäuerlichen Untertanen trachteten nach Möglichkeit, sich in Handel, Gewerbe und Preistreiberei einzuschalten.

Weil wir schon das Wort „kapitalistisch" gebraucht haben, so wollen wir noch jenen Kreisen, die hier führend gewesen sind, jedoch nach außen in ihrer Rolle nicht immer deutlich in Erscheinung treten, einige Bemerkungen widmen. An die Spitze möchte ich jene adeligen und großbürgerlichen Familien stellen, die sich als Pfandinhaber oder Pächter der landesfürstlichen Renten und Gefälle betätigten und die man bisher oft nur als „Finanzbeamte" angesehen hat; ich möchte sie richtiger als „Kameralunternehmer" bezeichnen, denn sie wollten ja aus den ihnen überlassenen Einkünften weit mehr als jene Summen, für die sie ihnen überlassen wurden, herauswirtschaften; sie haben sozusagen, etwas überspitzt formuliert, mit dem Staatsvermögen Privatgewinne großen Ausmaßes erzielt. Sie waren es auch, die mit Standeserhöhungen bedacht wurden und jene Schichten des alten Adels, die sich nicht mit ihnen verbunden oder verschwägert hatten, um ihren Besitz brachten. Dieser „untüchtige", verarmte Adel verlegte sich dann auf den Straßenraub und schämte sich gar nicht, dies unter Hinweis auf seine Armut ruhig einzugestehen.

Man war bisher gewohnt, das Zeitalter Friedrichs III. als eine Periode des Verfalls anzusehen, in der die im 14. Jahrhundert entfaltete Wirtschaftsblüte Österreichs geknickt wurde, weshalb dieses Land dann im 16. Jahrhundert weit hinter dem Reichtum der Oberdeutschen zurückstehen mußte. Nun war aber gerade der Fernhandel immer eine Domäne der geldkräftigeren Kaufleute des Westens gewesen, so daß sich unsere Städte oft nur mit einer Vermittlerrolle begnügen mußten, obwohl sie gewiß auch selbst aktiv im Fernhandel tätig waren. Ein anderer Grund für das Zurückbleiben der städtisch-bürgerlichen Wirtschaftsmacht lag jedoch wohl darin, daß in den österreichischen Landen, ähnlich wie in den nördlichen und östlichen Königreichen die Welt des Adels und die Grundherrschaft nicht allein dem sozialen Range nach, sondern auch in wirtschaftlichen Belangen eine beherrschende Rolle behielt.

Schließlich fehlte den nieder- und innerösterreichischen Ländern jene Basis, die gerade für die Entfaltung des oberdeutschen Kapitalismus so entscheidend wurde, nämlich die ergiebigen Edelmetallbergwerke Tirols. Und bezeichnenderweise war es gerade die adelig-ständische Macht, die den dortigen Landesfürsten in die Hände jener oberdeutschen Kapitalisten trieb, die mit den daraus gezogenen Gewinnen dem Haus Österreich den Aufstieg zur Großmacht ermöglichten; das politische Konzept dazu aber hatten schon jene Herrscher aus dem Hause Österreich gelegt, unter denen Friedrich III. keineswegs der unbedeutendste gewesen ist.

Bernhard Koch

MÜNZ- UND GELDWESEN UNTER FRIEDRICH III.

Die Grundlagen des abendländischen Münz- und Geldwesens sind in der Karolingerzeit durch Schaffung des mittelalterlichen Denars, einer Silbermünze im Gewicht von ungefähr 1,7 Gramm, gelegen. Der Denar, deutsch Pfennig genannt, blieb für Jahrhunderte die allein ausgeprägte Münze, die nur in Recheneinheiten — ein Pfund waren 240 Pfennige und 1 Schilling waren 12 Pfennige — zusammengefaßt wurde. Abweichend von diesem System wurde im bayrisch-österreichischen Rechtsgebiet der Schilling zu 30 Pfennig gerechnet, wodurch dann 8 Schillinge ein Pfund ergaben.

Das gesteigerte Wirtschaftsleben konnte schließlich mit diesen einfachen Münz- und Geldverhältnissen bzw. mit der noch weit verbreiteten Naturalwirtschaft sein Auslangen nicht finden. Die Pfennigmünze, die bald dem gewinnsüchtigen Streben einzelner Territorialherren unterworfen worden ist, büßte durch Abschwächung im Gewicht und Feingehalt ihren Wert wesentlich ein. Das für den Großgeldverkehr verwendete Barrengeld oder das Zuwägen von Pfennigmengen waren äußerst unhandlich. So kam es am Ende des 12. bzw. im 13. Jahrhundert zu Neuerungen, einerseits zur Schaffung einer größeren Silbermünze, des Groschens, anderseits zum Wiederaufleben einer Goldmünzung.

Auf österreichischem Boden beginnt die erste mittelalterliche Prägung, von einem kurzen unbedeutenden Zwischenspiel um 1000 abgesehen, im 12. Jahrhundert. Von da ab wurden Pfennige, gelegentlich Hälblinge, Halbstücke der Pfennige, geprägt. Eine österreichische Goldmünzung im 14. Jahrhundert war an und für sich bedeutungslos. Sofern man größere Werte benötigte, hatte man sich mit ausländischem Gold, vor allem mit ungarischen Dukaten, und mit Prager Groschen, zum Teil auch mit norditalienischen größeren Silbermünzen geholfen. Um im Lande selbst solche Sorten herzustellen, fehlte es an dem nötigen Edelmetall.

Am Beginn des 15. Jahrhunderts war das Münzwesen im östlichen Österreich — Salzburg als eigenes Territorium und Tirol, das in der Münzgeschichte einen eigenen Weg eingeschlagen hatte, scheiden hier aus — schon zu einer solchen Einheitlichkeit gekommen, daß sowohl in Wien und Graz weitgehendst nach demselben Schrot und Korn und in der gleichen Mache geprägt worden ist. Friedrich prägte als Landesherr von Steiermark, Kärnten und Krain einseitige 6lötige [1] Pfennige in Graz, die im Münzbild den Bindenschild, umgeben von den Buchstaben F-R-I (Fridericus), zeigten. Ab 1439, nach dem

---

[1] Bezeichnung für den Feingehalt, d. i. das Verhältnis, in welchem dem Edelmetall der Münze das minderwertige Kupfer beigemengt wird. Heutzutage gibt man die Anzahl Tausendteile Feinsilber an, die in einem Stück enthalten ist. Im Mittelalter erfolgte diese Angabe bei Gold nach Karat, bei Silber nach Lot. Feingold bezeichnete man als 24karätiges Gold, Feinsilber als 16lötiges Silber.

Tode König Albrechts II., hatte Friedrich als Vormund für seinen Vetter Ladislaus Postumus auch die Wiener Münzstätte zur Verfügung, wo er nun Pfennige vom selben Aussehen, nur unterschieden in der Gestaltung des Buchstabens F, und solche mit anderen Münzbildern zu prägen begonnen hatte. In dieser Zeit der vormundschaftlichen Regierung erlitt das österreichische Geldwesen schweren Schaden durch massenhaftes Einströmen minderwertiger bayrischer und anderer süddeutscher Münzen, was schließlich in den fünfziger Jahren zu argen Gebresten im Wirtschaftsleben führte. König Ladislaus, aus der Vormundschaft entlassen, versuchte durch Ausgabe einer besseren Münze (7 lötig) in Österreich dem entgegenzusteuern, während Friedrich in Innerösterreich den umgekehrten Weg eingeschlagen hat. Er brachte 1456 in Graz nur mehr 4$^1/_3$lötige Pfennige heraus, wodurch er hoffte, die Einfuhr fremder Gepräge, die sich jetzt nicht mehr lohnte, zu hemmen. Beide Versuche schlugen fehl, insbesonders dadurch, daß nun nach dem Tode des Königs Ladislaus († 23. November 1457) ein Kampf um dessen Erbe vor allem zwischen Friedrich und seinem Bruder Albrecht VI. ausbrach, der große Geldmengen erforderte. Ein hervorragendes Mittel zur Geldbeschaffung in damaliger Zeit war, die Münze zu verschlechtern. Man begann nun in Mengen mit immer abnehmendem Feingehalt zu prägen. Es sind dies aber auch die Jahre, wo man zum ersten Mal in Ostösterreich größere Silbernominale zu schlagen begann, da der Pfennig im Wert sehr sank. 1456 ließ Kaiser Friedrich Vierpfennigstücke, Kreuzer genannt, in der durch ihn wiedereröffneten Münzstätte in Wiener Neustadt schlagen. Diese Kreuzer wie die schon genannten Grazer Pfennige vom selben Jahre sind die ersten mit einer Jahreszahl versehenen Gepräge in Österreich.

Albrecht VI. war am 27. Juni 1458 in den Besitz des Landes ob der Enns gekommen und hatte nun drei Münzstätten, Linz, Freistadt und Enns, neu eröffnet, um seine Geldbedürfnisse befriedigen zu können. Die drei bekannten Ordnungen Albrechts für die oberösterreichischen Münzstätten von den Jahren 1458 und 1459 zeigen deutlich die nun folgende Entwicklung auf. Man kam von 1458 vorgeschriebenen 7lötigen Kreuzern zu 3lötigen Stücken im Jahre 1459 und von 2$^1/_2$lötigen Schwarzpfennigen zu 1lötigen innerhalb des Jahres 1459 selbst. Den ärgsten Stand dieser Krisenzeit zeigen halblötige Pfennige wahrscheinlich aus dem Anfang des Jahres 1460, die ganz kupfrig aussahen.

Der Kaiser ließ in Wiener Neustadt durch den Münzmeister Erwin vom Stege Kreuzer prägen und durch ein Konsortium dreier seiner Kämmerer ab ungefähr Michaeli 1459 elende Pfennigmünzen schlagen. Die Grazer Münzstätte wurde an den dortigen Bürger Balthasar Eggenberger verpachtet und es wurden dort Kreuzer und Pfennige gemünzt. Eggenberger soll in diesen Jahren auch in St. Veit in Kärnten und in Laibach geprägt haben, wie später 1460/61 Andreas von Weispriach eine ähnliche Erlaubnis erhalten hatte, jedoch sind solche kärntnerische und krainische Gepräge noch nicht eindeutig nachzuweisen. Ob in diesen Krisenjahren in Wien geprägt worden ist, muß als wenig wahrscheinlich gelten, da hier der Einfluß des Kaisers durch die Münzerhausgenossenschaft, einer Gesellschaft reicher Bürger, welche einen Großteil des Münzbetriebes vom Einkauf des Edelmetalls bis zur Ausgabe der Münzen besorgten, eingeschränkt gewesen ist. Dies dürfte auch der Grund gewesen sein, daß Friedrich eine Münze in Wiener Neustadt neu eröffnet hatte, wo er freier walten konnte. Sie wurde wahrscheinlich auf dem Grundstück der heutigen Keßlergasse 18 errichtet.

Wohl am verderblichsten zu allem anderen wirkten sich Münzprivilegien aus, die Kaiser Friedrich einigen österreichischen und ungarischen Herren, genannt werden u. a. die Grafen von Pösing, Andreas Baumkircher, Jan von Wittowez und Ulrich Grafenecker, zur Abstattung von Schulden und anderer Verpflichtungen erteilte. Damit war einer unkontrollierten Nachmünzung österreichischer Gepräge Tür und Tor geöffnet. Gesicherte Münzen von diesen Herren haben sich bisher noch nicht feststellen lassen, da sie sich von den offiziellen Geprägen wahrscheinlich hauptsächlich nur durch ihren schlechteren Feingehalt unterschieden. So dürften manche Gepräge zu erklären sein, von denen Stücke mit verhältnismäßig gutem Feingehalt und solche von kupfrigster Art bekannt sind.

Das Volk litt sehr unter diesen Wirrnissen im Geldwesen. Der Volksmund nannte die ganz schlechten Münzen „Schinderlinge", wovon diese Zeit ihren Namen Schinderlingszeit erhielt. Alte Chroniken schildern diese Übelstände sehr ausführlich. Der Pfarrer Jakob Unrest aus Kärnten berichtete: „Wer viel alter Kessel hatte, der münzte desto besser. Von Tag zu Tag wurden die Münzen leichter, und das währte, bis sie der gemeine Mann nicht mehr nehmen wollte, denn nun waren sie kupfern. Da konnten die Fürsten befehlen, was sie wollten, so mochte doch niemand dem andern ein Morgenmahl um dieses Geld geben, wer aber böhmische Groschen oder alte Pfennige hatte, der fand zu kaufen was er wollte." Eine süddeutsche Stimme, Burkhard Zink aus Augsburg, ließ sich ähnlich verlauten: „Item als nun die bös müntz also umbgieng in dem land ze Osterreich, auf der Steirmark, ze Ungern, in Bairnland, da ward jedermann untrutz, und wer mocht, der schob die müntz von im, und gaben die leut je ains dem andern: wer dem andern schuldig was, der zalt in, und kauft je ainer dem andern etwas ab wie teuer man ims gab, nur dass er des gelts abkam. Aber auf das letst, das was auf das 1460 jar, da ward die müntz überall in allen landen verschuldert und verspilt und verspotten und ward so unwert, dass sie niemand mer wolt nemen." Der geringe Wert der Münzen ist weiters auch deutlich aus dem geltenden Dukatenkurs abzulesen. Um 1400 gab man für den Dukaten 150, 1455 schon 240 Wiener Pfennige. Am 17. April 1460 stand der Kurs auf 3686 Pfennige.

Schon 1459 waren die Stände beim Kaiser vorstellig geworden, Abhilfe gegen die Geldentwertung zu schaffen. Erst 1460 aber ist es gelungen, diese, eine der größten Geldkrisen des Mittelalters, zu beenden. Mit Einschaltung der Wiener Hausgenossen und mit Hilfe des Wiener Bürgers Niclas Teschler, der zum Münzmeister bestellt wurde, gelang es unter Einigung mit der Landschaft, wieder bessere Münze zu schlagen. Man einigte sich schließlich auf 5lötige Pfennige. Obwohl sich diesem Teschlerschen Münzfuß auch die anderen Münzstätten Friedrichs, aber auch die Ennser Erzherzog Albrechts VI., angeschlossen hatten, kam es keinesfalls noch zu einer völligen Beruhigung des Geldverkehrs.

Albrecht VI. hatte im Dezember 1462 auch das Land Niederösterreich erhalten und prägte nun vor allem in Wien. Seine oberösterreichischen Münzstätten Linz und Freistadt waren um 1460 eingegangen, Enns hatte seinen Tod († 2. Dezember 1463) sicher nicht lange überlebt. Der Kaiser hatte in dieser Zeit als Strafe für die von ihm abgefallenen Wiener und Belohnung der Treugebliebenen eine Wiederbelebung der alten österreichischen Münzstätte in Krems ins Auge gefaßt, jedoch dürfte dieser Plan nicht verwirklicht worden sein.

Schließlich trat nach dem Tode Albrechts Friedrich dessen Erbe an und münzte nun in Wien, Wiener Neustadt und Graz. In Wien erhielten die Hausgenossen wieder ihren Einfluß, wenn auch diese Institution ihre Blütezeit längst überschritten hatte. In Wiener Neustadt waltete wieder der Münzmeister Erwin vom Stege seines Amtes, der wohl mit Ende der Schinderlingszeit in kaiserliche Ungnade gefallen war, Ende 1469 jedoch wieder zu Gnaden gekommen ist. Er sollte Gold- und Silbermünzen prägen, und zwar Goldmünzen nach Art des ungarischen Dukatens (fast vollfein) und solche nach dem Vorbild der Goldgulden der rheinischen Kurfürsten (zirka ³/₄fein). Schon Albrecht VI. hatte die Wiederaufnahme einer österreichischen Goldprägung angeordnet, jedoch scheint es in den Wirren der Schinderlingszeit nicht dazu gekommen zu sein. Erst Friedrich III. hatte dann in Wiener Neustadt und Graz wieder tatsächlich Gold geprägt. An Silbermünzen sollte Erwin vom Stege Pfennige und Pfennigvielfache (Grossetl, Kreuzer und Groschen) herausbringen. Bis auf die Groschen sind die anderen Sorten eindeutig zu belegen.

In Graz war in diesen Jahren der Münzmeister Hans Wieland von Wesel beschäftigt. Wieland hatte früher im Dienst Albrechts VI. gestanden und war ebenfalls am Ende der Schinderlingszeit in Ungnade gefallen. Ab 1467 war er nun in Graz tätig. Von ihm kennen wir Pfennige, Halbkreuzer, Halbgroschen und Groschen. Wahrscheinlich stammen auch Goldmünzen von ihm.

Die Zustände im österreichischen Geldwesen dieser Zeit waren keineswegs sehr erfreulich. Es ging vor allem darum, wie weit die mittelalterliche Pfennigwährung noch zu halten sei, bzw. welche neuen Wege man einzuschlagen hätte. Die Neuerungen, die Erzherzog Siegmund als Landesherr von Tirol durchzuführen begann und auf die noch zurückgekommen werden wird, sind sicherlich auch für Ostösterreich nicht ohne Wirkung geblieben. Hier lag aber die Hauptschwierigkeit in der Beschaffung von genügend Edelmetall.

Trotz allem mußte man sich zu einem großangelegten Besserungsversuch der Münzzustände entschließen. Durch die Münzordnung vom 4. Oktober 1481 wurde dazu ein entscheidender Schritt getan. Der Pfennig verlor nun seine Eigenschaft als Währungsmünze und sank zur Scheidemünze herab. Angeordnet wurde die Prägung von österreichischen Dukaten (23,5karätig), von rheinischen Goldgulden (18karätig), 9lötiger Groschen, 8lötiger Kreuzer, 6lötiger Pfennige (Zweier) und 4lötiger Kleinpfennige. 1 Groschen hatte 3 Kreuzer, 6 Pfennige (Zweier) oder 12 Kleinpfennige zu gelten. Als Gegenwert für den Dukaten wurden 25 Groschen bestimmt, der Gulden rheinisch wurde in der Ordnung nicht valviert, er blieb bloße Kursmünze. Außerdem wurde aber die spätestens seit 1469 eingetretene Scheidung der zu Wien und in Wiener Neustadt verwendeten Münzgrößen behoben. Das System war auf dem Wiener Pfennig aufgebaut, zu dem als Doppelstück der Wiener Neustädter Pfennig (Zweier) kam. Für den Kleinverkehr konnten diese Bestimmungen als solide angesehen werden, für die Groschenmünze war jedoch eine Feinheit von 9 Lot entschieden zu schwach. Überdies verhinderte die bald eintretende politische Lage, daß die Ansätze zur Besserung weiter gedeihen konnten. Am 1. Juni 1485 hielt König Matthias Corvinus seinen Einzug in Wien und am 17. August 1487 war Wiener Neustadt in ungarischem Besitz. Kaiser Friedrichs Erbländer konnten jetzt nur von der Münze in Graz mit Geld versorgt werden. Dort sind in diesen Jahren vor allem Kreuzer geprägt worden. Es gibt solche mit Jahreszahlen 1480, 1482 bis 1491 und 1493. Die Frage, ob König Matthias im besetzten Österreich, vor allem in Wien, gemünzt hatte, ist bejahend zu beantworten; jedoch ist noch nicht eindeutig geklärt, welche Gepräge von ihm stammen.

Während man im östlichen Österreich die schreckliche Schinderlingszeit über sich ergehen lassen mußte und es auch in den folgenden Jahrzehnten zu keiner wirklichen Beruhigung im Geldwesen gekommen war, wurde in Tirol ein Schritt vorwärts getan, der für die Zukunft von weltweiter Bedeutung gewesen ist. Das Tiroler Münzwesen ist von den italienischen Verhältnissen sehr beeinflußt gewesen und hatte schon im 13. Jahrhundert eine eigene Groschenmünze, wegen des Doppelkreuzes im Münzbild schließlich Kreuzer genannt, hervorgebracht. Diese Tiroler Kreuzer wurden in der zweiten Hälfte des 15. Jahrhunderts auch in Ostösterreich sehr beliebt und schließlich in den dortigen Münzstätten nachgeprägt. Unter Erzherzog Siegmund, einem Vetter Kaiser Friedrichs, wurde nun Tirol durch die Entdeckung und durch den Abbau der großen Silberlager bei Schwaz in die Lage versetzt, den Gegenwert eines Pfundes Tiroler Berner Pfennige (Pfundner = 12 Kreuzerstück) und eines entsprechenden Halbstückes dazu (Sechser = 6 Kreuzerstück) auszuprägen. Als zweiter Schritt der Münzreform gelang die Schaffung eines Silberäquivalents für den rheinischen Goldgulden im Tiroler Guldiner (1486) und dessen Halbstückes (Halbguldiner, 1484). Damit war die Großsilbermünze der Neuzeit, später Taler genannt, geschaffen.

Immer wieder wird die Frage nach dem Kaufwert des Geldes zu seiner Zeit aufgeworfen. Sie ist sehr schwer zu beantworten, und wenn man dies zu tun versucht, dann kann es nur mit vielen Vorbehalten geschehen. Um einen gewissen Anhaltspunkt zu bieten, habe ich den Klosterneuburger Stiftsrechnungen einige Durchschnittspreise für die zweite Hälfte des 15. Jahrhunderts, die Schinderlingszeit blieb aus erklärlichen Gründen unberücksichtigt, entnommen: 1 ungarischer Ochs kostete zirka 800 bis 1200 Pfennig, 1 Huhn 10 bis 14 Pfennig. 1 Pfund (560 Gramm) Rindfleisch konnte man um zirka 4 Pfennig kaufen. Die Eierpreise unterlagen großen Schwankungen: 100 Stück kosteten 16 bis 80 Pfennig. Weiters sei noch der Taglohn zur Sommerszeit für einen beköstigten Maurergesellen angeführt: er betrug 20 bis 24 Pfennig.

Für das Münzwesen im Reich bedeutete die Herrschaft Friedrichs wenig. Obwohl auch dieses dringend einer Reform bedurft hätte, geschah dafür fast nichts. Die von seinen Vorgängern in der Reichswürde neu errichteten Reichmünzstätten wie Frankfurt/Main, Nördlingen, Dortmund und Basel prägten Goldmünzen (Goldgulden) und Silberstücke mit Namen und Titel Friedrichs III.

LITERATUR:

L u s c h i n v. E b e n g r e u t h, Arnold, Umrisse einer Münzgeschichte der altösterreichischen Lande vor 1500. Num. Ztschr. 42. Bd. (1909) S. 137 ff.

K o c h, Bernhard, Die mittelalterlichen Münzstätten Österreichs, In „Dona Numismatica", Walter Hävernick-Festschrift, Hamburg 1965, S. 163 ff.

L u s c h i n v. E b e n g r e u t h, Arnold, Wiens Münzwesen, Handel und Verkehr im späteren Mittelalter. In „Geschichte der Stadt Wien", Bd. II, hgg. v. Alterthumsvereine zu Wien, 1902.

L u s c h i n v. E b e n g r e u t h, Arnold, Das Münzwesen in Österreich ob und unter der Enns im ausgehenden Mittelalter. Jb. f. Landeskunde v. N.-Ö., NF., 13. u. 14. Jg. (1914 u. 1915), S. 252 ff.; 15. u. 16. Jg. (1916 u. 1917), S. 367 ff.

S c h a l k, Carl, Die österreichischen Goldgulden im XV. Jahrhundert. Num. Ztschr., 11. Bd. (1879), S. 260 ff.

S c h a l k, Carl, Der Münzfuß der Wiener Pfennige in den Jahren 1424 bis 1480. Num. Ztschr., 12. Bd. (1880), S. 186 ff., 324 ff.; 13. Bd. (1881), S. 53 ff.

P i c h l e r, Friedrich, Repertorium der steierischen Münzkunde. III. Bd., Graetz 1875, S. 99 ff.

M o e s e r, Karl und D w o r s c h a k, Fritz, Die große Münzreform unter Erzherzog Sigmund von Tirol. Wien 1936.

G a e t t e n s, Richard, Inflationen. München 1955, S. 40 ff., 2. Kapitel: Die Zeit der Schinderlinge (1458 bis 1460).

Materialien zur Geschichte der Preise und Löhne in Österreich, Bd. I, hgg. v. Pribram Alfred Francis unter Mitarbeit von Rudolf Geyer und Franz Koran. Wien 1938.

Hermann Fillitz

KAISER FRIEDRICH III. UND DIE BILDENDE KUNST

Kaiser Friedrich III. hat 1437 — damals noch Herzog — in seinem Notizbuch vermerkt, daß alle seine Stiftungen und all sein Besitz die bekannte Kombination der fünf Vokale tragen sollten, die später so berühmt gewordene „Devise" des Kaisers. Man könnte also hoffen, dadurch ein sicheres Hilfsmittel zur Identifizierung seines Kunstbesitzes und seiner Kunststiftungen zu haben. Gemessen aber, vor allem an den Nachrichten, die einen außerordentlich reichen Schatz als Friedrichs Eigentum nennen, tragen verhältnismäßig wenige Objekte dieses Besitzzeichen. Es mag nun wohl auch sein, daß Friedrichs Wunsch nicht konsequent durchgeführt, vielleicht sogar von ihm selbst nicht regelmäßig sein Besitzzeichen angebracht wurde. Anderseits muß doch auch vieles zugrundegegangen sein, was einst der stolze Besitz des Fürsten war, den er aber den Augen der Neugierigen sehr wohl zu verbergen wußte.

Primär sind es die schriftlichen Quellen, von denen aus sich die Vorstellung Friedrichs als Sammler und Mäzen gewinnen läßt. Diese Quellen berichten von sehr regen Verbindungen zu verschiedenen Künstlern, Verbindungen, die weit über die engeren Landesgrenzen von Friedrichs Besitz reichten. Wenn man nach den Kunstgattungen fragt, die in den Quellen aufscheinen, dann sind es vor allem die Goldschmiede und die mit ihnen zusammenhängenden Berufssparten, die immer wieder vorkommen, wie Gemmenschneider und Händler kostbarer Edelsteine. Es ist auch kaum zufällig, daß in Joseph Grünpecks Historia Friderici III. et Maximiliani I. Kaiser Friedrich III. beim Besuch einer Goldschmiedewerkstätte dargestellt ist und selbst dabei die Goldwaage in der Hand hält. Bei seinen Reisen hat Friedrich offenbar keine Gelegenheit versäumt, um kostbare Steine zu erwerben, in Italien ebenso wenig wie im Heiligen Land. Auch auf den flämischen Märkten und in Köln hat er manch kostbares Stück gekauft. Viele Namen von Goldschmieden begegnen uns, doch läßt sich leider mit keinem ein erhaltenes Werk mit Sicherheit verbinden. Es sind vielfach Meister, die in Wiener Neustadt ansässig waren, das nicht zuletzt Friedrichs Förderung seine Blüte auf den Gebieten des künstlerischen Schaffens verdankte. Unter diesen verschiedenen Namen begegnen auch immer wieder Angehörige der Familie Jamnitzer, die dann in Nürnberg im 16. Jahrhundert zu den bedeutendsten deutschen Goldschmieden zählten. Mit Nürnberg selbst hat Friedrich auch innige Verbindung unterhalten und offenbar die bedeutendsten seiner Aufträge dort placiert. Dabei bediente er sich des Nürnbergers Lukas Kemnater als Vertrauensmann.

1436 begegnet dieser Name zum ersten Male in den Urkunden, damals eindeutig als Juwelenhändler. 1456 ist die letzte Nachricht erhalten: damals quittiert er dem Erzherzog Sigmund von Tirol den Empfang von 10.000 Gulden, die Schulden Herzog Albrechts VI. begleichen sollten. Für sie waren Kleinodien versetzt gewesen. Kemnater dürfte eine zentrale Rolle bei vielen auswärtigen Aufträgen und Käufen von Kleinodien für Friedrich eingenommen haben. Ihm ließ Friedrich das Rohmaterial übergeben. Er hatte es den Goldschmieden auszufolgen und konnte diese dadurch auch kontrollieren. Bisweilen allerdings hatte er auch die schwierige und undankbare Aufgabe, Geld für die verschiedenen Aufträge Friedrichs zu beschaffen. Es ist zum ersten Male in der Geschichte der habsburgischen Sammlungen, daß wir von solch einer Vermittlertätigkeit Nachricht erhalten. Kemnater hatte auch die Hände bei dem offenbar größten Auftrag im Spiel, den Friedrich III. nach Nürnberg vergab. 1445 wurde dieser Auftrag erteilt, an dem bis in den Anfang der 50er Jahre gearbeitet wurde. Wahrscheinlich handelt es sich dabei um die Herstellung jener privater Kroninsignien, die Friedrich sich anfertigen ließ, wohl nicht allein für den Fall, daß die Nürnberger ihm die Benützung der Reichskleinodien bei seiner römischen Kaiserkrönung verweigern würden, sondern als eine Garnitur von kaiserlichen Insignien, wie sie schon vor ihm andere Herrscher besaßen, besonders Kaiser Karl IV. Für diese Insignien hat Friedrich nicht nur in außergewöhnlich hohem Maß Juwelen geopfert, sondern auch aus verschiedenen Quellen Geld beschaffen müssen — einmal z. B. ließ er die Nürnberger Stadtsteuer Lukas Kemnater überweisen, da dieser wichtige Aufträge erhalten habe „uns und das rich antreffend, darzu wir etlicher summ gelts bedurfen" (1445). Die Insignien sind aus verschiedenen Abbildungen bekannt. Am besten hat sie wohl Niklas Gerhaert van Leyden auf der Tumba des Grabes für Friedrich III. im Wiener St. Stephansdom dargestellt. Dort trägt der Kaiser seinen imperialen Ornat, den nicht zuletzt auch Enea Silvio Piccolomini bewundert hatte. Er hatte es ja nicht verstehen können, daß Friedrich bei seiner Kaiserkrönung die altehrwürdigen Reichskleinodien seinem neuen effektvollen Ornat vorzog. Leider ist dieser Ornat unter König Philipp II. von Spanien eingeschmolzen worden, zusammen mit dem Kaiser Maximilians I., der in seinen Formen auf dem Vorbild des väterlichen Ornates aufbaute.

Nicht nur beim kaiserlichen Ornat besteht eine enge Beziehung zwischen den Goldschmiedearbeiten und den kostbaren Textilien. Sie begegnen bei Friedrich III. immer wieder, sowohl in seinem eigenen Schatz als auch in den Inventaren der Kirchen, die sich der herrscherlichen Gunst erfreuen durften, kommen in verhältnismäßig großer Zahl Ornate vor, die Friedrich gestiftet hatte. Leider ist keiner erhalten geblieben. Nur ein Baldachin aus erlesenem blauem Seidensamt ist in den Sammlungen des Kunsthistorischen Museums in Wien verwahrt. Offenbar stammt er aber von Herzog Ernst dem Eisernen, wie vor einigen Jahren festgestellt werden konnte. Das Besitzzeichen Friedrichs wurde erst später auf dem wertvollen Textil zugefügt, das für Friedrich auch Erinnerungswert mochte gehabt haben.

Natürlich begegnen in den Quellen auch all die anderen Handwerker, die nun einmal mit dem Hofleben und mit der wirtschaftlichen Organisation des Hofes notwendigerweise zusammenhängen, wie die Plattner, die Münzmeister usw. Bei keiner dieser Gruppen aber zeigt sich eine Anteilnahme, eine Förderung des Herrschers, die über das Maß der Notwendigkeit des Lebens hinausgehen würde. Dasselbe gilt auch für die Maler, von denen die

Quellen nur sehr wenig zu sagen wissen. Auch den erhaltenen Werken zufolge hatten sie aber für Friedrich III. nur eine verhältnismäßig geringe Bedeutung. Dagegen hat der Fürst für die Skulpturen, die dem Ruhm der eigenen Person und dem Glanz des Hauses Österreich dienen sollten, führende Bildhauer verpflichtet: für die Wappenwand der Wiener Neustädter Burg und für sein Grabmonument, den bedeutendsten Auftrag, den Friedrich vergeben hat, Niclas Gerhaert van Leyden.

In diesen beiden Werken zeigt sich der Herrscher auf der Höhe des Geschmackes seiner Zeit. Beruft er einmal einen Meister, der zu den bedeutendsten Bildhauern in seiner Residenz gehört, so das andere Mal den führenden in Straßburg ansässigen Bildhauer, der den von den Niederlanden ausgehenden Realismus wohl am stärksten mit dem Verlangen nach monumentaler Größe verbinden konnte. Beide Werke sind programmatischer Art. Das Denkmalhafte — im durchaus modernsten Sinn des 15. Jahrhunderts — prägt sie. Das eine, auf dem sich Friedrich kennzeichnenderweise als Erzherzog darstellen ließ, ist Zeugnis für die Größe des habsburgischen Hauses, das andere das monumentalste Grabmonument eines Kaisers vor der Entstehung jenes Denkmals, das Friedrichs Sohn Maximilian in seinem Innsbrucker Grabmal verwirklichte.

Ob auch die Berufung des Meisters, der die großartigen Holzskulpturen der Apostel im Wiener Neustädter Dom geschaffen hat — man hat ihn mit Lorenz Luchsperger identifiziert —, wie man glaubte, auf das Interesse zurückzuführen ist, das Friedrich für die bildende Kunst zeigte, ist zu bezweifeln. Die Arbeiten dieses Meisters fallen in die Epoche, da Friedrich sich bereits nach Linz zurückgezogen und auch den Auftrag gegeben hatte, gegenüber seinen ursprünglichen Anordnungen die mächtige Grabplatte Niclas Gerhaerts nach Wien zu schaffen, um entgegen seinen ursprünglichen Intentionen, in Wiener Neustadt seine Ruhestätte zu finden, sich in Wien beerdigen zu lassen.

Jedenfalls ergibt das Wenige, das als sicherer Auftrag Friedrichs erhalten ist, das Bild eines Fürsten, der einen subtilen Geschmack besaß und für seine Zwecke mit sicherem Auge jene Künstler wählte, deren künstlerische Aussage über Jahrhunderte wirksam ist. Die Werke, die so wie der Wiener Neustädter Altar und der Altar in der Spital-Kirche von Bad Aussee die „Devise" Friedrichs tragen und dadurch als seine Stiftung ausgewiesen sind, beeinträchtigen dieses Bild des fürstlichen Mäzens nicht. Man wird wohl unterscheiden müssen zwischen Werken, die für Friedrich selbst bestellt und geschaffen wurden, und jenen, die für eine Kirche seines Herrschaftsbereiches von ihm bezahlt wurden. Daß in solch einem Falle ein lokal gebundener Meister herangezogen wurde — wahrscheinlich sogar ohne Einflußnahme Friedrichs selbst —, ist nicht verwunderlich und entspricht eigentlich auch den Gepflogenheiten anderer Jahrhunderte bis zur Gegenwart. Als Arbeit eines innerösterreichischen Meisters ist der Wiener Neustädter Altar aber eine durchaus beachtliche Leistung. Vergleiche mit dem führenden westlichen Zentren anzustellen, wäre in solch einem Falle wohl in jeder Hinsicht ungerecht.

Diese Annahme wird wahrscheinlich auch durch die Aussage der schriftlichen Quellen bestätigt. Sie nennen eine Reihe von Künstlern — Bildhauern und Malern neben all den anderen Handwerkern, deren Gewerbe als künstlerische Tätigkeit aufzufassen ist —, die in Wiener Neustadt ansäßig waren und für verschiedene Aufträge, wahrscheinlich von geringerer Bedeutung in den Augen des Kaisers herangezogen wurden. Für verschiedene Stiftungen an anderen Orten sind wohl auch lokale Meister verpflichtet worden. Für die wirklich bedeutenden Aufgaben hat Friedrich III. aber Künstler verpflichtet, die er offenbar aus dem ganzen Raum des Heiligen Römischen Reiches nur für einen ganz bestimmten Auftrag wählte, wie er der für sein Grabmonument war.

Wenn man nun noch versucht, sich vom Schatz des Kaisers ein Bild zu machen, dann überrascht ebenso wie bei den von ihm persönlich bestellten und wahrscheinlich auch persönlich betreuten Monumentalwerken wieder die überaus hohe Qualität der Werke. Das gilt für die Goldschmiedearbeiten ebenso wie für die geschliffenen Kristalle, von denen einer sicher — der Herberstein-Pokal — ein zweiter mit einiger Wahrscheinlichkeit — die Nürnberger Doppelscheuer — (beide im Kunsthistorischen Museum, Wien) aus Friedrichs Besitz stammen. Sie bezeugen ebenso wie die schriftlichen Quellen die engen Beziehungen, die Friedrich zu den Nürnberger Goldschmieden unterhielt. Wieweit auch Wiener Neustädter Meister an den Arbeiten, die Friedrich für sich hat anfertigen lassen, mitgewirkt haben, kann zur Zeit noch nicht geklärt werden. Dazu müßte vor allem untersucht werden, ob der noch heute in Wiener Neustadt verwahrte sogenannte Corvinus-Pokal ungarische Arbeit ist oder, wie einmal vermutet wurde, in Wiener Neustadt unter Verwendung des ungarischen Drahtemails geschaffen wurde, vielleicht von einem Meister, der aus Ungarn an den kaiserlichen Hof gekommen war. Auch dieser Pokal stellt aber in seiner Komposition das Modernste dar, was man sich in der Zeit Friedrichs wünschen kann. Ob er tatsächlich schon, wie das ergänzte und sicherlich nicht richtig ergänzte Datum mit den Wappen des Königs Matthias Corvinus und des Kaisers behauptet, 1462 geschaffen wurde, kann nicht überprüft werden. Es wäre an sich dieses frühe Datum erstaunlich.

Wohl das großartigste Werk aus dem Schatz des Kaisers, das erhalten ist, ist der Prunkpokal mit Bergkristall-Fenstern in der Pokalwandung, deren Metallflächen mit feinstem Email überzogen sind (Wien, Kunsthistorisches Museum). Auch dieser Pokal trägt die „Devise" des Kaisers, übrigens auch mit einer Auflösung der Vokalfolge. Das Besitzzeichen zeigt aber nicht die kennzeichnende Form, die Friedrich vorgeschrieben hatte, sondern ist in einer dekorativen Weise verwendet, die offenbar eine Höflichkeit des Schenkenden gegenüber Friedrich sein sollte. Das Werk ist eine der schönsten burgundischen Goldschmiedearbeiten des 15. Jahrhunderts und man geht wohl kaum fehl, in ihm ein Geschenk an Friedrich zu vermuten, wohl am ehesten eines des burgundischen Herzogs Karl des Kühnen, mit dem der Kaiser wegen der Vermählung seines Sohnes Maximilian mit dessen Tochter Maria von Burgund verhandelte. Vielleicht gehen auch die beiden mit Tierdarstellungen geschmückten Pokale des Kunsthistorischen Museums auf den Schatz Friedrichs III. zurück, die einerseits für burgundische, andererseits für venezianische Arbeiten gehalten werden. In diesen drei Pokalen offenbart sich am stärksten das für die damalige Zeit modernste Element, das burgundische. Friedrich selbst scheint dort niemals Kunstwerke bezogen zu haben. Als sein Sohn Maximilian Maria von Burgund heiraten sollte, wurden die erforderlichen Geschenke in Köln erworben, also in einer Stadt, in der der niederländische Einfluß besonders stark war.

Mit dem Schatz in enger Verbindung müssen auch die Bücher gesehen werden, denen Friedrichs Leidenschaft ähnlich wie den Kostbarkeiten aus Edelmetall und Edelsteinen galt. Wo und wie immer es ihm möglich war, hat er sich der Bücher, deren er habhaft werden konnte, bemächtigt. Die Prunkhandschriften, die für ihn und wohl auch über seinen Auftrag geschrieben wurden, entstanden in der Werkstatt der Wiener Illuminatorenschule, die Herzog Albrecht III. gegründet hatte. Friedrich hat sich dieser Schule vor allem in den 40er Jahren des 15. Jahrhunderts bedient, doch sind auch in den folgenden Jahrzehnten noch bedeutende Handschriften für den Kaiser und seine Familie in Wien geschaffen worden, die den nun stark einsetzenden Einfluß der niederländischen Kunst zeigen. Die schriftlichen Quellen allerdings berichten über Friedrichs Verbindungen zu Buchmalern fast nichts.

Soweit festgestellt werden kann, hat Friedrich für seine Aufträge deutsche Künstler herangezogen, auf dem Gebiete der Goldschmiedekunst vornehmlich Nürnberger. Er hat wohl aus Burgund Geschenke erhalten, doch selbst seine Bestellungen offenbar nur innerhalb der Grenzen des Heiligen Römischen Reiches aufgegeben. Ob darin sich eine „diplomatische Gepflogenheit" äußert, die man später sehr wohl feststellen kann, das zu beantworten, ist nicht möglich. Dadurch konnte seine „Hofkunst" aber auch den Einfluß der niederländischen Kunst, die von den Brüdern van Eyck und vom Meister von Flémalle ausgeht und mit Rogier van der Weyden und Hugo van der Goes die abendländische Kunst stark bestimmte, nur in sekundärer Weise aufnehmen können. Niederländische Künstler hat er offenbar nicht unmittelbar beauftragt oder an seinen Hof gezogen. Diese Phase folgt erst unter seinem Sohn Maximilian, der sich durch die Hochzeit mit Maria von Burgund gewissermaßen die politischen Grundlagen dazu schuf. Daß die Kunst der italienischen Frührenaissance auf Friedrich wenig Einfluß ausübte, ist zu dieser Zeit nicht verwunderlich. Am ehesten kann noch Venedig auf Friedrich einen Anziehungspunkt gebildet haben; vielleicht findet das in jenen Pokalen seinen Niederschlag, die schon Julius von Schlosser als venezianisch bezeichnete; ihm folgt neuerdings Erich Steingräber, während anderseits noch an ihrer Zuweisung nach Burgund festgehalten wird.

Um Friedrichs Verhältnis zur bildenden Kunst festzulegen, fehlen beweiskräftige Grundlagen. Man wird aber in ihm wohl keinen Humanisten im Sinne der italienischen Renaissance sehen dürfen, sondern primär einen Menschen des ausgehenden Mittelalters, der vor allem das kostbare Material schätzte. Daher erklärt sich einerseits auch Friedrichs Interesse für seinen Schatz, für die kostbaren Metalle, für edle Steine, geschliffen und ungeschliffen, anderseits aber auch sein möglicherweise mangelndes Empfinden für die Bedeutung, die der Malerei im 15. Jahrhundert zukommt. Seinem ganzen Wesen nach war Friedrich eher ein Bewahrer und sah seine Sendung daher darin, die Tradition des

Kaisertums zu hüten, ja die alte Idee davon zu einer neuerlichen Blüte zu bringen. Nichts ist dafür kennzeichnender als sein zähes Bemühen um die Reichskleinodien für seine römische Kaiserkrönung. Daher konzentrierten sich auch seine künstlerischen Interessen auf zwei Gebiete, auf seinen Schatz, den er eifersüchtig hütete, und auf die Monumentalskulptur, die im Sinne der Verewigung des eigenen kaiserlichen Ruhmes wie auch seines Hauses einzusetzen war. Den Malern konnte in solch einer Konzeption keine entscheidende Rolle zukommen. Friedrich hat aber sicherlich auch ein gewisses „antiquarisches" Verhältnis gehabt, was in seinem Interesse für Kameen und für Funde verschiedenster Art sich ausprägt. Zum Teil gehören die Mammutknochen hierher, die beim Nordturm von St. Stephan gefunden wurden und die er auch mit seinem Besitzzeichen versehen ließ. Sie führen über zu seinem Interesse für die Erzeugnisse der Natur, jene Merkwürdigkeiten, denen das 15. Jahrhundert noch bisweilen recht phantasievolle Deutungen gab, wie die fossilien Haifischzähne, die man als versteinerte Zungen von Schlangen deutete usw. Die Leidenschaft für schöne Mineralien gehört teilweise auch in dieses Interessengebiet. Mit den naturwissenschaftlichen Interessen — wenn man das schon so bezeichnen darf — ist auch Friedrichs Wissen um die Meßbarkeit der Welt in Verbindung zu bringen. Der Sonnenquadrant (im Kunsthistorischen Museum, Wien) und die Klapp-Sonnenuhr (im Ferdinandeum, Innsbruck) mit seinem Besitzzeichen sind die einzigen erhaltenen Zeugnisse dafür.

Ein ästhetisches Verständnis bei Friedrich III. zu fordern, würde ihm und seiner Zeit gegenüber nicht gerecht sein. Man kann aber wohl sagen, daß der Kaiser ein selten hohes Qualitätsgefühl besaß und — was durch die schriftlichen Quellen hinlänglich erwiesen wird — nicht nur gute Berater in dieser Hinsicht. Er hat daher nicht nur auf dem Gebiete seines Schatzes Werke hinterlassen, die zum Schönsten gehören, was wir aus dem 15. Jahrhundert kennen, sondern er hat auch die Bildhauer in einer Weise heranzuziehen und einzusetzen gewußt, die tatsächlich in seinem Sinne für die Verherrlichung des Kaiserhauses wirkten. Daß er dabei auch sehr zäh und energisch seinen Weg verfolgte, das erweisen am besten die Verhandlungen mit dem Bürgermeister und dem Rat der Stadt Straßburg, ihm Niklas van Leyden an seinen Hof zu schicken, um dort sein Grabmonument zu schaffen. Vier Jahre, von 1463 bis 1467, haben sich diese Verhandlungen hingezogen.

Friedrich hat mit den Künstlern offenbar auch persönliche Beziehungen unterhalten und sie in einem hohen Maße zu schätzen gewußt. Die Wappenverleihungen mögen in diesem Sinne gewertet werden. Vielleicht darf man auch keinen Geringeren als Albrecht Dürers Vater dafür zitieren, den Nürnberger Goldschmied, der noch im letzten Lebensjahr des Kaisers diesen in Linz aufsuchte, um ihm seine Goldschmiedearbeiten vorzulegen. *do het sein genad fast ain gefalln daran und sein genad het zumal vil mit mir zu reden* (24. August 1492). In ähnlicher Weise, oft in langen Verhandlungen werden jene Werke entstanden sein, die zu Friedrichs Schatz gehörten und die anderseits dazu dienen sollten, seine Vorstellung vom splendor der casa d'Austria der Nachwelt zu künden.

Alois Kieslinger

DAS GRABMAL FRIEDRICHS III.

Daß die geistigen Spannungen im 15. Jahrhundert nicht nur fortschrittliche und konservative Personengruppen miteinander in Gegensatz brachten, sondern auch führenden Männern wie dem Kaiser mitten durch das eigene Herz gehen mußten, dürfte aus den bisherigen Aufsätzen genügend deutlich hervorgehen. Hier soll versucht werden aufzuzeigen, wie sich die genannten Spannungen auch an dem Grabmal Friedrichs III., dem größten und wesentlichsten der von ihm geplanten Kunstwerke, in einer eigenartigen Auswahl und besonderen Behandlung des Marmors ausdrücken und welche die geistigen Grundlagen dieser zweifellos sehr bewußt angestrebten Wirkung waren. Das Denkmal ist bei Wimmer und Klebel und anderen so ausführlich dargestellt, daß eine neuerliche Beschreibung hier entbehrlich ist.

Die Geschichte des Grabmals läßt sich trotz der Dürftigkeit der schriftlichen Quellen durch sinnvolle Interpretation der Lücken mit ausreichender Verläßlichkeit erkennen; 1463 bittet der Kaiser die Stadt Straßburg, ihm den Künstler, „Unnserem und des Reichs lieben getrewen Niclas Pilhaver" für die Arbeiten am Kaiserlichen Hof freizugeben. 1467 erhält Niklas einen Auftrag und eine Anzahlung („ettlewil gelts"). 1468 wird der Mautner in Rottenmann beauftragt, einem gewissen Friedrich Mayr 97 Pfund Pfennig zu zahlen, die Mayr dem „R. Kaiser auf Grabstain dargeliehen", d. h. offenkundig den großen Marmorblock in Adnet angekauft hat. Am 2. Juni 1469 erhält Meister Niklas einen Empfehlungsbrief an den Bischof zu Passau, der dem Meister von dem Guthaben des Kaisers („von den kanncleygelt, so er unserm herrn dem römischen kayser ist schuldig zu geben") 200 Gulden auszahlen solle.

Das heißt also, der Rohblock ist inzwischen von Adnet nach Hallein und von dort die Salzach und den Inn abwärts bis Passau gebracht worden, wo er von Meister Nicolaus im Rohen ausgearbeitet wird. Dieser Vorgang, daß man große Werkstücke vor dem Ferntransport nach Möglichkeit zubossiert, „gerauhwerkt", hat, um ihr Gewicht zu verringern, war damals allgemein üblich. Die letzte „Ausbereitung" erfolgte gewöhnlich erst am Bestimmungsort. Diesen Vorgang erfahren wir z. B. sehr genau bei der Bestellung und den ersten Arbeiten an einem anderen großen Grabmal aus rotem Adneter Marmor, nämlich jenem, das Friedrichs Sohn Maximilian sich 1514 für Speyer bei dem Bildhauer Hans Valkenauer bestellte (ausführlich bei Grauert, auszugsweise bei Kieslinger 1963 und 1964). Meister Niklas scheint in diesen Jahren hauptsächlich in Passau gearbeitet zu haben (wo er auch Grundbesitz erworben hatte), war aber zweifellos mehrfach in Wiener Neustadt, wo er auch ein Weingut erworben hatte. Dort ist er vermutlich schon 1473 gestorben und in der Liebfrauenkirche begraben worden. Seine Arbeit wurde von Max Valmet fortgesetzt, dem der Kaiser unter anderem 1478 „zu Notdirften unserr grabstain" einen

Betrag anweisen läßt. Offenkundig hat also Valmet noch in Passau und dann in Neustadt die Arbeit an dem Tumbadeckel und vielleicht auch an anderen Teilen des Denkmals weitergeführt.

1479 war es endlich so weit. Die riesige (2,63 × 1,29 × 0,85 m), rund 8 Tonnen schwere Tumbaplatte wird die Donau abwärts nach Wien und von dort mit Fuhrwerk nach Wiener Neustadt gebracht. Aus diesem Anlaß mußten die Brücken über den Wiener Stadtgraben verstärkt und die Straßen ausgebessert werden. In den Jahren 1485 bis 1490 dürften die Arbeiten wegen des Krieges (Einfall von Matthias Corvinus) geruht haben. Im Juli 1493 wurden die fertigen Teile des Grabmals von Neustadt nach Wien gebracht, während Kaiser Friedrich in Linz im Sterben lag. Die Ausarbeitung der untersten Teile der Tumba und der Balustrade zog sich noch jahrelang hin. Wann Meister Michael Dichter (auch Tichter geschrieben, schon 1476 Mitglied der Wiener Dombauhütte) die Nachfolge an der Grabmalarbeit von Max Valmet übernommen hat, ob vielleicht auch noch ein „Meister des Rechwein-Epitaphes" an den Arkadenfiguren mitgearbeitet hat, wissen wir nicht. 1503 wird in einer Urkunde erwähnt, Valmet sei schon etliche Jahre am Werk. Alle die genannten Meister waren von einer Reihe von Gesellen unterstützt, von denen wir keine Namen, wohl aber sieben Steinmetzzeichen an den Marmorgesimsen usw. des Denkmals kennen. Oettinger meint, die eigentlichen Bildhauerarbeiten seien schon um 1510 vollendet gewesen. Weitere drei Jahre erforderte der Grundaushub für die Fundamente und der Aufbau des im ganzen nach einer Schätzung von Dombaumeister Hermann 44 Tonnen schweren Denkmals. Erst 1513 konnte der Kaiser beigesetzt werden.

Das Grabmal war für die Georgskirche in Wiener Neustadt bestimmt mit ihrer umlaufenden Empore, von der aus man den wesentlichsten Teil, die Tumbaplatte mit der Gestalt des Kaisers, hätte sehen können. Die Aufstellung im Apostelchor des Wiener Stephansdoms ist überaus unglücklich. Freilich kann man über einige Stufen an der Ostseite des Denkmals die Balustrade ersteigen, aber auch von dort aus die großartige Plastik nur in seitlicher Verkürzung und nicht als ganze besichtigen. Der kleine Personenkreis, dem eine solche Schau aus nächster Nähe vergönnt ist, ist zunächst verwirrt von der zuckenden Irrealität, dem vibrierenden Schimmer der plastischen Gestaltung. Erst langes Betrachten läßt die Ursache dieser sonderbaren Erscheinung begreifen. Es ist die Scheckigkeit des Marmors der Tumbaplatte und der zwei anderen Marmorsorten der tieferen Teile des Denkmals. Die eigentliche plastische Modellierung mit ihrem bis in die feinsten Einzelheiten gehenden Naturalismus, mit einer schonungslosen Darstellung der erschlafften Haut des alternden Kaisers und ihrer scharf heraustretenden Venen (sehr auffallend besonders an der Hand, die den Reichsapfel hält), ist in voller Klarheit sichtbar an dem Gipsabguß, der in der Wiener Neustädter Ausstellung gezeigt wird. An dem Marmor-Original jedoch ist diese mit den Händen greifbare Plastik für das Auge vollkommen verfremdet, eben durch die Scheckigkeit des Marmors. Wenn nicht von andersher, so kennt jedermann aus dem letzten Krieg das Wesen und die Wirkung der Tarnfarben, durch deren bewußt angewandte Scheckigkeit die zu verbergende Form (eines militärischen Objekts) optisch aufgelöst wird. Dem Biologen sind solche Schutzfärbungen (z. B. gewisser in den Höhlungen von Korallenriffen lebender Fische) durchaus geläufig. Die optische Auflösung des Körpers, die „Somatolyse", schützt sie vor der Erkennung durch ihre Feinde.

Die Marmore. Die zahllosen spätgotischen österreichisch-bayerischen Grabdenkmäler, die sich fast in jeder älteren Kirche finden, sind alle aus dem kaum merklich gemusterten roten Kalkstein von Adnet bei Hallein, der leider immer wieder fälschlich als Untersberger Marmor bezeichnet wird. (Gute Bilder in den bekannten großen Monographien von Halm, Leonhardt und anderen.)

Das Friedrichsgrab und eine kleine Zahl gleichzeitiger Grabmalplastiken besteht nun aus drei anderen, durch ihre lebhafte Musterung auffallenden Adneter Sorten. Die mächtige Tumbaplatte (übrigens auch der Eleonorenstein) ist aus dem „*Mandlscheck*", einer heute vergessenen Abart, die durch teils rote, teils gelbe Gerölle eine erhebliche Buntheit erhält. Die unteren Teile der Tumba und vor allem die Balustrade mit ihren vielen Figürchen bestehen aus dem viel greller gemusterten „*Rotscheck*", bei dem die Zwickel zwischen den rotbraunen Knollen durch leuchtend weißen Kalkspat ausgefüllt sind. Diese grelle Musterung wird gerade bei den kleineren Figürchen sehr auffallend. Die breiten weißen Kalkspatadern legen sich nur zu oft quer über die kleinen Köpfchen und Gliedmaßen und verschleiern ihre plastische Form. Im Sockelbereich des Denkmals finden wir noch eine dritte rotbunte Adneter Sorte, den „*Rottropf*", bei dem weiße Korallenstengel sich grell von der roten Grundmasse abheben.

Neben den ungemein vielen „normalen", einheitlich roten gotischen Grabplatten finden wir nun doch eine ganze Anzahl von Denkmälern aus dem gleichen „Rotscheck" wie am Friedrichsgrab, Arbeiten, die durch ihren künstlerischen Rang und durch die Persönlichkeit der Besteller bemerkenswert sind. Ihre Zahl ist zu groß, als daß es sich um einen Zufall handeln könnte. Die meisten der dargestellten Personen bzw. Besteller gehören dem engeren Personenkreis um Friedrich III. an. Es sind vor allem jene Bischöfe, die mindestens zeitweise einer seiner Kanzleien in Wien oder Wiener Neustadt angehört haben und die dann von ihren Bischofssitzen aus andauernd als Diplomaten für die Ziele des Kaisers tätig waren.

Wir finden z. B. in der Begräbniskirche der Bischöfe von Gurk in Straßburg (Kärnten) das Grabmal der Bischöfe Johannes V. Schallermann und Ulrich III. von Sonnenburg, die teils in Brixen, teils in der Wiener Kanzlei des Kaisers tätig waren. Es fehlt nicht der Bischof Dietrich Crammer von Wiener Neustadt. Der Grabstein des Martin von Neudeck in Pottschach bei Wiener Neustadt, nach Oettingers Vermutung bestellt von seinem Sohn Georg, einem der höchsten Würdenträger des Kaisers, schließlich Bischof von Trient. Alle diese und der Kaiser selbst standen in engster Verbindung mit der überragendsten Person des 15. Jahrhunderts, dem großen Nikolaus von Cues, der mit Hilfe des Kaisers 1448 Kardinal und zwei Jahre darauf Bischof von Brixen wurde. Es wird heute nicht mehr daran gezweifelt, daß der Entwerfer des Denkmals und Bildhauer der Tumbaplatte, Nikolaus Gerhaert, nicht von Leiden in Holland, sondern von Leyen an der Mosel stammte, also nur 40 km aufwärts vom Geburtsort des Cusanus. Vermutlich hat dieser den Kaiser auf seinen Landsmann, den damals (1463) in Straßburg tätigen Künstler aufmerksam gemacht. Daß die rätselhafte Materialwirkung des scheckigen Marmors auch weit in den bayerischen Raum, ja bis Krakau Nachahmung fand, in dem großartigen Grabdenkmal des Königs Kasimir Jagiello von Veit Stoß mit genau den gleichen drei scheckigen Adneter Marmorsorten, kann hier nur angedeutet werden.

Wider alles Erwarten finden wir eine Forderung an jene Kunst, als deren Verwirklichung uns das Friedrichsgrab und einige andere Denkmäler verständlich werden, im zeitgenössischen Schrifttum: Nikolaus von Cues hat immer wieder versucht, das versunkene Gedankengut der Scholastik in irgendeiner Form vor dem Einströmen der neuen Zeit zu retten oder genauer gesagt, diese scheinbaren Gegensätze auf einer höheren Ebene zu vereinigen. Er griff dabei noch bis in die Antike zurück, etwa auf Plato und auf die zwei Korintherbriefe des Paulus, aus denen er mehrfach Stellen anführt. „Was sichtbar ist, das ist zeitlich, was aber unsichtbar ist, das ist ewig" (quae enim videntur, temporalia sunt: quae autem non videntur aeterna sunt). Oder an einer anderen Stelle: „Videmus nunc per speculum in aenigmate, dunc autem facie ad faciem" (wir sehen jetzt durch einen Spiegel, in einem dunklen Wort, dann aber von Angesicht zu Angesicht). Dies ist noch einmal der Realitätsbegriff des Mittelalters, der alle Dinge im Sinne eines „vom Jenseits her durchleuchteten Daseins" auslegt (Georg Weise), der das vordergründig Sichtbare und Greifbare nur als die äußerliche Signatura der dahinterstehenden viel wichtigeren Wesenheit auffaßt. Also (wie schon vor langem Julius von Schlosser und später Huizinga so überzeugend herausgearbeitet haben) ziemlich genau das Gegenteil von jenem trivialen vordergründigen Realismus, der etwa ab 1400 das Denken der Neuzeit erfaßt.

Gerade Nikolaus von Cues, in beiden Welten zu Hause, versucht in einer Art von geistiger Widerstandbewegung gegen die Säkularisation des Weltbildes durch die Renaissance anzukämpfen. In einem Schreiben an den Kanonikus Conrad von Wartberg („De filiatione Dei", Von der Gotteskindschaft) beschwört er ihn, nicht den vergänglichen Schatten der Sinneserscheinungen anzuhangen, die ja nur Rätselzeichen des Wahren seien. In einer anderen Schrift fordert er, man müsse sich von der Schönheit des Sinnlichen zur Schönheit des Geistes erheben, welche alle sinnliche Schönheit in sich faßt. Er läßt in einem Gleichnis einen Maler zwei Bilder malen: das eine wäre tot, obgleich es in seiner tatsächlichen Erscheinung dem Dargestellten näher käme; das andere weniger ähnliche wäre lebendig, da es von seinem Gegenstand zur Bewegung angereizt, sich dem Urbild immer gleichförmiger machen könnte. Welches von diesen beiden Bildern vor dem anderen den Vorzug verdiene, könne keine Frage sein. Erst die von der Materie abgelöste Seins-Form erkennt Cues als unbedingt wahr und formhaft an (zitiert nach Hempel).

Gerade der überaus konservative Kaiser muß für solche Gedankengänge und ihren künstlerischen Ausdruck sehr empfänglich gewesen sein. Abweichend von der wiederholten abschätzigen Beurteilung einer Anwendung dieser merkwürdigen Marmore in kunstgeschichtlichen Arbeiten (Wertheimer z. B. schreibt in seiner Monographie über Niklas Gerhaert „Holz und Marmor scheinen ihm fremd gewesen zu sein" [!!]) erblicken wir in der vibrierenden und verwirrenden Auflösung der Form durch die Buntscheckigkeit des Marmors die ganz bewußte Verkörperung der geistigen Haltung eines Kreises hochgebildeter Männer, die sich um Kaiser Friedrich scharten, der letzten Vertreter eines mittelalterlichen, eines „gotischen" Gedankenfluges in einer schon gewandelten und ernüchterten neuen Zeit.

LITERATUR:

C u e s , Nicolaus von, Vom verborgenen Gott. Vom Gottsuchen. Von der Gotteskindschaft. Eingel. u. übersetzt von Johannes Peters. Herder-Verlag Freiburg 1956.

G r a u e r t , H., Die Kaisergräber im Dom zu Speyer. Sitzber. kgl. bayr. Akad., Wiss. phil.-hist. Kl., 1900, 539, München 1901.

H a l m , Ph. M., Hans Valkenauer und die Salzburger Marmorplastik. Kunst u. Kunsthandwerk 14, 145 bis 193, Wien 1911.

H a n t s c h , Hugo, Die Geschichte Österreichs. 1, 2. Aufl., Graz—Wien 1947.

H e m p e l , E., Nikolaus von Cues in seinen Beziehungen zur bildenden Kunst. Ber. über d. Verhandl. d. S. Akad. d. Wiss. zu Leipzig. Phil.-hist. Klasse, 100, Heft 3, 1953.

H u i z i n g a , J., Herbst des Mittelalters. Kröner-Verlag, Stuttgart 1953.

K i e s l i n g e r , Alois, Geist im Stein. Zur Geschichte einer spätgotischen Gesteinsmode. Alte und moderne Kunst 7, Heft 58/59, Wien 1962.

K i e s l i n g e r , Alois, Die nutzbaren Gesteine Salzburgs. 436 Seiten, 120 Abb., 5 Farbtafeln, 2 Falttafeln, Verlag Das Berglandbuch, Salzburg 1963.

K i e s l i n g e r , Alois, Zur Geschichte der Steinverfrachtung auf der Donau. Österr. Ingenieurzeitschrift 7 (109), 253—260, Wien 1964.

L e o n h a r d t , K. F., Die Salzburger Grabmalplastik vor Hans Valkenauer. Kunst u. Kunsthandwerk 15, 77 ff., Wien 1912.

L h o t s k y , Alphons [Wien] Im Spätmittelalter. In: „Unvergängliches Wien", 81—128, Wien 1964.

O e t t i n g e r , Karl, Anton Pilgram und die Bildhauer von St. Stephan. Verlag Herold, Wien 1951.

S c h l o s s e r , J. v., Portraiture. Mitteil. Österr. Inst. f. Geschichtsforschung, Ergänzungsband 11 (Redlich-Festschrift), Wien 1929.

W e i s e , G., Der Realismus des 15. Jahrhunderts und seine geistigen Voraussetzungen und Parallelen. Die Welt als Geschichte 8, 135—163, 300—322, Stuttgart 1942.

W e r t h e i m e r , Otto, Nicolaus Gerhaert, seine Kunst und seine Wirkung. Jahresausgabe des Deutschen Vereins für Kunstwissenschaft, Berlin 1929.

W i m m e r , Friedrich, und K l e b e l , Ernst, Das Grabmal Friedrichs III. im Wiener Stephansdom. Wien 1924.

Rupert Feuchtmüller

DIE KIRCHLICHE BAUKUNST AM HOF DES KAISERS UND IHRE AUSWIRKUNGEN

Die Bauten, an denen die „Devise" Friedrichs III., der Strich und die fünf Buchstaben AEIOV, angebracht ist, sind in ihrer Art und Bestimmung sehr verschieden. Sie entsprechen keinem Schulzusammenhang. Neben den Burgen in Wien, Wiener Neustadt, Graz und Linz, die bei Sutter behandelt wurden, sind auch ganz unscheinbare Bauten als kaiserliche Stiftung überliefert. So soll sich an einem Haus in *Mariazell* die Devise befunden haben, an einem Bürgerbau in *Wiener Neustadt*, Wiener Straße 25, und an der *Kapelle* am Zollhaus des Passes *Lueg*. Nach dem letzten Krieg wurden an dem Schloß in *Urschendorf* (NÖ.) zwei Wappen mit der „Devise" und der Jahreszahl 1487 aufgedeckt. Mit welcher Stiftung der Wappenstein im Hof von Sta *Maria dell'Anima* in Rom in Verbindung steht, kann nicht mehr entschieden werden. Diese Überlieferungen sind kunsthistorisch jedoch ebenso wenig auswertbar wie die Nachricht, daß Friedrich an der Kirche in *Vordernberg* Stiftungen vornahm. Vermutlich im Jahre 1934 ist an der *Ruprechtskirche* in Wien die „Devise" Friedrichs anläßlich von Restaurierungen zum Vorschein gekommen. In der ältesten Kirche Wiens bezog sich die kaiserliche Stiftung vielleicht auf die reich geformte Maßwerkbrüstung der Empore, an deren Stirnwand eine Tafel mit der Devise und der Jahreszahl 1439 eingelassen ist. Die Stilformen sind gewiß von den Rissen der Wiener Bauhütte abzuleiten. Der Anlaß dieser Stiftung in Wien könnte die Tatsache sein, daß Friedrich nach dem Tod Albrecht II. das Oberhaupt der Habsburger wurde. St. Stephan war damals noch im Bau, so wendete sich die Stiftung des Herzogs einer der ältesten Kirchen Wiens zu. Herrn Professor Dr. Lhotsky verdanke ich den Hinweis, daß dies auch einen historischen Grund haben kann. Denn St. Ruprecht ist neben St. Peter eine jener Kirchen, die in Stainreuters sagenhafter Chronik von Österreich besonders hervorgehoben werden.

Wenn man überlegt, daß Friedrich nach dem Tod Albrechts erst am 6. Dezember 1439 Wien betreten hat, dann folgt daraus, daß die Stiftung nachträglich, aber in Erinnerung an einen bestimmten Anlaß erfolgt sein kann; eine Überlegung, die nicht ganz unwichtig zu sein scheint. Sie rollt nämlich die Frage auf, ob nicht an bedeutsamen Stiftungen manche Daten neben der „Devise" mehr als einen bloßen Bauabschluß festhalten. War es überhaupt einem im Dienst des Kaisers stehenden Künstler gestattet, sein Werksdatum neben die kaiserliche „Devise" zu setzen? Bedeuten manche Daten eben nicht mehr? Doch darauf soll noch später Bezug genommen werden.

Anders war das Verhältnis zur Doppelstadt *Krems-Stein*, die durch kaiserliche Privilegien und die Verleihung des Doppeladlerwappens (1463) besondere Förderung genoß. Während an der Piaristenkirche, die nach dem Hussitensturm 1444 neu konsekriert wurde und deren Chorbau vor 1457 begonnen wurde, eine kaiserliche Stiftung nicht nachgewiesen werden kann, findet sich am Portal der *Bürgerspitalskirche,* die 1470 datierte „Devise" des Kaisers. Zweifellos haben an beiden Kirchen die gleichen Steinmetze gearbeitet, was sich an den Portalformen, ja selbst am verwandten Typus der Gewölbefiguration nachweisen läßt. Sechszackensterne und Dreiecksstreben werden von Buchowiecki auf bayrische Einflüsse zurückgeführt, während Buchner dem an sich seltenen Typus der Wandpfeilerkirchen nachgeht und die Kremser Spitalskirche in eine Reihe von verwandten Bauten — Wartberg, Schwallenbach und Oberndorf bei Raabs — einordnet. Die in die Wölbung hineinstoßenden Streben werden mit Recht von den spätgotischen Rippendurchdringungen im Raum der Steyrer Hütte abgeleitet. Am ehesten fällt die rechteckige Form des Grundrisses als Eigenart auf, die, ebenso wie bei der Georgskirche von Wiener Neustadt durch die umgebenden Profanbauten erklärt werden könnte. Eine stilkritische Untersuchung ergibt jedenfalls keine Besonderheiten, die diese kaiserliche Stiftung aus der lokalen Bautengruppe hervorheben würde. Die eigentlichen Zentren, die in diesem Sinne ausgewertet werden können, sind die beiden Residenzen in Wiener Neustadt und Graz. In beiden sind uns markante Künstlerpersönlichkeiten überliefert, deren Einfluß verfolgt werden kann. Da die Forschungslage noch kein klares Bild bietet, ist es nötig, eine stilkritische Untersuchung voranzuschicken, deren Ergebnisse dann erst abschließend ein Bild des kaiserlichen Mäzens ergeben.

Wiener Neustadt war neben Wien zweifellos das bedeutendste Zentrum gotischer Architektur im Osten des Landes. Diese aufstrebende Entwicklung begann aber nicht erst unter Friedrich III. Schon 1382 bis 1384 wurde die schlanke gotische Säule, die sogenannte „Spinnerin" unter dem Stadtrichter Wolfhard von Schwarzensee vermutlich nach einem Riß des Meisters Michael, dem Erbauer des Südturmes von St. Stephan, errichtet. Diese enge künstlerische Verbindung zu Wien wirkt weiter in das 15. Jahrhundert. Die Errichtung der zweigeschoßigen Gottleichnamskapelle — die Unterkirche (Leopoldinische Gruftkapelle) ist 1379 datiert, die Oberkirche ist zwischen 1420 und 1440 entstanden — fällt noch in die Zeit von Friedrichs Vater Herzog Ernst dem Eisernen, der 1424 starb. Die Bautätigkeit wurde unter dem Vormund und Oheim des späteren Kaisers Herzog Friedrich IV. fortgesetzt. Heute sind von der Gottleichnamskapelle nur mehr Reste des Turmgeschoßes erhalten. Die schlanken Rippen, die gezierten Vierpaßmotive im Bogen und der mit Blättern geschmückte kleeblattartige Schlußstein mit dem steirischen Panther im Mittelschild, sprechen noch eine ganz andere Sprache als die späteren Stiftungen Friedrich III. Das älteste Datum (1437) findet sich in den beiden südöstlichen Turmgeschoßen. Am Schlußstein des Erdgeschoßes steht *1437 aeiou vincula pec.* Das nächste von ihm gestiftete Bauwerk ist der sogenannte gotische Vorsaal in der Wiener Neustädter Burg. Das einheitliche Tonnengewölbe des drei Joche langen Raumes überzieht eine Rippenparallelfiguration, die der Jochmitte ausweicht und dadurch eine fließende Vereinheitlichung schafft. Dieses von Parler vom Chorhaupt des Prager Domes abgeleitete System ist an den inneren Kreuzungspunkten im ersten und dritten Joch von großen Wappenschilden geschmückt. Sie enthalten, ebenso wie die Konsolen beim Eingang die kaiserliche „Devise", den Strich mit den fünf Buchstaben und die Jahreszahl 1438. An den Rippen sind kleine rot-weißrote Schildchen angeheftet, die den dekorativen Charakter verstärken, aber auch auf die Wappensymbolik, die Friedrich liebte, hinweisen. Gewiß ist, so kann man folgern, das Turmgeschoß der Gottleichnamskapelle nicht von Friedrich gestiftet, sonst wäre anstelle des steirischen Panthers gleichfalls Friedrichs „Devise" angebracht worden. Die beiden Maskenkonsolen des Vorsaales sind übrigens jener im nördlichen Querschiff der Lichtenwörther Pfarrkirche verwandt, was auf ein Fortwirken einer lokalen Tradition schließen läßt. Erstaunlich ist das Auftreten der rot-weiß-roten Wappenschildchen in der Burg des steirischen Herzogs. Es ist anzunehmen, daß es sich um eine spätere Bemalung handelt.

Vielleicht war der urkundlich genannte Steinmetz Kaspar Sorger, der um 1451 gestorben sein dürfte, einer jener Meister, die Friedrich von früher in seine Dienste übernommen und mit den ersten Bauten betraut hatte. Seine angesehene Stellung bei Hof, die vielen Vorrechte, die ihm der König einräumte, sprechen dafür, daß wir es mit einem führenden Künstler zu tun haben. Obgleich wir eine fortwirkende Tradition feststellen können, sind die Bauten unter Friedrich nicht aus ihr allein zu erklären. Die bedeutenden Vorhaben, die kurz nach der Wahl Friedrichs zum deutschen König im Jahre 1440 zu verzeichnen sind, waren an die lokalen Voraussetzungen künstlerisch nicht gebunden, der führende Meister auf dem Gebiete der Architektur war „des Kaisers Steinmetz" *Peter von Pusika.* Dieser bedeutende Künstler, der in der Wiener Neustädter Verteidigungsordnung des Markgrafen Achilles von Brandenburg als Hauptmann der 32 Steinmetze erwähnt ist, läßt sich am 27. Oktober 1450 in der Residenzstadt nachweisen. Damals erwirbt er als Bürger der Stadt mit seiner Frau Dorothea ein Haus in der Neunkirchner Straße 34, das heute noch besteht. Der gotische Konsolen-Erker mit Maßwerk und Wappenzier dürfte auf seinen Umbau zurückgehen. Die Anordnung und die Profile stimmen mit der 1460 datierten Empore in der Georgskirche überein. Obwohl die von Boeheim erwähnte urkundliche Nachricht, daß sich Pusika schon 1439 in Wiener Neustadt aufgehalten hat, verschollen ist, wird man Pusikas Tätigkeit ab 1440, spätestens ab 1444, als der Umbau des Neuklosters begonnen wurde, annehmen können. Aus der Namensnennung der Baumeister leitet Mayer die Annahme ab, daß Pusika die Bezeichnung seines Geburtsortes wäre und er aus Puska nördlich von Lublin abstammen könnte. Dies hat zu der kunsthistorischen These einer Beziehung zur polnischen Architektur im Raume von Krakau geführt. Aus stilistischen Gründen aber ist, wie noch später ausgeführt werden soll, eine Schulung in Prag und in Wien anzunehmen, was sich mit dem Weg seiner Wanderschaft recht gut in Einklang bringen läßt. Boeheim glaubt, in der *Vorhalle der Gottleichnamskapelle* das erste Werk des Künstlers zu erkennen. Der vierpaßförmige Schlußstein könnte nach seiner Meinung eine Verbindung zu späteren charakteristischen Zierelementen darstellen. In den vier figuralen Konsolen vermutet man ein Selbstbildnis und die Porträts seiner beiden Frauen Margarete und Dorothea sowie seiner beiden Söhne Melchior und Balthasar. Überprüft man die diesbezüglichen Daten, dann käme man zu einer Datierung der Vorhalle in die Mitte des 15. Jahrhunderts, was stilistisch zu Widersprüchen führt. Die Rippen und Maßwerkprofile sind, wie schon früher erwähnt, in das erste

Drittel des 15. Jahrhunderts zu setzen, also ungefähr um 1420, als auch die Glasfenster der Kapelle entstanden. Das erste große Werk, das sogenannte „Neukloster", der Umbau des Dominikanerkonvents, der über ausdrücklichen Wunsch Friedrichs 1444 in eine Zisterzienserabtei umgewandelt wurde, ist für Pusika nicht urkundlich bezeugt, doch spricht alles dafür, daß er die Leitung innegehabt hatte. Bei dieser mit sparsamen Mitteln durchgeführten Änderung, die um 1447 abgeschlossen war, vermochte sich sein Können nicht frei zu entfalten. Die ehemalige basilikale Bettelordenskirche wurde durch die eingezogene Mittelschiffwölbung in eine Halle verwandelt, wodurch sich zu dem alten schlanken Chor ein seltener Kontrast ergibt; auch die Seitenschiffe wurden neu gewölbt. Obwohl das Mittelschiff seine Rippenfiguration auf einer einfachen diagonalen Überkreuzung aufbaut, kommt es zu einer tonnenförmigen Vereinheitlichung in der Längsrichtung. An den Jochgrenzen wird in das Rippenkreuz eine Parallelfigur eingefügt, um das Ineinanderfließen der einzelnen Kompartimente noch mehr zu betonen. Diese Tendenz entspricht der neuen spätgotischen Auffassung. Das Rippenmuster läßt sich von Prag ableiten und am ehesten mit dem Langhaus von St. Stephan in Verbindung bringen, das um die gleiche Zeit eingewölbt wurde. Die kleine nordwestliche Kapelle der Neuklosterkirche (1453), auf die noch später eingegangen wird, verwendet eine noch dichtere dreifache Parallelfiguration. Im wesentlichen aber zeigt sich an dieser ersten kaiserlichen Stiftung noch keine von der bodenständigen Tradition abweichende Besonderheit. Dies trifft auch für den Ausbau der *Liebfrauenkirche* zu, in deren östliche Querschiffarme zwei reiche Maßwerkemporen eingebaut wurden. Das enge emporstrebende Maßwerk, oben mit Dreipaßmotiven abgeschlossen, entspricht im Typus der vermutlich kurz darauf errichteten Orgelempore von St. Stephan in Wien. Die Lösung in Neustadt hat noch keinen, entlang der Bogen emporkletternden Steinkrabben-Schmuck, keine dynamische Durchdringung der Brüstung durch einen Kielbogen, vor allem aber keinen freischwebenden kleinen Kanzelvorbau in der Mitte. Das Maßwerk der Brüstung in Neustadt, die links die „Devise" Friedrichs und das Datum 1449 mit den Wappen von 12 burgundischen Besitzungen, Pfirt, Burgau, Habsburg, Tirol, Oberösterreich, Bindenschild, Steiermark, Krain, Kärnten, Elsaß, Windische Mark, Portenau trägt, ist derber und dekorativer in der Flächenwirkung. Der Anlaß für den Bau, den *Niklas Ottentaler* geführt hatte, könnte, ebenso wie beim Grazer Dom, Friedrichs Entschluß zur Heirat gewesen sein. Die neuen Emporen vermochten dem größeren Hofstaat gewiß einen würdigen Platz bieten. Oder sollte es ein Zufall sein, daß im gleichen Jahr, in dem die Emporen entstanden, auch der Bau der Georgskirche über der älteren Torhalle fortgeführt wurde? In das Jahr 1449 fällt auch die Weihe der alten Kapelle der Wiener Hofburg.

Der Ausbau des *Minoritenklosters* zur Zeit Friedrich III. ist nur mehr an der Westwand teilweise festzustellen. Der Zubau selbst wurde abgebrochen. Besonders charakteristisch sind die Bauformen am *St. Peterskloster*. Auch hier handelt es sich um keinen Neubau. Ab 1250 stand beim Wienertor ein Dominikanerinnenkloster. König Friedrich bewirkte bekanntlich beim Generalmagister der Dominikaner Bartholomäus Texerius einen Tausch. Die durch die Zisterzienser abgelösten Dominikaner erhielten das Frauenkloster, die Nonnen wurden auf verschiedene österreichische Häuser aufgeteilt. Peter von Pusika wurde mit der Adaptierung, die einem Neubau gleichkam, betraut. An dieser Stiftung ist der Name des Baumeisters auch urkundlich bezeugt, denn er vermacht seinem Sohn Melchior, der bei den Dominikanern eingetreten war, 120 Pfund, eben jene Summe, die ihm das Kloster für seine 24jährige Bautätigkeit schuldete. Zu dieser urkundlichen Sicherstellung treten auch zahlreiche stilistische Argumente. Der Umbau des Klosters St. Peter an der Sperr, der Schauplatz der gegenwärtigen Ausstellung, fällt in die Jahre 1450 bis 1475. Mehrere Jahreszahlen am Klostertrakt (1454, 1461, 1469), an der Kirche (1456, 1458) und am Südportal (1467), lassen darauf schließen, daß der Bau vom Westen und Osten gegen die Mitte zu wuchs. Der *Kreuzgang* ist sicherlich, dies beweisen schon die Daten, ein einheitliches, von Pusika geplantes Bauwerk. Die weiten gedrungenen Fensteröffnungen mit ihren breiten geometrischen Maßwerkformen entsprechen den schon bei Parler nachweisbaren Tendenzen. Am aufschlußreichsten ist wohl das sogenannte Springgewölbe in dem Original erhaltenen westlichen Kreuzgangsarm. Man versteht darunter eine wechselweise Reihung von Rippendreistrahlen. Diese eigenartige Form ist bereits im 13. und 14. Jahrhundert in Frankreich und Deutschland bezeugt und kann anfangs aus baulichen Unregelmäßigkeiten wie Chorlösungen, spitzwinkeligen Räumen usw. abgeleitet werden. In der Spätgotik hat sich die Voraussetzung jedoch grundsätzlich geändert. Die eigene Konstruktion des Baukörpers bedingt nun nicht mehr ihre Form, sondern die Form wird wegen ihres Ausdrucks frei verwendet. Bachmann hat schon an der Prager Bethlehemskapelle, im Zusammenhang mit den Wölbungen Peter Parlers (Kolin) gezeigt, daß man mit Hilfe von wechselweise versetzten Rippendreistrahlkonstruktionen richtungslos flutende dekorative Netze formen kann, die gleichsam ohne Anfang und Ende über die Wölbung hinziehen. Die Idee der Vereinheitlichung und der Bewegung war eines der Prinzipien in der späten Gotik. Im langen schmalen Kreuzgangarm konnte sie sehr gut ihre Anwendung finden. Diese von links nach rechts springende Bewegung entsprach der spätgotischen Auffassung weit besser als die Zerlegung in einzelne Joche. Als Vergleichsbeispiel sei auf die Domkreuzgänge in Eichstatt (1410) und in Würzburg (Ende 15. Jahrhundert) hingewiesen. Donin hat diese Besonderheit von den Baugepflogenheiten der Dominikaner abgeleitet und auf den sehr verwandten Dominikanerkreuzgang in Znaim (Prokop II 464) aufmerksam gemacht, der durch Stiftungen mit Prag in Verbindung steht, aber erst 1495 vollendet worden sein soll. Da dieses Springgewölbe in Österreich kein direktes Vorbild besitzt, so ist es für die Herkunft Pusikas von dokumentarischem Wert. Das Motiv kommt, wie Clasen gezeigt hat, vom preußischen Ordensland auch in den Polnischen Raum *(Wiślica)*, über Breslau (Seitenschiffe des Domes) und durch Vermittlung der Hütte von Prag nach dem Süden (ein Parallelfall zu den Zellengewölben — südlichster Ausläufer die Greinburg). Auch die Pfarrkirche von Perchtoldsdorf verwendet zum Beispiel, ganz ähnlich dem Dom von Breslau (um 1375) einen wechselnden Rippendreistrahl, um das Mittelschiff dem engeren Pfeilerabstand des südlichen Seitenschiffes anzupassen. Die Sternfiguration mit Scheitelring im Mittelschiff über der Orgelempore findet sich dagegen in Prag (südliche Seitenkapelle, westlich vom Querhaus). Mit dieser Feststellung ergänzen sich die

Beobachtungen, die an der Neuklosterkirche angestellt werden konnten. Wir haben hier ein weiteres Argument für den Wanderweg Pusikas, der ihn von Polen über Prag nach Wien geführt haben dürfte. Die Verwendung der scheibenartigen Schlußsteine findet sich allerdings viel eher im Raum von Breslau als in Krakau, wo nur die Heilige-Kreuzkapelle im *Wawel* ein Beispiel gibt.

Leider sind die Gewölbe der *Peterskirche* beim Brand des Jahres 1834 gänzlich vernichtet worden. Der bei Lind veröffentlichte Grundriß läßt auf eine Kreuzform mit stärkeren jochteilenden Gurten schließen. Die Rippenansätze erlauben keine weiteren Schlüsse. Die Grundmauern der Kirche im Norden wurden vom Vorgängerbau übernommen. Donin hat auf die eigenartige Form der Chorstreben — viereckige Pfeiler, die mittels eines wappengeschmückten Kreissegmentes in ein sechseckiges Polygon überleiten — aufmerksam gemacht. Er sieht darin ein Leitmotiv, das auch an anderen Bauwerken Pusikas (Katzelsdorf) auftaucht. Stilgeschichtlich interessant ist vor allem das *Südportal* von St. Peter, das die Jahreszahl 1467 trägt. In einer überwölbten Strebepfeilernische ist es wie eine rechteckige Steinfassade eingesetzt. Die Toröffnung ist rundbogig von gekehlten Stäben eingefaßt, die sich — ein Halbkreis- und ein Rechtecksystem — gegenseitig unterschneiden und somit als ein früher Vorläufer eines spätgotischen Typus gelten können. Darüber liegen, in den rechteckigen Kasten eingeordnet, zwei siebenteilige Baldachinreihen, die sich wie ein horizontales Band durchziehen. Links und rechts des Türgewandes sind gleichfalls zwei Nischen ausgespart. Ginhart, und Donin ihm folgend, haben auf spanische Vorbilder aufmerksam gemacht, eine Annahme, die durch die Abkunft der Kaiserin Eleonore von Portugal eine Berechtigung haben könnte. Auch niederländische Einflüsse (man denke an die durch Niklas Gerhaert angebahnten Beziehungen) wurden in Erwägung gezogen. Nun sind aber alle im Westen bekannten Beispiele zeitlich später, außerdem ist es nicht wahrscheinlich, daß Eleonore einen Baumeister aus ihrer Heimat nach Wiener Neustadt gebracht hat, der uns in der schriftlichen Tradition unbekannt geblieben wäre. Bedenkt man, daß Friedrich III. in künstlerischen Fragen eine ganz persönliche Vorstellung besaß, so ist es gleichfalls nicht glaubwürdig, daß er sich eines fremden Konzeptes bedient hat. Wir sehen das Portal heute mit 16 leeren Nischen. Vielleicht führt nur diese retabelartige Form auf spanische Vorbilder. Die Nischen waren aber gewiß für ein plastisches Programm nötig, folglich für eine Reihe von bestimmten Heiligen, wie sie Friedrich beim Wiener Neustädter Altar, in Bad Aussee oder bei seinem Reliquienschrein, der einst im Chor der Neuklosterkirche aufgestellt war, bevorzugt hat. Viel wahrscheinlicher ist es daher, daß die Form durch das Programm, durch den kaiserlichen Wunsch bestimmt wurde. Eine solche grundsätzliche Überlegung ist neuerlich bei der Wappenwand der *Georgskirche* anzustellen, die man öfter mit dem Südportal der ehemaligen St. Peterskirche verglichen hat. Stilistische Übereinstimmungen wurden sogar als Beweis für die Autorschaft Peter von Pusikas angeführt.

Die bedeutendsten Änderungen, die Friedrich III. an seiner Residenz, der Burg von Wiener Neustadt, vornahm, beziehen sich auf den Westtrakt. In der Mitte der Fassade, zwischen den Ecktürmen, wurde ein hoher, rechteckiger Baukörper eingesetzt, dessen Dach die anderen Trakte überragt, der im Hof in die Fassade einbezogen ist, nach außen zu aber um drei Joch vorgezogen wurde. Schon von weitem ist es kenntlich, daß es sich hier um die Dominante der gesamten Anlage handelt. Der geniale Einfall liegt nun darin, daß hier verschiedene Zweckverwendungen miteinander kombiniert wurden. Die repräsentative Torhalle mit der Kirche und ein Versammlungsrempter mit dem Plan einer Grabkirche, die diesen hervorragenden Bau der Burg zu einem habsburgischen Familienheiligtum machen sollte. Zuerst fasziniert die kühne Bauform. Der rechteckige Baukörper ohne Apside ist zweigeschoßig. Über einer Torhalle, die durch spitzbogige Quertonnen zwischen den Pfeilern gestützt ist, erhebt sich eine dreischiffige Hallenkirche, deren Mittelschiff der Durchfahrt und deren Seitenschiff den seitlichen Streberäumen darunter entsprechen. Diese Zweigeschoßigkeit, die wir sonst von Unterkirchen her kennen (Heilige Kapellen, Grabkapellen, Burgkapellen), ist vor allem bei Kirchen innerhalb des profanen Schloßbaues zu finden. Daß es damals in der Zeit lag, mit technischen Fertigkeiten Aufsehen zu erregen, beweist auch das viel bestaunte Haus ohne Nagel (1489), das einst vor dem Wiener Neustädter Peterskloster nahe dem Wienertor stand.

Die Georgskirche, dieser in die Burg eingesetzte rechteckige Baukörper ist von gliedernden Streben umgeben, durch die, in der Höhe des ersten Geschoßes, ein von Konsolen getragener Umgang führt. Ein Motiv, das wir später im Innern der Wandpfeilerkirchen finden, wird hier als Aussichtsgalerie verwendet; es hat jedoch keinen fortifikatorischen Charakter, die repräsentative Note wird durch die zahlreichen Wappenschilde hervorgehoben. Das Motiv der Wappen wird zu einem Hauptakzent im Hof der Burg. Eingespannt zwischen zwei Strebepfeiler, ja sogar auf sie übergreifend, sieht man 107 Wappen, die als eine Art Stammbaum der Herrscher des Landes aufgefaßt werden können und mit Stainreuters Chronik der 95 Herrschaften in Verbindung gebracht wurden. Auffällig ist, daß Friedrich sich auch als Herrscher über Österreich fühlte, denn die Chronik Stainreuters nimmt auf sagenhafte Gedenkstätten Bezug, die vornehmlich in Österreich, also außerhalb seines steirischen Gebietes lagen. Als oberster Abschluß der Wappenwand sieht man in einem Reihenbaldachin, ähnlich denen am Südportal der Peterskirche, die Statuen der Heiligen Katharina, Maria und Barbara (das Original ist derzeit in der Ausstellung). Unten befindet sich das Standbild Friedrichs als österreichischer Herzog, umgeben von den Wappen 14 habsburgischer Länder. Engel tragen je ein Spruchband mit der „Devise" und der Jahreszahl 1453. Es überrascht, daß sich Friedrich, der 1452 in Rom zum Kaiser gekrönt wurde, als Herzog darstellen ließ. Im Rahmen seiner Residenz hatte jedoch — wie man sieht — das Denkmal der habsburgischen Hausmacht den Vorrang. Die Kirche war als eine Art Familienheiligtum geplant, ja sogar, wie Rožmital bezeugt, als das Mausoleum des Kaisers ausersehen. Obwohl sich vom historischen Standpunkt die eigene Form und der eigenartige Schmuck des Bauwerkes zu einer sehr sinnvollen Einheit fügen, hat doch die kunstgeschichtliche Forschung auf andere Zusammenhänge aufmerksam gemacht. Vor allem sind an der Wappenwand noch mehr als an dem Südportal von St. Peter die niederländischen oder spanischen Einflüsse hervorgehoben worden. Wenn wir jedoch annehmen, daß zum Baubeginn im Jahre 1449 das Grundkonzept vorlag, dann könnte wohl ein Verhältnis zu den Niederlanden, anläßlich der Reise Friedrichs nach Aachen im Jahre 1442 eine solche Verbindung angebahnt haben. Es ist uns in dieser Zeit allerdings kein Kunstwerk bekannt, das der Georgskirche als Vorbild gedient haben könnte. Kaiserin Eleonore kam erst 1452 nach Österreich, drei Jahre nach dem Baubeginn der Georgskirche. Im gleichen Jahr wurde Wr. Neustadt von den Ständen belagert, eine Auseinandersetzung, die, wie bekannt, mit der Auslieferung des kleinen Ladislaus Postumus endete. Diese Ereignisse sind kein äußerer Rahmen dafür, daß Friedrich ein aus Portugal oder Spanien gekommenes künstlerisches Konzept für seine Darstellung als Landesfürst verwendet hätte. Eine andere Erklärung scheint jedoch auf eine sehr naheliegende Lösung zu führen. Lhotsky schreibt schon, daß Friedrich durch irgendeinen, uns nicht näher bekannten Umstand, in den Bannkreis seines Groß-Oheims Rudolf IV. gekommen war, der sein Vorbild wurde, dessen kühnen Taten er nachfolgen wollte. 1453 bestätigte er als Kaiser das von Rudolf ausgestellte Privilegium maius. Eben jenes Datum trägt auch die große Wappenwand. Sollte dies bloß ein Zufall sein, nur ein Baudatum? Wenn man glaubt, daß manche Jahreszahlen, die an prominenter Stelle einer kaiserlichen Stiftung stehen, zu den historischen Ereignissen einen Bezug haben, so scheint diese Annahme gerade hier berechtigt. Noch ein Argument tritt hinzu. Die Rückseite des Reitersiegels Rudolf IV. zeigt die Gestalt des Herzogs von den 14 Wappen der habsburgischen Besitzungen umgeben, eine formal ganz ähnliche Anordnung, wie man sie im unteren Teil der Wappenwand — Friedrich gleichfalls von den Wappen der 14 habsburgischen Länder umgeben —, vorfindet. Gegenüber der Domempore sind die Wappen des Erzherzogtums unter der Enns (!) und Kyburg hinzugekommen. Auf die Verwandtschaft der Herzogsfiguren hat schon Dornik in ihrer Dissertation hingewiesen. Ich glaube daher, daß sich hier ein Vorbild und eine gangbare Erklärung für die eigene Form anbietet. Die Privilegiumsbestätigung, die Hinwendung zu Stainreuters Fabelfürstenreihe durch die Idee der monumentalen Gestaltung eines Wappenstammbaumes, sind Ausdruck eben derselben Geisteshaltung. Das zweite Datum an der einfacheren Westwand 1457 mit der Devise *AEIOU* und mit der Kaiserkrone ließe sich mit dem Tod des Ladislaus Postumus in Verbindung bringen, mit dem Zeitpunkt also, zu dem Friedrich uneingeschränkt über alle österreichischen Länder gebot. Herzogshut und Kaiserkrone sind nicht zufällig der Rahmen des symbolischen Programmes.

Die Bauform der Georgskirche als dreischiffige Halle zeigt eine besonders klare Disposition. Es ist ein weiter lichtdurchfluteter Versammlungsraum, eine nahezu klassische Vollendung der Hallenidee, eine Prägung, die dem Geist der Renaissance viel näher als der heimischen Gotik ist. Man denke im Vergleich nur an die dynamischen Hallen des späten 15. und frühen 16. Jahrhunderts im Raum von Steyr. Gegenüber den hochgotischen Hallen fällt die Verwendung von Säulen auf, die dem Raum nun, ebenso wie im Chor der Salzburger Franziskanerkirche, einen viel weltlicheren Eindruck geben. Die Seitenschiffe sind halb so breit wie das Mittelschiff. Die Rippen sind unmittelbar auf die Trommeln (ohne Konsolen) aufgesetzt.

Die Gewölbefiguration der Torhalle zeigt ein sternförmiges Rippenkreuz mit großen Sprengringen. Dieses Motiv könnte, ebenso wie die Rauten, von St. Stephan angeregt sein, es muß aber nicht nur davon abgeleitet werden. Scheitelringe, wie Clasen diese Form treffender nennt, kommen aus dem norddeutschen Raum. Wir kennen sie schon im 13. Jahrhundert in Westfalen, Mecklenburg oder Bremen. Sie finden in der Vierung des Prager Domes Verwendung und im 15. Jahrhundert sind sie im Meißner Dom dekorativ gewandelt und als letzte Auswirkung noch bei Zellengewölben (Slavonice) festzustellen. Die Scheitelringe, die man in der Wiener Stephanskirche, in den beiden Turmkapellen und im Schiff als Vorbild anführen könnte, rahmen eine Öffnung. Im Mittelschiff der Pfarrkirche von Perchtoldsdorf findet man dieses Motiv in seiner dekorativen Verwendung. Die Ringe in der Torhalle der Neustädter Burg sind jedoch von einem Rippenzug durchschnitten.

Die Gewölbefiguration der Kirche führt zu ähnlichen stilistischen Zusammenhängen. Die westlichen drei Joche, die über die Burgtrakte vorragen, weisen ein einfaches Rippenkreuz auf. Das erste und dritte Joch haben Scheitelringe mit einem Wappenkranz, die beiden östlichen, über dem Altar und nahe der Kaiserempore Scheitelrippen mit kurvigen Überleitungen an den Jochgrenzen. Das Motiv der Kurvenstücke läßt sich ebenfalls von Puchsbaums Visierungen (St. Stephan, Steyr) ableiten, die Scheitelrippe kommt von England, sie drang über Norddeutschland nach Schlesien, Polen und Böhmen nach dem Süden vor.

Peter von Pusikas große Leistung blieb aber nicht vereinzelt. Sie fand in der künstlerischen Atmosphäre Wiener Neustadts vielfältigen Widerhall und strahlt gleich einer Bauhütte in den Raum des Wienerbeckens aus, beeinflußte das Burgenland, die Bucklige Welt und das Semmeringgebiet. Zu den 32 Steinmetzen, denen Pusika gemäß der Verteidigungsordnung vorstand, könnten jene gehören, die Josef Mayer in seiner Stadtgeschichte zusammengestellt hat. Zwischen 1450 und 1493 erfahren wir von Michael Goldperger, Jörg Propst, Hermann Christian und Heinrich Maurer, Lienhard Rieder, Peter Mayrkircher, Lukas Schaber, Wolfgang Aicher, Andreas Leyner, Lienhard aus Wien, Martin Völckel, Siegmund Altmann, Meister Niklas, Jörg von Veldaw, Lienhart Sletner, Georg Grasperger, Bartholomäus Schreckenteufel, Wolfgang Wackerspacher, Christoph Lacher, Christoph Maurer, Hans Widmann, Gilg Pruner und Christoph Wolfrucker. Bedeutsam sind für uns zwei Namen: der Stadtbaumeister Paul Widmer und Sebald Werpacher, der Widmers Witwe Katharina heiratete. Aus dem Testament Werpachers vom 25. Jänner 1503 sind uns eine Reihe von Kirchen genannt, an denen er gearbeitet hat. Es sind dies Wiesmath, St. Margareten, Rust, Medwisch (Mörbisch) in Ungarn, Würflach, Neunkirchen und Aspang. Mayer hat den Einflußkreis in seiner Geschichte von Wiener Neustadt noch beträchtlich erweitert. Eine kurze stilkritische Untersuchung soll dazu Stellung nehmen. Von Pusika selbst dürfte die Burgkirche in *Klamm* (um 1451) errichtet worden sein. Der drei Joche lange Raum zeigt eine einfache diagonale Rippenüberkreuzung und eine durchlaufende Scheitelrippe (Fig. 4), die im Bereich der Wiener Hütte wohl in der Spitalskirche von Mödling (1443—1453) auftaucht, aber doch auf Pusika und die norddeutschen Einflüsse zurückzuführen ist. Im westlichsten Joch sieht man als weiteres Leitmotiv auch Wappenkonsolen. Die Bedeutung der wichtigen Festung am Fuße des Semmeringpasses, die 1453 der Söldner Frodnacher an Kaiser Friedrich zurückgestellt hatte (Chmel, Reg. 3.030), könnte die Zusammenhänge mit dem kaiserlichen Steinmetzen erklären. Erfahren wir doch noch 1478 von einer Altarstiftung für Schottwien (Jb. I, Reg. 151). Erst unter Maximilian wurde Klamm 1499 wieder verpfändet. Ferner läßt sich die Annenkapelle in *Katzelsdorf* mit Pusika in Verbindung bringen. Ein einfaches Rippenkreuz mit Wappenschilden am Scheitel der Wölbung und Wappenkonsolen als Widerlager gehören zu seinem Formenschatz (Fig. 3). Das doppelt gekehlte Rippenprofil stimmt übrigens mit der Burgkapelle in Klamm überein. In der Pfarrkirche von Katzelsdorf ist das Kreuzrippengewölbe zierlicher. Ein Schlußstein trägt die Jahreszahl 1462. Das dritte westliche Joch ziert ein Scheitelring. Im Chor befinden sich zwei Engel- und zwei Wappenkonsolen. Die dreiteilige Wappenbekrönung einer ehemaligen Session ist, ebenso wie die halbrund geschlossene Strebe am Chor (vergleiche St. Peter in Wiener Neustadt), ein bekanntes Motiv Pusikas. Neben den allgemeinen Kennzeichen, wie Scheitelrippe, Scheitelring und Wappenschilde, finden sich an anderen Bauten noch weitere Übereinstimmungen, die zeigen, daß Pusikas Vorbild von Werpacher oft genau übernommen wurde.

Die Gewölbefiguration der beiden Chorjoche der Georgskirche (Fig. 3) findet sich im dreijochigen Langhaus der 1498 datierten Pfarrkirche von *Wiesmath*. Ein einfaches Rippenkreuz teilt die Wölbungseinheiten, eine Scheitelrippe durchzieht die Längsrichtung. In den Kreuzungspunkten befinden sich Wappenschilde und zwischen den Jochen die nun viel weiter ausladenden Kurvenstücke. Zwischen dem ersten und zweiten westlichen Joch ist sogar ein Sprengring eingefügt. Die Rippenprofile sind derb und einfach gekehlt. Unter der Orgelempore ist in den Stern ein Rautenmotiv (siehe Torhalle der Burg) eingefügt; auch hier befinden sich je zwei Wappenschildchen. Diese Sternmotive haben ferner Waidmannsfeld, Schottwien und Seebenstein. Die zweite Wiederholung des Motives der Georgskirche bringt die alte Pfarrkirche von *Rust*. Die Figuration ziert das quergestellte zweijochige spätgotische Langhaus (vor 1526). Man findet die Kurvenstücke an der Jochgrenze und im nördlichen Joch einen Scheitelring, außerdem Wappenschilde, wie in der Wiener Neustädter Georgskirche.

Nimmt man die Parallelfiguration der Neuklosterkirche als Ausgangspunkt (Fig. 2), dann lassen sich auch dazu einige nachfolgende Figurationen feststellen. Am ähnlichsten ist, wenn man von den jochteilenden Rippen absieht, das 1496 datierte fünfjochige Langhaus der Pfarrkirche in *Bromberg*. Neben Scheitelring und Wappenkonsolen fällt vor allem der parallele, sich überkreuzende Rippenzug zwischen den Jochen auf, der nicht auf jene Gewölbefelder übergreift, die von der Wand gegen die Mitte zu vorstoßen. Die weite mächtige Tonne und das schwere einmal gekehlte Rippenprofil entspricht dem zeitlichen Abstand von rund 50 Jahren. Solche Rautenfelder, die nur von Jochmitte zu Jochmitte verlaufen, zeigt auch der Chor der Pfarrkirche von *Muthmannsdorf* (1457—1497) und der Chor von Gutenstein. Das dritte für Pusika bezeichnende Motiv, das

DIE WICHTIGSTEN TYPEN DER GEWÖLBEFIGURATIONEN IM RAUM VON WR. NEUSTADT
(Pusika-Werpacher)

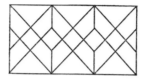

1, Wr.Neustadt, Burg, Vorsaal · 1438

5, Wr.Neustadt, St.Peter, Kreuzgang · 1454-69

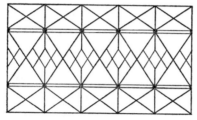

2, Wr.Neustadt, Neukloster · 1444-47

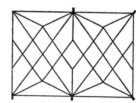

6, Wr.Neustadt, Neukloster, Barbarakapelle · 1453

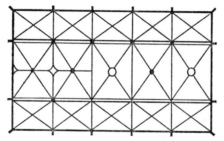

3, Wr.Neustadt, Georgskirche · 1449-60

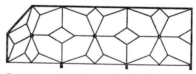

7, Wr. Neustadt, Domsakristei · 1491

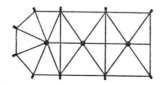

4, Klamm, Burgkapelle · 1451

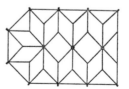

8, Würflach, Sebastianskapelle · 1495-97

Springgewölbe in der Peterskirche (Fig. 5) fand seine Nachfolge in der Burgkapelle von *Seebenstein*. Gewiß hat der dreieckige Grundriß diese Lösung nahegelegt. Die ornamentierten Schlußsteine verweisen schon auf das frühe 16. Jahrhundert. Ein Rippendreistrahl, ähnlich der Pfarrkirche von Seebenstein (Übergang vom Schiff zum Chor), ist auch über den Eingang der nördlichen Domsakristeivorhalle in Wiener Neustadt (1487) eingefügt und, wie erwähnt, im südlichen Seitenschiff der Pfarrkirche von Perchtoldsdorf festzustellen. Bei solchen engen formalen Zusammenhängen scheint es schwer, den Anteil der Nachfolger von dem Pusikas abzugrenzen.

Einen Anhaltspunkt für die eigene Auffassung Werpachers gibt außer dem für ihn bezeugten nördlichen Sakristeivorbau (siehe oben), die neue Sakristei des Wiener Neustädter Domes, jener langgestreckte Anbau an der Südwand des Chores, der 1491 entstand. Die Figuration zeigt das Vorherrschen einer Scheitelrippe, die an den Jochgrenzen durch ein rhombisches Feld unterbrochen wird. Die Stichkappenrippen werden geknickt und führen an den Scheitelpunkt des Schildbogens zurück, wodurch ein Rautenmuster entsteht (Fig. 7). Im wesentlichen herrscht die parallele Rippenführung vor. Die zierlichen doppelt gekehlten Rippenprofile, vor allem die fächerartigen gestaffelten Unterschneidungen (dort wo die Rippen in die Seitenwände verlaufen) stimmen wörtlich mit der 1453 datierten *Barbarakapelle* des Neuklosters überein, so daß man auch dieses Werk Werpacher zuschreiben möchte. Den Grundstein zur Barbarakapelle, die Friedrichs „Devise" trägt, wurde von seinem Bruder Albrecht VI. gelegt. Die reiche dreifache Parallelfiguration (Fig. 6), die dem Scheitelpunkt der Joche nicht ausweicht, knüpft an ältere Vorbilder an. Sie findet sich auch in Kirchschlag (um 1500) und ist dort an den Jochgrenzen um ein Rippenpaar vermehrt.

Die übrigen in Werpachers Testament genannten Bauten lassen sich zunächst von dem Schema des gotischen Vorsaales der Neustädter Burg ableiten (Fig. 1). Dazu gehören Chor und Schiff der Pfarrkirche von *Neunkirchen*. Der ältere Chor trägt fünf hängende dreipaßförmige Schlußsteine, die vom Turmgeschoß der Gottleichnamskapelle inspiriert sein könnten. Das jüngere Schiff (begonnen 1510) wird an den Kreuzungspunkten im Gewölbescheitel von Wappenschildchen geziert. Die Rippen sind nach den Durchstäbungen abgekappt, ein Zeichen für die Zeit des frühen 16. Jahrhunderts. Dekorativ sind auch die vierzackigen Sterne in den Seitenschiffen (ferner in: Kirchberg, Wolfgangkirche — nördlich. Seitenschiff, Schottwien, Pitten — rechte Chorkapelle, Seebenstein und im Chor von Schönau). Dem Schema des gotischen Vorsaales folgt das Schiff der Pfarrkirche in *St. Margareten* im Burgenland, das am Triumphbogen 1519 datiert ist. Wappenschilde am Gewölbescheitel und ein Scheitelring im Mitteljoch sind der bekannte Zierat. Dem Schema (Fig. 1) folgen auch Waldegg — Chor, St. Lorenzen im Steinfeld, Kirchschlag — Orgelschor. An Werpachers Risse scheint man sich noch lange nach seinem Tod gehalten zu haben. Die kleine *Sebastianskapelle* in *Würflach* (1495—1497) zeigt dagegen das isolierte Rautenmotiv im Zentrum, verwandt dem von Muthmannsdorf, aber ohne Diagonalrippen, dafür aber mit einer Bereicherung durch die parallel verlaufenden Stichkappenrippen (Fig. 8). Wappenschilde schmücken wieder das Zentrum. Mayer vergleicht dieses System mit der Katharinenkirche in Krakau, die mit ihrer Jochtrennung und den Diagonalrippen kein direktes Vorbild abgibt. Den Bogendurchgang in der Nordweststrebe des Pfarrkirchenschiffes hat Buchowiecki von dem älteren Bettelordenschor des Neuklosters und von der Georgskirche abgeleitet; ein einfaches fortifikatorisches, aber nicht stilistisches Motiv. Die gleiche Gewölbefiguration wie in Würflach findet sich am Chor von Kirchschlag, im Schiff von Prigglitz (mit Durchstäbungen), in Pottschach (mit Wappenschildchen), ebenso in Payerbach (mit Wappenschildchen) und am Chor der Pfarrkirche von *Baden*. Die dreipaßförmigen Schlußsteine in Baden erinnern an Neunkirchen und außerhalb Österreichs an den schon genannten Dom von Breslau (um 1375). Die Seitenschiffe in Baden zeigen schon den Einfluß der kurvigen Systeme der Wiener Hütte (St. Stephan, Perchtoldsdorfer Spitalskirche, Brunn am Gebirge). In Wiener Neustadt ist diese letzte Phase an dem Ziergewölbe der südlichen Seitenkapelle — am Querschiff — der Pfarrkirche (mit Schlußstein Peter Engelbrechts) zu verfolgen (gegen 1500). Auswirkungen der Gewölbefiguration des Wiener Neustädter Raumes sind auch am Schiff der Pfarrkirche von *Ebreichsdorf* festzustellen. Das Schema von Würflach (Fig. 8) ist hier durch Jochabgrenzungen bereichert. Wappenschilde und Wappenkonsolen sind der schon mehrfach charakterisierte Schmuck. Die in Werpachers Testament genannte Kirche in *Aspang Markt*, eine Hallenkirche, die um 1503 datiert wird, zeigt Sterngewölbe, nur im südöstlichen Joch einen Scheitelring. In *Edlitz* sind keine Eigenheiten der Werpacher Nachfolge zu erkennen, das schon mehrfach genannte *Kirchschlag* ziert das Langhaus (1487—1499), die Seitenschiffe und den Orgelchor mit den verschiedenen Rippenmustern. Diese schon genannten Vergleiche und die Wappenschlußsteine machen eine enge Beziehung zu Wiener Neustadt wahrscheinlich. In *Mörbisch*, das gleichfalls in Werpachers Testament genannt ist, kann der Kirchenraum nicht mehr überprüft werden, da das gotische Schiff durch einen Neubau ersetzt wurde. Der im oberen Geschoß verjüngte achteckige Turm hat mit einer Kuppelform, die sich von Maria am Gestade in Wien ableiten ließe, nichts zu tun. Das Schiff von Klein Höflein (1528) zeigt eine reiche spätgotische Figuration, die, wenn man von einem Scheitelring absieht, zum Wiener Neustädter Kreis wenig Beziehung hat. Der mit einem Kielbogen abgeschlossene nordöstliche Strebepfeiler am Chor des Eisenstädter Domes bietet gleichfalls zu geringe Anhaltspunkte, um einen Einfluß zu behaupten. Die anderen bei Mayer genannten Bauten in Dreistetten, Scheuchenstein, Lichtenwörth, Lanzenkirchen und Enzesfeld haben gleichfalls keine nachweisbaren Beziehungen. Die Kirche in Puchberg wurde im letzten Krieg zerstört. Um diesen Einflußbereich in Zukunft noch etwas besser charakterisieren zu können, sind dieser knappen Studie die wichtigsten schematisch gezeichneten Gewölbefigurationen beigegeben.

Dieser hier angedeutete Kunstkreis verdankt zweifellos dem Mäzenatentum Friedrich III. seinen Ursprung. Peter Pusikas bedeutende Persönlichkeit hat die stilistische Richtung gewiesen, die nun verschiedentlich abgewandelt wird. Scheitelrippe, Scheitelring, Kurvenstücke und Wappenzier sind die hauptsächlichsten Merkmale. Es zeigt sich allerdings, daß manche Elemente, wie etwa die Wappenschlußsteine, die gewiß einst einem vom Kaiser vorgeschriebenen Programm zu dienen hatten, nun eine rein dekorative Verwendung fanden. Gegen Ende des 15. Jahrhunderts schwächen sich die Einflüsse, die von Pusika über Werpacher weiterwirkten, ab. Die Stilelemente der Wiener Bauhütte, die schon bei Pusika nachweisbar waren, werden stärker und dominieren vollends bei den Ziergewölben der Spätgotik. So verwendet der nördliche Chor von Raach (nach 1500) eine kurvige Figuration des Raumes von Steyr (siehe Weyer, Weißkirchen an der Traun, Pernegg).

Das zweite Kunstzentrum, das durch Kaiser Friedrich eine besondere Stellung erhielt, war die Hütte in *Graz*, die in diesem Zusammenhang nur kurz gestreift werden kann. Wenn beim Regensburger Hüttentag im Jahre 1459 Hans Niesenberger als der Meister von Grätz genannt ist, führen manche Untersuchungen diese bedeutende Stellung auf den Umstand zurück, daß Friedrich III. hier seit 1435 als Herzog residierte und ab 1438 den Bau der Hofkirche veranlaßte. Das Datum 1438, das sich in der Barbarakapelle befindet, erinnert an das gleiche Datum im gotischen Vorsaal der Wiener Neustädter Burg. Donin hat auf einige stilistische Verwandtschaften mit der Neuklosterkirche in Wiener Neustadt aufmerksam gemacht: auf den langen Bettelordenschor und auf ähnliche Pfeiler- und Kapitelbildungen. Wir müssen hier jedoch die Baugepflogenheiten der Orden von jenen Stilelementen trennen, die wir auf kaiserlichen Einfluß zurückführen können. In Graz ist es vor allem die enge Parallelfiguration, wobei besonders die im Gewölbescheitel hinlaufende Wappen-Schlußsteinreihe auffällt. Die mit Maßwerk überzogene Hofempore im Chor trägt wieder jene Vorliebe für reichen dekorativen Schmuck, der die Fläche überzieht. Das Datum 1449 stimmt mit dem der Neustädter Empore überein und bekräftigt die Annahme, daß wir einen Anlaß für den gleichzeitig vorgenommenen Ausbau annehmen müssen. Das kielbogengezierte Westportal mit der „Devise", den Wappen des Deutschen Reiches, Österreichs, Portugals und der Steiermark gehört ganz der Grazer Hüttentradition an. Das Datum 1456 erinnert an die im gleichen Jahr siegreich geschlagene Schlacht vor Belgrad; ein Zusammenhang mit dem Ereignis ist jedoch nicht nachzuweisen.

Auch hier, im steirischen Raum, ist eine ähnliche Entwicklung wie in Wiener Neustadt zu beobachten. Das Motiv der Wappenzier lebt in dekorativen Abwandlungen weiter, so in der *Grazer Stadtpfarrkirche* und in *Fernitz* in der Scheitellinie des Mittelschiffes. Buchowiecki hat in diese Nachfolge auch *Langenwang* mit Wappen und Sprengring, ferner *St. Stephan ob Stainz* und *St. Anna am Masenberg* einbezogen. Die Beziehungen sind etwas lockerer als im Wiener Becken, was sicher auch daran liegt, daß Niesenberger auswärtige Verpflichtungen annahm. So baute er am Prämonstratenserkloster Weissenau bei Ravensburg, am Chor von St. Christina in der gleichen Stadt und in Mailand (1483—1486). In den Jahren 1471 bis 1491 hatte er die Oberleitung am Chorbau (Kapellen) des Freiburger Domes inne. Nebenher laufen die Arbeiten in Basel, St. Leonhard (1489—1493), am Unteren Münster zu Einsiedeln (1472—73) und in Emmerdingen im Schwarzwald.

Nach dieser kurzen Übersicht über die Denkmale sei nun die Frage gestellt, welche Rückschlüsse das gewonnene Bild auf die Persönlichkeit des Kaisers gestattet. Er nahm, wie man sehen konnte, als Stifter und Förderer auch auf die Architektur namhaften Einfluß. Diese Förderung bestand nicht nur in einer aufblühenden Bautätigkeit im Bereich von Wiener Neustadt, sondern auch in der geistigen Einflußnahme auf die Planung. So wie er mit der Berufung von Künstlern an seinen Hof, etwa bei Niklas Gerhaert und Peter Pusika, eine eigene Kunstauffassung verriet, so wollte er auch an und in den Bauten seine Ideen verwirklicht haben. Das erstrebte Programm, die vielfältige geistige Aussage, führte zu einem scheinbar dekorativen Reichtum. Man kann die Liebe zu kostbaren Edelsteinen, zu Reliquien, zu vielfigurigen Tafelbildern, von denen Fillitz spricht, mit dem reichen Wappenzierat an den Architekturen in Verbindung bringen. Die Wappenschildchen sollen nicht nur schmücken, sondern Mittel einer geistigen symbolhaften Aussage sein. Die „Devise" und das Datum haben daher oft als Bezeichnung markanter Ereignisse zu gelten. Wieder kann man beobachten, daß sich gegenüber den nüchternen historischen Tatsachen auf dem Gebiet der Kunst eine hohe idealistische Auffassung ausspricht, die dem Tenor der Reden an die deutschen Fürsten, die ihm Eneas Silvius entwarf, zu vergleichen ist. Die Daten an den Stiftungen bezeichnen zugleich seinen Lebensweg. Den Vorsaal der Neustädter Burg erbaute er im Jahre 1438, als Albrecht zum deutschen König erwählt wurde. Die Empore in der Wiener Ruprechtskirche — nur ein Jahr später — wurde schon nach dem Tod Albrechts, als Friedrich das Oberhaupt der Habsburger wurde, gestiftet. Die Figurengruppe über dem Portal des Neuklosters (1444) hält mit der Inschrift die Erinnerung an seine Wahl in Frankfurt fest. Die 1449 datierten Hofemporen in Wiener Neustadt und Graz fallen in die Zeit seiner bevorstehenden Vermählung mit Eleonore von Portugal. Die Gesinnung der Privilegiumsbestätigung dokumentiert sich an der prunkvollen Wappenwand im Jahre 1453, die „Devise" mit Kaiserkrone aus dem Jahre 1457 an der Westwand entstand nach dem Tod des Ladislaus, als das kostbare Diadem der Kaiserkrone seiner Familie gesichert schien. Die Jahreszahl am Chor der Liebfrauenkirche 1467 erinnert an den Ausbau zum Dom und die Wappentafeln an der Linzer Burg 1481 an jene Residenz, in die sich Friedrich vor Corvinus zurückgezogen hatte. Noch im Todesjahr 1493 stiftete Friedrich in seiner Neustädter Domkirche gegenüber seiner Empore ein Christophorusfresko, sicherlich von der Hoffnung durchdrungen, einst das ewige Leben zu erhalten, denn, so hieß es im Glauben des Volkes, wer den Christophorus ansieht, stirbt nicht.

Friedrichs Einflußbereich blieb im wesentlichen auf seine steirische Mark beschränkt. In Wien nahm er vermutlich auf die alte Kapelle der Hofburg Einfluß, da hier auch der landesfürstliche Schatz verwahrt wurde. Sie wurde unter Friedrich umgebaut und 1449 geweiht. Der Wiener Stephansdom aber, dem er gleichfalls den hohen Rang einer Bischofskirche sicherte, wurde vom Kaiser nicht nachweislich gefördert. Die Bezeichnung „Friedrichsgiebel" für den original ausgeführten Giebel an der Südwand des Domes ist eine spätere Bezeichnung. Es ist sehr sonderbar, daß nur ein bei Bauarbeiten gefundener Knochen, den man für den Skeletteil eines Riesen hielt, die „Devise" und die Jahreszahl 1443 trägt. Daß der Heiltumsstuhl (1485—86) mit einer Stiftung Friedrichs in Zusammenhang steht, wäre denkbar. Da das Wappen im Holzschnitt (1502) sehr undeutlich ist, kann diese

Frage nicht entschieden werden. Eine solche Förderung entspräche aber der Geisteshaltung des Kaisers. Bei der Grundsteinlegung des Nordturmes war er nur durch seinen Kammermeister Hans Ungnad vertreten (Jb. XVII Rg. 15.249). Mit Wien stand Friedrich eben nicht im besten Verhältnis. Er mußte, wie wir wissen, die Stadt auch lange Zeit Matthias Corvinus überlassen. Es ist aber gewiß kein Zufall, daß gerade eine Christophorusstatue im Chor, dem Werk Niklas Gerhaerts zugeschrieben, mit einer Stiftung Friedrichs in Zusammenhang gebracht wird. Das Bild Friedrichs, das sich einst im Dom befunden hat, ist heute leider verschollen.

Die hohe Kunst der gotischen Hallenkirche zur Zeit Friedrich III. war aber nicht nur von lokaler Wirksamkeit. Mit Recht hat Donin, und vor ihm schon Schlosser, nachgewiesen, daß Aeneas Silvius die Anregungen, die er am Hofe Friedrichs erhielt, in seiner Geburtsstadt Pienza verwirklicht hat und hier einen Dom errichtete, wie er ihn bei den Deutschen in Österreich gesehen hatte. Vor allem forderte der Papst: Überschaubarkeit des ganzen Baues, drei gleich hohe Schiffe, polygonalen Chorschluß mit Kapellenkranz, Chorgewölbe in der Höhe der Schiffe, mit goldenen Sternen geschmückt, und weite hohe Maßwerkfenster, daß man nicht in einem Haus aus Stein, sondern von Glas umschlossen wäre. Neuerlich bahnt sich ein fruchtbarer Gedankenaustausch zwischen Nord und Süd an, der schon während der Romzüge Friedrichs viele konkrete Anregungen erfuhr.

Abschließend sei noch kurz darauf hingewiesen, daß viele der Ideen und Konzepte, die Maximilian im Bereich der Kunst verwirklicht hat, von seinem Vater Friedrich vorgezeichnet waren. Es erscheint daher sehr sinnvoll, daß er sein prunkvolles Hochgrab im Südchor der Stephanskirche, gegenüber dem seines geheimen Vorbildes Rudolf des Stifters, aufstellen ließ. So ruhen der Stifter des hochgotischen Baues und der Fundator des Bistums im gleichen Dom. Das großartige Grab zeugt, ebenso wie die Wappenwand, von einer Persönlichkeit, die sich hohen Idealen zugewandt hatte.

LITERATUR:

H e r r g o t t, Marquard, Monumenta Augustae Domus Austria. Tom. III: Pinacotheca principum Austriae, Pars I und II, Freiburg i. Breisgau 1760.

B o e h e i m, Wendelin, Die Gottleichnamskapelle in der ehem. Burg zu Wiener Neustadt, in: Berichte und Mitt. d. Alterthumsvereines zu Wien, Bd. IX, Wien 1865.

L i n d, Karl, Die St. Georgskirche in der ehem. Burg zu Wiener Neustadt, in: Berichte und Mittheil. d. Alterthumsvereines zu Wien Bd. IX, Wien 1865.

B o e h e i m, Wendelin, Beiträge zur Geschichte der Liebfrauen-Kirche in Wiener Neustadt, Mittheil. d. k. k. Central-Commission, XII. Jg. N. F., Wien 1886.

B o e h e i m, Wendelin, Baumeister und Steinmetzen in Wiener Neustadt im 15. Jahrhundert und ihre Werke, in: Ber. und Mittheil. des k. k. Alterthums-Vereines zu Wien XXIX, Bd., Wien 1893.

J o b s t, Johann, Die Neustädter Burg und die Theresianische Militärakademie, Wien, Leipzig 1908.

R i e h l, Hans, Baukunst in Österreich, I. Bd., Wien 1924.

M a y e r, Josef, Geschichte Wiener Neustadt, 2. Bd., 1926.

M a i l l y, Anton, Die Kirche von St. Ruprecht in Wien, Wien 1927.

N i e s e n b e r g e r, Hans, Thieme Becker, Bd. 25 (1931), S. 469.

H e y d e n r e i c h, L. H., Pius II. als Bauherr von Pienza, Zeitschrift für Kunstgeschichte, Bd. 6, 1937, S. 105—146.

D o n i n, Richard Kurt, Die Bettelordenskirchen in Österreich. Zur Entwicklungsgeschichte der österreichischen Gotik. Baden bei Wien: Rohrer (1935) 420 S.

S w o b o d a, Karl M., Peter Parler. Der Baukünstler und Bildhauer. Mit 112 Bildern nach Aufnahmen von Helga Glaßner. Wien 1940, 42, 112 S. (Sammlung Schroll).

D o n i n, Richard Kurt, Österreichische Baugedanken am Dom von Pienza. Wien: Erwin Müller 1946, 136 S. (Forschungen zur österr. Kunstgeschichte 5).

G r i m s c h i t z, Bruno, Hans Buchsbaum, Wien, Wolfrum 1947, 52 S. 64 S. Abb. (Wolfrumbücher 12).

B u c h o w i e c k i, Walter, Die gotischen Kirchen Österreichs, Wien, Deuticke 1952 (Ausg. 1951) XV, 400 S., 72 S. Abb.

L h o t s k y, Alphons, AEIOU, Die „Devise" Kaiser Friedrichs III. und sein Notizbuch. Graz, Köln, Böhlau 1952, S. 156—193.

M a y e r, Heinrich, Zur Gründungsgeschichte des Stiftes Neukloster in Wiener Neustadt, in: „Festschrift zum 800. Jahrgedächtnis des Todes Bernhards von Clairvaux", 1953, S. 296—315.

C l a s e n, Karl Heinz, Deutsche Gewölbe der Spätgotik (mit Abb.), Berlin, Henschelverlag 1958, 114 S., 36 Bl. Abb. (Deutsche Bauakademie).

W a g n e r - R i e g e r, Renate, Gotische Kapellen in Niederösterreich, in: Festschrift für K. M. Swoboda, Wien 1959.

Die Gotik in Niederösterreich, Kunst, Kultur und Geschichte eines Landes im Spätmittelalter. Bearbeitet von Fritz Dworschak und Harry Kühnel. 269 Tafeln, Österr. Staatsdruckerei, Wien 1963.

B a c h m a n n, 1963.

Kunstjahrbuch der Stadt Linz. Hrsg. von der Kulturverwaltung der Stadt Linz. (Schriftleitung Georg Wacha). Illustr. Wien, München 1964 (Schroll).

B u c h n e r, Joachim, Die spätgotische Wandpfeilerkirche Bayerns und Österreichs. (Mit. Fig.) Nürnberg, Carl, 1964, VIII., 176 S., 2 Taf. XXI Taf. (Erlanger Beiträge zur Sprach- und Kunstwissenschaft).

D o r n i k - E g e r, Hanna, Ikonographie Kaiser Friedrichs III. Dissertation zur Erlangung des Doktorgrades an der philosophischen Fakultät der Universität Wien. Wien 1965.

F i l l i t z, Hermann, Studien über Kunst und Künstler am Hofe Kaiser Friedrichs III., Hausarbeit am Institut für Österreichische Geschichtsforschung, Wien 1948.

Ortwin Gamber

FRIEDRICH III. UND DIE WAFFE

Vom Waffenbesitz Friedrichs geschieht erstmals 1436 Erwähnung. Der damals eben 21jährige Herzog urgiert aus Wiener Neustadt bei seinem Onkel Friedrich IV. (von Tirol) den Rüstkammerbestand seines Vaters Herzog Ernst (des Eisernen, gest. 1424), den der Onkel offenbar aus der Zeit der Vormundschaft über den Neffen in Verwahrung hatte. Als Nachweis dafür, daß er noch nicht alles erhalten hatte, legte der junge Friedrich dem Schreiben drei für die Waffenkunde hochinteressante Inventarblätter bei, auf denen zahlreiche Panzer, Helme, Harnische, das väterliche Turnierzeug, Blankwaffen, Feuerwaffen und Pulver verzeichnet sind. Von den einfachen Gebrauchsgegenständen abgesehen, waren die Dinge bereits restlos veraltet — lag ihre Anschaffung doch mindestens über 10 bis 20 Jahre zurück — und für eine fürstliche Hofhaltung daher weitgehend ungeeignet. Damit beginnen bereits die Schwierigkeiten in der Beurteilung von Friedrichs Verhältnis zur Waffe. Wollte er den Rüstkammerbestand einfach aus militärischen Gründen für den Weiterverbrauch, wollte er ihn aus pietätvollem Andenken an den Vater oder wollte er ihn im Zuge einer systematischen Eintreibung seines angestammten Erbes zurückbekommen? Es werden bei Friedrichs Handlungsweise wohl alle drei Gründe mitgespielt haben, aber den Ausschlag gab vermutlich der letztgenannte Aspekt. Seinem Charakterbild nach, kann der Fürst kaum ein Liebhaber von Waffen um ihrer selbst willen genannt werden, hierin seinem Vater, Bruder und Sohn ganz unähnlich, aber er tritt uns — wie in so vielen anderen Dingen — als Anhäufer und Verwahrer entgegen. Mit ihm beginnt erst eigentlich die Geschichte der kostbaren habsburgischen Rüstkammer und trotz der relativ geringen Anzahl von Stücken, die mit Sicherheit seinen Namen tragen, ist von ihm mehr erhalten als von irgend einem anderen Herrscher des Spätmittelalters.

Die Reihe der Waffen beginnt mit einem Helm (sogen. Hundsgugel, Wien, Waffenslg. A 12), der möglicherweise noch aus dem Nachlaß des Herzogs Ernst herrührt, setzt sich mit einer italienischen Jagdmessergarnitur fort, deren Zuschreibung an den jungen Herzog Friedrich inzwischen dokumentarisch belegt werden konnte, und schließt zunächst mit einem Prunkschwert aus der Königszeit Friedrichs (zwischen 1440 und 1452).

Dann klafft im dokumentarischen Bestand eine große Lücke von etwa 1450 bis 1470, obwohl sich gerade aus dieser Zeit im Wiener Sammlungsbesitz einige hochbedeutende Stücke finden: die Reste von zwei deutschen Reiterharnischen um 1450 und der Mailänder Roßharnisch des Plattners Pier Inocenzo da Faerno (ebenfalls um 1450) aus dem Wiener Städtischen Zeughaus, jetzt im Historischen Museum der Stadt Wien. Diese Harnische stammen zweifellos aus hochadeligem Besitz. Sie sind selbst für einen Wiener Bürgermeister und Patrizier zu aufwendig. Ihre Verbringung in das Städtische Zeughaus wird wohl einst auf Grund irgend eines Erinnerungswertes erfolgt sein, der den Objekten anhaftete, ebenso wie dies später bei den Tartschen des Königs Matthias Corvinus der Fall war. Wir müssen somit die einstmaligen Besitzer in den um Wien ringenden feindlichen Brüdern Friedrich und Albrecht selbst oder in hochgestellten Personen ihres Umkreises suchen. Eine dem Roßzeug stilistisch eng verwandte italienische Roßstirn um 1450/60 mit vergoldetem Zackenrändern aus der kaiserlichen Rüstkammer (Waffenslg. A 187) könnte Friedrich III. unmittelbar zugeschrieben werden. In den Kreis der Erwägungen rückt auch ein von H. R. Robinson, London, entdecktes Bruststück des New Yorker Metropolitan Museums (Slg. Dean, Nr. 55), da es der Darstellung des geharnischten Kaisers auf der Wiener Neustädter Wappenwand Kaschauers (1453) weitgehend entspricht.

Im Jahre 1460 ließ der Kaiser seine heute völlig verschollenen Turnierharnische aus dem Wiener landesfürstlichen Zeughaus (gegenüber der Augustinerkirche) nach Wiener Neustadt schaffen. In der dortigen Burg und in seiner Grazer Residenz wird er wohl den gesamten Harnischbesitz verwahrt haben, da Wien nicht genügend Sicherheit bot.

Erst aus der Zeit nach 1470 sind wieder Waffen der kaiserlichen Rüstkammer erhalten. Es handelt sich zunächst um zwei einander gleichende Prunkstreitkolben (Waffenslg. A 153, A 162) aus vergoldetem Messing, die einst im hohlen Schaft Spielsteine für die beiden erhaltenen zusammenlegbaren Spielbretter für Schach und Trick-Track bargen. Ein Streitkolben hat sogar unter dem abnehmbaren (jetzt verlorenen) Knauf eine Sonnenuhr eingebaut. Beide Streitkolben können nur dem Kaiser und seinem Sohn Maximilian gehört haben. Der Anlaß zur Bestellung dieser Kommandowaffen dürfte ein hochpolitisches Ereignis gewesen sein, nämlich der von Friedrich und Maximilian geleitete Reichsfeldzug von 1474 zum Entsatz der Stadt Neuß bei Köln, welche Herzog Karl der Kühne von Burgund belagerte. Die gefährliche Expansionspolitik Burgunds wird den kaiserlichen Hof auch zur umfangreichen Harnischbestellung beim damals berühmtesten deutschen Plattner, Lorenz Helmschmid in Augsburg, veranlaßt haben. Der Hofmarschall und Kämmerer Siegmund Prueschenk führte den Schriftverkehr. Die Bestellung erfolgte im Jahre 1477, als Herzog Karl der Kühne gerade seinen großangelegten Feldzug gegen Lothringen und die mit dem Haus Habsburg verbündeten Eidgenossen unternahm, welcher mit der bekannten burgundischen Katastrophe und dem Tod des Herzogs im gleichen Jahr endete. Von Prueschenks Harnisch und Roßzeug blieb ebenso nichts wie vom Leibharnisch des Kaisers, hingegen sind Teile des prunkvollen getriebenen und blaugeätzten kaiserlichen Roßzeugs erhalten, und zwar der als Wappenhalter-Engel mit ausgebreiteten Flügeln gestaltete Fürbug, die Zügelbleche mit den Herrschaftswappen Friedrichs, schließlich der Kruppteil mit den kaiserlichen Doppeladlern. Der Augsburger Rat hatte sich beeilt, dem Kaiser und seinem Rat durch Bezahlung der Lieferung gefällig zu sein.

Die Verbindung mit dem Augsburger Meister riß fortan nicht mehr ab. Auch Maximilian hatte 1480 den Plattner für den burgundischen Feldzug in seine Dienste genommen. Ein erlesener spätgotischer Harnisch von 1480 (Waffenslg. A 60) und zahlreiche spätere Werke des Meisters für Maximilian zeugen von dieser Verbindung, ebenso ein (seit 1945) verschollenes Skizzenbuch der Helmschmid-Werkstatt in der Bibliothek Thun-Hohenstein. 1485 bezahlte der Augsburger Rat für Prueschenk 32 Eisenhüte bei Meister Lorenz, welcher 1489 Harnische des Kaisers und Prüschenks ausbesserte. 1490 folgte noch eine kaiserliche Harnischbestellung bei Lorenz Helmschmid. Sie hängt offenbar mit dem Feldzug zur Rückeroberung Niederösterreichs und Wiens von den Ungarn zusammen. Auch Prueschenk gab damals in Augsburg 20 Eisenhüte nach einem gezeichneten Muster in Auftrag, die der Rat im folgenden Jahr bezahlte. Vom kaiserlichen Harnisch ist nichts auf uns gekommen, vielleicht aber einer der 20 Eisenhüte, die Prueschenk in seiner Eigenschaft als Hofmarschall für eine kaiserliche Garde angeschafft haben dürfte. Es handelt sich um den Eisenhut A 60 b der Waffensammlung, der einst dem spätgotischen Harnisch Maximilians beigegeben war, aber unter den Zeichnungen des Thun'schen Codex nicht aufscheint, überdies trotz seiner Schönheit wohl doch zu schlicht ist, um Kaiser Friedrich oder König Maximilian selbst gehört zu haben.

Damit erlöschen die zeitgenössischen Nachrichten über Waffen Kaiser Friedrichs III. Wenn auch die Bestellungen des immerhin damals schon über 60 Jahre alten Kaisers bei Lorenz Helmschmid begreiflicherweise nicht mehr allzu reichlich waren, so sprechen sie doch für den erlesenen Geschmack des Auftraggebers, für seine hohe Meinung von der kaiserlichen Repräsentationspflicht auch in Bezug auf ritterliche Ausstattung. Er hat mit der Beschäftigung der Helmschmid-Werkstatt den Anfang gemacht. Drei Generationen Habsburger folgten seinem Beispiel: Maximilian I., Karl V., Philipp II. Diese Verbindung hat wahrhafte Meisterwerke des Kunsthandwerkes entstehen lassen. So bleibt Friedrich III., wenn er schon vielleicht kein Liebhaber der Waffe war, doch ein Liebhaber schöner Dinge, unter denen Harnische und Waffen ihren festen Platz hatten.

Es ist erstaunlich, wieviel an Waffen von den Personen erhalten ist, die als Freund oder Feind mit Friedrich zu tun hatten. Sollte auch hier sein Einfluß als Bewahrer, die Saat seines historischen Interesses aufgegangen sein? Von Waffen der Jugendzeit Maximilians I. ganz abgesehen, besitzen wir den prachtvollen Harnisch Erzherzog Siegmunds von Lorenz Helmschmid (Waffenslg. A 62), das Ainkhürn-Schwert Karls des Kühnen (Wiener Weltliche Schatzkammer, XIV 3), die riesige Armbrust von Friedrichs ehemaligem Helfer und späterem erbitterten Feind Andreas Baumkircher (enthauptet 1471; Waffensammlung A 108). Ihr bemalter Bogen entstammt wohl ebenso einer Wiener Werkstatt, wie die etwa 60 bemalten Setzschilde (Pavesen) der österreichischen und mährischen Fußtruppen des Königs Matthias Corvinus von Ungarn und der Truppen des Königs Wladyslaw V. von Böhmen aus der Zeit der niederösterreichischen Besetzung von 1485 bis 1490 (Historisches Museum der Stadt Wien).

Der prunkvollste aller Wiener Schilde kann symbolisch an den Schluß dieser Betrachtung gestellt werden. Er kommt aus dem Wiener kaiserlichen Zeughaus und gelangte mit der Napoleonsbeute nach Paris (Musée de l'Armée I. 7). Diese mit gepreßtem vergoldeten Stuck bedeckte Handpavese trägt das Wappen des Königs Matthias Corvinus und die Wappen der ungarischen Bischöfe von Fünfkirchen, Olmütz, Stuhlweißenburg und Halicz. Nach neueren ungarischen Forschungen ist es jener Schild, den die vier Bischöfe zum Wiener Leichenbegängnis des Königs Matthias 1490 bestellt hatten. Er war der gefährlichste und letzte Gegner gewesen, den der vorsichtig handelnde und klug zuwartende Kaiser ebenso überlebt hat, wie all seine anderen Feinde zuvor.

LITERATUR:

G a m b e r, O., Sachkommentar zur Schutzbewaffnung ältester österreichischer Waffeninventare, in: Miszellen zur mittleren und neueren Geschichte Österreichs (Festschrift L. Santifaller), Wien 1950.

G a m b e r, O., Maximilian I., Ausstellungskat. Wien 1959, Abt. Kunsthistor. Museum, Waffenslg.

H u m m e l b e r g e r, W. — G a m b e r, O., Das Wiener Bürgerliche Zeughaus, Gotik und Renaissance, Ausstellungskat. Wien 1960.

H o f f m a n n, E., Mátyás Király pajzsa Párisban, in: Zs. Turul, Bd. 38, Budapest 1925.

R e i t z e n s t e i n, A. v., Die Augsburger Plattnersippe der Helmschmied, in: Münchner Jahrb. d. bildenden Kunst, 3. F., Bd. 2, München 1951.

R o b i n s o n, H. R., Some examples of mid-15th century German armour, in: The Journal of the Arms and Armour Society, Bd. 2, Nr. 6, London 1957.

T h o m a s, B. — G a m b e r, O. — S c h e d e l m a n n, H., Die schönsten Waffen und Rüstungen, Heidelberg-München 1963.

T h o m a s, B., Die Wiener Kaiserlichen Rüskammern, in: Revue Internationale d'Histoire Militaire, Nr. 21, Wien 1960.

Franz Unterkircher

DIE BIBLIOTHEK FRIEDRICHS III.

Wenn über die „Bibliothek" Friedrichs III. etwas ausgesagt werden soll, so muß vor allem festgelegt werden, was man unter „Bibliothek" verstehen will. Zur Zeit Friedrichs III. gab es, abgesehen von den Klöstern, auch schon eine Reihe von gelehrten und fürstlichen Persönlichkeiten, die Bibliotheken in der heutigen Bedeutung dieses Wortes besaßen: eigene Räume für die Bücher, wo diese geordnet aufgestellt, bzw. aufgelegt waren, und wo sie von den Besuchern benützt werden konnten. Solche Bibliotheken besaßen die humanistischen Gelehrten, die als Teilnehmer an den Konzilien von Konstanz und Basel zahlreiche Handschriften aus deutschen Klöstern erwarben. Um die Mitte des Jahrhunderts wurden drei der berühmtesten Bibliotheken gegründet: 1444 die Laurenziana in Florenz, 1450 die Vatikana in Rom, 1452 die Malatestiana in Rimini. Ohne Zweifel hatte Friedrich III., als er 1452 in Rom zum Kaiser gekrönt wurde, auch Gelegenheit, die Vatikanische Bibliothek zu sehen. In seinen späteren Jahren hatte er das Beispiel seines großen politischen Gegenspielers, Matthias Corvinus, vor sich, der planmäßig am Aufbau seiner fürstlichen Bibliothek arbeitete.

Was wir als Bibliothek Friedrichs III. bezeichnen, kann mit keiner dieser Bibliotheken verglichen werden. Es gab sicher keinen eigenen Raum für die Bücher, wo sie zur Benützung geordnet aufgestellt gewesen wären. Wenn er die Bücher aus dem Luxemburgischen Erbe als Vormund des jungen Ladislaus in einem Türmchen über der Wiener Burg verwahrte, so waren sie dort in Truhen aufbewahrt. Wo und wie seine anderen Bücher niedergelegt waren, läßt sich nicht feststellen. Es ist möglich, daß sie sich in einem Raum seiner Kanzlei befanden. Diese sicher begründete, aber nicht bewiesene Vermutung würde dazu berechtigen, in Eneas Silvius Piccolomini den zeitweiligen Verwalter der königlichen Bibliothek zu sehen.

Der Umfang dieser Bibliothek war nicht groß. Er konnte sich höchstens mit einer gut ausgestatteten Gelehrtenbibliothek messen, nicht aber mit einer der oben genannten Fürstenbibliotheken. Etwas mehr als 60 Bände lassen sich heute noch nachweisen, die meisten davon sind erhalten. Wenn man auch in Betracht zieht, daß einiges verloren gegangen ist, so hat die Bibliothek doch kaum mehr als 150 Bände umfaßt.

Vor allem fehlte aber dieser Büchersammlung jenes Merkmal, das sie erst zu einer Bibliothek im vollen Sinne des Wortes macht: der planmäßige Aufbau und die bewußte Erwerbungstätigkeit. Was Friedrich III. an Büchern besaß, hat der Zufall zusammengeführt. Von den 62 Nummern, die Lhotsky aus dem Bücherbesitz Friedrichs nachweist, sind höchstens fünf auf eigene Bestellung zurückzuführen, darunter das Notizbuch, das wohl für unsere jetzige Zeit ein richtiges „Bibliotheksbuch" ist, das jedoch für Friedrich selbst kaum als solches gelten konnte.

Der Bücherbesitz Friedrichs III. kann also nur mit einigen Vorbehalt als „Bibliothek" bezeichnet werden. Er war nicht umfangreich, er war nicht planmäßig angelegt, er war nicht in einem zur Benützung geeigneten Raum untergebracht. Dafür besaß diese Bibliothek aber Bücher von höchstem künstlerischem Wert. Die reich illuminierten Handschriften des ausgehenden 14. Jahrhunderts aus Böhmen und Mähren, die Meisterwerke der Wiener Buchmaler, das eine und andere Werk aus italienischen Ateliers ersetzen in ihrer Qualität vieles, was der Bibliothek an Quantität der Bücher mangelte. Ob Friedrich diese künstlerischen Werte seiner Bücher erfassen konnte, ist nicht sicher. Er wußte aber, daß es „Wertobjekte" waren (Lhotsky), gleichrangig mit Edelsteinen und Werken aus Edelmetall.

DIE ENTSTEHUNG DER BIBLIOTHEK

Im Nachlaß des Vaters Friedrichs III., Ernst d. Eisernen von Steiermark, befanden sich auch Bücher. Das erfahren wir aus einem Bericht in Angelegenheit der Erbteilung zwischen dem jungen Friedrich und seinem Oheim, Herzog Friedrich IV. von Tirol. Dieser verlangte nach dem Tode Ernsts (1424) u. a. auch Bücher. Der junge Friedrich erklärte jedoch, daß diese Bücher persönlicher Besitz seines Vaters gewesen seien; er wolle aber seinem Oheim gerne zwei bis vier davon schenken. Es muß sich daher wohl um eine größere Anzahl von Büchern handeln, vielleicht bis zu 20 Stück oder mehr. Mit Sicherheit nachzuweisen ist nur ein sehr schöner Band mit Reden des hl. Augustinus in deutscher Versparaphrase, der als Widmungsbild das einzige erhaltene Porträt Herzog Ernsts zeigt, der vor dem Bild einer „Schönen Madonna" kniet (Ser. n. 89). Das Buch war ein Geschenk des Stiftes Rein an den Herzog. Es ist wahrscheinlich, daß zu den Büchern Ernsts auch ein „Tacuinum sanitatis" gehörte, das jetzt in der Bibliothèque Nationale in Paris ist (Nouv. Acq. Lat. 1673). Eine Inschrift auf dem ersten Blatt besagt, daß das Buch der Großmutter Friedrichs III. gehört hat, der Tochter des Bernabò von Mailand (Viridis). Diese war die Mutter Ernsts gewesen, der auch ihren Nachlaß besaß. Das Buch war, wie die erwähnte Eintragung ihrer Schrift nach schließen läßt, noch zu Maximilians Zeit in habsburgischem Besitz gewesen.

Mit dem Tode Albrechts V. (II.) und dem im gleichen Jahr (1439) erfolgten Tode Friedrichs IV. von Tirol wurde Friedrich Anwärter auf das Erbe seines Vetters und seines Oheims, zunächst aber Vormund der noch unmündigen Kinder der beiden: Ladislaus, 1440 nach dem Tode seines Vaters geboren, und Siegmund, geboren 1427. Als Vormund ließ er es sich angelegen sein, außer den anderen Kostbarkeiten auch die Bücher sicherzustellen. Im Besitze Albrechts waren die Bücher, die schon Eigentum Albrechts III. gewesen waren, darunter das Evangeliar des Johannes von Troppau (Cod. Vind. 1182) und eine Handschrift des Werkes „De re rustica" des Palladius (Cod. Vind. 148). Noch unter Albrecht III. und für ihn begonnen, aber erst unter Wilhelm (1404—1406) beendet, war die Prachthandschrift des von Stainreuter übersetzten Rationale des Duranti (Cod. Vind. 2765). Außer diesen besonders sorgfältig ausgestatteten Handschriften nennt Lhotsky (Bibliothek) noch einige andere, einfachere Handschriften aus dem Besitz Albrechts III., die bei dieser Gelegenheit an Friedrich fielen.

Im Besitze Albrechts V. waren vor allem die Luxemburgischen Handschriften, die er von seinem Schwiegervater, Kaiser Sigismund, geerbt hatte. Diese Handschriften hatte Friedrich als Vormund des jungen Ladislaus nur in zeitweise Verwahrung zu nehmen. Aber schon im Jahre 1441 ließ er die im Jahre 1400 im Auftrage König Wenzels kopierte und mit zahlreichen Bildern geschmückte Goldene Bulle mit einem neuen Einband versehen, der seine Devise und die Jahrzahl trägt (Cod. Vind. 338). Die mit hunderten von Miniaturen geschmückte deutsche Bibelübersetzung aus dem Besitze König Wenzels ließ er im Jahre 1447 in drei Bände binden und setzte an den Beginn des dritten Bandes ein Blatt, das seine Devise, das Inhaltsverzeichnis und die Jahreszahl 1447 trägt (Cod. Vind. 2763). Für Albrecht V. begonnen, aber erst nach seinem Tode fertiggestellt und seinem Nachfolger Friedrich übergeben wurden wenigstens zwei Bücher: das „Viridarium Romanorum imperatorum et regum" des Dietrich von Niem (Cod. Vind. 496) und das „Memoriale de prerogativa imperii Romani" des Alexander von Roes und des Jordanus von Osnabrück (Cod. Vind. 2224). Das deutsche Gebetbuch Albrechts, das noch vor seiner Wahl zum deutschen König fertiggestellt worden war, muß wohl auch im Besitze Friedrichs gewesen sein (Cod. Vind. 2722). Als Ladislaus Postumus im Jahre 1455 von seinem Vormund die Übergabe aller Wertgegenstände verlangte, die dem jungen Prinzen zustanden, sprach er u. a. von 110 Büchern, die Friedrich aus Wien nach Wiener Neustadt hatte bringen lassen. Dazu kamen noch die „Judenbücher", die Albrecht V. im Jahre 1420 hatte beschlagnahmen lassen und deren Wert auf dreitausend Gulden geschätzt wurde. Einige hebräische Handschriften der späteren kaiserlichen Hofbibliothek dürften damals im Besitze Friedrichs gewesen sein. Es ist nicht bekannt, was Ladislaus von seinem Vormund erhalten hat. Im Jahre 1457 wurde Friedrich nach dem Tode seines Mündels rechtmäßiger Besitzer dieser Bücher.

Viele von den Büchern aus der Bibliothek Friedrichs sind daran zu erkennen, daß er mit eigener Hand seine fünf Vokale mit dem Schnörkel hineinschrieb, oder daß dieses Besitzzeichen von Künstlerhand angebracht wurde. In besonders prunkvoller Weise ist die Devise mit der Jahrzahl 1446 auf der Schließe des von Friedrich bestellten Prachteinbandes des Evangeliars des Johannes von Troppau angebracht, nachdem Friedrich schon im Jahre 1444 mit eigener Hand auf der ersten Seite Devise und Jahrzahl eingetragen hatte.

Neben den legal ererbten und den aus dem Eigentum seines Mündels zunächst in seine Verwaltung, dann in seinen Besitz übernommenen Büchern lassen sich nur wenige nachweisen, die auf seine ausdrückliche Bestellung hin angefertigt wurden. Das in einem Riesenformat geschriebene und mit zahlreichen Miniaturen von der Hand mehrerer Meister geschmückte Andachtsbuch (Cod. Vind. 1767) trägt zwar an mehreren Stellen Devise und Jahrzahlen aus Friedrichs Zeit, ist aber, dem Anfangsbild nach zu schließen, schon für Kaiser Sigismund begonnen worden. Von Anfang an für ihn bestimmt war aber eine Goldene Legende (Cod. Vind. 326), im gleichen Format und von den gleichen Händen ausgeschmückt wie das Andachtsbuch. In der Zeit zwischen 1430 und 1450 waren in Wien mehrere Buchmaler tätig, die als „Hofminiatoren" bezeichnet werden, obwohl sie ebensoviele Aufträge für Klöster, etwa Klosterneuburg und Melk, ausführten. Das umfangreichste Werk, das wir heute noch von einem Meister dieser Werkstatt besitzen, ist der von „Martinus Opifex" mit 333 Miniaturen ausgemalte „Trojanische Krieg" (Cod. Vind. 2773), der zwischen 1440 und 1450 vollendet wurde. Es gibt kein äußeres Zeichen, das auf Friedrich als Besitzer hinweist; erst hundert Jahre später hat Erzherzogin Magdalena, eine Tochter Kaiser Ferdinands I., ihren Namen eingetragen. Also war das Buch wohl von Anfang an in Habsburgischem Besitz.

Das große Format der Andachtsbücher scheint Friedrich zugesagt zu haben. Es gibt noch mehrere ähnliche Bücher, die zum Teil die fünf Vokale tragen. Sie dürften dazu bestimmt gewesen sein, in der Art von Chorbüchern auf einem Pult des kaiserlichen Oratoriums aufzuliegen.

Zahlreicher als die von Friedrich ausdrücklich in Auftrag gegebenen Bücher sind solche, die ihm gewidmet wurden. Dazu gehören auch die für den Schulunterricht seines Sohnes Maximilian vom Wiener Bürger Stephan Heuner gewidmeten Lehrbücher, vom Wiener Neustädter Stadtschreiber Wolfgang Spitzweck geschrieben und vom „Lehrbüchermeister" mit Miniaturen geschmückt (Cod. Vind. 2289, 2368, Ser. n. 2617). 1466 erhielt die Gemahlin Friedrichs, Kaiserin Eleonore, vom Trientner Bischof Johann Hinderbach den Traktat über Kindererziehung, den Eneas Silvius Piccolomini seinerzeit für Ladislaus Postumus geschrieben hatte. Hinderbach hatte den Text in Rom kopieren und von einem römischen Miniator ausmalen lassen (Ser. n. 4643). Von der Hand des „Lehrbüchermeisters" war ein Gebetbuch für die Kaiserin illuminiert worden (Cod. Vind. 1942). Gemeinsam mit dem aus Salzburg stammenden Buchmaler Ulrich Schreier hat derselbe Lehrbüchermeister noch ein kleines Gebetbuch mit Vollbildern ausgestattet (Ser. n. 2599), während Schreier allein einen sehr vornehm ausgestatteten Kalender für die Jahre 1482 —1500 schrieb und ausmalte und mit einem kunstvollen Ledereinband versah (Cod. Vind. 2683). Auch das dem Kaiser von Doktor Paul von Stockerau gewidmete Officium zum hl. Morandus (Cod. Vind. 1946) wurde 1482 von Ulrich Schreier illuminiert.

Wieweit Friedrich die Einbände für seine Bücher selbst bestellte, läßt sich nicht immer beurteilen. Bei den Büchern aus der Wenzelsbibliothek, die noch zu Lebzeiten des Ladislaus neu gebunden und mit der Devise Friedrichs versehen wurden, war er wohl selbst der Auftraggeber. Bei gewidmeten Büchern hingegen geht der Einband sicher auf den Geber zurück. Das gilt z. B. für die geschmackvollen Einbände der Lehrbücher und für den oben erwähnten Kalender von Schreier. Von Schreier ist vielleicht auch der besonders schön ausgeführte Einband des Andachtsbuches Cod. Vind. 1788, mit einem großen Spruchband mit den fünf Vokalen in Lederschnitt. Rätselhaft ist ein kleiner Schriftbandstempel mit den fünf Vokalen Friedrichs, der nur auf zwei Einbänden vorkommt: Cod. Vind. 707 und 3517.

In den meisten Fällen entspricht einem kostbaren Buch auch ein wertvoller Einband: das Buch sollte auch von außen als „Wertgegenstand" kenntlich sein. Einfachere „Gebrauchsbücher" waren auch einfach gebunden. So etwa die zwei Bände eines für den Kaiser zusammengestellten Lesebuches mit Texten aus verschiedenen geistlichen und profanen Autoren, vom Dominikaner Leonhard Huntpichler überreicht (Cod. Vind. 4894—4895) oder das Buch über die Abwehr der Pest, das der Kaiser von seinem Leibarzt Conradus Vendl de Weyden erhalten hatte (Cod. Vind. 2304).

Wenn man erfährt, daß Friedrich noch zu Lebzeiten des Ladislaus 110 Bücher nach Wiener Neustadt brachte, so läßt sich daraus schließen, daß er in der Folgezeit noch verschiedene andere Bücher dazu erwarb, so daß vielleicht eine Bibliothek von zirka 150 Bänden zusammenkam. Wenn davon nur mehr zirka 60 vorhanden sind, so ist der Verlust wohl zum größten Teil in der letzten Zeit Friedrichs III. und in der Zeit seines Sohnes Maximilian eingetreten. Die wertvollsten Stücke sind erhalten geblieben, und einige der gerade für Friedrich wichtigen Werke sind zwar nicht in Österreich erhalten, wohl aber in der Bibliothek des Britischen Museums, wie das Widmungsexemplar der Kaiserchronik von Thomas Ebendorfer, deren Zusammenstellung Friedrich angeregt hatte (jetzt Brit. Mus. Add. n. 22.273). Von der Geschichte Friedrichs III. aus der Feder seines ehemaligen Sekretärs, Eneas Silvius Piccolomini, ist leider kein Widmungsexemplar erhalten, dafür vier Bände der autographen ersten Niederschrift. Ob dieser Entwurf jemals im Besitze Friedrichs war, ist ungewiß; denn Sambucus erwarb drei Bände davon im 16. Jahrhundert, wahrscheinlich in Italien (Cod. Vind. 3365—3367). In Wiener Neustadt legte Eneas Silvius in den Jahren 1453—1454 eigenhändig eine Sammlung seiner Briefe an (Cod. Vind. 3389); der Codex kam später aus der Salzburger Dombibliothek in die kaiserliche Hofbibliothek — war er jemals im Besitze Friedrichs gewesen? Wenn diese Handschriften auch nicht zu seiner Bibliothek gehört haben, so sind sie doch in ihrer unmittelbaren Umgebung entstanden.

In die Regierungszeit Friedrichs fällt auch das wichtigste Ereignis in der Buchgeschichte des ausgehenden Mittelalters: die Erfindung der Buchdruckerkunst. Aber in der kaiserlichen Bibliothek sind davon nur sehr spärliche Spuren zu finden, anders als etwa am Hofe seines Vetters in Innsbruck, Erzherzog Siegmund. Der Obersthofmeister Siegmunds, Benedikt Wegmacher, Pfarrer von Tirol (= Meran), besaß das erste große Druckwerk, die 42zeilige Gutenberg-Bibel (heute im Besitz der Österreichischen Nationalbibliothek). Für Siegmund selbst wurde wahrscheinlich der erste deutsche Bibeldruck bei Rusch in Straßburg (1466) von einem Miniator ausgeschmückt und mit dem österreichischen Wappen versehen. Die erste Gemahlin Siegmunds, Eleonore von Schottland, übersetzte den französischen Roman Pontus und Sidonia ins Deutsche. Unter den Büchern Friedrichs lassen sich bestenfalls drei Inkunabeln nachweisen: Briefe und Reden Bessarions, Paris 1471, mit einer Widmung an Friedrich III. — das nur wenige Blätter umfassende Widmungsbüchlein des Konrad Celtis, in dem er den Dank für die Dichterkrönung ausspricht

(Nürnberg 1487) — ein Bericht über die Heiligsprechung Leopolds III., 1483. Sicher waren auch einige Drucke der Kanonisationsbulle Leopolds im Besitze Friedrichs, lassen sich aber heute nicht mehr nachweisen.

DIE ZUSAMMENSETZUNG DER BIBLIOTHEK

Da die Entstehung der Bibliothek zum größten Teil dem freundlichen Zufall überlassen worden war, ist auch in ihrer Zusammensetzung kein eigentlicher Plan zu erwarten, so daß man nicht aus dem Inhalt der Bibliothek auf die besonderen Interessen ihres Besitzers schließen kann.

Fast die Hälfte der Bücher gehören dem geistlichen Bereich an: Bibeln, Psalter, Andachtsbücher, Legendare, sowohl in lateinischer als auch in deutscher Sprache. Die meisten dieser Bücher sind geerbt: noch von Albrecht III., von seinem Vater Ernst d. Eisernen, von seinem Vetter Albrecht V., von seinem Bruder Albrecht VI. Friedrich hatte sicher ein gewisses persönliches Interesse an diesen religiösen Büchern. Das große Legendar und einige Andachtsbücher sind wohl in seinem Auftrag hergestellt worden. Für einen Bücherbesitzer des 15. Jahrhunderts, dessen christlicher Glaube selbstverständlich war, gehörten auch solche Bücher in die Bibliothek. Friedrich hat beim Gottesdienst gewiß auch diese Bücher benützt. Die Gebete darin sind oft mit seinem Namen versehen. Aber er hat für diesen Zweck wohl ausschließlich die einfacheren Exemplare verwendet, nicht die kostbar ausgemalten und gebundenen. Die Bibel konnte er in deutscher oder in lateinischer Sprache lesen. Ob er aber das Prachtwerk der Wenzelsbibel auch als „Lesebuch" zu verwenden wagte? Er dürfte in dieser Hinsicht sich kaum anders verhalten haben als die wirklich großen Bibliophilen seiner Zeit, wie etwa die Herzöge von Burgund und die Könige von Frankreich: auch für diese war der Besitz von wertvollen und kunstvoll ausgemalten Büchern nicht nur Herzens- sondern auch Repräsentationssache. Darum durften diese Bücher nicht für den täglichen Gebrauch hergenommen werden, sondern sie wurden höchstens zu besonderen Gelegenheiten hervorgeholt und vorsichtig gezeigt. Diese von Anfang an sorgfältige Behandlung ist eine der Hauptursachen, daß diese Bibeln, Psalter, Gebetbücher heute noch so gut erhalten sind.

War der Besitz von geistlichen Büchern eher auf die Konvention zurückzuführen, so läßt der Besitz Friedrichs an Büchern über Geschichte und Römisches Reich doch auch persönliche Interessen vermuten. Die „Goldene Bulle" aus der Wenzelsbibliothek ist das erste Werk, das er schon 1441 binden und mit Devise versehen ließ. Den Text dieses Exemplars ließ er später in seine „Handregistratur" abschreiben (Haus-, Hof- und Staatarchiv, Cod. n. 19). Am Beginn seiner Regierung erhielt er auch die schon erwähnten staatsrechtlichen Schriften des Dietrich von Niem und des Alexander von Roes. Die Abfassung der Kaiserchronik durch Thomas Ebendorfer hat er selbst veranlaßt. Ob die

Österreichische Geschichte des Eneas Silvius ebenfalls im Auftrage des Kaisers geschrieben wurde, oder ob es sich um ein aus eigenem Antrieb des Verfassers geschriebenes Werk handelte, wissen wir nicht.

Einige wenige Bücher handeln von Mathematik und Astronomie, bzw. Astrologie, darunter eines aus der Wenzelsbibliothek (Cod. Vind. 2352), einige auch von Medizin, besonders von den Mitteln gegen die Pest. Schöngeistige Bücher fehlen fast ganz. Eines davon, den Willehalm von Orlens des Rudolf von Ems (Cod. Vind. 2704) besaß Friedrich schon sehr früh, da er seine Vokale mit der Jahreszahl 1439 hineinschrieb. Seinen letzten Jahren, als sein Sohn Maximilian schon deutscher König war, gehört ein Bändchen mit Gedichten an (Cod. Vind. 2470), das der Humanist Quintus Aemilius Cimbriacus um 1490 dem Kaiser widmete, der persönlich den Humanisten fernestand, auch wenn er sich gelegentlich zu einer Dichterkrönung herbeilassen mußte.

Es ist nicht wahrscheinlich, daß Friedrich alle Bücher seiner Bibliothek gelesen hat. Aber es ist sicher, daß er von allen Büchern wußte, besonders von ihrem Wert. Wir hören auch nirgends, daß außer dem Kaiser jemand die Bücher benützt hat, wenn man etwa von den Lehrbüchern absieht, die sicher für den Unterricht seines Sohnes verwendet wurden. Es war keine Bibliothek, die die Gelehrten angezogen hätte — es war vielmehr ein wesentlicher Teil des kaiserlichen Schatzes, so gut gehütet wie der Schatz selbst.

Über den Aufstellungsort der Bibliothek erfahren wir nichts. Es wurde schon erwähnt, daß die Bücher aus dem Nachlaß Albrechts V. in einem Türmchen über der Burg in Wien aufbewahrt wurden, und daß sie dann nach Wiener Neustadt geführt wurden. Als 1485 Matthias Corvinus Österreich besetzte, ließ Friedrich seinen Schatz — und damit wohl auch seine Bücher — teils nach Graz, teils nach Linz bringen. In Wien und in Wiener Neustadt ist kaum etwas Wertvolles zurückgeblieben. Nach dem Tode des Kaisers ließ Maximilian viele Bücher nach Innsbruck bringen. Manche mögen in Linz geblieben sein, manche auch in Graz, nur sehr wenige in Wien oder in Wiener Neustadt.

Erst im Verlaufe von Jahrhunderten ist der größere Teil der Bibliothek wieder nach Wien zurückgekommen, teils über Ambras, teils über Graz. Es ist das Verdienst Lhotskys, daß er diese Bibliothek zu einem guten Teil wieder identifiziert hat. Der Beweis für die Zugehörigkeit zur Bibliothek Friedrichs III. ist dann mit Sicherheit gegeben, wenn sein Eigentumszeichen, die fünf Vokale, am Buch oder am Einband angebracht sind. Man kann aber in manchen Fällen auch ohne diesen dokumentarischen Beweis ein Buch für die Bibliothek Friedrichs in Anspruch nehmen. Es gibt mehrere Bücher, die — wohl aus altem Habsburgischem Besitz — in der Bibliothek in Ambras waren, die aber kein Eigentumszeichen aufweisen. Wenn solche Bücher in der Zeit Friedrichs entstanden sind, so läßt sich schwerlich ein anderer Eigentümer denken als der Kaiser, der alles an sich zog, was wertvoll war, soweit es in seiner Reichweite war.

Wenn seine Bibliothek, nach modernen Maßstäben gemessen, auch nicht umfangreich war, so war sie doch groß genug, daß sie in der Ausstellung nicht zur Gänze gezeigt werden kann. Einige der schönsten Stücke sollen eine Vorstellung vom Gesamtwert ver-

mitteln, einige anspruchslose Beispiele daneben sollen für das Aussehen von Gebrauchs-
handschriften jener Zeit Zeugnis ablegen.

A. Lhotsky hat in den MIÖG LVIII (1950), S. 124—135 auf Grund früherer Literatur und
eigener Forschung 62 Bände der Bibliothek Friedrichs III. festgestellt. Die meisten davon
sind in der Österreichischen Nationalbibliothek erhalten, einige wenige in auswärtigen Bibliotheken, einige Bände sind verschollen. Die Anzahl der für die Bibliothek Friedrichs gesicherten
Bücher konnte inzwischen etwas erhöht werden. Eine genaue Zusammenstellung wird dem-
nächst durch *E. Trenkler* publiziert werden. Es erscheint daher überflüssig, im Ausstellungskatalog ein Gesamtverzeichnis der Bibliothek aufzustellen, von der ohnehin nur ein kleiner
Bruchteil gezeigt werden kann.

Außer dem oben genannten Aufsatz von Lhotsky wurde als Quelle für diese Einleitung noch
die „Festschrift des Kunsthistorischen Museums", II. Teil, erste Hälfte, S. 19—74 benützt
(= A. Lhotsky, Die Geschichte der Sammlungen, Wien 1941—1945).

Floridus Röhrig

DIE HEILIGSPRECHUNG MARKGRAF LEOPOLDS III.

Die Heiligsprechung Markgraf Leopolds III. gehört zu jenen Ereignissen aus der Regierungszeit Kaiser Friedrichs III., die bedeutende Wirkung auf die Nachwelt ausgeübt haben. Sie ist gewiß nicht das alleinige Verdienst des Kaisers — er nahm ältere Ideen auf und hätte den langwierigen Prozeß ohne kräftige Nachhilfe von anderen Seiten auch kaum durchgestanden —, fügt sich aber doch ganz vortrefflich in das politische Konzept dieses Herrschers, der letzten Endes trotz seiner Passivität und Zauderhaftigkeit sehr entscheidend zur Ausbildung des österreichischen Staatsgedankens beigetragen hat.

Markgraf Leopold III. war schon bald nach seinem Tode an seiner Grabstätte im Stift Klosterneuburg als Heiliger verehrt worden. Das bezeugen nicht nur literarische Denkmäler, sondern auch Lichtstiftungen, Pilgerfahrten und ähnliche, urkundlich nachweisbare Frömmigkeitsakte. Sie tragen zunächst volkstümlichen Charakter. Erst in der ersten Hälfte des 14. Jahrhunderts scheint auch die herzogliche Familie den Kult des frommen Markgrafen öffentlich sichtbar gefördert zu haben. Und Herzog Rudolf IV. unternimmt nun als erster offizielle Schritte, um die Heiligsprechung Leopolds zu erreichen.

Bei Rudolf dem Stifter erscheinen diese Bestrebungen deutlich als Teil seines politischen Konzepts. Er trachtete mit allen Mitteln, seinem Lande und seinem Hause erhöhten Glanz zu verschaffen. Dieser splendor wird aber nicht bloß als vermehrte Macht aufgefaßt, sondern ebensosehr auch aus mystischen Quellen gespeist, in übernatürlichen Bereichen verankert. Ein Nationalheiliger war vor allem geeignet, das nationale Prestige eines Landes zu heben. Daher förderte Rudolf IV. so sehr den Kult des heiligen Koloman, des damaligen Landespatrons von Österreich. Diesem hafteten allerdings einige Schönheitsfehler an: er war ein Landfremder gewesen, und die Österreicher hatten ihn erschlagen. Weit größere Wirkung mußte die kirchliche Verehrung eines Herrschers erzielen, dessen Heiligkeit — etwa nach dem Beispiel Ludwigs IX. von Frankreich — der Landeskrone und dem Thron der Nachfolger überirdischen Glanz verleihen konnte. Daher setzte sich Herzog Rudolf sogleich nach dem Antritt seiner Regierung beim Papst für die Kanonisation des Markgrafen Leopold ein. Papst Innozenz VI. eröffnete daraufhin tatsächlich 1358 den Heiligsprechungsprozeß durch die Einsetzung einer Bischofskommission, die die Voraussetzungen prüfen sollte. Dieser Prozeß schlief aber wieder ein, vermutlich infolge politischer Schwierigkeiten, des Todes des Papstes und schließlich des Herzogs. Erst Friedrich III. vermochte das Anliegen wieder zu beleben.

Dies ist kein Zufall. Friedrich knüpfte ganz bewußt an die Ideen Rudolfs IV. an, ja er suchte diesen bis in Einzelheiten nachzuahmen. Da mußte er notgedrungen auch auf die Kanonisierung Leopolds III. stoßen — ganz abgesehen davon, daß die mystische Erhöhung des Hauses Österreich eines der Hauptanliegen Friedrichs war. Solche Gedanken darf man nicht als verstiegene Spekulationen Einzelner abtun, sie entsprachen vielmehr durchaus dem Denken der Zeit. Dies beweist etwa Martin von Leibitz, der in seinem „Senatorium" um 1460 einen Jüngling den schon oben angedeuteten Vorwurf erheben läßt, daß nämlich die Österreicher nur einen einzigen Heiligen hätten, Koloman, und den hätten sie selbst umgebracht, worauf ihn der Autor belehrt, daß das Land auch andere große Heilige besitze — Maximilian, Severin, Florian —, was den vorwitzigen Jüngling zu überzeugen vermag. Wir sehen daraus, welche Bedeutung dem Heiligenkult damals für das Selbstverständnis und das Ansehen einer Nation zukam. Aus diesem Grunde mußte die Kanonisation eines Landesfürsten besonders große Wirkung erreichen.

Der erste Anstoß zur Wiederaufnahme des Heiligsprechungsprozesses erfolgte auf dem Landtag in Korneuburg am 30. Dezember 1465, als der Bischof von Passau die Kanonisation des Markgrafen ausdrücklich als Wunsch des Kaisers erklärte und die Stände zur Unterstützung aufforderte (daß er dabei auf frühere Interventionen des Kaisers in dieser Angelegenheit hinwies, ist vielleicht nur eine rhetorische Floskel, denn wir kennen keine solchen Maßnahmen). Es folgen nun mehrere Urgenzen des Kaisers und seiner Gattin Eleonore, bis Papst Paul II. 1466 eine Kardinalskommission einsetzte und damit das Verfahren von neuem eröffnete. Die bestellten Kardinäle ernannten Subdelegierte (die Bischöfe von Passau, Gurk und Petena sowie die Äbte des Schottenstiftes und von Klein-Mariazell) zur Durchführung der Erhebungen in Österreich. Diese Erhebungen gingen aber nur sehr schleppend vonstatten, woran nicht zuletzt die merkwürdige Untätigkeit des Kaisers Schuld trug.

Als Friedrich III. zum zweiten Mal in Rom weilte — um die Jahreswende 1468/69 —, muß er sich persönlich beim Papste für die Kanonisation eingesetzt haben. Es ist interessant, daß er sich stets als Nachkomme Leopolds III. bezeichnet: „nos, qui de eiusdem Leopoldi sanguine trahimus originem". Er nennt den Markgrafen „progenitor noster". War er wirklich genealogisch so wenig gebildet, daß er den Babenberger für seinen Ahnherrn halten konnte? Oder haben wir es hier mit der bewußten Formulierung jener Vorstellung zu tun, die im „Haus Österreich", unabhängig von genealogischen Zusammenhängen, eine Einheit sehen wollte? Immerhin konnte die Streitfrage, ob der heilige Leopold ein Ahnherr der Habsburger sei, noch am Ende des 16. Jahrhunderts einen sehr realen kirchenpolitischen Konflikt herbeiführen.

Nun schalteten sich neuerlich die Stände mit einer Eingabe an den Papst ein. Sie behaupten, daß die schweren Bedrängnisse, unter denen Österreich gegenwärtig leidet, zur Strafe für die schuldhafte Verschleppung der Kanonisation verhängt seien. Und auch König Matthias Corvinus von Ungarn setzt sich sehr massiv in Rom für die Heiligsprechung des Markgrafen ein. Bei ihm dürften machtpolitische Erwägungen maßgebend gewesen sein. Er wollte sich zweifellos die österreichische Bevölkerung dadurch geneigt machen, daß er sich als Verehrer ihres Patrons zeigte und für die Erhöhung ihres nationalen Prestiges eintrat. Aber der Tod Pauls II. 1471 machte zunächst alle Bemühungen zunichte.

Als dem neuen Papst Sixtus IV. die Akten des Heiligsprechungsprozesses vorgelegt wurden, verwarf er den ganzen Prozeß wegen formaler Mängel. Nun mußte von neuem begonnen werden, aber jetzt schaltete sich das Stift Klosterneuburg stärker als bisher in den Gang des Prozesses ein. Man hatte wohl erkannt, daß die Passivität des Kaisers nicht geeignet war, das schleppende Verfahren zu beschleunigen, wenngleich sich der kaiserliche Sekretär Wolfgang Forchtenauer, Propst von Maria Wörth, in Sachen der Kanonisation recht tätig zeigte. Das Verhältnis des mächtigen Stiftes Klosterneuburg zu Friedrich III. war überhaupt nie sonderlich gut, obwohl der Kaiser sich sonst als großer Förderer der Augustiner-Chorherren zeigte — gründete er doch das Chorherrenstift Wiener Neustadt und beteiligte sich maßgeblich an der Errichtung des Stiftes Rottenmann, ja dadurch, daß er nach seiner Kaiserkrönung am 19. März 1452 in der Lateran-Basilika (die damals den regulierten Chorherren gehörte) als Kanoniker eingekleidet und installiert worden war, konnte man in ihm sogar einen Ordensbruder sehen. Trotzdem verhielt sich Klosterneuburg Friedrich gegenüber stets reserviert und sympathisierte eher mit Albrecht VI. und später mit Matthias Corvinus, obwohl dem Kaiser der Gehorsam nie förmlich aufgesagt wurde.

Zweimal, 1474 und 1482, sandte das Stift Klosterneuburg den Stiftsdechant Thomas List nach Rom, um den Prozeß zu beschleunigen. Er vermochte zwar den Vizekanzler Kardinal Rodrigo Borja für die Sache zu interessieren, brachte aber im Grunde wenig voran. 1483 sandte das Stift eine neuerliche Gesandtschaft an die Kurie: Dechant List, Ludwig de Agnellis und den Klosterneuburger Ritter Marquard Breisacher. Diesmal zogen sie als kaiserliche Gesandte mit Kredenzbriefen Friedrichs III. ein. Obwohl für die Finanzierung der Gesandtschaft und des Verfahrens das Stift allein aufkam, wurde der Prozeß nur im Namen des Kaisers geführt. Davon versprach man sich offenbar größeren Erfolg. Aber gerade das schadete der Angelegenheit, denn Papst Sixtus sah die ganze Kanonisation nur als Instrument der kaiserlichen Politik an und nahm sie nicht recht ernst. Er war überdies sehr verstimmt über Friedrich, da dieser dem Krainer Erzbischof Zamometić, einem scharfen Kritiker der kurialen Zustände, Rückhalt bot. So drohte die Heiligsprechung zu scheitern, die Gesandten waren am Rande der Verzweiflung, und auch in Österreich machte sich beträchtlicher Unwille bemerkbar.

Die Wende in dem bereits halb verfahrenen Prozeß führte erst der kluge Advokat herbei, dem die Gesandten nun ihre Sache anvertrauten. Johannes Franz von Pavinis aus Padua, Doktor der Theologie und beider Rechte, hatte sich schon um die kurz zuvor erfolgte Kanonisation des heiligen Bonaventura verdient gemacht. Er verfaßte nun eine vortreffliche Abhandlung, das „Defensorium canonisationis sancti Leopoldi", unter ausgiebiger Verwertung aller historischen Quellen und mit starker Betonung der religiösen Motive für diese Heiligsprechung (Kat.-Nr. 164). Und diese Schrift vermochte nun den Papst und die Kardinäle zu überzeugen.

Eine Bedingung stellte aber Sixtus IV. noch: er verlangte, daß der Kaiser — zu dem sein Verhältnis wegen Zamometić gerade recht gespannt war — nochmals persönlich die Heiligsprechung urgiere. Und dies konnte angesichts der Entschlußlosigkeit des Kaisers zum unübersteiglichen Hindernis werden, zumal Friedrich — nicht ganz mit Unrecht — der Ansicht war, er habe in dieser Sache bereits alles Nötige getan. So reiste nun Breisacher nach Graz, um von ihm eine Eingabe an den Papst zu erhalten. Nur unter größten Schwierigkeiten vermochte er sie dem zaudernden Kaiser nach einem vollen Monat abzuringen. Nun schienen alle Hindernisse beseitigt, da brachte der Tod Sixtus' IV. am 13. August 1484 eine neue Verzögerung.

Dies war sehr schmerzlich, denn jede Verlängerung des Prozesses bedeutete eine Steigerung der Kosten. Das Stift Klosterneuburg hatte große Mühe, die nötigen Geldmittel aufzubringen, denn die unruhigen Zustände in Österreich wirkten sich sehr schädlich für die Wirtschaft aus. Breisacher bekennt, daß er schon viel aus seinem Privatvermögen zuzuschießen gezwungen war. Erst eine großzügige Spende des Königs Matthias Corvinus (!) von 2200 fl. schuf schließlich die finanziellen Voraussetzungen für die Kanonisierung des österreichischen Landespatrons.

Der neue Papst Innozenz VIII. nahm sogleich den Heiligsprechungsprozeß wieder auf, und im öffentlichen Konsistorium am 20. November 1484 wurde nach einer vielbewunderten und später gedruckten, eineinhalb Stunden währenden Rede des Franz von Pavinis die Kanonisation des Markgrafen beschlossen. Der feierliche Heiligsprechungsakt fand am 6. Jänner 1485 statt (das Fest der heiligen Drei Könige hatte Innozenz mit Absicht gewählt, da der neue Heilige selbst ein Herrscher gewesen sei). Der päpstliche Zeremonienmeister Burkhard hat uns eine getreue Beschreibung des Herganges überliefert. Die drei Klosterneuburger Gesandten traten dabei als kaiserliche Oratoren auf, und in der am selben Tage ausgefertigten Kanonisationsbulle (Kat.-Nr. 168) wird ausdrücklich der Anteil Kaiser Friedrichs an der Heiligsprechung hervorgehoben.

Die Verehrung des neuen Landesheiligen setzte sich sofort durch. Man würde den Leopoldskult falsch einschätzen, wollte man in ihm nur eine politische Manifestation sehen. Im österreichischen Volk und seiner Frömmigkeit wurde der heilige Leopold sehr populär. Schon bald nach der Heiligsprechung prägte man in Klosterneuburg Pilgerzeichen, die sich die Wallfahrer am Grab des Heiligen ans Gewand hefteten (Kat.-Nr. 165). Daraus entwickelten sich später die bekannten Leopoldspfennige. Neben vielen anderen Altären und Kapellen in ganz Österreich ist in Wiener Neustadt bereits im Jahre 1500 ein Altar des heiligen Leopold sicher bezeugt.

Eine besondere Eigenart des Leopoldskultes ist sein stark historischer Zug. Unmittelbar nach der Heiligsprechung erteilte das Stift Klosterneuburg dem Humanisten Ladislaus Sunthaym den Auftrag, eine Geschichte der Babenberger in deutscher Sprache zu verfassen. Dieses Werk wurde 1491 auf acht Pergamentblätter geschrieben, reich illuminiert (Kat.-Nr. 166) und an der Grabstätte des neuen Heiligen ausgestellt, um dem Volke die Geschichte Leopolds III. und seiner Familie nahezubringen. Zugleich ließ das Stift es in Basel drucken, es ist somit „die erste im Drucke erschienene Geschichte Österreichs" (A. Lhotsky). Nach dem Text Sunthayms wurde auch das riesige Triptychon des Babenberger-Stammbaums gemalt (Kat.-Nr. 167), das gleichfalls nahe dem Grabe des heiligen Markgrafen im Kreuzgang zu Klosterneuburg seinen Standort hatte. Dieses Kolossalgemälde mit seinen vielen historischen Szenen und Stadtansichten aus Österreich (darunter auch Wiener Neustadt) beweist deutlich, wie sehr die Kanonisation St. Leopolds das Interesse an der heimatlichen Geschichte geweckt hatte. Diesem Denken entspricht auch der berühmte flämische Teppich, den Dr. Johannes Fuchsmagen für sein Grab in der Wiener Dorotheer-Stiftskirche herstellen ließ: der heilige Leopold ist hier mit seiner Nachkommenschaft und deren Wappen ganz in historischem Sinne dargestellt (Kat.-Nr. 169).

Und wie steht es nun mit der von Rudolf IV. und Friedrich III. in erster Linie erstrebten Wirkung, mit dem überirdischen splendor, den die Heiligsprechung des frommen Markgrafen dem Hause Österreich verleihen sollte? Man hat ihn zweifellos empfunden. Maximilian I. führte die Erhebung der Leopoldsreliquien 1506 als feierlichen Staatsakt durch, wobei er sich deutlich als Nachfolger des Heiligen darstellte (Krone und Mantel, die er dabei verwendete, schenkte er übrigens später dem Stifte Neukloster). Spätere Habsburger, vor allem Maximilian (III.), Leopold Wilhelm, Leopold I. und Karl VI., förderten den Kult St. Leopolds mit der klaren Absicht, dem österreichischen Staatsbewußtsein eine religiöse Grundlage zu geben. Die von Friedrich III. erreichte Kanonisation des Markgrafen Leopold hat also entscheidenden Anteil an der Bildung jener religiösen Staatsidee, die wir „Austria sacra" zu nennen pflegen.

LITERATUR:

L u d w i g , Vinzenz Oskar, Der Kanonisationsprozeß des Markgrafen Leopold III. des Heiligen. Jb. des Stiftes Klosterneuburg, Bd. 9, Wien 1919.

E h e i m , Fritz, Ladislaus Sunthaym. Mitt. des Institutes f. Österr. Geschichtsforschung, Bd. 67, 1959, S. 53 ff.

W a c h a , Georg, Leopold der Heilige und Klosterneuburg vom 12. bis zum 20. Jh. Ungedruckte Dissertation, Wien 1949.

D e r s e l b e , Reliquien und Reliquiare des hl. Leopold. Jb. des Stiftes Klosterneuburg, NF Bd. 3, 1963, S. 9 ff.

R ö h r i g , Floridus, Zum Ursprung des Fünf-Adler-Wappens. Ebenda S. 63 ff.

F r i t z , Friedrich, Die Kriegsrüstungen des Stiftes Klosterneuburg bis 1500. Ebenda NF Bd. 4, 1964, S. 31 ff.

G e r h a r t l , Gertrud, Michael Altkind, Bischof von Petena, Subdelegatus inquisitor in vitam et miracula S. Leopoldi. Ebenda NF Bd. 4, 1964, S. 61 ff.

ABBILDUNGEN

Abb. 1. Erzherzog Ernst der Eiserne mit seinen Söhnen, vor 1424, Kat.-Nr. 50

Abb. 2. Italienischer Meister,
Friedrich als römischer König,
um 1452, Kat.-Nr. 126

Abb. 3. Prunkwagen Kaiser Friedrichs III., Kat.-Nr. 153

niuersum tempus presentis uite iniquatu
or diftinguitur scilicet intempus deuiatio
nis reuocacionis siue reuocacionis recon

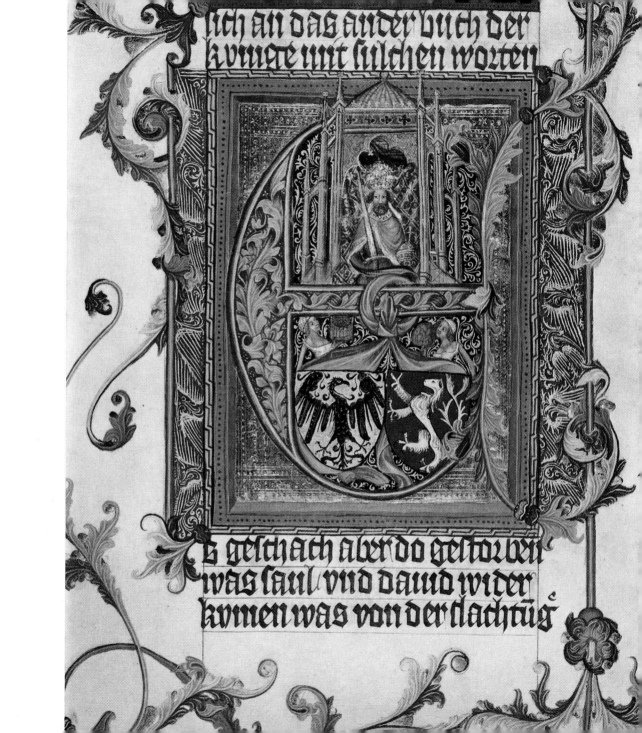

s geſchach aber do geſtorben
was ſaul vnd dauid wider
kumen was von der ſlachtũg

*Abb. 8. Fragment eines Ornates der ungarischen „Gesellschaft vom Drachen",
zwischen 1408—1444, Kat.-Nr. 227*

Abb. 9. Corvinusbecher, 1470—1490, Kat.-Nr. 223

Abb. 10. Meister des Schottenaltares, Die Heimsuchung Mariä, 1469—1480,
Kat.-Nr. 243

Abb. 11. Gnadenstuhl, Mitteltafel des Flügelaltares in Bad Aussee, 1449, Kat.-Nr. 235

Abb. 12. Hans von Frankfurt, Die Anbetung der heiligen drei Könige, um 1500,
Kat.-Nr. 232

*Abb. 13. Steirischer
ter, Friedrich als Erz-
herzog, um 1460,
Kat.-Nr. 44*

Abb. 14. Wappenwand, St. Georgskirche, Wiener Neustadt, Kat.-Nr. 41

Abb. 15. Kaiserempore, Liebfrauenkirche, Wiener Neustadt, 1449

Abb. 16. Ratsherrensitzung in Wiener Neustadt, 2. Hälfte 15. Jh., Kat.-Nr. 6

Abb. 17. Majestätssiegel
Kaiser Friedrichs, 1452, Kat.-Nr. 7

Abb. 18. Mitteltafel eines Cassone, italienischer Meister um 1452, Kat.-Nr. 135

Abb. 19. Bernardino Pinturicchio, Begegnung Kaiser Friedrichs mit Eleonore, 1503—1509, Kat.-Nr. 147

Fredericus impator. hernesti duas ansone filius fuit. mortuo patre.

Tutelam eius impuberis z alberti fratris impuberem. Fredericus romanorum
patruus suscepit. Et non tutelam gessit. Abeo missus tandem in
ad regimen. ordinatis pater terarum gubnaculis. felici namgatione.
Jerosolima petyt. Inde unde reuisus. cum patruus uita excessisset.
Sigismundum patruelem in tutelam recepit. Nec diu post. Albertus.
Et in sigismundo cesari z in bohemia z inhungaria successerat. in
Apud hungaros. calore fessus. z dyssenteria comminutus uitam
exalauit. Relicta elizabet imperatoris filia uxore sua pgnante.
ob quam rem mox hungari legatos ad uladislaum polonie regem
miserut offerenter regnum si ad se festinaret. At dum ille itineri
se accingit. Regina filium peperit. quem mox sacrofonte renatum
Ladislaum uocauit. Atꝗ cuestigio in alba regali dyonisius archiepus
Strigoniensis. coronauit. Eumꝗ militari cingulo nicolaus uaiuoda
cinxit.

cinxit.

Abb. 22. Weihe des erst
Hochmeisters des
St. Georgs-Ritterordens,
Kat.-Nr. 171

Abb. 23. Bildteppich des Dr. Johannes Fuchsmagen, 1499—1510, Kat.-Nr. 169

Abb. 24. Bestätigung der Privilegien des Hauses Österreich, 1442,
Kat.-Nr. 45

Abb. 25. Reliefdenkmal des Andreas Baumkircher, 1450

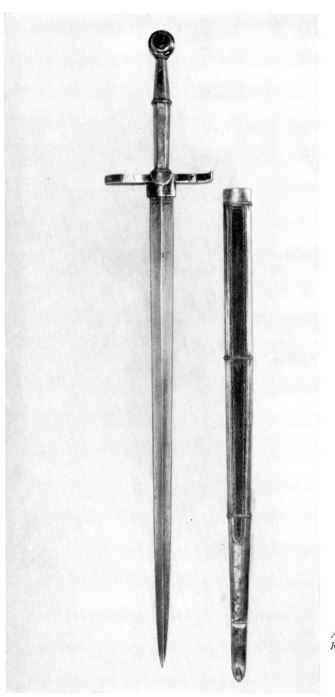

Abb. 26. Zeremonienschwert des St. Georgs-Ritterordens, 1499, Kat.-Nr. 170

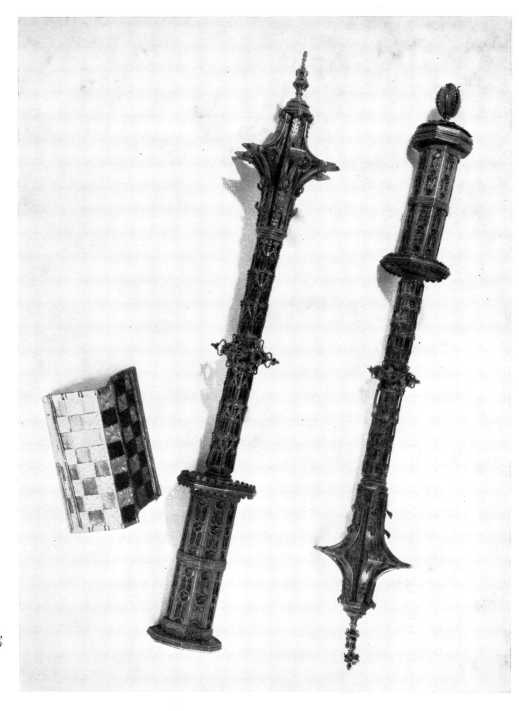

Abb. 28. König Matthias Corvinus, um 1490, Kat.-Nr. 187

Abb. 29. Ladislaus
Postumus, um 1460,
Kat.-Nr. 61

Abb. 30. Joos van Cleve,
Maximilian I., 1508—1509,
Kat.-Nr. 176

Abb. 31. Kunigunde,
Tochter Friedrichs III., um
1470—1480

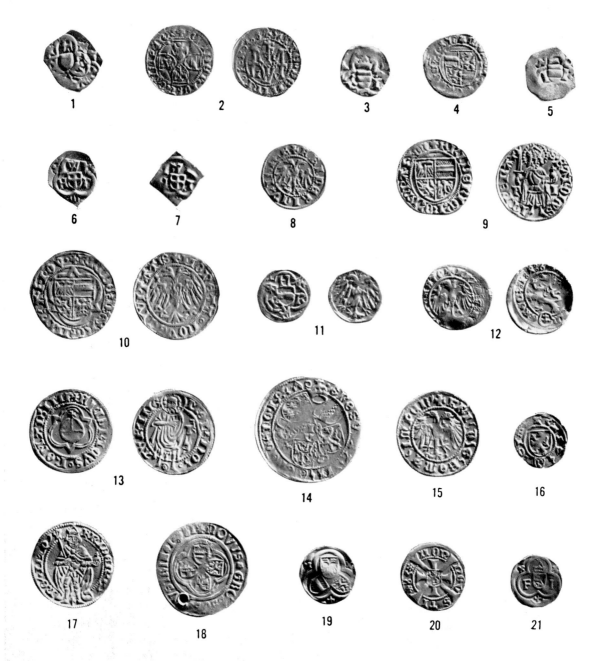

◀ *Abb. 32. Münzen Friedrichs III.,*
Kat.-Nr. 65—124

Abb. 33. Marktbuch der Stadt
Grein, 1490, Kat.-Nr. 63

Abb. 34. Allegorie der politischen Lage, 1475— 1485, Kat.-Nr. 185

Abb. 35. Meister der
Historia, Trauerfeier für
Friedrich III., 1514—1516,
Kat.-Nr. 197

Abb. 36. Niklas Gerhaert van Leyden, Epitaph der Kaiserin Eleonore, 1469, Kat.-Nr. 151

Abb. 37. Niklas Gerhaert van Leyden, Tumbadeckel vom Grabmal Friedrichs III., 1467—1473, Kat.-Nr. 204

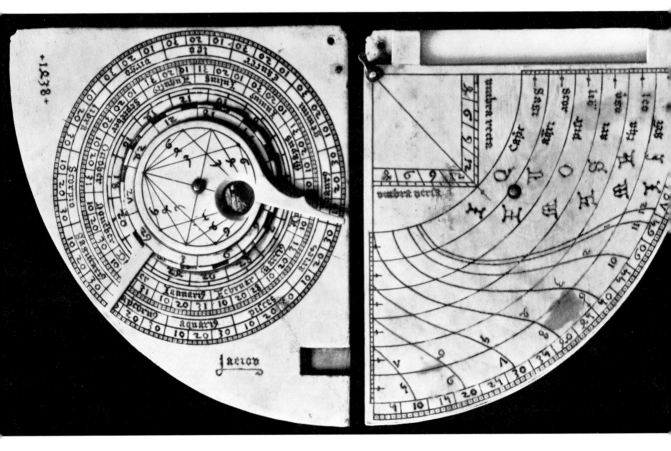

Abb. 38. Quadrant mit Devise Friedrichs III., 1438, Kat.-Nr. 228

Abb. 39. „Herbersteinpokal", 1. Hälfte 15. Jh.,
Kat.-Nr. 224

Abb. 40. Niklas Gerhaert van Leyden (?),
St. Christophorus, um 1470, Kat.-Nr. 237

. 41. Kirschenmadonna von der Wappenwand, um 1453, Kat.-Nr. 236

S ruprrus · S vrbanus · S valeis

Abb. 42. Flügel des Wie[ner]
Neustädter Altares, 1447
Kat.-Nr. 234

Abb. 43. Steirischer Meister, Heiliger Oswald, um 1460,
Kat.-Nr. 51

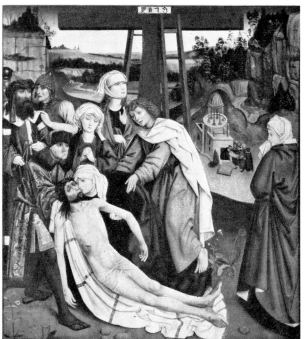

Abb. 44—45,
Passionstafeln
des Schotten-
altares, nach
1469,
Kat.-Nr. 243

*Abb. 46. Morandus-Officium,
1482, Cod. Vind. 1946,
Kat.-Nr. 217*

*Abb. 47. Prunkeinband des
Evangeliares des Johannes von
Troppau, 1446, Cod. Vind. 1182,
Kat.-Nr. 205*

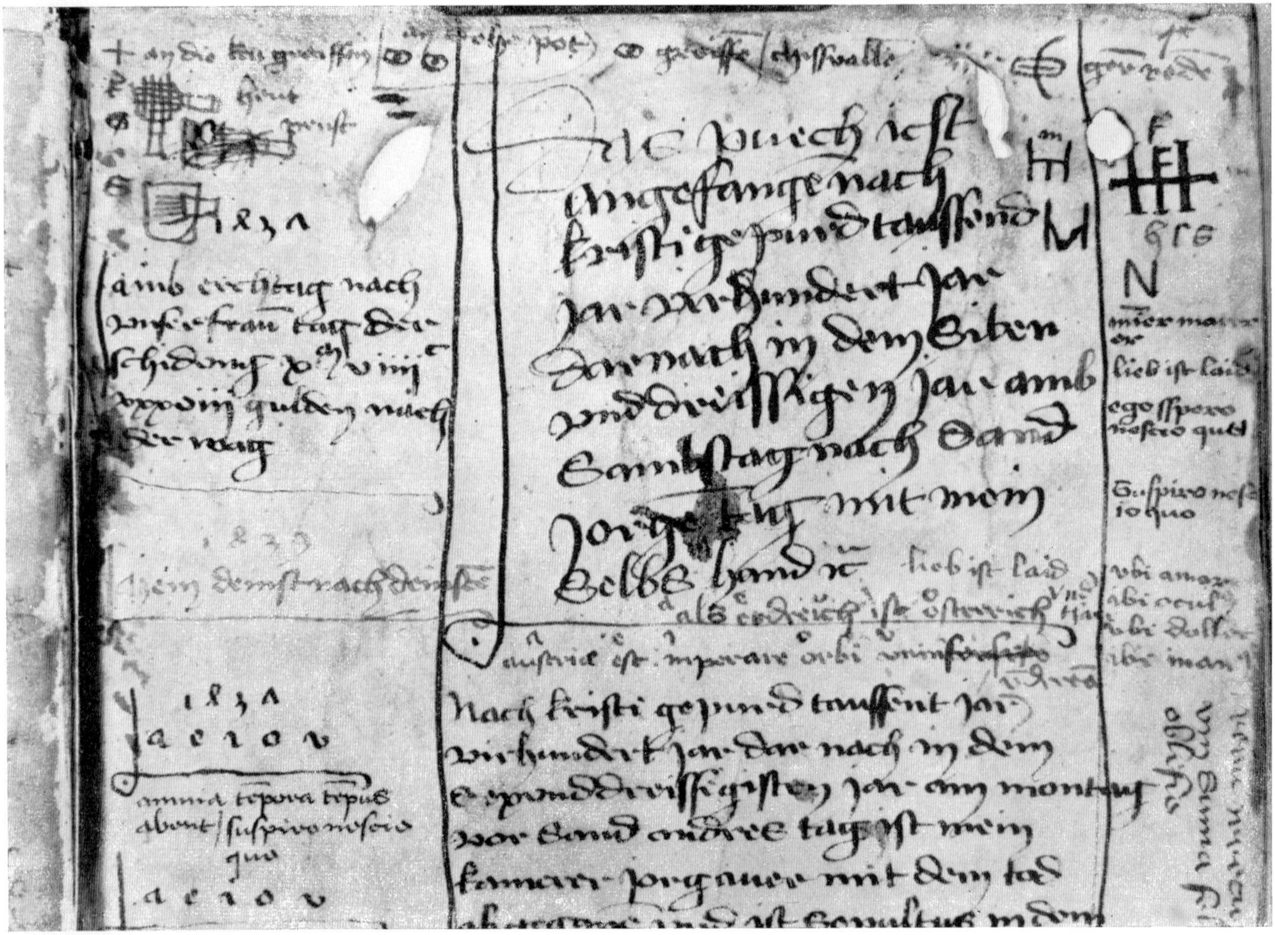

Abb. 48. Notizbuch Kaiser Friedrichs, 1437, Cod. Vind. 2674, Kat.-Nr. 218

KATALOG

ZUR BENÜTZUNG DES KATALOGES

Gewiß ist es einer der großen Vorzüge der Ausstellungskataloge, daß sie über die Funktion einer allgemeinen Orientierung und Dokumentation der Schaustellung hinausgehen und mehr und mehr den Charakter eigener wissenschaftlicher Publikationen annehmen, die derzeit einen bedeutsamen Zweig der Fachliteratur bilden. Zugleich aber begegnet dieser Tendenz die berechtigte Kritik, daß die Kataloge ihre eigentliche Funktion vernachlässigen und der Handlichkeit eines Führers nicht mehr entsprechen. Dieses Problem ist jedem Museumsbeamten aus der Praxis zur Genüge bekannt. Es wird daher im gegenständlichen Fall durch eine Zweiteilung des Kataloges versucht, beiden Bedürfnissen Rechnung zu tragen. Der erste Teil, vom Nummernverzeichnis durch die Abbildungen getrennt, bringt wissenschaftliche Beiträge zur Person und zur Zeit Kaiser Friedrichs III. Der zweite Teil, das auf farbigem Papier gedruckte Verzeichnis, bietet sowohl einen konkreten Beleg, der die vorangegangenen Artikel ergänzt, als auch einen Führer, der dem sinnvollen Aufbau der Ausstellung folgt und ihn näher erläutert. Bewußt wurde von einer strengen Chronologie oder einer Einteilung nach verschiedenen Materialien abgesehen. Die Abfolge entspricht — um die Verständlichkeit zu erleichtern — genau der räumlichen Disposition der Schau. Knappe Einführungen erläutern die Zusammenhänge und wiederholen zur besseren Orientierung manches schon früher Gebrachte in knapper Form. Da die Katalognummern aber zwei Funktionen, eine wissenschaftliche und eine erläuternde haben, wurde auch hier eine Zweiteilung vorgenommen. In der linken Spalte findet der Leser die Dokumentation und den wissenschaftlichen Apparat und in der rechten die Erläuterung der Einzelstücke, eine Einordnung in einen größeren Zusammenhang. Der Name des Bearbeiters ermöglicht weitere Rückfragen.

Dem Besucher, der die Ausstellung ohne spezielle Vorbereitung betritt, sei daher folgendes empfohlen:

Zuerst möge er sich anhand des beigegebenen Planes über die allgemeine Anordnung und über die Gliederung des Themas orientieren, dann lese er die kurzen Einführungen in die Sachgruppen und die rechte Spalte, die unter der Objektsbezeichnung folgt. Dieses bei einem Rundgang gewonnene Bild wird dem Betrachter eine sehr reale Grundlage für die Lektüre der Artikel und die wissenschaftlichen Details geben. Freilich wird sich mit dem näheren Studium vermutlich der Wunsch einstellen, manche Objekte noch einmal und nun etwas eingehender zu betrachten. Dies jedoch liegt in der Natur jeder größeren Ausstellung.

Rupert Feuchtmüller

DIE GLIEDERUNG DER AUSSTELLUNG NACH SACHGRUPPEN

Die Nummern beziehen sich auf den umseitigen Orientierungsplan, der auch die Richtung des Rundganges angibt.

KAISERRESIDENZ WIENER NEU-STADT

I. Kreuzgang

a) Die Ausdehnung der Stadt
b) Die Stadtverwaltung
c) Die Münzstätte
d) Das Handwerk und die Zünfte
e) Die Klostergründungen
f) Wiener Neustadt wird Bistum
g) Die kaiserliche Burg

FRIEDRICH III.

II. Kirchenschiff

Der Herzog

a) Die Eltern
b) Frömmigkeit und Votivbilder
c) Residenzen
d) Die Vormundschaften
e) Die Wirtschaft
f) Das Münzwesen
g) Itinerar

Der König

h) Zwischen Königswahl und Kaiserkrönung
i) Der erste Romzug
k) Eleonore von Portugal

Der Kaiser

l) Ungarisches Königtum
m) Der zweite Romzug

   1. Die Heiligsprechung Leopolds III.
   2. Der St. Georgs-Ritterorden
   3. Wien wird Bistum

n) Die burgundische Hochzeit
o) Die bayerische Hochzeit
p) Kriege und Fehden
r) Die Waffe
s) Tod und Begräbnis

DIE KUNST

III. Schiff und Chor

t) Die Bibliothek
u) Der Schatz

Stiftungen — Tafelmalerei und Plastik

v) Das Nachleben Friedrichs in der
   Malerei
w) Flügelaltäre
x) Plastiken
y) Tafelmalerei vor 1450
z) Der Schottenmeister und seine Nachfolge

KREUZGANG

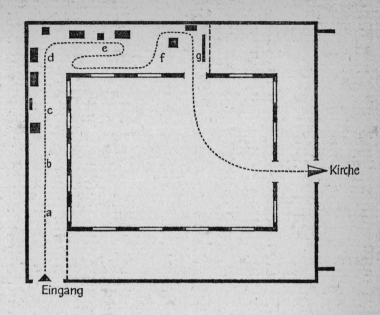

KIRCHE

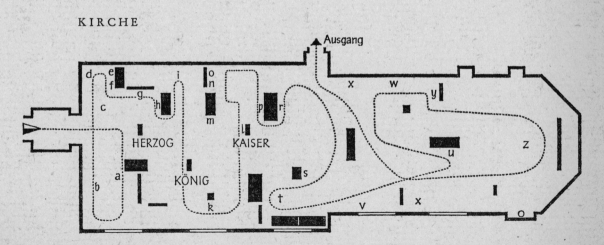

KAISERRESIDENZ WIENER NEUSTADT

DIE AUSDEHNUNG DER STADT   *Siehe den Beitrag S. 104 ff.*

Wiener Neustadt hatte — die Vorstädte inbegriffen — Mitte des 15. Jahrhunderts etwa 7000 bis 8000 Einwohner. Die von einer 2,5 km langen und ungefähr 12 m hohen Mauer umgebene Stadt war durch vier Tore zugänglich: Im Norden befand sich das Wienertor, im Süden das Neunkirchnertor, im Osten das Ungartor und im Westen das Fleischhakker- oder Vischachertor. Außer den gut befestigten Stadttoren verstärkten noch zusätzlich zwölf Türme und ein breiter Stadtgraben die Anlage. Ein Straßenkreuz teilte die Stadt in vier Viertel, und zwar in das Dreifaltigkeitsviertel, das Deutschherrenviertel, das Frauenviertel und das Brüderviertel. Während der Adel für seine Niederlassungen das Dreifaltigkeitsviertel (in dem die kaiserliche Burg lag) bevorzugte, Deutschherrenviertel und Frauenviertel sich zum größten Teil im Besitz der Geistlichkeit befanden, war das Brüderviertel hauptsächlich der Bürgerschaft als Wohngebiet vorbehalten.

1   *Baualterplan des Altstadtgebietes von Wiener Neustadt*
Maßstab 1 : 100, 120 × 80 cm, 1952; Entwurf A. Klaar, Wien, Ausführung I. Grillmayer, Wien.
N.Ö. Landesmuseum.

2   *Zeittafeln zur Geschichte der Stadt*

2 a   *Die Geschichte der Stadt bis Friedrich III.*
Zeittafel, 120 × 80 cm; Entwurf G. Gerhartl, Wiener Neustadt, Ausführung I. Grillmayer, Wien.
N.Ö. Landesmuseum.

2 b   *Ereignisse der Regierungszeit Friedrichs III.*
Zeittafel, 120 × 80 cm, 1966; Entwurf B. Haller und G. Gerhartl, Ausführung I. Grillmayer.
N.Ö. Landesmuseum.

3 *Topographie der Innenstadt von*
Wiener Neustadt um 1480 bis 1485

Kartographische Darstellung, Maßstab 1 :
100, 120 × 80 cm; Ausführung I. Grillmayer,
Wien, nach Vorlage in J. Mayers „Geschichte
von Wiener Neustadt", II. Bd., 1926,
Tafel VII.

N.Ö. Landesmuseum.

DIE STADTVERWALTUNG

Eine aus Bürgermeister, Richter und zwölf Ratsherren bestehende Gemeindevertretung,
die jährlich neu gewählt und vom Landesfürsten bestätigt werden mußte, lenkte die Geschäfte der Stadt. Die jeweiligen Ratsherren waren mit der Führung der Ämter des
Magistrats betraut und fungierten als Grundherren, Schlüsselherren, Raitherren, Kämmerer usw. Aus dem 15. Jahrhundert haben sich auch die für die Stadtverwaltung wichtigen Bücher (Ratsbücher, Gewerbuch) sowie die damals von der Stadt verwendeten Siegel erhalten.

4 *Ratsbuch der Stadt Wiener Neustadt*
1431 bis 1467

Papier/Kleinfolio, Holzeinband mit Leder-
überzug und Messingschließen, 1431—1467,
Wiener Neustadt.
LIT.: F. Staub, Die Bürger-Testamente der
Wiener Neustädter Rathsprotokolle, Bl. d.
Vereines f. Landeskunde v. N.Ö., N. F.,
XXIX. Jg., 1895, S. 463.
Stadtarchiv Wiener Neustadt, R. P. 7.

Dieser Papiercodex enthält die Namenslisten der jährlich
gewählten Gemeindevertretung, ferner Zunftordnungen,
Kaufverträge, Stiftsbriefe, Freundschaftsweisungen und
eine große Anzahl kulturhistorisch überaus interessanter
Bürgertestamente.

5 a *Typar des Sekretsiegels der Stadt*
Wiener Neustadt

Silbermatrize, Durchmesser 34 mm, Tiefe
25 mm, 1458, Wiener Neustadt.
Stadtmuseum Wiener Neustadt, Inv.-
Nr. M 245.

Auf diesem Siegeltypar macht die Stadt das erste Mal von
dem 1452 erhaltenen Vorrecht Gebrauch, das alte und neue
Stadtwappen gemeinsam führen zu dürfen; es wird dabei
ein gevierter Schild, in dem im ersten und vierten Feld der
Doppeladler, im zweiten und dritten der zweitürmige Torbau dargestellt ist, verwendet.

5 b *Typar des Grundsiegels der Stadt*
Wiener Neustadt

Silbermatrize, Durchmesser 35 mm, Dicke
20 mm, 1426, Wiener Neustadt.

1426 verlieh Herzog Friedrich IV. von Tirol, dem die Vormundschaft über den unmündigen Friedrich V. und dessen

LIT.: J. Mayer, Gesch. v. Wr. Neustadt, I. Bd., 1924, S. 471 f.
Stadtarchiv Wiener Neustadt, Inv.-Nr. M 244.

Geschwister übertragen worden war, der Stadt Neustadt ein Grundsiegel, auf dem die Wappenschilde Österreichs, Tirols und der Neustadt dargestellt sind.

6 *Diptychon mit der Darstellung einer Sitzung des Rates von Wiener Neustadt*

Tempera auf Holz, 66,5 × 46 cm (geöffnet), unbez., 2. Hälfte des 15. Jhs., Wiener Neustadt.
Stadtmuseum Wiener Neustadt, Inv.-Nr. B 12.

Abb. 16

Vermutlich als Behälter für den Wappenbrief von 1452 verwendet. Darauf weisen die sowohl in der Ornament-Bemalung der beiden Außenseiten als auch bei der Darstellung der Ratsherrensitzung immer wiederkehrenden beiden Formen des Stadtwappens hin. Das auf der linken Innenseite aufgeklebte Blatt ist eine spätere Hinzufügung.

7 *Wappenbrief Kaiser Friedrichs III. für die Stadt Wiener Neustadt*

Orig. Perg., 38 × 68,5 cm, 1452, Juli 11, Neustadt, an der Urkunde Majestätssiegel.
LIT.: J. Mayer, Gesch. v. Wr. Neustadt, II. Bd., 1926, S. 10. — F. Gall, Österr. Wappenkalender 1960, Wien 1959, S. 24 f.
Stadtarchiv Wiener Neustadt, Scrin. VI, Nr. 5.

Abb. 17

Kaiser Friedrich III. verleiht Bürgermeister, Richter und Rat von Wiener Neustadt das Recht, neben dem alten Stadtwappen (einem silbernen zweitürmigen und zinnenbekrönten Torbau in Rot), nun auch den mit einer silbernen Kaiserkrone halsgekrönten schwarzen Doppeladler im Wappen zu führen.

8 *Gewerbuch der Stadt Wiener Neustadt*

Papier/Großfolio, Ledereinband mit Pressung, 1430—1455, Wiener Neustadt.
LIT.: J. Mayer, Gesch. v. Wr. Neustadt, I. Bd., 1924, S. 471.
Stadtarchiv Wiener Neustadt, GB 573.

Ältestes Grundbuch der Stadt; das Recht, ein Grundbuch anzulegen, wurde der Stadt von dem Vormund Friedrichs V., Herzog Friedrich IV. von Tirol, am 6. November 1426 verliehen.

HANDWERK UND ZÜNFTE

Die Anwesenheit des kaiserlichen Hofes brachte es mit sich, daß in der zweiten Hälfte des 15. Jahrhunderts das Handwerk in Wiener Neustadt eine besondere Blüte erlebte. Um den Bedürfnissen des Hofes, der in die Stadt kommenden zahlreichen Fremden sowie der wohlhabenden Bürgerschaft gerecht werden zu können, war ein leistungsfähiger Handwerkerstand notwendig. Es bildeten sich viele neue Zünfte, deren vornehmster Zweck es war, ihre Mitglieder gegen fremde Störer des Handwerks zu schützen. Abgesehen von dem wichtigen Lebensmittel- und Bekleidungsgewerbe genoß während der Regierungszeit Kaiser Friedrichs III. vor allem das Neustädter Kunsthandwerk besonderes Ansehen. So wirkten in der Stadt damals Meister wie die Maler Hans von Tübingen, Hans Miko und Thomas Straiff, der Bildschnitzer Lorenz Luchsperger, die Baumeister Peter Pusika und Sebald Werpacher, die Goldschmiede Sigmund Langenauer, Leonhard Jamnitzer, Wolfgang Zulinger und andere mehr.

9 *„Haus ohne Nagel"*

Aquarell, 34 × 24 cm, um 1860, Ferdinand Schubert, Wiener Neustadt.
LIT.: J. N. Fronner, Monumenta Novae Civitatis Austriae, I, De civitate Neostadii, 1839, pag. 19 (Orig. HS im Stiftsarchiv Neukloster, Wiener Neustadt).
Stadtmuseum Wiener Neustadt, Inv.-Nr. B 100.

Das aus Quadersteinen gefügte kleine Haus mit der Jahreszahl 1489, das wenige Schritte vom Wienertor entfernt stand, hat ursprünglich die Funktion eines Schleusenhauses beim alten Stadtgraben zu erfüllen gehabt. Dieses Haus, von dem man sagte, daß bei seinem Bau kein einziger Nagel verwendet worden sei, wurde im 19. Jahrhundert demoliert.

10 *Siegelmatrize der Bäckerzunft von Wiener Neustadt*

Silber, Durchmesser 32 mm, Tiefe 15 mm, 15. Jh., Wiener Neustadt.
LIT.: J. Mayer, Gesch. v. Wr. Neustadt, II. Bd., 1926, S. 181.
Stadtmuseum Wiener Neustadt, Inv.-Nr. M 277.

Das Vorbild für dieses älteste erhaltene Handwerkssiegel der Stadt ist — der Umschrift nach zu schließen — ein Privatsiegel gewesen. Im zweimal geteilten Wappenschild ein nach rechts steigender Löwe, darüber eine Brezel.

DIE MÜNZSTÄTTE

Wiener Neustadt verdankte Kaiser Friedrich III. die etwa um das Jahr 1455 erfolgte Wiederbelebung der alten, bis in das frühe 13. Jahrhundert zurückreichenden landesfürstlichen Münzstätte. Das Münzhaus befand sich in einem in der Kesslergasse gelegenen und bis zur Neunkirchner Straße reichenden Gebäude, das dem vom Kaiser aus dem Rheinland hierher berufenen Münzmeister Erwein vom Stege gehörte. In Wiener Neustadt wurden neben den üblichen Silbermünzen (Groschen, Kreuzer und Pfennige) auch ungarische und rheinische Goldgulden geprägt. Der Betrieb in der Wiener Neustädter Münzstätte scheint nach dem Jahre 1490 eingestellt worden zu sein.

11 *Weisung Kaiser Friedrichs III. an den Rat von Wiener Neustadt*

Orig. Papier, 22 × 30 cm, 1455, Dezember 25, Graz.
LIT.: A. Luschin v. Ebengreuth, Das Münzwesen in Österreich Ob und Unter der Enns im ausgeh. Mittelalter, Jb. d. Vereines f. Landeskunde v. N. Ö., 1916/17, S. 391 f.
Stadtarchiv Wiener Neustadt, Scrin. E 77.

Friedrich III. gibt die Weisung, seinen Münzmeister Erwein vom Stege als Besitzer eines Hauses in der *kesslerstrass* in das Grundbuch einzutragen.

12 *Kundmachung einer neuen Münz-*
ordnung Kaiser Friedrichs III.

Orig. Papier, 29 × 29,5 cm, 1469, Dezember 5, Neustadt, aufgedrücktes rotes Wachs-
siegel.

Stadtarchiv Wiener Neustadt, Scrin. E 159/1.

13 *Haus des kaiserlichen Münzmeisters*
Erwein vom Stege in Wiener Neu-
stadt

LIT.: J. Mayer, Gesch. **v.** Wr. Neustadt,
II. Bd., 1926, S. 232.
Foto.

Das Haus Erweins vom Stege lag in der Keßlergasse (heute
Nr. 18); das eigentliche *münzhaus* war aber das von
Erwein 1460 erworbene und bis in die Neunkirchner
Straße (Nr. 15) durchgehende Gebäude.

14 *Sparkasse*

Graphitierter Ton, 5,9 × 6,6 cm, Boden 5 cm,
1452, Wiener Neustadt.

LIT.: H. Steininger, Die münzdatierte Kera-
mik des Mittelalters und der frühen Neuzeit
in Österreich, Wien 1964, S. 48, Nr. 82.

Stadtmuseum Wiener Neustadt, Inv.-
Nr. M 499.

15 *Silberpfennige, 1. Hälfte 15. Jh.*

Durchmesser 16 mm.

LIT.: A. Luschin v. Ebengreuth, Umrisse
einer Münzgeschichte der altösterr. Lande
vor 1500, Numismat. Zeitschrift, N. F.,
II. Bd., Wien 1908, S. 39 ff.

Stadtmuseum Wiener Neustadt, Inv.-
Nr. M 500, 501, 514, 551, 552—558, 519,
520, 495, 469, 470, 472, 459, 454, 433.

16 *Münzprägestempel*

Eisen, Stiel 65 mm, Durchmesser der Präge-
fläche 45 mm, um 1456, Wiener Neustadt,
Erwein vom Stege?

LIT.: A. Luschin v. Ebengreuth, Das Münzwesen in Österreich Ob und Unter der Enns
im ausgeh. Mittelalter, Jb. d. Vereines für
Landeskunde v. N.Ö., 1916/17, S. 418 f.

Stadtmuseum Wiener Neustadt, Inv.-
Nr. M 212.

Prägestock für die Aversseite eines Dukaten aus der Wiener
Neustädter Münzstätte. Gevierter Wappenschild, herald.
rechts oben der Doppeladler, darunter der steirische Panther, herald. links oben der Bindenschild, darunter der
Krainer Adler.

17 *Ungarischer Goldgulden des Königs Matthias Corvinus*

Durchmesser 21 mm, um 1486.
LIT.: A. Luschin v. Ebengreuth, Das Münzwesen in Österreich Ob und Unter der Enns im ausgeh. Mittelalter, Jb. d. Vereines f. Landeskunde, 1916/17, S. 429 f.
Stadtmuseum Wiener Neustadt, Inv.-Nr. M 289.

Auf der Aversseite Schild mit dem ungarischen Wappen (Dreiberg mit Patriarchenkreuz), dem Wappen des Matthias Corvinus (Rabe mit einem Ring im Schnabel) und dem böhmischen Löwen. Umschrift: MATTHIAS D. G. R. HUNGARIE +. Auf der Reversseite der heilige Ladislaus mit dem österreichischen Bindenschild, Umschrift S. LADISLAUS REX +.

DIE KLOSTERGRÜNDUNGEN

Als Herzog Friedrich der Jüngere im Jahre 1440 in Wiener Neustadt die Wahl zum römisch-deutschen König annahm, gab es hier vier Klöster: die Niederlassung des Deutschen Ritterordens, das Kloster der Minoriten sowie je ein Kloster der Dominikaner und der Dominikanerinnen. Während der Regierungszeit Friedrichs wurde die Zahl der geistlichen Niederlassungen in der Stadt verdoppelt. Wohl hatten die Dominikanerinnen in den Vierzigerjahren ihr Wiener Neustädter Haus aufgegeben, dafür gründete der Landesfürst im Jahre 1444 hier ein Zisterzienserkloster und ein Stift weltlicher Chorherren; für ein Stift regulierter Chorherren erhielt Friedrich III. die päpstliche Bestätigung im Jahre 1459. 1479 wurde auf Wunsch des Kaisers der 1467 gegründete St. Georgs-Ritterorden von seinem bisherigen Sitz in Millstatt nach Wiener Neustadt transferiert. Die letzte Klostergründung Friedrichs III. in Wiener Neustadt erfolgte im Jahre 1480 und kam den Paulinern zugute.

18 *Das Dominikanerkloster St. Peter an der Sperr in Wiener Neustadt*

Mamor-Relief an der Tumbawand des Hochgrabes Kaiser Friedrichs III., 68 × 83 × 26 cm; letztes Drittel 15. Jh., Nikolaus Gerhaert von Leyden (Nachfolge).
LIT.: F. Wimmer-K. Klebel, Das Grabmal Friedrichs III. im Wiener Stephansdom, Österreichs Kunstdenkmäler, I. Bd., Wien 1924, S. 27, Nr. 94. — J. Mayer, Gesch. v. Wr. Neustadt, II. Bd., 1926, S. 349.
Wien, Dom zu St. Stephan.
Foto.

Am 1. Jänner 1444 erhielt König Friedrich IV. vom Ordensgeneral Bartholomäus Texern die Erlaubnis, die Neustädter Dominikaner von ihrer bisherigen Behausung im Osten der Stadt in das an der nördlichen Stadtmauer gelegene ehemalige Dominikanerinnenkloster zu transferieren.

19 *Das Zisterzienserkloster zu Wiener Neustadt*

Marmor-Relief an der Tumbawand des Hochgrabes Kaiser Friedrichs III., 68,5 ×

Am 5. April 1444 gründete König Friedrich IV. zu Ehren der Heiligsten Dreifaltigkeit und der heiligen Jungfrau

139 × 26 cm, letztes Drittel d. 15. Jhs., Nikolaus Gerhaert von Leyden (Nachfolge).
LIT.: F. Wimmer-K. Klebel, Das Grabmal Friedrichs III. im Wiener Stephansdom, Österreichs Kunstdenkmäler, I. Bd., Wien 1924, S. 27, Nr. 97. — J. Mayer, Gesch. v. Wr. Neustadt, II. Bd., 1926, S. 355.
Wien, Dom zu St. Stephan.   Foto.

20 *Stiftungsurkunde König Friedrichs IV. für das Zisterzienserkloster in Wiener Neustadt*

Orig Perg., 63 × 37 cm, 1444, April 5, Neustadt; Goldbulle, Durchmesser 80 mm.
LIT.: H. Mayer, Zur Gründungsgeschichte des Stiftes Neukloster in Wiener Neustadt, Festschrift z. 800-Jahrgedächtnis des Todes Bernhards von Clairvaux, Wien 1953, S. 296 ff.
Wiener Neustadt, Stiftsarchiv Neukloster, Fasc. VIII/1.

21 *Pyxis für die drei heiligen Öle* (Oleum infirmorum, oleum catechumenorum, chrisam)

Österreichisch, 1446.
Silber, im Inneren vergoldet, 19,2 cm hoch.
LIT.: Illustrierter Katalog der Ausstellung kirchlicher Kunstgegenstände vom frühen Mittelalter bis zur Gegenwart im k.k. Oesterreichischen Museum für Kunst und Industrie, Wien 1887, S. 76, Nr. 660, Abbildung S. 63.
Wiener Neustadt, Stift Neukloster.

22 *Das Stift regulierter Chorherren zu St. Ulrich in Wiener Neustadt*

Marmor-Relief an der Tumbawand des Hochgrabes Kaiser Friedrichs III., 68 × 84 × 24 cm, letztes Drittel des 15. Jhdts., Nikolaus Gerhaert von Leyden (Nachfolge).
LIT.: F. Wimmer-K. Klebel, Das Grabmal Friedrichs III. im Wiener Stephansdom, Österreichs Kunstdenkmäler, I. Bd., Wien 1924, S. 28, Nr. 104. — J. Mayer, Gesch. v. Wr. Neustadt, II. Bd., 1926, S. 307.
Wien, Dom zu St. Stephan.   Foto.

Maria in Wiener Neustadt ein Zisterzienserkloster. Der Abt des „Neustift zu der Heiligsten Dreifaltigkeit zu der Neustadt", kurz „Neukloster" genannt, erhielt auch das Recht der Pontifikalien.

Gertrud Gerhartl

Die an der Wandung des dreiteiligen Gefäßes angebrachte Vokalfiguration „AEIOV" und die Jahreszahl 1446 weisen dieses Ölgefäß als Eigentum Friedrichs III. aus.

Erwin Neumann

Gegründet von Kaiser Friedrich III., päpstliche Bestätigung vom 20. Dezember 1459.

23 *Das Bistum und Kollegiatskapitel*
von Wiener Neustadt

Marmor-Relief an der Tumbawand des Hochgrabes Kaiser Friedrichs III., 68 × 85 × 24 cm, letztes Drittel des 15. Jhs., Nikolaus Gerhaert von Leyden (Nachfolge).

LIT.: F. Wimmer-K. Klebel, Das Grabmal Friedrichs III. im Wiener Stephansdom, Österreichs Kunstdenkmäler, I. Bd., Wien 1924, S. 28, Nr. 102. — J. Mayer, Gesch. v. Wr. Neustadt, II. Bd., 1926, S. 300 u. S. 306.

Wien, Dom zu St. Stephan.   Foto.

Gleichzeitig mit dem Zisterzienserkloster hatte König Friedrich IV. am 5. April 1444 in Wiener Neustadt auch ein Stift weltlicher Chorherren begründet. Als Friedrich anläßlich seines zweiten Romzuges von Papst Paul II. die Erlaubnis erhielt (päpstliche Bulle vom 18. Jänner 1469), in Wiener Neustadt ein Bistum zu errichten, wurde das Kollegiatstift eng mit dem neuen Bistum verbunden.

24 *Der St. Georgs-Ritterorden in der*
Burg zu Wiener Neustadt

Marmor-Relief an der Tumbawand des Hochgrabes Kaiser Friedrichs III., 68 × 84 25 cm, letztes Drittel 15. Jhs., Nikolaus Gerhaert von Leyden (Nachfolge).

LIT.: F. Wimmer-K. Klebel, Das Grabmal Friedrichs III. im Wiener Stephansdom, Österreichs Kunstdenkmäler, I. Bd., Wien 1924, S. 28, Nr. 100. — J. Mayer, Gesch. v. Wr. Neustadt, II. Bd., 1926, S. 311 ff.

Wien, Dom zu St. Stephan.   Foto.

Der von Kaiser Friedrich III. 1467 begründete und von Papst Paul II. am 1. Jänner 1469 bestätigte St. Georgs-Ritterorden wurde 1479 auf Wunsch des Kaisers von Millstatt nach Wiener Neustadt übertragen.

25 *Das Pauliner-Eremitenkloster in Wie-*
ner Neustadt

Marmor-Relief der Tumbawand des Grabmales Kaiser Friedrichs III., 68 × 82 × 25 cm, letztes Drittel d. 15. Jhs., Nikolaus Gerhaert von Leyden (Nachfolge).

LIT.: F. Wimmer-K. Klebel, Das Grabmal Friedrichs III. im Wiener Stephansdom, 1. Bd., Wien 1924, S. 26, Nr. 90. — J. Mayer, Gesch. v. Wr. Neustadt, II. Bd., 1926, S. 366.

Wien, Dom zu St. Stephan.   Foto.

Gegründet von Kaiser Friedrich III. am 10. April 1480.

ERRICHTUNG EINES BISTUMS IN WIENER NEUSTADT

Anläßlich seines zweiten Romzuges 1468/1469 hatte Kaiser Friedrich III. von Papst Paul II. die Zustimmung zur Errichtung eines Bistums in Wiener Neustadt erlangt. Der Papst bestätigte diese Bistumsgründung mit Bulle vom 18. Jänner 1469. Gleichzeitig wurde auch die Liebfrauenkirche zur Kathedrale erhoben. Das neue Bistum war sowohl in seiner Ausdehnung — es reichte kaum über das Stadtgebiet hinaus — als auch in seiner

Dotation derart bescheiden, daß der Bischofsstuhl noch einige Jahre unbesetzt bleiben mußte. Erst 1476 konnte der Kaiser den Dechant der weltlichen Chorherren in Wiener Neustadt, Peter Engelbrecht aus Passail (1476—1491), zum ersten Bischof von Wiener Neustadt ernennen.

26 *Papst Paul II. errichtet in Wiener Neustadt ein Bistum*

Orig. Perg., 34,9 × 54,5 cm, 1469, Jänner 18, Rom, Bleibulle cum filo serico.

LIT.: J. Mayer, Gesch. v. Wr. Neustadt, II. Bd., 1926, S. 306. — J. Wodka, Kirche in Österreich, Wien 1959, S. 172. — Katalog „Die Gotik in N.Ö.", Krems 1959, S. 113, Nr. 355.

St. Pölten, Diözesanarchiv.

27 *Grabstein des Bischofs Peter Engelbrecht*

Marmor-Relief, 2,30 × 1,28 × 0,15 m, 1491, Wiener Neustadt

LIT.: Th. Wiedemann, Btrge. zur Gesch. d. Bistums Wiener Neustadt, Österr. Vierteljahresschrift f. kathol. Theologie, 3. Jg., Wien 1864, S. 515 ff. — J. Mayer, Gesch. v. Wiener Neustadt, II. Bd., 1926, S. 306 f. u. S. 314 f.

Wiener Neustadt, Dom. Foto

Peter Engelbrecht aus Passail, Dechant der weltlichen Chorherren in Wiener Neustadt und Erzieher Maximilians I., war der erste Bischof von Wiener Neustadt. Er wurde am 10. März 1476 in seinem Amt bestätigt und 1477 vom Papst in Rom geweiht. Engelbrecht starb am 17. Februar 1491 in Wiener Neustadt.

28 *Siegel des Bischofs Peter Engelbrecht*

Rundsiegel, rotes Wachs (in einer Schale aus ungefärbtem Wachs), Durchmesser 5 cm.

LIT.: K. Garzarolli-Thurnlackh, Das ma. Siegel als kleinplast. Kunstwerk, Mitteil. d. Österr. Galerie, Jg. 3, 1959, S. 11, Nr. 38 u. Abb. 4.

Stadtarchiv Wiener Neustadt, Scrin. XXXII Nr. 3.

Das Siegel, das an einer vom Bischof Petrus am 28. Mai 1478 in Wiener Neustadt ausgestellten Urkunde befestigt ist, zeigt in einer gotischen Architektur die Muttergottes mit dem Kind; ihr zu Füßen kniet der heilige Georg. Darunter die Initialen PE, Umschrift (auf Schriftbändern angeordnet): S(IGILLUM) S. PETRI PRIMI EP(ISCOP)I NOVE CIVITATIS; unter dem Baldachin die Jahreszahl 1477.

29 *Wappenstein*

Sandstein, Durchmesser 60 cm, Höhe 40 cm, 15. Jh., Wiener Neustadt.

LIT.: J. Mayer, Gesch. v. Wr. Neustadt, II. Bd., 1926, S. 410.

Wiener Neustadt, Dom.

Auf dem Stein ist das von einem Engel gehaltene Wappen des Bischofs Peter Engelbrecht dargestellt: eine halbe Lilie über drei Blättern und den Initialen PE. Ist einer jener acht Wappensteine, die noch in der Zeit vor dem Zweiten Weltkrieg an der Außenwand der nördlichen Seitenkapelle des Domes angebracht gewesen waren.

30   Schmerzensmann

Sandstein, Gesamthöhe 1,25 m, unbez., 1485,
Wiener Neustadt.
LIT.: J. Mayer, Gesch. v. Wr. Neustadt,
II. Bd., 1926, S. 410.
Wiener Neustadt, Dom.

Die Ecce homo-Figur stammt aus einer an der Südseite der
Domkirche befindlichen kleinen Kapelle; diese Kapelle war
eine Stiftung des wohlhabenden Stadtfischers und Rats-
herrn Augustin Monhayt aus dem Jahre 1485.

**31   Grabtafel des Florian Winkler
(† 1477)**

Tempera/Holz, 195 × 93 cm, unbez., ver-
mutl. Nachfolger d. Schottenmeisters.
LIT.: W. Boeheim, Maler u. Werke d. Maler-
kunst in Wiener Neustadt im 15. Jhdt., Berr.
u. Mittheil. d. Alterthumsvereines zu Wien,
Bd. XXV., Wien 1889, S. 89 ff. — J. Mayer,
Gesch. v. Wr. Neustadt, II. Bd., 1926,
S. 424 f. — O. Benesch, Der Meister d.
Krainburger Altares, Wiener Jb. f. Kunstgesch. Bd. VII, S. 183 ff. — L. Behling, Die
Pflanze in der mittelalterl. Tafelmalerei,
Weimar 1957, S. 74 f. — Dieselbe, Betrach-
tungen zu einigen Dürer-Pflanzen, in: Pan-
theon, XXIII Jg., V, München 1965, S. 286 f.
— Katalog „Die Gotik in N.Ö.", 5. Auf-
lage, 1959, S. 29, Nr. 32. — E. Stöcklmayer,
Die Florian-Winkler-Tafel, in: Unser Neu-
stadt, 4. Jg., 1960, Folge 4, S. 1 ff. — G. Gerhartl, Florian Winkler, ein kaiserl. Söldnerführer u. Bürger der mittelalterl. Stadt Wiener Neustadt (unveröffentl. Manuskript).
*Stadtmuseum Wiener Neustadt, Inv.-
Nr. A 15.*

Auf dem Epitaph ist die Muttergottes mit dem Jesuskind
und dem heiligen Josef dargestellt. Zu Füßen der Heiligen
Familie kniet Florian Winkler, der Stifter dieses Bildes;
neben ihm steht sein Namenspatron, der heilige Florian.
Die beiden Wappen in den vorderen Bildecken haben ebenfalls auf den Stifter Bezug: Der Wappenschild mit dem
Stern und dem Winkelmaß ist das Wappen der Familie
Winkler, der zweimal gespaltene Schild stellt das Wappen
der Familie Teufenbach dar, aus der Florian Winklers
Mutter stammte. — Der Bildhintergrund wird von einer
kleinfigurigen Szene beherrscht, die die Vertreibung Adams
und Evas aus dem Paradies zeigt; darauf bezieht sich auch
die Aufschrift auf der Tafel selbst. In symbolischem
Zusammenhang damit steht die Geburt Christi: Christus als
Lichtbringer befreit die Welt von der Erbsünde. Der heilige
Josef mit der Kerze und das Schöllkraut haben ebenfalls
Beziehung zur Lichtsymbolik. — Die Tafel konnte derzeit
nur teilweise von Übermalungen befreit werden. Die sich
daraus ergebenden Folgerungen können erst in der 2. Auflage des Kataloges berücksichtigt werden. — Der zum Bild
gehörige Aufsatz gibt über das Todesdatum Florian Winklers Auskunft (erneuert).
Florian Winkler, Söldnerführer im Dienste Kaiser Friedrichs III. und Träger des dänischen Elefantenordens, ist seit
1473 als Hausbesitzer und Bürger in Wiener Neustadt
nachzuweisen. In seinem am 9. September 1477 verfaßten
Testament vermachte Winkler einen Großteil seines ansehnlichen Vermögens den Klöstern der Stadt; seine beacht-
lichste Schenkung galt der Kirche und dem Kloster der
Minoriten in Wiener Neustadt. — Die Tafel bezeichnete
die Begräbnisstätte Florian Winklers im Dom zu Wiener
Neustadt.

**32   Missale aus der Kirche Unserer Lie-
ben Frau zu Wiener Neustadt**

Pergamentcodex, Kleinfolio, um 1460, Wien.
LIT.: G. Schmidt, Die Buchmalerei, in: Die
Gotik in N.-Ö., Wien 1962, S. 18, Nr. 147.
*Stadtarchiv Wiener Neustadt, Bd. Nr. 218
(Alte Bibliothek).*

Auf der aufgeschlagenen Seite (fol. 102^v) ein Kanonbild
mit einer Darstellung der Kreuzigung Christi; Ranken-
initialen. Stilistisch von Wien abhängig; hält (nach
G. Schmidt) die Mitte zwischen Martinus opifex und dem
Lehrbüchermeister.

33 *Missale aus der Kirche Unserer Lieben Frau zu Zemendorf*

Pergamentcodex, Kleinfolio, um 1430/40, Wiener Neustadt, auf der Einbandschließe die Aufschrift ZEMENDORF.

LIT.: J. Mayer, Gesch. v. Wr. Neustadt, II. Bd., S. 346 f. — G. Schmidt, Die Buchmalerei, in: Die Gotik in N.-Ö., Wien 1962, S. 18.

Stadtarchiv Wiener Neustadt, Bd. Nr. 217 (Alte Bibliothek).

Aufgeschlagen ist ein äußerst qualitätsvolles Kanonbild, auf dem die Kreuzigung Christi dargestellt ist (fol. 147 ᵛ); steirisch beeinflußte Stileigenheiten. Vermutlich in und für Wiener Neustadt entstanden.

Die in Zemendorf, einer längst abgekommenen nordöstlichen Vorstadt von Wiener Neustadt, gelegene Marienkirche wurde anläßlich der Türkengefahr von 1529 abgebrochen. In einem Verzeichnis der Kleinodien und Paramente vom Jahre 1450 ist bereits dieses „pergamenein meßpühel" erwähnt.

34 *Hl. Elisabeth*

Holzstatue, gefaßt, 32 × 12 × 10 cm, unbez., um 1430. Wiener Neustadt.

Stadtmuseum Wiener Neustadt, Inv.-Nr. A 1330.

Die Statue stammt aus der alten Bürgerspitalskapelle in Wiener Neustadt.

35 *Reliquienkapsel mit Kreuzpartikel*

Gold mit Perlen- und Rubinbesatz, Emailmalerei, 4,5 × 5,1 cm, 15. Jhdt., italienisch.

LIT.: K. Kind, Die österr. kunsthist. Abtlg. d. Wiener Welt-Ausstellung, Mitteil. d. Central-Commission, XVIII. Jg., 1873, S. 154. — W. Boeheim, Der Corvinusbecher in Wiener Neustadt, Berr. u. Mittheil. d. Alterthums-Vereines zu Wien, XXVIII Bd., 1892, S. 87.

Stadtmuseum Wiener Neustadt, Inv.-Nr. A 61/a.

Dieses buchförmige, an einer kleinen Krone hängende Reliquiar zeigt auf der Vorderseite den Kreuzpartikel und um diesen in Emailmalerei die Symbole der vier Evangelisten angeordnet. Auf der Rückseite ist in Goldrelief der Gekreuzigte mit Maria und Johannes dargestellt. Das Kleinod sollen zwei zur Krönung Friedrichs III. nach Rom abgeordnete Neustädter Ratsherren als päpstliches Geschenk mitgebracht haben; es könnte jedoch auch ein zurückgebliebenes Stück des alten Pfandschatzes Kaiser Friedrichs III. sein.

36 *Ecce homo*

Holz, gefaßt, 84 cm hoch, um 1480. *Wiener Neustadt, Kapuzinerkloster.*

Aus dem ehemaligen Minoritenkloster in Wiener Neustadt.

DIE BURG

Die aus dem 13. Jahrhundert stammende landesfürstliche Burg in Wiener Neustadt ist unter Kaiser Friedrich III. großzügig erweitert und umgebaut worden. Dabei wurden der West- und Nordteil fast gänzlich neu gestaltet und der gegen Süden gelegene eigentliche Palasttrakt durch einen repräsentativen, zweischiffigen Thronsaal ergänzt. Friedrich ließ auch die während der Regierungszeit seines Vaters, Herzogs Ernst, begonnene Gottesleichnamskapelle im östlichen Teil der Burg fertigstellen und war der Auftraggeber für die im Westtrakt errichtete *kirche ob dem tor,* die spätere St. Georgskirche. Letztgenannte war dafür bestimmt, einst das Grabmal des Kaisers aufzunehmen — dazu ist es jedoch nicht gekommen: nicht Friedrich III., sondern sein Sohn Kaiser Maximilian I. fand in der St. Georgskirche in Wiener Neustadt seine letzte Ruhestätte. — An die imposante, mit vier Ecktürmen ausgestattete Burganlage schloß im Osten der ausgedehnte und von einer langen Mauer umgebene kaiserliche Tiergarten an, dem Friedrichs besonderes Interesse galt.

37 *Plan der Wiener Neustädter Burg und ihrer Umgebung*

Papier auf Leinen, 44,6 × 95,5 cm, um 1672/73, Wiener Neustadt.

LIT.: J. Mayer, Gesch. v. Wr. Neustadt, I. Bd., 1924, S. 35.

Stadtarchiv Wiener Neustadt, Scrin. LIII 19/5.

Auf dem Plan ist unter anderem auch der von Friedrich III. angelegte und mit einer langen Mauer umgebene Tiergarten, in dem vor allem Damwild gehalten wurde, zu sehen.

38 *Ostseite des Wiener Neustädter Burghofes mit der Gottesleichnamskapelle*

Aquarell, 30 × 253 cm, 17. Jh.

LIT.: W. Boeheim, Die Gottesleichnamskapelle in der Burg zu Wiener Neustadt, Berr. u. Mittheil. d. Alterthums-Vereines zu Wien, IX. Bd., 1865, S. 110 ff. — J. Jobst, Die Neustädter Burg u. die k. u. k. Theresianische Militärakademie, Wien 1908, S. 152 f. — A. Klaar, Ein Beitrag zur Baugesch. d. mittelalterl. Burg in Wiener Neustadt, Alma Mater Theresiana, Jahrbuch 1963, S. 54 ff.

Wien, Öst. Staatsarchiv (Hofkammerarchiv).

Herzog Ernst „der Eiserne", der Vater Kaiser Friedrichs III., hatte noch vor 1420 damit begonnen, über der im Osttrakt gelegenen alten Marienkapelle eine zweite errichten zu lassen. Der Bau dieser zu Ehren des Gottesleichnams geweihten Kapelle wurde erst unter Friedrich III. fertiggestellt.

Gertrud Gerhartl

39 *Verglasung der Gottesleichnamskapelle in der Burg zu Wiener Neustadt*

Wahrscheinlich vor 1424, Wien.

a) *Gnadenstuhl*
67 × 47 cm, unbez. Aus dem Neukloster in Wiener Neustadt.

b) *Hl. Antonius Eremita*
65 × 46,5 cm, unbez.

c) *Hl. Georg*
67 × 45 cm, unbez.

Siehe Kat.-Nr. 50 (Glasfenster = Erzherzog Ernst der Eiserne).

Das Todesdatum des Erzherzogs, 1424, kann wohl als terminus ante quem, zumindest für die Bestellung der Verglasung, gelten. —

Die Provenienz verbürgt eine Eintragung Kaiser Maximilians I. in seinem Gedenkbuch. Wohl in Wien entstanden, da sich in Maria am Gestade ein Fenster vom Meister der Ernst-Scheibe befindet. Beziehungen aber auch zu einigen Glasgemälden in Friedersbach. Die sicher gleichzeitig entstandenen Scheiben (c) und (d) gehören einer anderen, minder subtilen und stärker auf flächenhafte Wirkung eingestellten Hand an.

d) *Hl. Florian*
   68,5 × 45 cm, unbez.

LIT.: Katalog „Die Gotik in N.-Ö.", 5. Auflage, 1959, S. 60 f., Nr. 151.

Eva Frodl-Kraft

e) *Wappenscheibe Kaiser Friedrichs III. als deutscher König*
   Datierung: 1440, Maße: H = 49 cm / B = 49 cm.
   Farben:
   Wappenschild: schwarzer Adler in goldenem Feld. Wappenhaltende Engel, Mann
   und Simson weiß, sämtliche Haare in Silbergelb. Grund hinter den Figuren dek-
   kend schwarz. Medaillonrahmung: inneres
   Punktband grün, mittleres Rankenband
   rot-violett, äußeres Punktband blau.
   Erhaltung:
   intakt; mittelalterliches Flickstück im
   äußeren Punktband obere Ecke links. Ein
   Sprung im Wappenschild; mehrere Notbleie. Schwarzlotbemalung intakt. Halbtonbemalung leicht abgewittert. Rückseitenbemalung nahezu in Gänze erloschen,
   nur mehr bei Auflicht erkennbar *.
   Technik:
   Silbergelbverwendung bei den figürlichen
   Teilen, sonst farbige Hüttengläser; keine
   Überfänge. Radiertechnik aus dem dek-
   kenden Halbtonüberzug.
   * Bis 1966 war die Scheibe gemeinsam mit
   Kg 44 : 6 und Kg 44 : 7 (vgl. dort) zu
   einem Rechteckfeld zusammengebleit, was
   nicht der ursprünglichen Konzeption entspricht (vgl. die Gegenstücke in Darmstadt Kg. 43 : 9 und 43 : 10). Die Eck-
   zwickelergänzungen sämtlicher Scheiben
   stammen aus dem 19. Jhdt. Bei der letzten
   Restaurierung wurde die Scheibe lediglich
   mit einem Messingrahmen versehen.

*Darmstadt, Hessisches Landesmuseum,
Inv.-Nr. Kg 43 : 8.*

f) *2 Butzenscheiben mit der Devise aeiou
   1440*
   Datierung: 1440, Maße: H = 15 cm, B =
   36,5 cm, ∅ der Butzenscheiben = 12 cm.
   Farben:
   weiße Butzenscheiben mit Schwarzlotbemalung; die Strahlenbündel in ganz zar-
   ter Silbergelbbehandlung.

Die Scheiben e, f und g gehörten der spätesten Ausstattung
der Gottesleichnamskapelle zu, sie wurden bereits von
Friedrich gestiftet.

Inschrift:
Kg. 44 : 6 „a. e. i. o. u" (links)
Kg. 44 : 7 „.1. 4. 4. o." (rechts)

Erhaltung:
linke Butzenscheibe ein Sprung und drei Notbleie, rechte intakt. Schwarzlotbemalung intakt. Halbtonbemalung weitgehend erloschen. Die rückseitigen Braunlotabdecklagen intakt *.

Technik:
Silbergelb, Schwarzlot und Braunlot. Radiertechnik in dem deckenden Schwarzlot (Strahlen).

* Beide Butzenscheiben waren seit dem 19. Jhdt. zusammen mit Kg. 43 : 8 zu einem Rechteckfeld vereinigt. Bei der letzten Restaurierung wurden sie aus dem Verband gelöst und gemeinsam mit mittelalterlichen Butzenscheibenteilen zu einem gesonderten Rechteckfragment zusammengefaßt.

Darmstadt, Hessisches Landesmuseum, Inv.-Nr. Kg. 44 : 6 und 44 : 7.

g) *Wappenscheibe Kaiser Friedrichs III.,*
Datierung: 1458, Maße: H = 46 cm, B = 49,5 cm, Originalmaß ca.: H = 51 cm, B = 51 cm (!)
Inschrift: „A. E. I. O. U — 1458"

Farben:
der „steinerne" Dreipaß und die Rechteckrahmung sind aus weißem Grundglas gefertigt, das mit einem deckenden Halbtonüberzug in Graugrün überzogen und aus dem die Lichter hell herausradiert sind. Der Rankengrund der Dreipaßfüllung, vor dem die drei Wappen stehen, ist blau, die zwei Dreieckzwickel (rechts mit Vogel) sind gelb. Die äußeren Zwickel mit den Figuren sind blau bzw. durch Silbergelbhinterlegung grün (so überall die Rasen- und Rankenandeutungen bei den unteren zwei und dem oberen rechten — eine Ausnahme bildet lediglich der Zwickel mit dem Hirschen, wo dieser grün und der Grund blau gegeben ist).

Erhaltung:
umfangreiche Splitterungen und Sprünge; die Teile 1966 doubliert bzw. Bruchkan-

ten zusammengebunden. Schwarzlot- und Halbtonbemalung weitgehend intakt Rückseitenbemalung weitgehend erloschen. Messingrahmung. Ergänzungen.

Technik:
farbige Hüttengläser, kein Rotausschliff (z. B. beim Wappen Wiener Neustadt). Silbergelb beim nebenanstehenden Wappen (Kreuz in Silber, Grund golden) und den blauen Zwickeln (vgl. Farben). Radiertechnik.

Darmstadt, Hessisches Landesmuseum,
Inv.-Nr. Kg. 43 : 11.

Gottfried Frenzel

40 *Die St. Georgskirche in der Burg zu Wiener Neustadt*

Modell, Breite 94 × 50 cm, Höhe 70 cm, Entwurf und Ausführung Reinprecht Schober, Linz.
N.Ö. Landesmuseum.

Klassische Form der Hallenkirche, 1449—1460 von Peter Pusika als Begräbniskirche für Kaiser Friedrich III. erbaut; 1945 zerstört, Wiederaufbau 1957 beendet.

41 *Die Wappenwand an der St. Georgskirche in Wiener Neustadt, Ausschnitt*

LIT.: J. Scheiger, Bilder aus der Neustadt, VIII, in: Hormayr's Taschenbuch, 1827, S. 83 ff. — J. Jobst, Die Neustädter Burg und die k. u. k. Theresianische Militärakademie, Wien 1908, S. 131 ff. — J. Mayer, Gesch. v. Wr. Neustadt, II. Bd., 1926, S. 428 ff. — A. Lhotsky, Quellenkunde zur mittelalterl. Gesch. Österreichs, Wien 1963, S. 317.
Foto.

Abb. 14

Die an der dem Burghof zugewendeten Ostwand der St. Georgskirche angebrachte berühmte Wappenwand entstand um das Jahr 1453. Das in einer Nische unter einem gotischen Baldachin befindliche Standbild Friedrichs III. ist von 14 Wappen der habsburgischen Länder umgeben; die übrigen 93 Wappen sind Phantasiewappen und haben bereits zu mancherlei Deutungen Anlaß gegeben. Die Anregung für diese Wappenwand gab wahrscheinlich die „Österreichische Landeschronik" des zirka 1340 in Wien geborenen Klerikers Leopold Stainreuter.

42 *Taufe Maximilians I. in der Burgkirche zu Wiener Neustadt*

Holzschnitt in Kaiser Maximilians „Weißkunig" von Hans Burgkmair.
LIT.: J. Mayer, Gesch. v. Wr. Neustadt, II. Bd., 1926, S. 99.
Foto

Die Taufe des am 22. März 1459 in der Wiener Neustädter Burg geborenen Maximilian wurde — darauf läßt die Darstellung schließen — in der damals eben fertiggestellten Burgkirche (St. Georgskirche) vorgenommen; die Zeremonie fand am 25. März statt und ist von Sigmund von Volkersdorf, Erzbischof von Salzburg, vollzogen worden; Taufpate Maximilians war der ungarische Magnat Niklas Uljak.

43 *Erzherzog Maximilian erhält Unterricht*

Holzschnitt aus Kaiser Maximilians „Weißkunig" von Hans Burgkmair.
LIT.: H. Fichtenau, Der junge Maximilian (1459—1482), Österreich Archiv, Wien 1959, S. 12 ff. — H. Fichtenau, Die Lehrbücher Maximilians I. und die Anfänge der Frakturschrift, Hamburg 1961.
Foto

Gemeinsam mit dem kleinen Kaisersohn erhielt eine ansehnliche Schar von Söhnen des in der Stadt ansässigen Adels in der Burg zu Wiener Neustadt Unterricht. Die Oberaufsicht über die Erziehung Erzherzog Maximilians hatte der Chorherr und spätere Bischof von Wiener Neustadt Peter Engelbrecht.

Gertrud Gerhartl

II. KIRCHENSCHIFF

FRIEDRICH III.

DER HERZOG

Friedrich, als österreichischer Herzog der V. dieses Namens und zum Unterschied zu seinem Oheim, Friedrich IV. von Tirol („Friedel mit der leeren Tasche"), auch der Jüngere genannt, wurde am 21. September 1415 zu Innsbruck geboren. Dorthin war Frau Cimburgis ihrem Gatten Ernst gefolgt, der für den geächteten Friedrich IV. die habsburgischen Rechte in Tirol und den Vorlanden zu wahren versuchte. Der älteste Sohn des Herrscherpaares, der hier zur Welt kam, erhielt den Namen Friedrich wohl zu Ehren des unglücklichen Tiroler Herzogs.

Bereits 1424 starb Herzog Ernst unter Hinterlassung von fünf unmündigen Kindern. Friedrich IV., der seit seinem Abkommen mit König Siegmund vom Jahre 1418 wieder Herr seiner Lande war und ein kluges und erfolgreiches Regiment führte, übernahm die Vormundschaft sowie die Regierung Innerösterreichs (Steiermark, Kärnten, Krain usw.), das Ernst innegehabt hatte. Über Jugend und Erziehung Friedrichs V. und seiner Geschwister wissen wir kaum etwas. 1429 verloren sie auch die Mutter, deren Witwensitz Wiener Neustadt gewesen war.

1431 vollendete Friedrich das 16. Lebensjahr und war damit nach dem Gewohnheitsrecht des habsburgischen Hauses mündig, es wurde aber die Vormundschaft bis zur Volljährigkeit des jüngeren Bruders Albrecht VI. ausgedehnt. Doch auch noch 1434 machte Friedrich von Tirol Schwierigkeiten mit der Entlassung seiner Neffen aus der Vormundschaft, und es mußte Herzog Albrecht V. als Schiedsrichter angerufen werden, der im Mai 1435 Friedrich dem Jüngeren die seinerzeit von seinem Vater Ernst regierten Lande zur Verwaltung zusprach. Es folgten langwierige Verhandlungen zwischen Onkel und Neffen um einzelne Erbstücke. Kaum hatte sich Herzog Friedrich V. mit seinem Vormund halbwegs verglichen, erwuchsen ihm neue Schwierigkeiten durch die energische Forderung des Bruders nach Mitregierung, und wieder mußte Albrecht V. vermittelnd eingreifen. Im Sommer 1436 konnte Friedrich endlich zu der lange und sorgfältig geplanten Jerusalemreise aufbrechen, um wie sein Vater zum Ritter des Heiligen Grabes geschlagen zu werden.

Während der Abwesenheit des jungen Herzogs erhob Kaiser Siegmund seinen Schwager Graf Friedrich von Cilli und dessen Sohn Ulrich feierlich in den Reichsfürstenstand. Für den innerösterreichischen Landesfürsten, in dessen Bereich die Grafschaften Cilli und Ortenburg lagen und nun seinem Einfluß vollkommen entzogen waren, bedeutete das einen schweren Schlag. Friedrich legte nach seiner Rückkehr sofort Protest ein, ohne indes etwas zu erreichen. Auch nach Siegmunds Tod (1437), als Friedrichs Vetter Albrecht die römisch-deutsche Krone zugefallen war, konnte keine Rücknahme der Maßnahme erfolgen, da Albrecht auf den mächtigen Ulrich von Cilli angewiesen war.

Am 24. Juni 1439 starb Herzog Friedrich von Tirol, und Friedrich der Jüngere wurde nun seinerseits Vormund des minderjährigen Vetters Siegmund und Regent von Tirol und den Vorlanden. Am 27. Oktober des gleichen Jahres starb König Albrecht ohne männlichen Erben, doch war seine Witwe Elisabeth schwanger. Herzog Friedrich, obwohl selbst erst 24 Jahre alt, war somit Senior des Hauses und kam in erster Linie als Erbe auch der Albertiner in Frage, so daß der habsburgische Hausbesitz wieder von einem einzigen Herrscher hätte verwaltet werden können. Friedrichs Bruder Albrecht war jedoch entschlossen, sich von diesem Zuwachs an Macht und Einfluß einen Teil zu verschaffen.

Brigitte Haller

44 *Bildnis Friedrichs als Herzog von Steiermark*
Steirischer Meister, um 1460.

Siehe S. 67.

Abb. 13

Tempera auf Nadelholz, 43,7 × 33 cm, Brustbild, halb seitlich nach links. Links oben weißer Cartellino mit Inschrift:

MCCCCXV wart er geborn, MCCCCXLI zum romischn Reich erwelt..., tzeit noch zum teitschen Kaiser.

Auf der Rahmenleiste spätere Inschrift:
1443 hat gegenwertiger roms Khonig Fridericuß die Pfar Fridberg den closter Vorau mit Friderico Ertzbischof von Saltzburg pleno Jure incorporiert zur Zeit des probst zu Vorau Andere Pranspeckh.

LIT.: Buchner, E., Das deutsche Bildnis, Berlin 1953, S. 113 f (mit Zusammenstellung der älteren Literatur). — Lhotsky, A., Festschrift II, Wien 1941, S. 56. — Meiss, M., Letters about Portraits of Frederic III, Burlington Magazine Vol. 103, London 1961, S. 189. — Eger, H., Ikonographie Kaiser

Am 25. Juli 1442 bestätigte Friedrich mit königlicher Machtvollkommenheit die den Herzogen von Österreich verliehenen Privilegien, wodurch diese zu „Erzherzogen" erhoben werden sollten. Am Dreikönigstag 1453 wiederholte er die Bestätigung und erklärte ausdrücklich, daß die Mitglieder der „steirischen Linie" Erzherzoge sein sollten. Obwohl Friedrich persönlich selten den Erzherzogstitel führte, ließ er sich doch einen eigenen „Erzherzogshut" nach dem Vorbild jenes Rudolfs IV. anfertigen, mit dem er auf dem Bildnis dargestellt ist.

Hanna Dornik

Friedrichs III., Phil. Diss., Wien 1965,
S. 13 ff.

*Graz, Steierm. Landesmuseum Joanneum,
Alte Galerie (Leihgabe des Stiftes Vorau).*

45 *König Friedrich IV. bestätigt die
österreichischen Hausprivilegien*

Original im Haus-, Hof- und Staatsarchiv in
Wien; 1442, Juli 25, Frankfurt.
LIT.: A. Lhotsky, Privilegium Maius, Öster-
reich Archiv, Wien 1957, S. 33.
Foto.

Abb. 24

Friedrich bestätigt auf Bitten seines Bruders Albrecht VI.
in seinem eigenen Namen sowie im Namen seiner Mündel
Ladislaus Postumus und Siegmund von Tirol die österreichischen Hausprivilegien. Die Bestätigung erfolgte mit
Bewilligung der Kurfürsten.

Gertrud Gerhartl

DIE ELTERN

Herzog Ernst der Eiserne hatte, nachdem seine erste Gemahlin, Margarethe von Pommern, kinderlos gestorben war, im Jahre 1412 aus politischer Berechnung, die seiner
Feindseligkeit gegen König Siegmund erwuchs, in Krakau Cimburgis von Masovien, die
Tochter des Piastenherzogs Ziemovit IV. und Nichte des Polenkönigs Wladislaw Jagello geheiratet, eine Frau, der Berichten zufolge ungewöhnliche Körperkraft eigen gewesen sein soll.

Ernst bestätigte 1414 als Regent der innerösterreichischen Ländergruppe die österreichischen Freiheitsbriefe, ließ sich in Kärnten huldigen und führte ab nun den Titel eines Erz-
herzoges. Sein Sohn Friedrich legte gelegentlich seiner Bestätigung der Privilegien, 1453,
ausdrücklich fest, daß die Mitglieder der steirischen Linie der Familie Erzherzoge sein
sollten.

Im Rahmen der Verwaltung seiner Ländergruppe entfaltete Ernst vornehmlich in Wiener
Neustadt rege Bautätigkeit, ein Beginnen, das ebenfalls von seinem Sohn Friedrich fortgeführt werden sollte.

1424 starb Ernst, jener kriegerische, rasch und energisch in Verfolgung seiner Pläne handelnde Herrscher, in Bruck an der Mur und fand im Zisterzienserkloster Rein bei Graz
seine letzte Ruhestätte. Die monumentale Grabplatte, ein hervorragendes Werk eines
Salzburger Bildhauers, trägt ein ganzfiguriges Relief des Herzogs. Seine äußere Erscheinung ist ferner durch eine Reiterfigur der St. Lamprechter Votivtafel, das Stifterbild des
Glasfensters aus der Gottesleichnamskapelle und die Miniatur in den Predigten des heiligen Augustinus gut belegt. Der Herzog dürfte von hochgewachsener Gestalt gewesen
sein, er besaß dunklen Teint, schwarzes Haar und Bart. Wie vor allem das Miniaturbild
zeigt, dürfte bei Ernst Progenie spontan aufgetreten sein, jene Kieferanomalie, die Friedrich von ihm erbte und die ab nun, weiter begünstigt durch burgundisches Erbgut, zu
einem dominierenden Merkmal des Habsburger-Familientypus werden sollte.

Im Gegensatz zu ihrem Gatten ist das Äußere der Cimburgis kaum belegbar. Zwei zeitgenössische Darstellungen, eine Glasmalerei in Wiener Neustadt, die korrespondierende Scheibe zum Votivbild Ernsts, und eine Büste unbekannter Entstehungszeit sind nicht erhalten. Da die Büste aber im Inventar des Gilg Sesselschreiber von 1513 erwähnt wird, darf angenommen werden, daß das Standbild am Grabe Maximilians nach einem naturgetreuen Vorbild gearbeitet worden war. Cimburgis soll von kräftiger, aber schöner Gestalt gewesen sein, ihr Wesen tiefe Frömmigkeit ausgezeichnet haben. Sie starb 1429 während einer Wallfahrt nach Mariazell und wurde in Stift Lilienfeld begraben.

Hanna Dornik

46 *Aus dem Grabe Erzherzog Ernsts*

a) Gewandfragment

aus dem Sarkophag Herzog Ernsts des Eisernen in Stift Rein († 1424).

L.: 134 cm, Br.: 63,5 cm, gleich der Stoffbreite von einer Webkante zur andern.

Goldbroschierter, wohl venezianischer Seidensamt mit braunem Atlasgrund, hochflorigem Muster aus Reihen abwechselnd blaugelber und gelbblauer kreisförmig geknüpfter Tuchschleifen mit hängenden Enden, dazwischen kleine, an chinesische Vorbilder erinnernde blaugoldene Blütenmotive (Rapport: 17 : 15,5 cm). (Das Gelb mag ursprünglich fast weiß gewesen sein.)

Die Form dieses größten Fragmentes läßt es als linken Vorderteil eines Schultermantels erkennen, die übrigen kleineren und kleinen stark zerfallenen Fragmente geben wenig kostümkundlichen Aufschluß. An zwei Stellen sind Rostspuren des aufliegenden Schwertes erhalten.

LIT.: P. Dr. Leopold Grill, Fundbericht im Marienboten des Stiftes Rein, 7. Jg. 1948, Nr. 2, S. 7. — Herrgott, Marquardt, Monumenta Austriaca, IV. Bd. Taphographia principum Austriae, St. Blasien im Schwarzwalde, 1772, p. 225 ff. mit Abbildung des Grabmales und seines Innern nach Salomon Kleiner. — Lehr, P. Alan, Collectaneum vel Diplomatarium Runense. Abschrift im Stmk. Landesarchiv, Ms 527, X Bände 19. Jh., Tom. II., P. I., S. 422 ff. — Smola, Gertrud, Das Grabgewand Herzog Ernsts des Eisernen, ein Samtbrokat des frühen 15. Jh., in: Festschrift zur 150-Jahrfeier des steierm. Landesmuseums Joanneum (im Druck).

Graz, Museum für Kulturgeschichte und Kunstgewerbe (Leihgabe des Stiftes Rein).

Das Ornament entspricht fast genau den Schleifen, welche in den Miniaturen der für König Wenzel I. von Böhmen gemalten Handschriften und an andern in seinem Auftrag entstandenen Gegenständen in vielerlei Verwendung als sogenannte Liebesknoten erscheinen. Ebenso findet es sich am Grabmal des Giovanni Galeazzo Visconti, des ersten Herzogs von Mailand in der Certosa in Pavia, sowie in den für Galeazzo Maria Sforza gemalten Handschriften. König Wenzel scheint dieses Zeichen nicht nur als Imprese, sondern auch zur Verleihung an Mitglieder eines Ordens oder einer Ritter-Gesellschaft verwendet zu haben. In welcher unmittelbaren Bedeutung es für Herzog Ernsts Grabgewand gewählt wurde, konnte noch nicht festgestellt werden.

b) 2 Schwertfragmente

aus dem Sarkophag Herzog Ernsts des Eisernen in Stift Rein.

Großer Teil der Klinge:

L.: 69,3 cm, Br.: 1,7 bis 2,5 cm

Klingenansatz mit Griffansatz und Parierstange:

L.: 9,8 cm, Br.: 1,7 bis 2,5 cm; Länge der Parierstange 15,4 cm, Br.: 1,2 bis 3,7 cm.

Beide Teile stark korrodiert.

LIT.: Grill, P. Dr. Leopold, Fundbericht im Marienboten des Stiftes Rein, 7. Jg. 1948, Nr. 2, S. 7. — Herrgott, Marquardt, Monumenta Austriaca, IV. Bd. Taphographia principum Austriae, St. Blasien im Schwarzwalde, 1772, p. 225 ff. mit Abbildungen des Grabmales und seines Inneren nach Salomon Kleiner. — Lehr, P. Alan, Collectaneum vel Diplomatarium Runense, Abschrift im Stmk. Landesarchiv, Ms 527, X Bände, 19. Jh., Tom. II., P. I., S. 422 ff. — Smola, Gertrud, Das Grabgewand Herzog Ernsts des Eisernen, in Festschrift zur 150-Jahrfeier des steierm. Landesmuseums Joanneum (im Druck).

Graz, Museum für Kulturgeschichte und Kunstgewerbe (Leihgabe des Stiftes Rein).

c) Gürtelfragment und Schnalle

aus dem Sarkophag Herzog Ernsts des Eisernen im Stift Rein.

Länge des Fragments: 10,5 cm, Br.: 2 cm, Schnalle: L.: 2,8 cm, Br.: 2,5 cm

Ansatz zur Riemenbefestigung L.: 2,3 cm.

Ungefärbter rauher Lederriemen mit vier eingenieteten Lochrosetten mit Resten von Vergoldung.

LIT.: Herrgott, Marquardt, wie oben. — Smola, Gertrud, wie oben.

Graz, Museum für Kulturgeschichte und Kunstgewerbe (Leihgabe des Stiftes Rein).

47 *Figuren für das Grabmal Maximilians I.*

41 Blätter, Papier, 420 × 288 mm, Innsbruck, Atelier des Jörg Kölderer, 1522/23.

LIT.: Ausstellung Maximilian I., Nr. 209. —

Siehe das Foto nach Marquard Herrgott, Taphographia Principum Austriae, Part II., Tom. IV., Tab. XXI, St. Blasien 1772.

Die geöffnete Gruft Erzherzog Ernsts des Eisernen und seiner ersten Gemahlin Margarethe von Pommern im Stift Rein, Steiermark. Daneben dargestellt: Schwert und Gürtelfragmente. Salomon Kleiner del. / Nicolai scul(ps).

Salomon Kleiner zeichnete noch ein rundes, kugel- oder scheibenförmiges Griffende, welches 1948 aber nicht mehr gefunden werden konnte.

Schnalle rechteckig, mit abgeschrägten Kanten an der Oberfläche, Seiten leicht aufwärts gebogen. Am Mittelstab ein Doppelblatt befestigt, zwischen welchem der Lederriemen mit zwei Nieten befestigt war; Bronze mit Resten der Vergoldung.

Gertrud Smola

Als Jörg Kölderer im Jahre 1522 die Leitung der Arbeiten an dem 1502 begonnenen Grabmal Maximilians in Innsbruck übernahm, ließ er in seinem Atelier kolorierte Feder-

Ausstellung „Österreich-Tirol 1363—1963", Innsbruck, Nr. 77.

Wien, Nationalbibliothek, Cod. Vind. 8329.

zeichnungen aller Statuen anfertigen, die schon fertig waren, sowie Kopien von den Entwürfen Gilg Sesselschreibers für die noch ausständigen Figuren. Unter diesen farbigen Zeichnungen befindet sich auch die Figur der Cimburgis von Masovien, der Mutter Friedrichs.

48 *Augustinus, Predigten mit deutscher Reimübersetzung*

34 Blätter, Pergament, 233 × 162 mm. Außer dem ganzseitigen Widmungsbild noch eine Bildinitiale und mehrere andere Initialen. Um 1415/1420.

LIT.: Holter-Oettinger, S. 96—97. — Unterkircher, F., Namen, die noch nicht im Thieme-Becker stehen, in: Festschrift zum 70. Geburtstag Josef Weingartners, Innsbruck 1955, S. 181—183. — Köppl, H., Codex Vindobonensis Ser. n. 89. Eine deutsche Reimübersetzung zweier Augustinischer Sermones. Wiener Dissertation, 1965.

Wien, Nationalbibliothek, Cod. Vind. Ser. n. 89.

Das Werk ist vom Stift Reun in Steiermark seinem Gönner, Herzog Ernst dem Eisernen, gewidmet, an den ein Gedicht am Ende des Textes gerichtet ist:

> Hochgepornner fürst vnd gnediger herre,
> Glück vnd selde got euch mere
> Rewn ewer stift vergesset nicht
> Zu ewern gnaden guet zu versicht
> Haben wir an allen wang,
> Got mach euch ewer leben lang.

Das Bild am Anfang des Buches zeigt Herzog Ernst im Gebet vor einer „Schönen Madonna". Der Meister der Miniaturen ist Heinrich Aurhaym.

Franz Unterkircher

49 *Grabplatte Herzog Ernst des Eisernen*

Rötlicher Marmor, 268 × 143 cm. Inschrift: Anno domini MCCCCXXIIII mensis junii obiit serenissimus princeps dominus Arnestus archidux Austrie stirie Karinthie Karniole et cet. Requiescat in sancta pace. — Salzburger Bildhauer, erste Hälfte 15. Jhdt.

LIT.: Herrgott, Topographia, Pars I, Freiburg im Breisgau 1772, S. 225 ff. — Garzarolli v. Thurnlack, K., Mittelalterl. Plastik in der Steiermark, Graz 1941, S. 55.

Zisterzienserstift Rein, Steiermark, Seitenkapelle der Kirche.
Foto

Die Platte mit einer ganzfigurigen Darstellung des Herzogs wurde wahrscheinlich über Auftrag seines Sohnes Friedrich hergestellt.

Hanna Dornik

50 *Erzherzog Ernst der Eiserne mit seinen Söhnen*

Abb. 1

Glasmalerei, 69 × 46,5 cm, wahrscheinlich vor 1424, Wien.

Inschriften in gotischen Minuskeln. Am oberen Rande: arnestus.archidux.au(s)trie.
Im Spruchband: miserere.n(ost)ri. d(omi)ne.
Die Technik ist hervorragend. Das Gewicht liegt auf der Zeichnung, der sich die Model-

Vor dem Erzherzog knien drei seiner Söhne, Friedrich, Albrecht und Ernst (†1432). Während die Knaben in weiche Stoffkleider mit Beutelärmeln gekleidet sind, erscheint Ernst in voller Rüstung mit Arm- und Beinzeug, Plattenschuhen und Eisenhandschuhen. Über dem Kettenhemd trägt er den mit den Adlern von Alt-Österreich bestickten

lierung durch den in den Gewändern dünner, in der Architektur dichter aufgetragene Halbton unterordnet.

Die stilistischen Beziehungen in den Formeln der Gesichtszüge wie der Gewandfalten sind so eng zu den Engeln des Architekturfensters von Maria am Gestade, daß die Entstehung in ein- und derselben Werkstätte angenommen werden muß. Nur hat die Linie hier ein stärkeres Eigenleben gewonnen, die Handschrift ist ausgeschriebener. Mit Rücksicht auf die allgemeinen Entwicklungstendenzen müssen also die Ernst-Scheibe und die zugehörigen Glasgemälde der Gottesleichnamskapelle (vgl. Kat.-Nr. 39) von Maria am Gestade abgeleitet werden.

LIT.: Frodl-Kraft, Eva, Die Mittelalterlichen Glasgemälde in Wien, Corpus Vitrearum Medii Aevi, Österreich, Bd. 1, 1962, S. 129, Abb. 247. Siehe dort die weitere Literatur. Katalog „Die Gotik in Niederösterreich", Krems-Stein 1959, Kat.-Nr. 151. — Kieslinger, I., S. 31, 59, II, S. 28; — Suida, W., Österreichs Malerei in der Zeit Erzherzogs Ernst des Eisernen und König Albrecht II., Wien (1926), S. 9. — Oettinger, K., Jb. der kunsthistor. Slgn. in Wien, N. F. X (1936), S. 71—77.

Wien, Österr. Museum für angewandte Kunst, Inv.-Nr. Gl 2842/29.093.

Waffenrock, ein Adlerflug ist auch das Kleinod des grand bacinet, mit abgenommenem Visier und geschobenem Halsteil, um den eine Ordenskette gelegt ist. Für die Frühzeit des 15. Jahrhunderts sind die kleinen Muscheln an den Kniekacheln und das Festhalten am Kettenkragen bezeichnend. Die Hallenarchitektur ist mit Ausnahme der Decke in Schrägansicht von links wiedergegeben, die Scheibe war also in Symmetrie zu dem verlorenen Gegenstück mit den beiden Frauen des Herzogs auf die ebenfalls verlorene Scheibe in der Mittelachse ausgerichtet.

Mit Friedrich könnte am ehesten der hinter seinen beiden Brüdern kniende Knabe identifiziert werden.

Eva Frodl-Kraft

FRÖMMIGKEIT UND VOTIVBILDER

Friedrichs persönliche Frömmigkeit ist von seinen Zeitgenossen niemals angetastet worden, von seinen Lobrednern wurde sie hervorgehoben. Er soll täglich drei Messen gehört, seinen Andachtsübungen pünktlich gefolgt sein, vor allem aber die himmlische Mutter Maria ergeben verehrt haben. Bereits 1429 wurde Friedrich als Mitglied in die Bruderschaft Unserer Lieben Frau in Innsbruck aufgenommen, weitere konkrete Beweise für des Monarchen Frömmigkeit mögen neben zahlreichen geistlichen Stiftungen die Gründung des St.-Georg-Ritterordens und die Betreibung der Heiligsprechung Markgraf Leopolds liefern.

Wenn Friedrich in Bildern — eigenartigerweise lediglich in Werken der steirischen Malerei — als heiliger Sebastian, Oswald oder im Grazer Dom als heiliger Christophorus entgegenritt, so mag dies bestätigen, daß der Fürst den Kult bestimmter Heiliger besonders pflegte. Künstlerisches Zeugnis von Friedrichs Marienverehrung legt das Rosenkranzbild der St. Andreaskirche zu Köln ab. Einem Bericht in einem Bruderschaftsbuch aus dem Jahre 1631 zufolge, sollte, als Neuß bedroht war, von Karl dem Kühnen erobert zu werden, die Kölnische Rosenkranzbruderschaft erneuert werden. Nach Beseitigung der Gefahr wurde am 8. September 1474 ihre Wiedererrichtung durch ein großes öffentliches Fest gefeiert, dem der Kaiser mit glänzendem Gefolge beiwohnte. Darauf trug Friedrich seinen Namen, den seiner bereits 1467 verstorbenen Gemahlin Eleonore und seines Sohnes Max in das Bruderschaftsbuch ein und ließ zum Andenken an die Feier der Wiedererrichtung der Rosenkranzbruderschaft das Tafelbild malen.

Hanna Dornik

51 *Flügel eines Altares aus St. Oswald am Tauern*

Steirischer Meister, um 1460.
Tempera auf Fichtenholz, 151 × 65 cm.
LIT.: Suida, W., Die Landesbildergalerie in Graz, Augsburg-Wien 1923, S. 5. — Pächt, O., Österreichische Tafelmalerei, Augsburg 1926, S. 63. — Stange, A., Malerei der Gotik, Bd. 11, München-Berlin 1961, S. 66.
Graz, Landesbildergalerie, Inv.-Nr. 993.

Siehe S. 67 ff.

Der Flügel, Rest eines Altares, dessen übrige Teile fehlen, ist beiderseitig bemalt. Die Außenseite trägt die Darstellung eines Verkündigungsengels, die Innenseite das Bild des heiligen Oswald, des Königs von Northumbrien. Das ins Dreiviertelprofil gewandte Antlitz des Heiligen zeigt die Züge Friedrichs III., wie sie vom Bildnis des Monarchen als Herzog her bekannt sind.
Sowohl das Porträt, als auch der Altarflügel scheinen aus demselben Werkstattkreis der Gegend um Judenburg zu stammen.

52 *Altarflügel aus der Spitalkirche zu Obdach*

Steirischer Meister, um 1470.
Tempera auf Holz, 160 × 75 cm. Die Heiligen Florian und Sebastian.
LIT.: Lehmann, A., Das Bildnis bei den altdeutschen Meistern bis auf Dürer, Leipzig 1900, S. 139. — Eger, H., Ikonographie Kaiser Friedrichs III., Phil. Diss., Wien 1965, S. 15.
Obdach, Steiermark, Spitalskirche. (Im Besitz der Agrargemeinschaft der Bürgerschaft Obdach.)

Abb. 43

Der heilige Sebastian trägt die Züge Kaiser Friedrichs III., wobei sich der Maler der Vorlage des Bildnisses Friedrichs als Herzog sowie der 1468/69 von Bertoldo di Giovanni geprägten Medaille bedient haben dürfte.

53 *Tafelbild aus der St.-Andreaskirche zu Köln*

Meister von St. Severin (?), um 1500.
Tempera auf Eichenholz, 222 × 165 cm. Maria als Rosenkranzkönigin, Mitteltafel eines Triptychons. Unterschrift: Anno 1474 ipso christiferae virginis natali renovata est fraternitas rosarii admodum indulgentiis ac diversis pontificibus in hoc altari praedotata.
LIT.: Schnütgen, A., Das alte Rosenkranzbild, Zeitschr. f. christl. Kunst 3 (1890), S. 17 ff. — Lehmann, A., Das Bildnis bei den altdeut-

Maria als Rosenkranzkönigin breitet ihren Mantel über die von den Heiligen Dominicus und Petrus Martyr Empfohlenen: Papst Sixtus IV., Kaiser Friedrich III., Eleonore und Maximilian. In der Verbindung der Themen Rosenkranzkönigin und Schutzmantelmadonna ist dieses Tafelbild das wahrscheinlich früheste Beispiel eines später volkstümlich gewordenen Typus.

Hanna Dornik

schen Meistern, Leipzig 1900, S. 212 f. —
Baldass, L., Die Bildnisse Kaiser Maximilians,
Jb. d. kh. S., Bd. 31, Wien 1913, S. 253 f. —
Breuer, J., Die Stifts- und Pfarrkirche Sankt
Andreas zu Köln, Köln 1925. — Kisky, H.,
Die Restaurierung des Rosenkranzbildes,
Rheinische Kirchen im Wiederaufbau, Mön-
chengladbach 1951. — Stange, A., Deutsche
Malerei der Gotik, Bd. 5, München-Berlin
1952, S. 109. — Eger, H., Ikonographie Kai-
ser Friedrich III., Phil. Diss., Wien 1965,
S. 103.

Köln, St. Andreaskirche.

RESIDENZEN

Siehe den Beitrag S. 132 ff.

54 *Die landesfürstliche Burg in Innsbruck, nördlicher Teil*
Photographie nach dem Aquarell von
Albrecht Dürer (Wien, Albertina), während
seiner ersten Italienreise 1494/95 angefertigt.
LIT.: Dreger, M., Zur ältesten Geschichte
der Innsbrucker Hofburg. Kunst u. Kunsthandwerk 24, Wien 1921, S. 133—201. Mit
25 Abb. — Dreger, M., Eine Ansicht der
Burg Kaiser Maximilians in Innsbruck. Zeitschrift des österr. Ingenieur- und Architek-
tenvereines 1930, Heft 33/34, S. 272—275.
Mit 3 Abb. Wiederabgedruckt in Tiroler Heimatblätter 11, Innsbruck 1933, S. 1—5. —
Hammer, H., Kunstgeschichte der Stadt
Innsbruck, Innsbruck 1962, S. 85 ff. —
Dreger, M., Baugeschichte der k. k. Hofburg
in Wien bis zum 19. Jahrhunderte, Wien
1914, Österr. Kunsttopographie 14, Abb. 31
und 32.

Die Innsbrucker Residenz war zur Zeit Friedrichs III.
eine richtige „Burg", entlang des östlichen Stadtgrabens,
mit einem schmalen länglichen Innenhof. Das zweite,
gleichzeitig von Dürer angefertigte Aquarell zeigt den
südlichen Teil der Burg, so daß wir den eigentlichen
Wohntrakt an der Ostseite vollständig überblicken können. Er ist ein zweigeschoßiger Bau mit hohem, steilen
Satteldach, unterbrochen durch ein Treppentürmchen mit
gedeckten Freitreppen bis zum ersten Stock, als Zugang
zum „Saalbau". Die drei übrigen, der Stadt zu gelegenen
Trakte, bestanden aus niedrigen Baulichkeiten mit einem
einzigen Obergeschoß. An der Nordwestecke und in der
Mitte der südlichen Schmalfront erhoben sich je ein Turm
mit Erkern und hohem gotischen Walmdach, wobei der
südliche Turm zugleich der Torturm der Burg war. Hinter der Quergalerie im Norden stand die Hinterburg, ein
hoher, reich mit Erkern besetzter Bau, der vermutlich
doch schon zur Zeit Herzog Sigmunds und nicht erst
unter Maximilian I. aufgeführt worden sein dürfte. Die
Gewölbe dieser Hinterburg sind in der heutigen Innsbrucker Hofburg noch vorhanden. 1510 erfolgten unter
Maximilian I. wesentliche Um- und Zubauten, die gleich
älteren Teilen in der Hofburg Maria Theresias aufgegangen sind. Im Gegensatz zur Innsbrucker Hofburg hat die
Grazer Burg nicht die fürsorgliche Aufmerksamkeit der
Kaiserin erregen können und geriet immer mehr in
Verfall.

55 *Die landesfürstliche Burg in Graz*
a) *Ansicht des ersten Burghofes um 1854.*
Photographie nach einem Aquarell von Josef
Kuwasseg (Österr. Nationalbibliothek).

Rechts ist der noch bestehende, von Erzherzog Karl II.
von Innerösterreich 1570/71 erbaute Osttrakt, links der
1854 abgetragene Palas zu sehen.

LIT.: Thiel, V., Die landesfürstliche Burg in Graz und ihre historische Entwicklung, Wien 1927, Beiträge zur Kunstgeschichte Steiermarks und Kärntens 3. — Popelka, F., Zur ältesten Geschichte der Stadt Graz, Graz 1919. — Popelka, F., Geschichte der Stadt Graz, Bd. 1, 2, Graz 1928—1935. Unveränderter Neudruck 1959—1960. — Popelka, F., u. Semetkowski, W., Das Grazer Stadtbild, Wien 1923, Österreichische Kunstbücher 37/38.

An der von Friedrich III. begonnenen Burganlage hat vor allem sein Sohn Maximilian I. weitergebaut. Unter ihm erhielt der Palas seinen zweiten Stock sowie den Verbindungsflügel zur Hofkirche. Vor allem setzte er den Bau jenes fast quadratischen Gebäudekomplexes fort, der die Ecke des Stadtmauergürtels füllte. Das heute noch erhaltene Viereck umschließt einen Hof, in welchem man durch den mächtigen Torbogen gelangt, der im Hintergrund unserer Ansicht zu sehen ist. Westlich von diesem Torbogen der Eingang mit der ebenfalls unter Maximilian I. erbauten Doppelwendeltreppe. Über dem Torbogen Flugband mit AEIOU als Devise sowie Schild mit dem Monogramm Friedrichs III. Östlich des Torbogens war die unter Friedrich III. erbaute Kammerkapelle, deren Gewölbe im sogenannten Kapellenzimmer noch erhalten sind.

Von diesem Gebäudemassiv zog sich entlang der Stadtmauer bis zur „Friedrichsburg" ein ebenfalls schon von Friedrich III. erbauter „langer stock", der die Stallungen enthielt. Die „Friedrichsburg", an Stelle des alten landesfürstlichen Schreibhofes 1438 als Bergfried errichtet, wurde noch unter Friedrich III. zum landesfürstlichen Zeughaus, um 1660 zum Vizedomamtsgebäude. Sie wurde 1838 abgebrochen, obwohl der Zustand des Gebäudes nicht so schlecht war, daß es nicht erhaltungsfähig gewesen wäre.

55 b) *Portal der Grazer Hofkirche Friedrichs III.*

LIT.: Kohlbach, R., Der Dom zu Graz. Die fünf Rechnungsbücher der Jesuiten, Graz 1948, S. 11 und Abb. 6. — Oer, F. v., Die Grazer Domkirche und das Mausoleum Ferdinands II., Graz 1915.

Foto.

Das oftmals abgebildete Westportal der von Friedrich III. erbauten Grazer Hofkirche, des heutigen Domes, mit je zwei Wappenschildern links und rechts der Kreuzrose und zwar rechts der übrigens erst seit Friedrich III. doppelköpfige kaiserliche Adler, darüber die Kaiserkrone, links das durch Friedrichs Vermählung mit Eleonore bedingte Wappen Portugals, unter diesem der steirische Panther und diesem gegenüber der Bindenschild. In den Flugbändern die Devise AEIOU und die Jahreszahl 1456. In den Gewölbezwickeln und auf den Schlußsteinen des Gewölbes im Langhaus das eigentliche Wappenprogramm des Kaisers.
Die stehenden Figuren in den Nischen sind neugotisch. Eine genaue Vermessung des Grazer Domes erfolgte erst 1965. Die Vermessungspläne im Besitze der Steiermärkischen Landesbibliothek am Joanneum.

55 c) *Ansicht des Schloßberges und der Stadt Graz um 1634*

Photographie nach dem Stich von Martin Zeiller in Matthäus Merian: Topographia Provinciarum Austriacarum Austriae, Styriae, Carinthiae, Carniolae, Tyrolis. Frankfurt 1649.

Die älteste Grazer Stadtansicht zeigt das Gottesplagenbild von 1480 am Grazer Dom, das jedoch so schwer gelitten hat, daß die zudem dürftigen und ungenauen Grazer Bilder kaum mehr sichtbar sind. Bedeutungsvoll sind die Grazer Ansichten von Daniel Meißner in der 1642 in Nürnberg erschienenen „Sciographia cosmica", und des Stechers Gaspar Bouttats von ca. 1680, da beide

Kupferstiche auf einem Holzschnitt von 1532 zurückgehen und daher noch die mittelalterlichen Ringmauern und die mittelalterliche Befestigung des Schlosses am Berg zeigen.

Der Grazer Stich in Merians „Topographia" geht auf ein vom Grazer Festungsbaumeister Laurentius van de Sype begonnenes und nach seinem Tode 1634 vom Kupferstecher Wenzel Hollar vollendetes Blatt zurück. Bis zu der 1700 von Andreas Trost verfertigten Ansicht wurde das Blatt von Van de Syde-Hollar unzählige Male nachgestochen.

Beherrschend das Schloß am Berge, deutlich erkennbar die von Friedrich III. begonnene Burganlage am Fuße des Berges mit der „Friedrichsburg", welche unter T als Zeughaus bezeichnet ist und die unmittelbare Verbindung entlang der Stadtmauer zwischen Burg und Schloß. Vorgelagert der inneren Stadtmauer ist das erst unter Erzherzog Karl II. von Innerösterreich geschaffene Paulustorviertel.

Die wichtigste Umgestaltung hatte das Schloß unter Ferdinand I. erfahren. 1544 begann nach den Plänen des Festungsbaumeisters Lazarus von Schwendi der Bau der Stallbastei auf dem Schloßberg, der als Kern der gesamten Verteidigungsanlage allseitig mit Bastionen umgeben werden sollte.

Berthold Sutter

55
d)

Wappenstein
vom Friedrichsbau der Grazer Burg, 1452.
H.: 111 cm, Br.: 101 cm, Dicke: 36 cm.
Sandstein, in der oberen Mitte Monogramm Friedrichs mit den eingefügten Buchstaben A E I O U, flankiert von 2 Schriftbändern mit der halbierten Jahreszahl 14 52. Darunter zwei Schilde mit dem ungekrönten Doppeladler bzw. dem Wappen von Portugal in Relief gehauen; linke obere Ecke abgeschlagen.

Spuren von dunkelblauer Bemalung in den Vertiefungen, z. B. der Burgen im Portug. Wappen und schwarze und rötliche Spuren am Doppeladlerwappen, neben Resten späterer gelblicher Übertünchung.

LIT.: Schreiner, Dr. Gustav, Grätz, ein naturhistorisch - statistisch - topographisches Gemählde dieser Stadt und ihrer Umgebungen. Graz, 1843, S. 213. — Bergner, Heinrich, Grundriß der kirchlichen Kunstaltertümer in Deutschland, Göttingen 1900, S. 333, Abb. 218, und Neuauflage Hand-

Nach dem Abbruch des Palas 1853/54 mit anderen Steinfragmenten dem Landesmuseum Joanneum übergeben, aber schwer zugänglich gelagert. Erst bei der Neueinrichtung nach 1945 in die Schausammlung des Museums für Kulturgeschichte und Kunstgewerbe übernommen.

Laut Schreiner, dessen Angaben auch Thiel übernommen hat, unter einem Fenster des Erkervorsprungs im ersten Stock als eine Art Balkonverzierung angebracht gewesen.

Gertrud Smola

buch der kirchlichen Kunstaltertümer, 1905,
S. 395 (dort falsch mit „Johanneum in Prag"
lokalisiert). — Thiel, Viktor, Die landes-
fürstliche Burg in Graz und ihre historische
Entwicklung, in Beiträge zur Kunstgeschichte
Steiermarks und Kärntens, hg. von Hermann
Egger, Wien, Graz, Leipzig, 1927, Bd. III,
S. 5, Abb. 23. — Lhotsky, Alphons, Die
sogenannte Devise Kaiser Friedrichs III. und
sein Notizbuch, Cod. Vind. Palat. n. 2674.
Jahrbuch der kunsthistorischen Sammlungen,
Wien, N. F., Bd. XIII, Wien 1944. — Sutter,
Berthold, Die deutschen Herrschermonogramme nach dem Interregnum, Festschrift
für J. F. Schütz, Graz 1954. — Steiermär-
kisches Landesmuseum Joanneum, Museum
für Kulturgeschichte und Kunstgewerbe,
Bildführer, Graz 1958, Abb. S. 2.

*Graz, Museum für Kulturgeschichte und
Kunstgewerbe, Inv.-Nr. 02146.*

56 *Linz, Friedrichstor*

LIT.: Oettinger, K., Schloß und Burg Linz
im Mittelalter. Kunstjahrbuch der Stadt
Linz 1964, S. 74—81. — Wibiral, N., Das
Friedrichstor in Linz. Ebenda, S. 81—85. —
Lhotsky, A., Der Wappenstein am Fried-
richstor der Burg zu Linz. Ebenda, S. 86—
91. — Lhotsky, A., Die sogenannte Devise
Friedrichs III. und sein Notizbuch cod.
Vind. Palat. n. 2674. Jahrbuch der Kunst-
historischen Sammlungen in Wien, N. F. 13,
Wien 1944, S. 79 u. Abb. 81. — Gall, F.,
Das ritterliche Spiel zu Linz von 1489/1490.
Ebenda 91—99. — Pfeffer, F., Die Geschich-
te der Burg zu Linz, Linz 1941.

Foto

Auf der Abbildung ist sehr deutlich der Wappenstein
erkennbar, dessen Original sich nunmehr im Schloßmuseum
befindet. In der Mitte die Symbole des Heiligen Römischen
Reiches (Kronen, darunter doppelköpfiger kaiserlicher
Adler), rechts davon das Monogramm Friedrichs III.,
links davon der Bindenschild, unter diesem das Wappen
des Landes ob der Enns, gegenüber der Steirische Panther.
Zwischen den beiden Schilden die Inschrifttafel, die zu
lesen ist mit: AEIOU 1481 / FRIDERICVS RO—/
MANORVM / IMPERATOR ETCetera.
Das Linzer Schloß, das in seinen Anfängen auf ein römisches Kastell zurückgeht, wurde von Friedrich III. bau-
lich ausgestaltet und erweitert. Nach dem Bericht der
1492 in Linz weilenden venetianischen Gesandtschaft war
„die Residenz fast ganz hölzern" und wenig ansehnlich.
Der Oberbau des Schlosses war kunstvoll gezimmert, die
Innenräume reich geschnitzt, das Dach mit Holzschin-
deln bedeckt. Als Audienzsaal diente ein „herrliches,
gemaltes Gemach". Stadtansichten des 16. Jahrhunderts
zeigen eine weitläufige Burganlage im gotischen Stile. Seine
heute noch erhaltene Form gab ihm Kaiser Rudolf II.,
der es in den Jahren 1604 bis 1614 umbauen ließ.
Seit dem 1477 erfolgten ersten Einbruch der Ungarn in
Niederösterreich hatte Linz militärische Bedeutung erhalten. Damals wurden die ausgedehnten Befestigungsanlagen
des Schlosses errichtet. Die am leichtesten angreifbare Seite
des Schloßberges gegen das Martinsfeld wurde durch eine
doppelte Verteidigungsanlage, eine Hauptmauer mit Wehr-

gang und Graben, Eckbastionen und dem starkbefestigten Torbau des Friedrichstores gesichert. Zur Erinnerung an die Vollendung dieser Befestigungsbauten wurde am Friedrichstor der Wappenstein (Pechnase) angebracht.

57 *Ansicht der Wiener Hofburg*

Ausschnitt aus dem Mittelstück eines Triptychons mit der Darstellung „Christus am Kreuze" in St. Florian.

LIT.: Dreger, M., Baugeschichte der k. k. Hofburg in Wien bis zum 19. Jahrhundert, Wien 1914 (Österr. Kunsttopographie 14). — Kühnel, H., Die Hofburg zu Wien. Graz, Köln 1964.

Foto

Siehe Kat.-Nr. 245.

Die älteste Urkunde, welche eindeutig von einer Wiener Burg spricht, ist mit 14. Februar 1279 datiert, doch gehen ihre Anfänge, wird vom Fürstenhof der Babenberger abgesehen, bereits auf Přemysl Ottokar zurück. Rudolfs I. Sohn, Albrecht, hat die Burg wesentlich erweitert. Friedrich III. hat die heute noch bestehende Burgkapelle gegründet, die ursprünglich nicht mit der Vorderseite, sondern auch mit der Chorseite viel freier dastand. Rekonstruierbar ist die Wiener Hofburg durch den Teilungsvertrag, der am 29. Mai 1458 zwischen Kaiser Friedrich III., seinem Bruder Erzherzog Albrecht VI. und seinem Vetter Herzog Sigmund von Tirol abgeschlossen wurde und durch den die Raumverteilung der Wiener Hofburg zwischen den Vertragspartnern geregelt wurde.

Von der Wiener Burg, in der Friedrich III. im Herbst 1462 belagert wurde, besitzen wir keine Innenansicht. Die vorhandenen Außenansichten zeigen wie der wiedergegebene Ausschnitt, spiegelverkehrt, die Wiener Burg als einen massiven Gebäudekomplex mit vier Ecktürmen. Die von Friedrich III. erbaute Kapelle tritt weit heraus. Die Wiener Burg gehörte wie die Grazer zur Verteidigungsanlage der Stadt.

58 *Privilegienbestätigung Friedrichs III. für Salzburg*

1458 Dezember 27, Graz.
Original mit Goldbulle, (verschollen).

LIT.: Sutter, B., Die deutschen Herrschermonogramme nach dem Interregnum. Festschrift für Julius Franz Schütz. Graz-Köln 1954, S. 313, Nr. 223. — Lhotsky, A., Die sogenannte Devise Kaiser Friedrichs III. und sein Notizbuch cod. Vind. Palat. n. 2674. Jahrbuch der Kunsthistorischen Sammlungen in Wien, N. F. 13, 1944/45, S. 94, Abb. 85. — Regest: Chmel, J., Regesta chronolico-diplomatica Friderici III. Romanorum regis. Bd. 1, 2. Wien 1838—1840, Nr. 2670. — Abb.: Kaiserurkunden in Abbildungen, Hrsg. v. H. v. Sybel und Theodor Sickel, Berlin 1880—1890. Lieferung XI, 2.

Wien, Haus-, Hof- und Staatsarchiv.

Kaiser Friedrich III. bestätigt dem Erzbischof von Salzburg die dem Erzstift von Kaisern, Königen und Herzogen verliehenen Privilegien und Handfesten. Fol. 20^v. Monogramm Friedrichs III., das mehrfach auf Bauten, Münzen und auf einzelnen seiner Siegel, bisher aber nur auf sieben feierlichen Urkunden dieses Kaisers nachzuweisen ist. Angekündigt wird das Monogramm durch die Signumszeile.

Signum serenissimi principis et domini, domini Friderici tercii Romanorum imperatoris semper augusti, Austrie, Stirie, Karinthie et Carniole ducis etc.

Eine der zahlreichen Urkunden, die Friedrich III. in seiner Grazer Residenz ausgestellt hat.

Berthold Sutter

59 *Kaiser Friedrich III. verleiht der durch Krieg, Baukosten und andere Aufgaben schwer belasteten Stadt Linz, der Hauptstadt des Fürstentums Österreich ob der Enns, das Recht, alljährlich einen Bürgermeister zu wählen und mit rotem Wachs zu siegeln.*

1490 März 10, Linz (Geben zu Lynntz an Mittichen nach dem Sonntag Reminiscere in der Vassten).

Kaiserliches Siegel (kleines Siegel ⌀ 4,5 cm; im Dreipaß das Adlerwappen des Reiches, der österreichische Bindenschild und das Wappen der Steiermark) aus rotem Wachs in farbloser Wachsschale (Siegel mit Wachsschale ⌀ 7,2 cm) an roter Seidenschnur hängend, die durch zwei Löcher an der 8 cm breiten Plica (Aufschrift: „Commissio domini Imperatoris propria") befestigt ist. Die Rückseite der Wachsschale trägt das kaiserliche Ringsiegel (gestrecktes Achteck — Höhe 1,8 Breite 1,2 cm — mit den drei angeführten Wappen, über dem Reichswappen die Reichskrone).

LIT.: Straßmayr, E., Die Linzer Stadtvertretung von ihren Anfängen bis zur Gegenwart, Jahrbuch der Stadt Linz, 1935, S. 66—88. — Hoffmann, A., Verfassung, Verwaltung und Wirtschaft im mittelalterlichen Linz, Heimatgaue 16. Jg., Linz 1935, S. 97—136. — Rausch, W., Linz in der Geschichte Österreichs, Historisches Jahrbuch der Stadt Linz 1961, S. 11—30 und ders., Linz in der Geschichte Österreichs, Ausstellungskatalog, Linz 1961, S. 25, Nr. 36.

Original-Pergament, 52,5 × 25,5 cm.
Archiv der Stadt Linz, Urk.-Nr. 220.

Die Urkunde zählt zu den wichtigsten der Stadt Linz. Mit der Verleihung des Rechtes, den Bürgermeister frei wählen zu dürfen, hatte sie den Höhepunkt in der Ausbildung bürgerlicher Rechte erreicht. Friedrich III. verlieh der Stadt, in deren Mauern er sich von 1489 bis zu seinem am 19. August 1493 erfolgten Tod aufhalten sollte, diese Gnade gewiß aus Dankbarkeit, aber wohl auch mit dem Hintergedanken, seine augenblickliche Residenz vor den anderen Städten des Landes (Freistadt hatte schon das Recht der Bürgermeisterwahl!) auszuzeichnen. In der Urkunde wurde Linz als die Hauptstadt des Fürstentums Österreich ob der Enns bezeichnet; Friedrich III. hat die Stadt nicht — wie es irrigerweise auch jetzt noch angenommen wird — mit dieser Urkunde zur Landeshauptstadt erhoben, sondern die Bezeichnung ganz selbstverständlich verwendet. Für ihn war Linz (wohl schon seit Albrecht VI.) einfach die Landeshauptstadt.

Wilhelm Rausch

DIE VORMUNDSCHAFTEN

1439 bzw. 1440 wurde Friedrich durch den plötzlichen Tod Friedrichs von Tirol und König Albrechts Vormund der unmündigen Erben der beiden anderen habsburgischen Linien.

Noch im Sommer 1439 hatte er sich nach Tirol begeben, wo er in Hall gelobte, die Hinterlassenschaft Friedrichs IV. genau inventarisieren zu lassen, damit der junge Herzog

Siegmund dereinst nicht zu Schaden komme, war aber wahrscheinlich schon damals entschlossen, die Kostbarkeiten für sich zu behalten.

Als Siegmund 1446 aus der Vormundschaft entlassen werden mußte, wurde das in Hall gegebene Versprechen für gegenstandslos erklärt, wodurch Friedrich in den Besitz nahezu des gesamten Schatzes der „Leopoldinischen Linie" gekommen war.

Ende 1440 wurde Ladislaus Postumus der Obhut Friedrichs anvertraut. Erst in diesem Jahr geboren, stand er wesentlich länger als Siegmund unter Vormundschaft. Auch bedeutete diese Vormundschaft für Friedrich die Auseinandersetzung mit weitreichenderen Problemen, war Ladislaus doch nicht nur der Erbe Österreichs, sondern auch der Königreiche Böhmen und Ungarn, die der Vormund gegen starke nationale Bewegungen für ihn hätte sichern sollen.

Friedrich hielt seine Mündel gegen die Wünsche ihrer Lande an seinem Hof zu Wiener Neustadt und Graz, er sorgte jedoch dafür, daß ihnen eine gute Erziehung zuteil werde. Eneas Silvius Piccolomini war auch hier sein Berater und verfaßte eigens einen Erziehungstraktat für Ladislaus, für Siegmund auch schon Liebesbriefe und die Mahnung, sein Leben nicht hinter Büchern zu verbringen.

Brigitte Haller — Hanna Dornik

60 *Bildnis des Erzherzog Siegmund des Münzreichen von Tirol (1427—1496)*

Süddeutsch unter niederländischem Einfluß, um 1480.
Föhrenholz, 42,5 × 33,5 cm. Brustbild, fast ganz nach rechts gewandt, in den Händen Rosenkranz.
LIT.: Wilde, J., Ein zeitgenössisches Bildnis, Jb. d. kh. S., N. F. IV, Wien 1930, S. 222. — Moeser, K., Die große Münzreform unter Erzherzog Siegmund von Tirol, 1936, S. 160. — Baldass, L., Zwei Bildnisse des späten Mittelalt., Öst. Rundschau, 1946, S. 120 f. — Dworschak, F., Zur Ikonographie Erzherzog Sigmunds, Tiroler Heimat, 1947, S. 93 ff. — Kat. d. Ausst. Gotik in Tirol, Innsbruck 1950, S. 33, Nr. 68. — Buchner, E., Das deutsche Bildnis, Berlin 1953, S. 118.
Wien, Kunsthistorisches Museum, Inv.-Nr. 1749.

Das Bildnis des greisen Herzog Siegmund von Tirol ist ein menschliches Dokument voll trefflicher Charakterisierung. Es ist durch die für die zweite Hälfte des 15. Jahrhunderts typische verbürgerlichte Auffassung des Fürstenbildnisses geprägt.

61 *Bildnis des Ladislaus Postumus (1440—1457)*

Meister von Maria am Gestade (?), um 1460. Pergament auf Holz, 32 × 27 cm. Originalrahmen, Brustbild, halb seitlich nach links.
LIT.: Baldass, L., Die altösterr. Tafelbilder, Wr. Jb. f. b. K., 5 (1922), S. 74. — Kat. d. Ausst. Gotik in Österreich, Wien 1926, S. 32,

Abb. 29

Das scharf profilierte Antlitz vermittelt vor allem durch die niedrige Stirne einen keineswegs lebenstüchtigen Eindruck. Ladislaus trägt das repräsentative, großornamentierte Hofkostüm mit dem hoch vernestelten Kragen.
Das Bildnis dürfte dem Verlobungsbild des Fürsten zugrundeliegen.

Nr. 40. — Wilde, J., Ein zeitgenössisches Bildnis, Jb. d. kh. S., N. F. IV, 1930, S. 222. — Kat. d. Gemäldegalerie, Wien 1938, S. 120. — Lhotsky, A., Festschrift I, S. 52 ff, II, Abb. 7. — Buchner, E., Das deutsche Bildnis, Berlin 1953, S. 114. — Stange, A., Deutsche Malerei der Gotik, Bd. 11, München-Berlin 1961, S. 44.

Wien, Kunsthistorisches Museum, Inv.-Nr. 1739.

62 *Verlobungsbild des Ladislaus Postumus und der Magdalena von Frankreich*

Meister von Maria am Gestade (?), um 1460. Lindenholz, 38,5 × 54 cm. Reichliche Brustbilder, einander halb seitlich zugewandt.

LIT.: Lazar, B., Studien zur Kunstgeschichte, 1917, S. 61 f. — Glück, G., Jb. d. kh. S., N. F. VIII, 1934, S. 173. — Buchner, E., Das deutsche Bildnis, Berlin 1953, S. 179. — Pigler, A., A Regi Képtár katalógusa, Budapest 1954, S. 424. — Stange, A., Deutsche Malerei der Gotik, Bd. 11, München-Berlin 1961, S. 44.

Budapest, Historische Bildergalerie im Museum der bild. Künste, Nr. 6960.

Magdalena, die Tochter Karls VII. von Frankreich, war 1443 in Tours geboren worden und starb 1495 in Pamplona. Ladislaus, lediglich Werkzeug in der Hand der eigentlichen Machthaber, der Grafen von Cilli, Eytzing und zuletzt des Georg Podiebrad sollte von diesem mit der französischen Prinzessin verheiratet werden, da sich der Böhme durch die Verbindung des französischen Einflusses für seine weiteren politischen Pläne versichern wollte. Während der Hochzeitsvorbereitungen starb Ladislaus am 20. November 1457.

Hanna Dornik

DIE WIRTSCHAFT

Siehe den Beitrag S. 167 ff.

Die Regierungszeit Friedrichs brachte den habsburgischen Erblanden Bedrohung durch äußere Feinde, und, was dem Land noch größeren Schaden brachte, Bürgerkrieg, Söldnerunruhen und zahlreiche Fehden. Eine solche Atmosphäre war der Wirtschaft sicherlich nicht günstig, doch konnte sich mitunter auch gesundes Wirtschaftsleben entfalten, wie aus zahlreichen Zeugnissen hervorgeht. Besonders der österreichische Bergbau nahm trotz der Ungunst der Zeiten bedeutsamen Aufschwung.

63 *Marktbuch der Stadt Grein*

Abb. 33

Pergamenthandschrift, 31,5 × 23,5 cm. 107 Blatt mit 17 Miniaturen. Ulrich Schreier, 1490.

LIT.: Holter, K., Das Greiner Marktbuch und der Illuminator Ulrich Schreier, Oberösterr. Heimatblätter 3 (1949).

Grein, Stadtarchiv.

Die Entstehung der Handschrift, welche die Privilegien des Marktes Grein enthält, hängt mit dem 1489 erfolgten Übergang von der landesfürstlichen Herrschaft unter jene der Herren von Prüschenk zusammen.
Aufgeschlagen ist die 1480 bezeichnete Miniatur: Friedrich in Rundbild mit den Wappen seiner Besitzungen. Im Hintergrund die Burgen von Linz und Wr. Neustadt.

64 *Wappenprivileg des Marktes Vordernberg*

Orig. Perg., 1453, Juli 14, Graz, Thronsiegel in Wachs.

LIT.: Kobel, L, Pirchegger, H., Steirische Ortswappen, Graz 1954. — Kraßler, J., Heraldische Mängel im neuen Ortswappenbuch von Kobel-Pirchegger, Mitteilungen des steiermärkischen Landesarchivs 6 (1956).

Graz, Steiermärkisches Landesarchiv: Diplom 1 c (Ständige Archivalienausstellung).

Der Wappenbrief für den Markt Vordernberg vom Jahre 1453 bietet eine Illustration zur Geschichte des steirischen Eisenwesens und seiner gesamteuropäischen Bedeutung, insbesondere aber auch der von Friedrich III. durchgeführten wichtigen Reformen im Sinne einer staatlichen Lenkung.

Alfred Hoffmann

MÜNZEN DER ZEIT FRIEDRICHS III.

Siehe den Beitrag S. 180 ff.

Das Münzwesen Friedrichs III. machte zwar durch Ausprägung mittlerer Silbermünzen und Wiederaufnahme einer Goldprägung gegenüber der früheren Zeit einen beträchtlichen Schritt vorwärts, gelangte aber keineswegs zu der Höhe, die sein Vetter Siegmund in Tirol durch Schaffung einer Großsilbermünze als Äquivalent des rheinischen Goldguldens erreichen konnte. Die „Schinderlingszeit" in den ausgehenden 50er Jahren mit ihren schlechten Münzen hatte der Bevölkerung viel Not und Elend gebracht, aber auch die darauf folgenden Jahrzehnte waren keineswegs eine Zeit einer allzu ruhigen Entwicklung.

Eine eindeutige Zuordnung der Gepräge Friedrichs III. an die entsprechende Münzstätte bzw. in den richtigen Zeitraum kann noch nicht bei allen Stücken erfolgen. Die Münzen selbst sind in der Komposition des Münzbildes oft recht ansprechend, in der Ausführung aber auf Grund technischer Mängel nicht immer gut gelungen. Bei der Beschreibung der Stücke wurde nur das Wesentliche berücksichtigt. Die Schrift- und Zahlzeichen sind auf den Münzen in zeitgenössischer Art gegeben, hier werden sie mit modernen Schrifttypen gebracht.

LITERATURABKÜRZUNGEN:

L = Luschin v. Ebengreuth, Arnold, Das Münzwesen in Österreich ob und unter der Enns im ausgehenden Mittelalter. Jb. f. Landeskunde v. N. Ö., N. F., 13. u. 14. Jg. (1914 u. 1915), S. 252 ff.; 15. u. 16. Jg. (1916 u. 1917), S. 367 ff.

Pichler = Pichler, Friedrich, Repertorium der steirischen Münzkunde. III. Bd., Graetz 1875, S. 99 ff.

Moeser-Dworschak = Moeser, Karl, u. Dworschak, Friedrich, Die große Münzreform unter Erzherzog Sigmund von Tirol. Wien 1936.

Sämtliche ausgestellten Münzen sind Besitz der Bundessammlung von Medaillen, Münzen und Geldzeichen, Wien (Kunsthistorisches Museum).

MÜNZSTÄTTE WIEN

FRIEDRICH III.

65 *Pfennig o. J.*   *Abb.: 32, Nr. 1.*

Einseitig: Im Dreipaß Bindenschild, umge-
ben von den Buchstaben F-R-I (dericus).
Silber, 16 mm, 0,59 g.
LIT.: L Abb. 19 a.
Inv.-Nr. 173.271.

66 *Hälbling o. J.*

Wie vorher.
Silber, 14 mm, 0,22 g.
LIT.: Zu L Abb. 19 a.
Inv.-Nr. 417 aα.

LADISLAUS POSTUMUS (1452—1457)

67 *Pfennig o. J.*

Einseitig: Im Dreipaß bekrönter Bindenschild
zwischen den Buchstaben L(adislaus)—R(ex).
Silber, 16 mm, 0,47 g.
LIT.: L Abb. 16.
Inv.-Nr. 4.330 aα.

MÜNZSTÄTTE WIENER NEUSTADT

FRIEDRICH III.

68 *Kreuzer 1456*   *Abb.: 32, Nr. 2.*

Vs.: Vier kreuzweise gestellte Wappenschilde:
senkrecht Doppeladler und einfacher Adler,
beides wohl römisch-deutsches Reich, in der
Quere Löwen- und Bindenschild, d. i. Habs-
burg und Österreich. + FRIDERIC (us) RO
(manorum) IMPERA (tor).
Rs.: Kaisermonogramm mit den Buchstaben
AEIOV. + ANNO DOMINI 1 4 5 6.
Silber, 20 mm, 0,76 g.
LIT.: L Abb. 35.
Inv.-Nr. 374 aα.

Dieser Kreuzer und ein Grazer Pfennig von demselben
Jahr zählen zu den frühesten österreichischen Münzen mit
einer Jahresangabe. Die Buchstabenfolge AEIOV, die man
verschiedentlich auflöste, wurde von Friedrich III. als ein
persönliches Eigentumszeichen verwendet. Er ließ es an
Gebäuden, in Büchern, auf anderen Gegenständen und auf
Münzen anbringen.

69 *Pfennig o. J.*
Einseitig: Im Dreipaß bekrönter Binden-
schild zwischen den Buchstaben F(ridericus)
I(mperator).
Silber, 15 mm, 0,39 g.
LIT.: L Abb. 36.
Inv.-Nr. 430 aα

70 *Pfennig (Schinderling) o. J.*   *Abb.: 32, Nr. 3.*
Wie vorher.
Schlechtestes Silber, 14 mm, 0,49 g.
LIT.: Zu L Abb. 36.
Inv.-Nr. 428 aα.

MÜNZSTÄTTE GRAZ

FRIEDRICH III.

71 *Pfennig o. J.*
Einseitig: Im Dreipaß Bindenschild, umge-   Vom Wiener Stück dieses Typus nur unterschieden durch
ben von den Buchstaben F-R-I(dericus).   eine andere Form des Buchstabens F.
Silber, 17 mm, 0,50 g.
LIT.: L Abb. 19 b.
Inv.-Nr. 177.665.

72 *Kreuzer 1458*   *Abb. (Rs.): 32, Nr. 4.*
Vs.: Schild mit Doppeladler. FRI(dericus)
D(ei) G(ratia) RO(manorum) IMPERATOR.
Rs.: Gevierter Schild: 1,4 Bindenschild
(Österreich), 2,3 Panther (Steiermark). MO-
NETA IN GRECZ 1 4 5 8.
Silber, 18 mm, 0,68 g.
LIT.: Pichler Abb. 30.
Inv.-Nr. 456 aα.

73 *Pfennig 1456*   *Abb.: 32, Nr. 5.*
Einseitig: Im Dreipaß Bindenschild, umge-
ben von den Buchstaben F-R-I(dericus). In
den oberen Winkeln des Dreipasses 5—6.
Silber, 15 mm, 0,47 g.
LIT.: L Abb. 20.
Inv.-Nr. 419 aα.

74 *Pfennig 1458*

Wie vorher, nur sind die Ziffern in 5—8 geändert.

Silber, 16 mm, 0,34 g.

LIT.: L Abb. 21.

Inv.-Nr. 173.349.

OBERÖSTERREICH: Ehg. Albrecht VI. (1458—1463)

MÜNZSTÄTTE LINZ

75 *Kreuzer o. J.*

Vs.: Unter einer Zackenkrone das Fünfadler-wappen (Österreich unter der Enns).
+ ALBERTVS ARCHIDVX AVSTRI(ae).
Rs.: Vier kreuzweise gestellte Wappenschilde: senkrecht Bindenschild, Österreich ob der Enns, waagrecht Steiermark, Kärnten. MO-NETA NOVA LINCENSIS.

Silber, 18 mm, 0,86 g.

LIT.: L Abb. 23.

Inv.-Nr. 173.352.

MÜNZSTÄTTE FREISTADT

76 *Kreuzer o. J.*

Vs.: Vier kreuzweise gestellte Wappenschilde: senkrecht Bindenschild, Österreich ob der Enns, waagrecht Kärnten, Steiermark. AL-BERT(us) ARCHIDVX AVSTRI(ae).
Rs.: Unter einer Zackenkrone das Fünfadler-wappen. MONETA NOVA DE FRISTAT.

Silber, 18 mm, 1,16 g.

LIT.: L Abb. 24.

Inv.-Nr. 4.337 aα.

MÜNZSTÄTTE ENNS

77 *Kreuzer o. J.*

Vs.: Vier kreuzweise gestellte Wappenschilde: senkrecht Bindenschild, Windische Mark, waagrecht Kärnten, Steiermark. AL(bertus) ARC(hidu)X AVSTR(iae).

Rs.: Wappenschild des Landes ob Enns. MO-
NETA NOVA ENSIE.
Silber, 19 mm, 0,69 g.
LIT.: L Abb. 27.
Inv.-Nr. 173.353.

78 *Pfennig o. J.*
Vs.: Wappenschild des Landes ob der Enns.
Rs.: E(nns).
Silber, 15 mm, 0,57 g.
LIT.: L Abb. 28.
Inv.-Nr. 4.356 aα.

79 *Pfennig (Schinderling) o. J.*
Einseitig: Im Dreipaß Bindenschild, umge-
ben von den Buchstaben A-L-(brech)T.
Schlechtestes Silber, 13 mm, 0,48 g.
LIT.: L Abb. 30.
Inv.-Nr. 173.356.

80 *Pfennig o. J.*
Einseitig: Im Dreipaß Wappenschild des
Landes ob der Enns.
Silber, 14 mm, 0,47 g.
LIT.: L Abb. 34.
Inv.-Nr. 4.358 aα.

81 *Hälbling o. J.*
Einseitig: Wappenschild des Landes ob der
Enns.
Silber, 11 mm, 0,19 g.
LIT.: Zu L Abb. 34.
Inv.-Nr. 198.565.

FRIEDRICH III., AB 1460 BIS CA. 1480

MÜNZSTÄTTE WIEN

82 *Pfennig 1460*
Einseitig: Im Dreipaß Bindenschild, umge-
ben von den Buchstaben F(ridericus) I(m)-
P(erator). Das I ist von der abgekürzten
Jahreszahl 6-0 begleitet. Im unteren Winkel

Prägung des Wiener Münzmeisters Niclas Teschler nach
Ende der Schinderlingszeit.

des Dreipasses die Buchstaben T(eschler) W(ien).
Silber, 13 mm, 0,44 g.
LIT.: L Abb. 39.
Inv.-Nr. 28.574 aα.

83 *Pfennig o. J.*   *Abb.: 32, Nr. 6.*
Einseitig: Im Dreipaß Wiener Kreuzschild,   Prägung der Wiener Hausgenossen gemeinsam mit dem
umgeben von den Buchstaben W(iener)—   Münzmeister Niclas Teschler.
H(ausgenossen)—T(eschler).
Silber, 13 mm, 0,47 g.
LIT.: L Abb. 41.
Inv.-Nr. 28.567 A aα.

84 *Hälbling o. J.*   *Abb.: 32, Nr. 7.*
Wie vorher.
Silber, 12 mm, 0,19 g.
LIT.: L Abb. 41.
Inv.-Nr. 173.296.

85 *Pfennig o. J.*
Einseitig: Im Dreipaß Wiener Kreuzschild,   Prägung der Wiener Hausgenossen gemeinsam mit dem
umgeben von den Buchstaben W(iener)—   Münzmeister Valentin Liephart. Liephart war 1463 Wiener
H(ausgenossen)—L(iephart).   Münzmeister des Erzherzogs Albrecht VI. und dann des
Silber, 14 mm, 0,47 g.   Kaisers.
LIT.: L Abb. 42.
Inv.-Nr. 28.568 A aα.

86 *Kreuzer 1467*   *Abb. (Vs.): 32, Nr. 8.*
Vs.: Doppeladler. + FRIDERICV(s) IMPE-   Vorlage für dieses Münzbild waren die Tiroler Kreuzer.
R(ator).
Rs.: Doppelkreuz. + AEIOV 1467.
Silber, 18 mm, 1,00 g.
LIT.: L Abb. 58.
Inv.-Nr. 386 aα.

87 *Pfennig 1474*
Einseitig: Im Dreipaß Wiener Kreuzschild,
umgeben von dem Buchstaben W(ien) und
der abgekürzten Jahreszahl 7-4.
Silber, 15 mm, 0,57 g.
LIT.: L Abb. 57.
Inv.-Nr. 173.394.

88 *Dukat o. J.*

Abb.: 32, Nr. 9.

Vs.: Gevierter Schild: 1) Doppeladler (Deutsches Reich), 2) Bindenschild (Österreich), 3) Panther (Steiermark), 4) Adler (Krain). + FRIDERIC(us) RO(manorum) IMP(erator) AEIOV.

Rs.: Karl der Große mit Schwert und Reichsapfel zwischen F(ridericus)-I(mperator). S(anctus) KAROLVS IMPERAT(or).
Gold, 22 mm, 3,43 g.

LIT.: L Abb. 54.

Inv.-Nr. 372 aα.

Im Stadtmuseum von Wiener Neustadt waren bis April 1945 noch einige Prägestempel von Münzen Friedrichs III. vorhanden, darunter der nur in der Umschrift etwas abweichende Vorderseitenstempel dieses Dukatens. Bis auf diesen, der 1950 von Canea auf der Insel Kreta zurückgekauft werden konnte, müssen die anderen derzeit als verloren gelten.

89 *Goldgulden o. J.*

Vs.: Reichsapfel im Dreipaß. FRIDRICVS ROMAN(orum) IMP(erator).

Rs.: Hl. Johannes der Täufer. MONET(a) NO(va) NOVECIVI(tatis).
Gold, 22 mm, 3,26 g.

LIT.: L Abb. 53.

Inv.-Nr. 193.382.

90 *Kreuzer o. J.*

Abb.: 32, Nr. 10.

Vs.: Im Dreipaß gevierter Schild: 1) Doppeladler des Reiches, 2) Österreich, 3) Steiermark, 4) Krain. + FRIDE(ricus) D(ei) G(ratia) RO(manorum) IMP(erator) AEIOV.

Rs.: Doppeladler. + MONETA NOVECIVITATIS.
Silber, 24 mm, 2,02 g.

LIT.: L Abb. 52.

Inv.-Nr. 209.429.

91 *Kreuzer o. J.*

Vs.: Doppeladler. + FRIDRICVS ROMAN(orum) IMP(erator).

Rs.: Die Schilde von Österreich, Steiermark und Kärnten in Kleeblattstellung MONET(a) NOVA NOVECIVIT(at)I(s).
Silber, 23 mm, 2,18 g.

LIT.: L Abb. 55.

Inv.-Nr. 388 aα.

92 *Grossetl 1470*

Vs.: Doppeladler. + FRIDRIC(us) ROMA-
N(orum) I(m)P(erator).
Rs.: Doppelkreuz. MON(eta) NOV(e)CI-
V(itatis) 1470.
Silber, 18 mm, 0,92 g.

LIT.: L Abb. 51.

Inv.-Nr. 173.325.

Ähnelt in Größe und Münzbild den Tiroler Kreuzern.

93 *Pfennig o. J.*

Abb.: 32, Nr. 11.

Vs.: Im Dreipaß Bindenschild, umgeben von
den Buchstaben F(ridericus)-R-R.
Rs.: Doppeladler.
Silber, 15 mm, 0,44 g.

LIT.: L Abb. 50.

Inv.-Nr. 421 aα.

Die Buchstaben zu den Seiten des Bindenschildes, hier R-R,
sind bei den einzelnen Emissionen verschiedene. Wahrscheinlich handelt es sich dabei um die Anfangsbuchstaben
der Namen einzelner Münzkontrollbeamter.

MÜNZSTÄTTE GRAZ

94 *Kreuzer (1460/61)*

Abb.: 32, Nr. 12.

Vs.: Doppeladler. + FRI(dericus) D(ei) G(ratia) RO . . .(manorum) IMPERATO(r).
Rs.: Panther. + MON . . .(eta) IN (Münzmeisterzeichen?) GRECZ 1 4 6.
Silber, 19 mm, 1,21 g.

LIT.: F. Dworschak, Studien zum österreichischen Münzwesen des Mittelalters II.
Num.Ztschr., 59. Bd. (1926) S. 79 f.

Inv.-Nr. 465 aα.

Wahrscheinlich handelt es sich um eine Prägung des Münzmeisters Balthasar Eggenberger. Die unvollständige Datierung hat Parallelen in Wiener Neustädter Kreuzern.

95 *Pfennig o. J.*

Vs.: Im Dreipaß Bindenschild, umgeben von
den Buchstaben F-R-I(dericus).
Rs.: Münzmeisterzeichen?
Silber, 16 mm, 0,64 g.

LIT.: Dworschak a. a. O., S. 79 f.

Inv.-Nr. 180.385.

Dürfte ebenfalls eine Prägung des Münzmeisters Balthasar
Eggenberger sein.

96 *Goldgulden o. J.*

Abb.: 32, Nr. 13.

Vs.: Im Dreipaß Reichsapfel. + FRIDRI-
CUS ROMAN(orum) IMP(erator).
Rs.: Stehender Heiliger. MON(eta) NO(va)
(Münzmeisterzeichen?) AVR(ea) IN G(recz).
Gold, 23 mm, 3,31 g.

LIT.: A Luschin v. Ebengreuth, Ingolstadt?
Ingelheim? Groningen? Graz. Procès-ver-
baux et mémoires du Congrès international
de numismatique et d'art de la médaille con-
temporaine. Brüssel 1910, S. 313 ff.

Inv.-Nr. 182.936.

97 *Groschen 1470*

Abb. (Rs.): 32, Nr. 14.

Vs.: Doppeladler. FRI(dericus) D(ei) G(ra-
tia) ROMANORVM IMPER(ator).
Rs.: Inmitten von 5 Schilden (Fünfadler-
wappen, Bindenschild, Kärnten, Steiermark,
Krain) AEIOV, darüber Krone. GROSSVS
... IN (Schild mit 3 Halbmonden) GREC(z)
AN(n)O 1 4 7 0.
Silber, 29 mm, 3,68 g.

LIT.: Pichler Abb. 32.

Inv.-Nr. 172.375.

Der Schild mit den drei Halbmonden weist auf den Münzmeister Hans Wieland von Wesel.

98 *Halbgroschen 1468*

Abb. (Vs.): 32, Nr. 15.

Vs.: Doppeladler. + FRI(dericus) D(ei) G(ra-
tia) ROMA(norum) IMPER(ator).
Rs.: 3 Wappenschilde (Fünfadlerwappen,
Kärnten, Steiermark). MONETA (Schild mit
3 Halbmonden) IN G(recz) 1468.
Silber, 23 mm, 1,63 g.

LIT.: Pichler Abb. 31.

Inv.-Nr. 460 aα.

Gepräge des Münzmeisters Hans Wieland von Wesel.

99 *Halbkreuzer o. J.*

Abb. (Rs.): 32, Nr. 16.

Vs.: Bindenschild. Umschrift: Zwischen S-
artigen Zeichen AEIOV. Unten Kreuz.
Rs.: Pantherschild. Umschrift: Zwischen S-
artigen Zeichen AEIOV. Unten Wappenschild des Münzmeisters Hans Wieland von
Wesel.
Silber, 15 mm, 0,51 g.

LIT.: Pichler Abb. 36.

Inv.-Nr. 188.096.

100 *Pfennig o. J.*

Vs.: Im Dreipaß Pantherschild, umgeben von
den Buchstaben F-R-I(dericus).
Rs.: Doppeladler.
Silber, 14 mm, 0,52 g.

LIT.: Pichler Abb. 37.

Inv.-Nr. 486 aα.

MÜNZSTÄTTE WIEN ODER WIENER NEUSTADT

101 *Goldgulden o. J.*

Vs.: Doppeladler. + FRIDERIC(us) IMP(e-rator) AEIOV.

Rs.: Stehender Heiliger mit erhobener Rech-ten und Szepter in der Linken zwischen den Wappenschilden von Österreich und Steier-mark. S(anctus) HENR (Münzmeisterzei-chen?) ICVS IMP(erator).

Gold, 22 mm, 3,35 g.

LIT.: L Abb. 56 var.

Inv.-Nr. 143.816.

102 *Goldgulden o. J.*

Vs.: Blumenkreuz, in dessen Winkeln 4 Schilde: senkrecht Bindenschild, Krain, waagrecht Steiermark, Habsburg. + MO-NETA AVREA FRI(derici) IMP(er)AT(o-ris).

Rs.: Stehender Heiliger mit geschultertem Kreuzszepter. S(anctus) HENRE (Münz-meisterzeichen?) CVS IMPE(rator).

Gold, 23 mm, 3,29 g.

LIT.: L Abb. 67.

Inv.-Nr. 197.179.

103 *Goldgulden o. J.*

Vs.: Im Dreipaß Reichsapfel. + FRIDERI-C(us) ROMAN(orum) I(m)P(erator) AV-G(ustus).

Rs.: Stehender Kaiser mit Szepter und Reichsapfel. S(anctus) HAINRIC(us) R(o-manorum) I(m)P(erator) AV(gustus).

Gold, 23 mm, 3,50 g.

LIT.: L Abb. 66.

Inv.-Nr. 133.542.

AB CA. 1480

MÜNZSTÄTTE WIEN

104 *Goldgulden o. J.*

Vs.: Stehender Kaiser mit Szepter und Reichsapfel. FRIDER(icus) 3⁰(= tercius) RO-(manorum) IMP(erator).

Abb. (Vs.): 32, Nr. 17.

Rs.: Blumenkreuz, in dessen Winkeln vier Schilde: senkrecht Doppeladler, Kärnten, waagrecht Bindenschild, Steiermark. + MONE(ta) NOVA AVREA AVST(riae).
Gold, 23 mm, 3,26 g.
LIT.: L Abb. 68.
Inv.-Nr. 376 aα.

105 *Groschen 1481*   Abb. (Rs.): 32, Nr. 18.

Vs.: Gekrönter Doppeladler. FRIDERIC(us) RO(manorum) IMP(er)AT(or) AEIOV.
Rs.: Im Vierpaß 4 Wappenschilde: senkrecht Bindenschild, Krain, waagrecht Kärnten, Steiermark. + NOVVS GROSSVS AVSTRIAE 1481.
Silber, 26 mm, 2,55 g.
LIT.: L Abb. 65.
Inv.-Nr. 209.431.

106 *Kreuzer 1481*

Vs.: Gekrönter Doppeladler. FRID(ericus) RO(manorum) IMP(erator) AEIOV.
Rs.: Blumenkreuz, in dessen Winkeln vier Schilde: senkrecht Bindenschild, Krain, waagrecht Kärnten, Steiermark. MONE(ta) NOVA AUSTR(iae) 81.
Silber, 18 mm, 0,98 g.
LIT.: L Abb. 62.
Inv.-Nr. 395 aα.

107 *Kreuzer 1485*

Vs.: Gekrönter Doppeladler. FR(idericus) R(omanorum) IMP(erator) W (= Münzstätte Wien) AEIOV.
Rs.: Doppelkreuz mit aufgelegtem Bindenschild. MON(eta) NOV(a) AVS(triae) 85.
Silber, 19 mm, 1,04 g.
LIT.: L Abb. 64.
Inv.-Nr. 164.798.

108 *Pfennig (Zweier) o. J.*   Abb.: 32, Nr. 19.

Einseitig: Im Dreipaß 3 Schilde (Doppeladler, Bindenschild, Panther) in Kleeblattstellung.
Silber, 16 mm, 0,69 g.
LIT.: L Abb. 60.
Inv.-Nr. 147.094.

In der Münzordnung von 1481 werden diese Münzen Pfennige genannt, später heißen sie Zweier (= 2 Kleinpfennige).

109 *Pfennig (Zweier) o. J.*

110 Vs.: Wie vorher.
Rs.: W (= Münzstätte Wien?).
Silber, 15, 15 mm, 0,52, 0,53 g.
LIT.: L Abb. 61.
Inv.-Nr. 441 aα, 442 aα.

111 *Pfennig o. J.*
Einseitig: Im Dreipaß bekrönter Bindenschild
zwischen den Buchstaben F(ridericus)-I(mpe-
rator).
Silber, 14 mm, 0,46 g.
LIT.: L Abb. 59.
Inv.-Nr. 431 aα.

MÜNZSTÄTTE GRAZ

112 *Goldgulden o. J.*
Vs.: Stehender Kaiser mit Szepter und
Reichsapfel. FRIDER(icus) 3⁹ (= tercius)
(Münzmeisterzeichen?) RO(manorum) IM-
P(erator).
Rs.: Blumenkreuz, in dessen Winkeln vier
Schilde: senkrecht Doppeladler, Kärnten,
waagrecht Bindenschild, Steiermark. + MO-
NE(ta) NOVA AVREA STIRIE.
Gold, 23 mm, 3,23 g.
LIT.: Pichler Abb. 34.
Inv.-Nr. 141.200.

113 *Kreuzer 1483*   *Abb. (Rs.): 32, Nr. 20.*
Vs.: Gekrönter Doppeladler. FR(idericus)
R(omanorum) IMP(erator) AEIOV.
Rs.: Doppelkreuz mit aufgelegtem Panther-
schild. MON(eta) NOV(a) STI(rie) 83.
Silber, 19 mm, 1,05 g.
LIT.: Pichler Abb. 33.
Inv.-Nr. 469 aα.

114 *Kreuzer 1490*
Vs. und Rs. wie vorher, nur Jahrzahl 90.
Silber, 17 mm, 0,72 g.
LIT.: Pichler Abb. 33.
Inv.-Nr. 479 aα.

115 Pfennig o. J.

Abb.: 32, Nr. 21.

Einseitig: Im Dreipaß bekrönter Panther-
schild zwischen den Buchstaben F(ridericus)-
I(mperator).
Silber, 14 mm, 0,42 g.

LIT.: F. Dworschak, Münzfund in Gottsdorf
(Gemeinde Plank am Kamp, NÖ.). Monats-
blatt d. Num. Ges. in Wien, IX. Bd. (1914)
S. 242 ff.

Inv.-Nr. 161.070.

TIROL: Ehg. Siegmund (um 1480)

MÜNZSTÄTTE HALL IN TIROL

116 Goldgulden o. J.

Vs.: Stehender Erzherzog mit Kugelszepter.
SIGISM(undus) ARCHIDVX AVSTRIE.
Rs.: Blumenkreuz, in dessen Winkeln die
4 Schilde: senkrecht Bindenschild, Steier-
mark, waagrecht Tirol, Kärnten. MONETA
NOVA AVREA COMITIS TIROL(is).
Gold, 23 mm, 3,26 g.

LIT.: Moeser-Dworschak 5 a.

Inv.-Nr. 164.824.

117 Guldiner 1486

Vs.: Stehender Erzherzog mit Kugelszepter.
Im Felde links Löwe mit dem Bindenschild,
rechts gekrönter Turnierhelm mit Pfauenstoß
und Decken. SIGISMVNDVS ARCHIDVX
AVSTRIE.
Rs.: Turnierreiter, darunter 1486, im Kranz
von 16 Wappen: in der Mitte größerer Schild
mit dem Fünfadlerwappen, rechts Kärnten, Windische Mark, Hohenberg, Habsburg,
Pfirt, Österreich ob der Enns, Burgau, links
Steiermark, Krain, Portenau, Montfort-Feld-
kirch, Tirol, Kyburg, Elsaß, Nellenburg.
Silber, 41 mm, 31,13 g.

LIT.: Moeser-Dworschak Typ III.

Inv.-Nr. 183.122.

Erste Großsilbermünze, Urbild des Talers, Silberäquivalent
eines rheinischen Goldguldens.

118 Halbguldiner 1484

Vs.: Brustbild des Erzherzogs mit Kugelszepter. SIGISMVNDVS ARCHIDVX AV-
STRIE.

Rs.: Turnierreiter, darunter 1484, im Kranz von 14 Wappen: in der Mitte größerer Schild mit dem Fünfadlerwappen, rechts Steiermark, Krain, Burgau, Elsaß, Pfirt, Windische Mark, links Bindenschild, Kärnten, Tirol, Habsburg, Österreich ob der Enns, Kyburg, Portenau.
Silber, 34 mm, 15,83 g.

LIT.: Moeser-Dworschak Typ II.

Inv.-Nr. 205.326.

119 *Pfundner o. J.*

Vs.: Brustbild des Erzherzogs. SIGISMVN-DVS ARCHIDVX AVSTRIE.
Rs.: Tiroler Adler mit dem Bindenschild auf der Brust. GROSSVS COMITIS TIROLIS.
Silber, 30 mm, 6,25 g.

LIT.: Moeser-Dworschak Typ II B.

Inv.-Nr. 188.112.

Gegenwert von einem Pfund (240 Stück) Tiroler Bernerpfennig.

120 *Sechser (6 Kreuzer) o. J.*

Vs.: Brustbild des Erzherzogs mit Kugelszepter. + SIGISMVND(us) ARCHIDVX AVSTRIE.
Rs.: Großes Kreuz, in dessen Winkeln vier Schilde: senkrecht Bindenschild, Steiermark, waagrecht Tirol, Kärnten. + GROS(sus) CO-MITIS TIROL(is).
Silber, 24 mm, 2,95 g.

LIT.: Moeser-Dworschak Typ III.

Inv.-Nr. 4.754 aα.

121 *Kreuzer o. J.*

Vs.: Doppelkreuz. + SIGISMVNDVS.
Rs.: Tiroler Adler. + COMES TIROL(is).
Silber, 18 mm, 1,01 g.

LIT.: Moeser-Dworschak Typ II D.

Inv.-Nr. 133.729.

122 *Vierer (4 Pfennig) o. J.*

Vs.: Bindenschild im Sechspaß. + SIGIS-MVNDVS.
Rs.: Tiroler Adler. + COMES (fünfstrahliger Stern) TIROL(is).
Silber, 15 mm, 0,45 g.

LIT.: Moeser-Dworschak Typ B.

Inv.-Nr. 4.769 aα.

REICHSMÜNZSTÄTTE BASEL

123 *Goldgulden o. J.*

Vs.: Im Dreipaß Reichsapfel. + FRIDRI-
CVS ROMANO(rum) IMP(er)A(tor).
Rs.: Stehende Madonna mit Kind. MO-
NET(a) NO(va) BASILIEN(sis).
Gold, 22 mm, 3,08 g.

LIT.: A. Geigy, Katalog der Basler Münzen
und Medaillen der Ewig'schen Sammlung.
Basel 1899. Tafel III, Abb. 48 (N. 28).

Inv.-Nr. 16.133.

REICHSMÜNZSTÄTTE FRANKFURT AM MAIN

124 *Goldgulden o. J.*

Vs.: Im Dreipaß Reichsapfel. + FRIDRI-
CVS ROMANO(rum) IMP(er)A(to)R.
Rs.: Hl. Johannes der Täufer. MONETA
NO(va) F (= Münzzeichen) FRANCFO(r)
D(ie).
Gold, 23 mm, 3,34 g.

LIT.: P. Joseph u. E. Fellner, Die Münzen
von Frankfurt am Main. Frankfurt a. M.
1896. Nr. 117, Abb. Tafel 5.

Inv.-Nr. 27.082.

Bernhard Koch

ITINERAR

Im Vergleich zu anderen Herrschern des Spätmittelalters ist Friedrichs Itinerar wenig
bewegt. Neben den größeren Reisen, die bestimmten Zwecken dienten (Krönungsreisen)
oder durch äußere Ereignisse notwendig wurden, zeigt sich oft ein langes Verharren des
Herrschers an einer der österreichischen Residenzen oder nur kleinräumige Bewegungen
zwischen diesen.

125 *Itinerar Friedrichs*

Kartographische Darstellung, 150 × 190 cm,
1966; Entwurf B. Haller, H. M. Decker-
Hauff (Eleonore), Ausführung I. Grillmayer.
LIT.: Chmel, J., Materialien zur österr. Ge-
schichte, 2 Bde., Linz, Wien 1832, 1838. —
Chmel, J., Regesta Chronologico-diploma-
tica Friderici IV., 2 Bde, Wien 1838, 1840.
— Chmel, J., Monumenta Habsburgica,

Die Karte zeigt die Orte, an denen Friedrich sich längere
Zeit aufhielt, bzw. die wichtigeren Stationen seiner Reisen.
Als Grundlage dienten im wesentlichen die Datierungen
der Kanzlei, die den Herrscher stets begleitete.
Weiters wurde der Zug der Brautwerber und die Reise
der Eleonore von Portugal nach Rom eingezeichnet, deren
Routen durch Nikolaus Lanckmann von Falkenstein genau
überliefert sind.

Brigitte Haller

343

1. Abt., 3 Bde., Wien 1854—1858. — Birk, E., Regesten in E. M. Lichnowsky, Gesch. des Hauses Habsburg. — Deutsche Reichstagsakten. — Seemüller, J., Friedrichs III. Aachener Krönungsreise; MIÖG 17 (1896). — Priebatsch, F., Die Reise Friedrichs III. ins Reich 1485 und die Wahl Maximilians; MIÖG 19 (1898). — Nikolaus Lanckmann von Falkenstein, Historia Desponsationis et Coronationis Friderici III. et conjugis Eleonorae, hrsg. v. H. Pez, SS. rer. Austr. 2, Leipzig 1725.

N. Ö. Landesmuseum.

DER KÖNIG

Am 2. Februar 1440 wählten die zu Frankfurt versammelten Kurfürsten einstimmig Herzog Friedrich V. zum Nachfolger König Albrechts II., und der Neugewählte ließ am 6. April zu Wiener Neustadt seine Annahme der Wahl feierlich verkünden. In der Reihe der römisch-deutschen Könige ist er, wenn man Friedrich den Schönen übergeht, Friedrich III., wie auch er sich selbst zählte.

Noch im selben Jahr wollte Friedrich einem Reichstag zu Nürnberg beiwohnen, doch bald nahmen ihn die näherliegenden österreichischen, böhmischen und ungarischen Angelegenheiten so sehr in Anspruch, daß er vorläufig fast ohne Verbindung mit dem Reich blieb. Erst 1442 konnte er sich zur Krönung nach Aachen begeben, die am 17. Juni erfolgte. Auf der Rückreise ergab sich die Gelegenheit, in Konflikte innerhalb der Schweizer Eidgenossenschaft einzugreifen, doch scheiterten Friedrichs Pläne auf Rückgewinnung der habsburgischen Stammlande, die zur Zeit der Reichsacht über Friedrich von Tirol verlorengegangen waren.

Die sogenannte Reformation Friedrichs III., ein Reformgesetz, das er im August 1442 auf einem Frankfurter Reichstag erließ, brachte gegenüber dem bestehenden Zustand im Reich keinen nennenswerten Fortschritt, da auch die Bestimmungen zur Einschränkung der Fehde wirkungslos blieben. Nach den geringen Ergebnissen eines weiteren Reichstages in Nürnberg im Jahre 1444 verzichtete Friedrich auf eine aktive Reichspolitik. Er kehrte in seine Erblande zurück und erschien erst 1471 wieder im Westen des Reiches. Dieser Entschluß resultierte aus der Einsicht über die Vergeblichkeit einer Reichsreform, aber auch aus seinem starken Engagement in den habsburgischen Erblanden. Während Friedrichs Krönungsreise hatte sich der Bruder Albrecht mit den Cilliern verbündet, bei der Rückkehr zwangen ihn die Tiroler Stände zur Übergabe ihres Herzogs, Siegmund, vor allem aber ließen die Gärungen in den albertinischen Landen König Friedrich während der nächsten Jahre nicht zur Ruhe kommen.

Von weitreichender Bedeutung war, daß sich der junge König sehr bald Papst Eugen IV. zuwandte und damit vom Prinzip der deutschen Neutralität in der Kirchenfrage abging. 1445 hatte er, zunächst wohl nur in seiner Eigenschaft als Landesherr, eine Einigung mit dem Papst abgeschlossen, doch mit der Absicht einer späteren Ausdehnung der Obödienzerklärung auf das Reich. Unter Eugens Nachfolger Nikolaus V. kam das Konkordat schließlich zustande, und König Friedrich hatte sich damit die Kaiserkrönung gesichert.

Brigitte Haller

126 *Bildnis Friedrichs als römischer König*

Barbarini-Meister (?), vor 1452.

Ursprünglich auf Papier oder Pergament gemalt, später auf Nadelholz geleimt, 22,5 × 16 cm. Brustbild im Profil nach links. Inschrift auf breitem Rand, auf zwei Seiten umlaufend: FEDERICUS TERTIUS ROMANO(RUM) REX DIVUS AC SEMPER AUGUSTUS.

LIT.: Weisbach, W., Eine Darstellung der letzten deutschen Kaiserkrönung in Rom, Z. f. b. K., Bd. 24 (1912—13) S. 259. — Suida, W., Das früheste Bildnis Friedrichs III., Belvedere 10 (1931), S. 89 ff. — Edgell, G. H., A History of Sienese Painting, N. Y. 1932, S. 209. — Fiocco, G., Mantegna, Milano 1937, S. 17, 178, 196. — Ragghianti, C. L., Intorno a Filippo Lippi, La Critica d'Arte, 3 (1938), S. 23. — Catalogo della Mostra storica nazionale della miniatura, Roma, 1954, S. 492, Nr. L. — Meiss, M., Burlington Magazine, Vol, 103, London 1961, S. 57 ff. — Eger, H., Ikonographie Kaiser Friedrichs III., Phil. Diss., Wien 1965, S. 18.

Florenz, Galleria degli Uffizi, Inv. 1890, nr. 841.

Siehe S. 69 f.   Abb. 2

Größe und Materialbeschaffenheit der Miniatur würden dafür sprechen, daß das Bildnis für Eleonore gemalt, und ihr durch die Gesandtschaft, die 1451 nach Lissabon kam, als Gegengabe für ihr Porträt, das ein Maler im Zuge der Brautschau von 1448 für Friedrich anzufertigen gehabt hatte, überreicht wurde.

127 *Bildnisstich Friedrichs als römischer König*

Niederländisch (?), um 1472.

Kupferstich, 15,2 × 11,4 cm, Halbfigur, Dreiviertelprofil nach links.

LIT.: Lehrs, M., Der älteste Bildnisstich, Belvedere 7 (1925), S. 133 ff. — Eger, H., Ikonographie Kaiser Friedrichs III., Phil. Diss., Wien 1965, S. 71.

München, Staatsbibliothek.

Siehe S. 69.

Der älteste Bildnisstich Friedrichs zeigt den Monarchen in seiner Würde als römischen König. Es ist dies die einzige bekannte, nördlich der Alpen entstandene Königsdarstellung Friedrichs überhaupt. Der Stich wurde in der Inkunabel einer Livius-Ausgabe entdeckt, oberhalb und unterhalb des Bildes wurden von dem ehemaligen Besitzer, dem Nürnberger Humanisten Hartman Schedel, je vier Zeilen in lateinischer Sprache eingetragen. Die Verse beginnen: Rex Italum venit, populi gaudete ducesque . . .

Hanna Dornik

ZWISCHEN KÖNIGSWAHL UND KAISERKRÖNUNG

Von der Krönungsreise zurückgekehrt, erwuchsen dem jungen König erhebliche Unannehmlichkeiten aus den ihm übertragenen Vormundschaften über seine beiden Vettern, Siegmund von Tirol und Ladislaus Postumus. 1446 sah er sich durch das Drängen der Tiroler gezwungen, den inzwischen großjährig gewordenen Herzog Siegmund aus der Vormundschaft zu entlassen. Weitaus unnachgiebiger zeigte sich König Friedrich IV. jedoch den Ungarn, Böhmen und Österreichern gegenüber, die ungefähr zur selben Zeit die Herausgabe des noch im zartesten Kindesalter stehenden Königs Ladislaus forderten. Die Österreicher, die in Ladislaus, dem Sohn des 1439 verstorbenen Herzogs Albrecht V. (als König Albrecht II.) ihren rechtmäßigen Herrn sahen, waren in ihren Bemühungen um eine vorzeitige Entlassung Ladislaus' aus der Vormundschaft besonders hartnäckig. Die Vormundschaft über Ladislaus Postumus führte auch zu einer ernsten Trübung des Verhältnisses zwischen Friedrich und seinem Bruder Herzog Albrecht VI.

Im Jahre 1448 gelang es Friedrich durch das sogenannte Wiener Konkordat ein Ende des seit 1431 tagenden Konzils von Basel herbeizuführen. Entscheidenden Anteil am Zustandekommen dieses Konkordats, das den Kampf zwischen Papsttum und Konziliarismus zugunsten des ersteren beendete, hatte der seit 1442 in Friedrichs Diensten stehende bekannte Humanist Eneas Silvius Piccolomini.

Auf Veranlassung des Eneas Silvius, der 1449 Bischof von Siena geworden war, ließ der König auch eine Einladung an den berühmten Prediger Johann Capistran ergehen. 1451 leistete Capistran ihr Folge und hielt unter anderem auch in Wiener Neustadt und Wien seine eindrucksvollen und aufrüttelnden Predigten wider die Hussiten und Türken.

Auch die diplomatischen Vorbereitungen der Kaiserkrönung Friedrichs sind das Werk des Eneas Silvius: Am 21. Dezember des Jahres 1451 brach Friedrich, begleitet von seinem Bruder Albrecht VI. und dem elfjährigen Ladislaus Postumus, zu seinem ersten Romzug auf.

Gertrud Gerhartl

128 *„Credenzschreiben" der Kurfürsten an Herzog Friedrich V. von Österreich*

Orig. Pap., 29,6 × 27 cm, 1440, Februar 3, Frankfurt.
Wien, Haus-, Hof- und Staatsarchiv.

Die Kurfürsten berichten Herzog Friedrich von Österreich, daß sie ihn einmütig zum römisch-deutschen König gewählt haben.

129 *„Handregistratur" König Friedrichs IV.*

Orig. Pergamentcodex, 30,2 × 36,5 cm, 1446.
LIT.: Katalog „Österreichische und europäische Geschichte in Dokumenten des Haus-, Hof- und Staatsarchivs, 2. Aufl., Wien 1965, S. 24 f., Nr. 54.
Wien, Haus-, Hof- und Staatsarchiv.

Dieser Codex sollte König Friedrich IV. zur Information über das Reich und die Erblande dienen. Der Pergamentband enthält neben Wappen auch Listen von Päpsten, Kaisern und Städten sowie Abschriften wichtiger Privilegien. Aufgeschlagen ist jene Seite, auf der das Wappen des heutigen Niederösterreich sowie die Wappen von Österreich und Oberösterreich (darüber Friedrichs „Devise" AEIOU und die Jahreszahl 1446) dargestellt sind.

130 Wiener Konkordat

Orig. Pergamentlibell, 42,5 × 28 cm, 1448, Februar 17 (Wien), Siegel Friedrichs IV. und des Kardinallegaten Johannes Carvajal.

LIT.: Katalog „Österreichische und europäische Geschichte in Dokumenten des Haus-, Hof- und Staatsarchivs, 2. Aufl., Wien 1965, S. 25, Nr. 56.

Wien, Haus-, Hof- und Staatsarchiv.

Am 17. Februar 1448 schlossen König Friedrich IV. und der Kardinallegat Johannes Carvajal das Konkordat mit der Deutschen Nation über Besetzung und Reformation der Kirche ab.

131 Vertrag von Mailberg

Orig. Perg., 66 × 42,5 cm, 1451, Oktober 14, Mailberg (N.Ö.), 254 Siegel.

Zweite der fast gleichlautenden Bündnisurkunden.

LIT.: Katalog „Österreichische und europäische Geschichte in Dokumenten des Haus-, Hof- und Staatsarchivs, 2. Aufl., Wien 1965, S. 25, Nr. 57. — Mayer, J., Gesch. v. W. Neustadt, II. Bd., 1926, S. 10 ff.

Wien, Haus-, Hof- und Staatsarchiv.

Siehe S. 157 f.

Die österreichischen Stände verbündeten sich gegen König Friedrich IV., um von ihm die vorzeitige Entlassung des Ladislaus Postumus aus der Vormundschaft zu erzwingen. — Zur Auslieferung Ladislaus' kam es jedoch erst im September 1452, nach der Belagerung Wiener Neustadts durch das ständische Heer. Am 4. September dieses Jahres wurde der zwölfjährige Ladislaus bei der „Spinnerin am Kreuz" in Wiener Neustadt dem Grafen Ulrich von Cilli als Vertreter der Stände übergeben.

132 Bestätigung und Vermehrung der österreichischen Hausprivilegien durch Kaiser Friedrich III.

Orig. Perg., 48 × 80 cm, 1453, Jänner 6. Wiener Neustadt, Goldbulle.

LIT.: Katalog „Österreichische und europäische Geschichte in Dokumenten des Haus-, Hof- und Staatsarchivs, 2. Aufl., Wien 1965, S. 26, Nr. 58. — Lhotsky, A., Privilegium Maius, Österreich Archiv, Wien 1957, S. 34.

Wien, Haus-, Hof- und Staatsarchiv.

Kaiser Friedrich III. wiederholt die bereits 1442 durch ihn erfolgte Bestätigung der österreichischen Hausprivilegien; er verleiht damit dem „Privilegium maius" volle Rechtskraft. Die unter Friedrich III. dazugekommenen Neuerungen (unter anderem Einführung des Titels „Erzherzog") gereichten vor allem der „steirischen Linie" des Hauses Habsburg zum Vorteil.

Gertrud Gerhartl

133 Votivtafel des Jörg von Pottendorf

Wiener Neustädter Meister, 1467.

Öl auf Fichtenholz, 155 × 131 cm mit Rahmen

Bildgröße: 136,5 × 114 cm

Inschrift: Die tavel hat lasen mach(e)n de anno im LXVII jar der wolgeparn herr herr Jorig von Pottendorf obrister schenkch und die zeytt lantmarschalich und veldhaubtman in Esterreich.

Votivtafel für den berühmten Söldnerführer Jörg Pottendorf und seine drei Frauen.

Jörg von Pottendorf stand Friedrich zumeist feindlich gegenüber, zunächst im Rahmen ständischer Unabhängigkeitsbewegungen, dann als oberster Feldhauptmann Albrechts. Jörg von Pottendorf und Nabuchodonosor Nanckenreutter waren die markantesten Persönlichkeiten unter den Hauptleuten des Erzherzogs. 1462 verwüstete Pottendorfer Wien, 1463 sandte er seine Absage an den in der Burg bedrängten Kaiser. 1464 versöhnte er sich endlich mit Friedrich und wurde kaiserlicher Feldhauptmann, bereits 1470 stellte er sich wieder gegen Friedrich und trat unter den persönlichen Schutz des Matthias Corvinus.

Hanna Dornik

LIT.: Benesch, O., Der Meister des Krainburger Altars, W. Jb. f. Kunstgesch. 7, 1930,
S. 159. — Stange, A., Deutsche Malerei der
Gotik, Bd. 11, München-Berlin 1961, S. 67.
Lind, K., Ein Votivbild der Familie Pottendorf in Ebenfurth; Mitt. d. Wr. Alterthums-
vereines, Bd. XX, S. 97/b.
*Vaduz, Sammlungen des regierenden Fürsten
von Liechtenstein.*

b) 1. ROMZUG

Im Winter 1451 verließ Friedrich die Erblande, in denen Aufruhr gärte, und zog in ein
Land, das an der Schwelle zu Unruhen stand. Außer Albrecht und Ladislaus begleitete ihn
kein einziger Mann von Fürstenrang; er betrat mit kleinem, aber doch würdigen Gefolge
Italien, das ihn zum Teil mit Mißtrauen erwartete: Der Papst hatte die Mauern von Rom
verstärken lassen, Hilfskontingente waren aus dem Kirchenstaat herbeigerufen worden.
Über Venedig, Ferrara und Bologna zog Friedrich nach Florenz, jener Stadt, die sehen zu
können er sich besonders freute. Am 9. Februar ist er in Siena, wo er seiner Braut Eleonore
zum ersten Mal begegnet. Gemeinsam führt sie der Weg nach Rom. Am 16. März 1452
fand dort die Vermählung statt, am 19. März nahm Papst Nikolaus V. im Dom zu Sankt
Peter die Kaiserkrönung vor. Am 24. März brach Friedrich zu einem Besuch bei König
Alfons von Neapel-Sizilien auf, einem Onkel seiner jungen Frau. Ladislaus hatte Friedrich, aus politischen Gründen und um ihn nicht dem neapolitanischen Klima auszusetzen,
in Rom zurückgelassen. Ein Entführungsversuch des streng bewachten Mündels durch
Kaspar Wendel konnte im letzten Augenblick verhindert werden, bestätigte jedoch, daß
Friedrichs Mißtrauen zu Recht bestand.

Auf seiner Rückreise weilte Friedrich längere Zeit am Hofe zu Ferrara. Hier erhob er
Borso d'Este zum Herzog von Modena, wofür ihm dieser 4000 Dukaten jährlich zu leisten
versprach. Auch sonst brachte der Romzug materiellen Gewinn. Der neugekrönte Kaiser
vergab Privilegien, Doktorate und ähnliche Gnadenerweise gegen Bezahlung. Für den
Empfang und die Beherbergung des durchziehenden Herrschers hatten die italienischen
Fürsten und Städte aufzukommen, überdies wurden ihm reiche Ehrengeschenke zuteil,
manche von höchster künstlerischer Vollkommenheit.

Hanna Dornik

134 *Drei Tafeln eines Cassone (Ereignisse
von Florenz)*

Italienischer Künstler in der Art des Benozzo
Gozzoli, nach 1452.
Holz, die Maße sind nicht mehr bekannt.
Tafel der Vorderwand: Zug Friedrichs durch
Florenz. Erste Seitentafel: Friedrich adelt
einige Florentiner. Zweite Seitentafel: An-
kunft der Eleonore in Livorno.

Siehe S. 70 ff.

Die Haupttafel zeigt den Zug Friedrichs, der eben den
Dom zu Florenz verläßt und am Baptisterium vorbei-
kommt. Friedrich schreitet, umgeben von den Vertretern
des Stadtrates und begleitet von seinem Bruder Herzog
Albrecht VI. sowie seinem Mündel Ladislaus zu seinem
Pferd.
Ein Gefolgsmann links vor Friedrich trägt an seinem Man-

LIT.: Pearce, St. M., Costumi Tedeschi e Borgognoni in Italia nel 1452, Commentari VIII, Rom 1957, S. 244 ff. — Eger, H., Ikonographie Kaiser Friedr. III., Phil. Diss., Wien 1965,, S. 24.

London, National Gallery, im Zweiten Weltkrieg verbrannt. Die von dem Cassone erhaltenen schwarz-weiß Photos befinden sich im Besitz von Mrs. Walter Sedgwick, London. Fotos.

135 *Drei Tafeln eines Cassone (Ereignisse des Krönungstages in Rom)*

Italienischer Künstler in der Art des Benozzo Gozzoli, nach 1452.
Tempera auf Nadelholz, Vorderwand: 158 × 58 cm, Seitenwände: 52 × 28 cm. Tafel der Vorderwand: Krönung Kaiser Friedrichs III. in Rom. Erste Seitenwand: Rückkehr Eleonores in ihre Gemächer. Zweite Seitenwand: Rückkehr Friedrichs in den Lateran.
LIT.: Weisbach, W., Eine Darstellung der letzten deutschen Kaiserkrönung, Z. f. b. K. N. F. 24 (1913), S. 255 ff. — Worcester Art Museum Catalogue of Paintings and Drawings (1922), S. 18. — Schubring, P., Cassoni, 2 Bde., Leipzig 1923, Bd. 1, S. 185. — Marle, R., The Development of the Italian Schools of Painting, XI, 1929, S. 242. — Eger, H., Ikonographie Kaiser Friedrichs III., Phil. Diss., Wien 1965, S. 28 ff.
Worcester Art Museum, Inv.-Nr. 191.346, Fotos.

Abb. 18

tel das kaiserliche Zeichen AEIOV nebst einer Jahreszahl, vermutlich 1452.
Der Künstler berichtet sicher aus der Anschauung und liefert einen neben den literarischen Quellen wichtigen zeitgenössischen Bericht der Ereignisse während Friedrichs Italienaufenthalt.

Derselbe Künstler, der die Ereignisse von Florenz festhielt, berichtet auch jene des Krönungstages. Er malt in kontinuierlicher Erzählung, die mit den literarischen Schilderungen des festlichen Tages übereinstimmt. Die Bildfolge beginnt links mit der Krönung, die aus kompositorischen Gründen vor Alt-St. Peter verlegt wurde. Friedrich erhält vom Papst eben die Krone, links von ihm kniet Eleonore, rechts steht Ladislaus, hinter diesem steht Albrecht. Nach der Krönung begleitet Papst Nikolaus Friedrich bis vor die Kirche Sta. Maria Traspontina, dort nehmen die beiden Abschied voneinander. (Mittelszene) Friedrich reitet weiter zur Engelsbrücke, wo er Albrecht den Ritterschlag erteilt (Szene ganz rechts).
Während Eleonore unmittelbar nach der Krönung in Begleitung Ladislaus' in ihre Gemächer zurückkehrte (1. Seitentafel), kam Friedrich erst bei Morgengrauen zu beider Quartier in den Lateran (2. Seitentafel).

136 *Die Kaiserkrönung Friedrichs*

Niederländisch, 2. Hälfte 15. Jhdt.
Öl auf Eichenholz, 72 × 71 cm, Papst Nikolaus V. krönt Kaiser Friedrich III.
LIT.: Stegmann, H., Die Krönung Kaiser Friedrichs III., Mitteilungen aus d. germ. Nationalmuseum, Nürnberg 1895, S. 553 ff. — Kat. d. Gemäldesammlung des Germ. Nationalmus., 4. Aufl., Nürnb. 1909, Nr. 100 — Kemmerich, M., Die deutschen Kaiser und Könige im Bild, Leipzig 1910, S. 52. — Eger., H., Ikonogr. Kaiser Friedr. III., Phil. Diss., Wien 1965, S. 30 ff.
Nürnberg, Germanisches Nationalmuseum.

Siehe S. 72 f. Abb. 4

Das Bild zeigt die beiden letzten Phasen der Krönungszeremonie, steht aber in keinerlei Zusammenhang mit den Krönungsberichten.
Im linken Teil der Kapelle findet der eigentliche Krönungsakt statt, in der dem hl. Laurentius geweihten Seitenkapelle erhält der Kaiser von einem Priester das Reichsschwert. Gefolgsleute mit dem Reichsbanner, schwarzem Doppeladler mit goldenen Nimben im gelben Feld füllen die die beiden Räume verbindende Öffnung.

137 *Medaille von 1452*

Anonymer italienischer Meister, um 1452.
Bleiguß, 102 mm (eine Nachbildung, Silber
103 mm in Wien). Brustbild Friedrichs, im
Profil nach links, mit Lorbeerkranz Um-
schrift Avers: DIVVS + FEDERICVS +
TERTIVS + ROMANORVM + IMPERA-
TOR + AVGVSTVS.

LIT.: Herrgott, Nummotheca, II/I, 1752,
Tab. VIII, X. — Heraeus, Bildnisse, Wien
1828, Taf. 12,2. — Hill, G. F., A corpus of
Italian medals of the Renaissance before Cel-
lini, 2 Bde., London 1930, Bd. 1, S. 292 f.,
Nr. 1126. — Eger, H., Ikonographie Kaiser
Friedrichs III., Phil. Diss., Wien 1965, S 21 f.

*Staatliche Museen zu Berlin. Leihgabe aus
der Deutschen Demokratischen Republik.*

Die Medaille ist nach der gemalten Vorlage der Miniatur
in den Uffizien in Florenz gearbeitet.
Eine zweite, in der Brera, Mailand, aufbewahrte Medaille
eines anonymen italienischen Meisters steht dem Berliner
Stück nahe, dürfte aber etwas später entstanden sein.

---

138 *Erhebung Borso d'Estes zum Herzog
von Modena*

Künstler mantegnesker Richtung, nach 1452.
Michele Savonarolla, Allo illustrissimo et
excelso principo Borso . . .
Pergamenthandschrift, 168 × 235 mm; ff 48.
Fol. 31: Kolorierte Federzeichnung.

LIT.: Mazzatinti, G., Iventari dei Manoscritti delle Biblioteche d'Italia, Vol. 4, Forli
1894, S. 213. — Hermann, H. J., Zur Geschichte der Miniaturmalerei am Hof der
Este in Ferrara, Jb. d. kh. S., 1900, S. 140 f.,
Eger, H., Ikonographie Kaiser Friedr. III.,
Phil. Diss., Wien 1965, S. 37.

Ravenna, Biblioteca Classensis, Cod. 302.

Siehe S. 74.

Kaiser Friedrich auf einem Thron, zu seinen Füßen, auf den
Stufen des Thrones, Albrecht VI., erhebt den vor ihm knieenden Borso zum Herzog. Zu Seiten des Kaisers stehen die
Würdenträger des Reiches, mehr im Vordergrund, durch
die Zeittracht deutlich unterschieden, die Baroni von
Ferrara als Zeugen des Aktes, der am 18. Mai 1452 stattfand.

---

139 *Astrologiae tabulae Ioannis Bianchini
Ferrariensis*

Schüler des Taddeo Crivelli, nach 1452.
Pergamenthandschrift, 340 × 245 mm. Illu-
stration des Titelblattes: Bianchini überreicht
Friedrich gelegentlich dessen Aufenthaltes in
Ferrara seine astrologischen Tafeln.

LIT.: Hermann, H. J., Zur Geschichte der
Miniaturmalerei am Hof der Este in Ferrara,
Jb. d. kh. S., Bd. 21, Wien 1900, S. 168. —
Inventari dei Manoscritti delle Biblioteche
d'Italiana, Vol. 54, Ferrara, Firenze 1933,

Siehe S. 74 f.

Friedrich sitzt auf einer vom Esteadler gezierten Bank, als
Gegengabe für das Buch, das ihm der vor ihm knieende,
durch Borso d'Este vorgestellte Bianchini überreicht, bes-
sert er jenem sein Wappen auf.
Bianchini war der Hofastrologe der Este, wahrscheinlich
wurde von ihm ein Horoskop für Francesco Sforza auf das
Jahr 1452 verfaßt, das als propagandistisches Mittel im
Kampf um Mailand eingesetzt wurde.

Hanna Dornik

S. 214. — Salmi, M., La miniatura Italiana, Milano 1956, Taf. 58. — Salmi, M., Italien. Buchmalerei, München o. J., S. 58 ff. — Eger, H., Ikonogr. Kaiser Friedr. III., Phil. Diss., Wien 1965, S. 39 ff.

Ferrara, Biblioteca Communale, Cl. 1, Cod. 147.

140 *Trienter Codex, Signatur 89*

Anonymus: „Heya, heya, nu wie sie grollen", Kriegslied, vierstimmig.

Nr. 751, Fol. 388 b—389 a.

Trienter Codex 89, Original ca. 31 : 21 cm, 425 beschriebene Folia. Eine der sieben umfangreichen Musikhandschriften (Sigel 87—93) des 15. Jahrhunderts, die im Castello del Buon Consiglio (Nr. 87—92) und im Domarchiv (Nr. 93) zu Trient aufbewahrt werden. In diesen in Leder und Holz gebundenen sieben Codices sind auf über 2000 beschriebenen Blättern 1864 Stücke in weißer Mensuralnotation verzeichnet. Lediglich in den Cod. 87 und 92 können neben den schwarzen Noten noch rote Noten festgestellt werden. Aus der Notation, den stilistischen Merkmalen und den Lebensdaten der Komponisten, soweit deren Namen verzeichnet sind oder ihre Autorschaft durch Konkordanzen identifiziert werden konnte, ergibt sich eine Unterscheidung in eine ältere Gruppe, die die Codices 87 und 92 umfaßt und in eine jüngere Gruppe, die aus den Codices 88—91 und 93 besteht. Die erste Gruppe dürfte zwischen 1420 und 1440 zusammengetragen worden sein und wurde zum überwiegenden Teil von Puntschucherh, dessen Name Tiroler Herkunft verrät, niedergeschrieben. Als Schreiber der zweiten Gruppe, die vermutlich im Zeitraum von ca. 1440—1480 gesammelt wurde, konnte Johannes Wiser ermittelt werden, der als Rektor der Kathedralschule und als späterer Kaplan des Bischofs von Trient, Johannes Hinderbach, in Erscheinung trat.

Der Inhalt der sieben Codices weist meist drei- und vierstimmige geistliche Kompositionen mit lateinischem Text auf. Seltener beinhalten sie Werke in französischer, deutscher, italienischer und englischer Sprache.

Das Kriegslied „Heya, heya, nu wie sie grollen" ist die vierstimmige Komposition eines anonymen Autors aus dem Codex 89. Insgesamt existieren sieben Codices, von denen die ersten sechs im Jahre 1885 von dem Leiter der Regensburger Kirchenmusikschule, Franz Xaver Haberl, im Archiv des Trienter Domkapitels entdeckt wurden. Im Jahre 1891 vom k. k. Ministerium für Kultus und Unterricht in Wien erworben und dem musikwissenschaftlichen Institut der Universität Wien zur Bearbeitung und Publikation überlassen, wurden diese wertvollen Handschriften im Friedensvertrag von St. Germain Italien zugesprochen, wo sie mit dem erst im Jahre 1920 aufgefundenen 7. Band in Trient aufbewahrt werden.

Die Herkunft und der Initiator dieses einzigartigen Dokumentes, das uns einen bedeutsamen Überblick von der Entwicklung der mehrstimmigen Musik des 15. Jahrhunderts liefert, ist allerdings noch nicht eindeutig festgestellt. Am ehesten kann angenommen werden, daß, wie vor allem R. Wolkan, H. J. Moser und E. Tittel (siehe Literatur) vermuten, Johann Hinderbach, der lange Zeit (seit 1448) die Funktion eines Sekretärs der kaiserlichen Kanzlei Friedrich III. innehatte, das Chorrepertoire der kaiserlichen Hofkapelle sammeln und aufzeichnen ließ. Hinderbach, der seine Studien in Wien und Padua absolvierte und als Benefiziant der Pfarre Mödling bei Wien dort 1450 seine Primiz feierte, wurde 1455 zum Propst und 1466 zum Bischof von Trient ernannt. Als Schüler des gleichfalls am Hofe Friedrich III. als Kanzler tätigen Eneas Silvius Piccolomini, der später als Papst Pius II. die römisch-katholische Kirche regierte, erwarb er den Ruhm eines der bedeutendsten Humanisten seiner Zeit, auf den die Gründung der umfangreichen Trienter bischöflichen Bibliothek zurückgeht. Man geht daher kaum fehl, wenn man annimmt, daß Hinderbach diese berühmte Sammlung von Musikwerken, wie sie die Trienter Codices darstellen, anläßlich seiner Wahl zum Bischof nach Trient mitnahm, um diese der bischöflichen Bibliothek einzuverleiben.

Während in der älteren Gruppe Werke von Dufay, Binchois, Dunstable und Brassart stark vertreten sind, scheinen in der jüngeren Gruppe neben Kompositionen der niederländischen Schule von Dufay bis Ockeghem solche der englischen Schule auf. Vereinzelt treffen wir bereits auf Werke von H. de Atrio, L. Compère und H. Isaac, die in das 16. Jahrhundert überleiten. Die seinerzeitige Erforschung dieser Codices durch das musikwissenschaftliche Institut der Universität Wien hat in der bisherigen Publikation von sechs Bänden in der Reihe der Denkmäler der Tonkunst in Österreich ihren Niederschlag gefunden.

LIT.: Denkmäler der Tonkunst in Österreich, Jahrgänge VII, XI/1, XIX/1, XXVII/1, XXXI, XL. — Federhofer, H., Trienter Codices, in „Die Musik in Geschichte und Gegenwart", Band 13, S. 666 ff. — Moser, H. J., Die Musik der deutschen Stämme, Wien 1957, S. 802 f. — Ders., Geschichte der deutschen Musik I, S. 406 ff. — Ders., Paul Hofhaimer, ein Lied- und Orgelmeister des deutschen Humanismus, Stuttgart 1921. — Orel, A., Die mehrstimmige geistl. (kath.) Musik von 1430—1600, Adler Handbuch, Berlin 1924. — Tittel, E., Österreichische Kirchenmusik, Herder 1961, S. 92 ff. — Wolkan, R., Die Heimat der Trienter Musikhandschriften, StMW. VIII, 1921.

Trient, Museo Nazionale di Trento, Inv.-Nr. 1376.

Die damalige Notenschrift, die, durch die Mehrstimmigkeit bedingt, erstmals die Zeitwerte der Töne festlegte, wird Mensuralnotation genannt. Sie führte in weiterer langer Entwicklung zu unserer heutigen Notenschrift.

Josef Jernek

ELEONORE VON PORTUGAL

Die Infantin Eleonore von Portugal wurde am 8. September 1436 (?) zu Torres Vedras geboren. Sie war das vierte Kind König Eduards und seiner Gattin Eleonore, Tochter König Ferdinands I. von Aragon. Nach dem frühen Tod des Vaters wurde Eduards Bruder Pedro Regent Portugals und Vormund der Infantin und ihrer Geschwister, die am königlichen Hof zu Lissabon erzogen wurden.

Über Herzog Philipp den Guten von Burgund, dessen Gemahlin Isabella eine Tante Leonores war, wurde Friedrich auf die portugiesische Prinzessin aufmerksam und schickte 1448 zwei seiner Räte auf Brautschau nach Lissabon. Infolge der portugiesischen Thronwirren wurden die Verhandlungen unterbrochen, doch erneuerte Friedrich 1450 seine Werbung bei Eleonores Bruder Alfons. Der Ehevertrag wurde am Hof König Alfons' von Neapel-Sizilien, der ein Oheim der Braut war, abgeschlossen. Auf Grund dieser Abmachung entsandte Friedrich die Kapläne Jakob Motz und Nikolaus Lanckmann von Falkenstein nach Portugal. Nachdem schon die königlichen Gesandten auf ihrer Reise dorthin zahlreichen Fährnissen begegnet waren, verlief auch die Seefahrt der Eleonore nach Italien stürmisch und abenteuerlich. Mit Verspätung landete sie schließlich in Livorno, und am 16. März 1452 konnte die Vermählung in Rom stattfinden.

Eleonore gebar Friedrich fünf Kinder, von denen allerdings nur Maximilian und Kunigunde die Mutter überlebten. Am 3. September 1467 starb die Kaiserin, erst 31 Jahre alt, in Wiener Neustadt, wo sie im Neukloster begraben liegt, ebenso wie ihre früh verstorbenen Kinder und ihre portugiesische Kammerfrau Beatrix Lopi.

Wie von ihrem Gemahl Friedrich sind auch von Eleonore als der ersten Frau innerhalb der habsburgischen Familie mehrere zeitgenössische Bildnisse erhalten, die eine ziemlich genaue Vorstellung von Aussehen und Erscheinung der jugendlichen Monarchin ermöglichen. Bemerkenswert ist, daß sämtliche überlieferte Bildnisse auf eine einzige originale Naturaufnahme zurückgehen, die den Kopf in Dreiviertelansicht wiedergab. Eleonore wird mit geringfügigen Varianten stets mit offenem Haar, braunen Augen und hochvernesteltem Kragen der Hoftracht gezeigt. Auf den meisten posthumen Bildnissen wird sie mit einer Lilie in der Hand dargestellt.

Antonia Zierl-Hanna Dornik

141 *König Alfons von Portugal bevollmächtigt den Johann Ferdinand de Silveyra, zwischen seiner Schwester Eleonora und König Friedrich IV. eine Heirat zu stiften und nach Gutdünken das Heiratsgut zu bestimmen.*
Orig. Perg., 43 × 21 cm, 1450, Juni 27, Lissabon.
Wien, Haus-, Hof- und Staatsarchiv.

142 *Die Reiseerlebnisse des Zdenko Leo von Rožmital und Blatna*
Orig. Papiercodex, Kleinfolio, 15. Jh.
LIT.: Des böhmischen Herrn Leo's von Rožmital Ritter-, Hof- und Pilger-Reise durch die Abendlande 1465—1467, Stuttgart 1844.
München, Bayerische Staatsbibliothek.

1465/1467 unternahm der böhmische Herr Leo von Rožmital, ein Schwager des Böhmenkönigs Georg von Podiebrad, mit einem kleinen Gefolge eine Reise durch West- und Südeuropa, die ihn unter anderem auch zu Kaiser Friedrich III. nach Graz und zur Kaiserin Eleonora nach Wiener Neustadt führte. Die Reiseerlebnisse wurden von zwei Begleitern des Leo von Rožmital aufgezeichnet, und zwar von dem Tschechen Sasek und dem Nürnberger Gabriel Tetzel.

Gertrud Gerhartl

143 Gebetbuch für Kaiserin Eleonore

Abb. 21

Um 1464, Wien oder Wiener Neustadt.
189 Blätter, Pergament, 165 × 130 mm. 11
Vollbilder, 40 Initialen, meist mit Ranken.
LIT.: Holter-Oettinger, S. 125—127. —
Lhotsky, Bibliothek, Nr. 30.

Wien, Nationalbibliothek, Cod. Vind. 1942

Der Künstler der Miniaturen ist der „Lehrbüchermeister"
(vgl. Nr. 145). Auf jedem Bild ist die Kaiserin mit ihrem
Sohn Maximilian dargestellt, einem etwa vier bis fünfjäh-
rigen Kind. Dadurch läßt sich das Buch auf zirka 1464
datieren.

144 Eneas Silvius Piccolomini (Papst Pius II.): Über Kindererziehung

74 Blätter, Pergament, 217 × 150 mm. Wappenseite, Zierrahmen, zahlreiche gemalte Initialen. Rom, 1466.
LIT.: Hermann, H. J., Die Handschriften
und Inkunabeln der italienischen Renaissance, 3. Band. S. 141—143, Leipzig 1932. —
Ausstellung „Maximilian I.", Nr. 9.

*Wien, Nationalbibliothek, Cod. Vind.
Ser. n. 4643.*

Eneas Silvius hatte als Sekretär Friedrichs eine Abhandlung
über Kindererziehung geschrieben, die für Ladislaus Postumus bestimmt war. Als Johann Hinderbach, Bischof von
Trient, vorher neben Eneas Silvius kaiserlicher Sekretär, im
Jahre 1466 in Rom weilte, ließ er dort dieses Werk abschreiben und von einem römischen Miniator mit einer
Wappenseite ausschmücken, die neben dem Wappen des
Kaisers und der Kaiserin (Portugal) die österreichischen
Länderwappen zeigt. Mit einer Widmung an die Kaiserin
ließ er das Buch nach Wien schicken. Später muß das Buch
wohl von Maximilian weggegeben worden sein. Denn es
wurde erst im Jahre 1931 aus dem antiquarischen Handel
wieder für die Nationalbibliothek erworben.

145 Lehrbücher für Maximilian I.

1. Cod. Vind. 2368. 27 Blätter, Pergament,
   275 × 210 mm.
2. Cod. Vind. Ser. n. 2617. 22 Blätter, Pergament, 305 × 220 mm.
3. Cod. Vind. 2289. 44 Blätter, Pergament,
   345 × 265 mm.
4. Cod. Vind. 15.096. 8 Blätter, Papier,
   205 × 150 mm.

LIT.: Fichtenau, H., Die Lehrbücher Maximilians I. und die Anfänge der Frakturschrift. Hamburg 1961.

Wien, Nationalbibliothek.

Der Wiener Bürger Stephan Heuner ließ für den Prinzen
Maximilian drei Lehrbücher schreiben, die sowohl durch
die graphische als auch durch die künstlerische Ausstattung
ausgezeichnet sind. Schreiber ist der Wiener Neustädter
Schreiber der kaiserlichen Kanzlei, Wolfgang Spitzweck,
der Maler ist mit Namen nicht bekannt, sondern wird von
diesen Büchern aus als „Lehrbüchermeister" bezeichnet.
Seine Kunst zeigt ihn als Schüler des „Albrechtsmeisters".
In allen drei Lehrbüchern auf Pergament ist Maximilian
mit seinem Lehrer dargestellt. Auf dem Bilde des frühesten
Buches (Cod. Vind. 2368) ist es der erfahrene Schulmeister
von St. Stephan in Wien, Jakob Fladnitzer, der aber schon
1466 starb. Seinen Nachfolger, den Wiener Neustädter
Neustädter Domherrn (und späteren Bischof) Peter von
Passail zeigen die beiden zeitlich folgenden Lehrbücher
(Cod. Vind. Ser. n. 2617 und Cod. Vind. 2289), die um
1466/67 entstanden sind. Die Schrift dieser Bücher diente
Maximilian später als Vorlage für den Druck des Gebet-
buches. Anspruchsloser als die drei Prunkbücher ist das auf
Papier geschriebene „Gesprächbüchlein", wohl von der
Hand des ersten Lehrers als erster Lehrbehelf für den Prin-
zen beigestellt, der damals (um 1465) zugleich mit anderen
Knaben erzogen wurde.

Franz Unterkircher

146 *Doppelbildnis Kaiser Friedrichs III. und der Eleonore von Portugal*

Kopie von Anton de Boys, 1529.

Öl auf Leinwand, 114 × 100 cm. Halbfiguren sitzend, gearbeitet nach Bildnissen des Herrscherpaares im Kunsthistorischen Museum zu Wien, Inv.-Nr. 4398.

LIT.: Dreger, M., Baugeschichte der k. k. Hofburg in Wien, Öst. Kunsttopographie, Bd. 14, 1914, S. 70 ff. — Mackowitz, H., Der Maler Hans v. Schwaz, Schlern-Schriften 193, Innsbr. 1960, S. 36. — Eger, H., Ikonographie Kaiser Friedr. III., Phil. Diss. 1965, S. 55 (siehe dort weitere Lit.).

Innsbruck, Stift Wilten.

Das Doppelbildnis kopiert die Figuren mit allen Details genau von Bildnissen, wahrscheinlich Repliken nach einem verschollenen Original von Hans Maler aus Schwaz in Tirol, die sich im Kunsthistorischen Museum befinden. Selbst die Beleuchtung ist mit der neuen Lichtquelle, dem Fenster, das einen Blick auf das Wien des Jahres 1529 freigibt, keineswegs in Einklang zu bringen. Kaiser Friedrich trägt um die Schultern das Emblem des aragonesischen Kannenordens, eine Goldkette aus doppelt gehenkelten Vasen mit Lilien, vorne der Greif mit dem Schriftband: PER. BON. AMO..R. Friedrich III., ebenso wie sein Sohn Maximilian waren Mitglieder des von den Zeitgenossen „der Orden von der Stola und den Kannelnden und dem Greifen" benannten Ordens.

147 *Begegnung Kaiser Friedrichs III. mit Eleonore von Portugal*

Darstellung aus dem Freskenzyklus der Piccolominibibliothek im Dom zu Siena. Bernardino Pinturicchio, 1503—1509. Urkunde aus dem Jahre 1502.

LIT.: Carli, E., Il Pintoricchio, Milano 1960, S. 69 ff. (dort die ältere Lit.). — Scarpellini, P., Pintoricchio alla Libreria Piccolomini, Milano 1965.
Foto.

Abb. 19

Pinturicchio stellte, unter Benützung von Typen und Kostümen seiner Zeit, die Szene des ersten Treffens Friedrichs und Eleonores tatsachengetreu vor eine Vedute von Siena. Eneas Silvius vereint das Paar, hinter ihm jene Denksäule, die einige Jahre nach der Zusammenkunft vor der Porta Camollia errichtet worden war, und die sich noch heute an dieser Stelle befindet.

148 *Bildnis Kaiser Friedrichs III.*

Deutscher Meister, A. 16. Jhdt.
Holz, 86,5 × 53 cm. Halbfigur, Profil nach rechts, Mitrakrone und Kaiserornat. Gesicht nach dem Typus des Altersbildnisses mit Spangenkrone.

Wien, Kunsthistorisches Museum, Inv.-Nummer 4397.

Möglicherweise ist in diesem Bildnis jene Krone Friedrichs III. überliefert, mit der er in Rom zum Kaiser gekrönt worden war. Literarischen Berichten einer Reihe von Zeitgenossen zufolge soll er von Papst Nikolaus V. eine infulierte Mitrakrone empfangen haben, die er sich eigens zu diesem Anlaß anfertigen ließ, während er die Insignien aus Nürnberg wohl nach Rom mitführte, aber nicht benützte.

149 *Bildnis der Eleonore von Portugal*

Niederländische (?) Schule des 16. Jhdts.
Eichenholz, oben rund, 40 × 28,2 cm. Brustbild, Dreiviertelprofil nach rechts.

LIT.: Mayer-Meintschel, Katalog, Niederländische Malerei des 15. und 16. Jhdts. Staatliche Kunstsammlungen Dresden, 1966, Nr. 838 C.

Dresden, DDR, Staatliche Kunstsammlungen, Gemäldegalerie Alte Meister, Inv.-Nr. 838 C.

Wiederholung nach einem Original, das fragweise Thoman Burgkmair zugeschrieben wurde, und als das bislang ein Bildnis im Besitz des Earl Stanhope gilt. Ob jenes Bildnis mit der Gesandtschaft Friedrichs nach Portugal im Jahre 1448, unter deren Beauftragten ausdrücklich ein Maler erwähnt wird, in Zusammenhang gebracht werden kann, steht offen.

150 Epitaph der Beatrix Lopi

Meister der Wiener Neustädter Lopi-Grab-platte, 1453.

Sandstein, 1,85 × 0,56 m.

Ganzfigurige Darstellung in Lebensgröße.

Inschrift: Anno domini MCCCCLIII die nona mensis Aprilis obiit nobilis virgo Beatrix Lopi de Portugalia, domicella serenissime domine Leonore imperatricis, hic sepulta.

LIT.: Mayer, J., Geschichte von Wiener Neustadt, I, 2, Wr. Neust. 1926, S. 425. — Garzarolli-Thurnlackh, K., Jakob Kaschauer, Belvedere XIII., 1938—1943, S. 152 f.

Wiener Neustadt, Neukloster.

Beatrix Lopi war die einzige, namentlich bekannte Diene-rin, die Eleonore aus Portugal nach Österreich folgte.

Garzarolli schreibt die Lopi-Grabplatte demselben Meister zu, der auch die Madonna der Wappenwand schuf. Beide Werke könnten im Vollendungsjahr der Wappenwand, 1453, zu dessen Beginn Beatrix Lopi gestorben war, ent-standen sein; der Meister war vermutlich ein Alters-genosse Kaschauers.

151 Grabplatte der Kaiserin Eleonore von Portugal

Niklas Gerhaert (?), nach 1467.

Roter, weißgeäderter Marmor, 2,74 × 1,48 m, Einfach profilierte Platte, in einer Vertiefung an den vier Seiten am Rande Inschrift: Divi.Friderici.Caesaris.Augusti.conthoralis. Leonora.Augusta.rege.Portugalliae.genita. augustalem.regiam.hac.urna.com(m)utavit.III. non(i)s.septembr(is).1467

Die Kaiserin ist in mittelgroßer Relieffigur ungefähr 20 cm in den Stein vertieft unter befranstem Thronhimmel, dessen Vorhänge in die Höhe gezogen sind, und in langen Falten herabhängen, wiedergegeben. Ihre Gestalt, das Haupt mit offenen Augen auf ein Ruhe-kissen gebettet, ist etwas nach rechts gebogen und in Prunkgewänder gehüllt. Mitrakrone, Szepter und Reichsapfel sind Zeichen ihrer Würde.

In den vier Ecken vier Wappen: oben: Reichsadler und portugiesisches Wappen, unten: österreichischer Bindenschild und stei-rischer Panther.

LIT.: Herrgott, M., Taphographia I, 1772, p. 261, Abb. II, Tab. XXIX. — Lind, K., Der Grabstein der Kaiserin Eleonore, Mit-teilungen der k. k. Central-Commission, 14, Wien 1869, S. 101 ff. — Kenner, F., Die Por-trätsammlung, Jb. d. kh. S., Bd. 14, Wien 1893, S. 120. — Maier, R., Nicolaus Ger-haert, Straßburg 1910 (Studien zur deutschen

Möglicherweise beauftragte Kaiser Friedrich den von ihm aus Straßburg berufenen Bildhauer Niklas Gerhaert zu-nächst mit der Ausführung des Grabsteines für seine 1467 verstorbene Gattin Eleonore, nachdem der Künstler in eben diesem Jahre nach Wiener Neustadt gekommen war.

Ähnlich der Friedrichsfigur von der Deckplatte seines Hochgrabes (vgl. Kat.-Nr. 204), ist auch jene Eleonores durch großzügige Feierlichkeit der Komposition gekenn-zeichnet, sowie durch die edle Wiedergabe der äußeren Erscheinung.

Bei einer Öffnung des Grabes, die am 20. April 1668 auf Befehl Kaiser Leopolds I. vorgenommen worden war, wur-den ein Teil des Schädels, kleinere Teile von Gebeinen, Reste eines ursprünglich vergoldeten Holzsarges und eines roten Seidentuches gefunden.

Hanna Dornik

Kunstgeschichte, Heft 131), S. 63 ff. — Mayer, J., Geschichte von Wiener Neustadt, I, 2, Wr. Neust. 1926, S. 452. — Wertheimer, O., Nicolaus Gerhaert, Berlin 1929 (Jahresgabe des Deutschen Vereines für Kunstwissenschaft), S. 65. — Kühnel, H., Grabdenkmäler in Niederösterreich, in: Die Gotik in Niederösterreich, Wien 1963, S. 191.

Wiener Neustadt, Neukloster.

152 *Kaiserin Eleonore*

Entstanden in der Werkstatt des Augsburger Bildhauers Jörg Muskat um oder nach 1509.
Bronze, braune Naturpatina, 46 cm hoch; auf dem Schriftband die mitgegossene Inschrift: LEONORA AVG[VSTA].

LIT.: Feuchtmayer, K., Der Augsburger Bildhauer Jörg Muskat, in: Münchner Jahrbuch der bildenden Kunst, Bd. XII, 1921/22, S. 99 ff. — Planiscig, L., Die Bronzeplastiken, Wien 1924, Kat.-Nr. 305. — Weihrauch, H. R., Studien zur süddeutschen Bronzeplastik IV. Augsburger Renaissance: Neptun und der römische Kaiser, in: Münchner Jahrbuch der bildenden Kunst, 3. Folge, Bd. III/IV, 1952/53, S. 203, 208 f., 212. — Jantzen, H., Kleinplastische Bronzeporträts des 15. bis 16. Jhdts. und ihre Formen, in: Zs. des deutschen Vereins für Kunstwissenschaft, Bd. XVII, 1963, S. 115.

Wien, Kunsthistorisches Museum, Sammlung für Plastik und Kunstgewerbe, Inv.-Nr. 5436.

Die Bronzebüste der Kaiserin Eleonore steht, zusammen mit einer sehr verwandten Büste Kaiser Maximilians I., einer Reihe von zwanzig Büsten römischer Imperatoren nahe, die vom Augsburger Bildhauer Jörg Muskat und seiner Werkstatt um und nach etwa 1509 geschaffen wurden, und die zum ursprünglichen Programm des Grabes Kaiser Maximilians I. in der Innsbrucker Hofkirche gehören. Die genannte Büste Kaiser Maximilians I. befindet sich ebenfalls in der Sammlung für Plastik und Kunstgewerbe des Kunsthistorischen Museums in Wien, die zwanzig Büsten römischer Imperatoren stehen als Leihgaben der Sammlung für Plastik und Kunstgewerbe des Kunsthistorischen Museums zur Zeit in der Innsbrucker Hofkirche.

Erwin Neumann

153 *Oberteil eines Prunkwagens*

sogenannte Kobelform.
L.: 286 cm, H.: 124 cm, Br.: unten 118 cm, Mitte: 168 cm, oben 132 cm, Breite der Einstiegöffnung: 90 cm.
Gewölbe aus 18 cm breiten Holzreifen, welche durch einen unteren Rahmen und fünf Längsholme zusammengehalten werden; zwischen je vier Reifen bleibt seitlich eine drei Reifen breite Öffnung. Zwei Löcher im Rahmen unter ihr und je eines an den Rahmenschmalseiten müssen zur Befestigung auf dem Wagenkasten oder Plateau gedient haben. Die Längsholme sind geschnitzt und vergol-

Abb. 3

Der Wagen ist der bisher einzig erhaltene dieser Zeit. Die Wappen lassen in dem Stück den Hochzeitswagen der Prinzessin Eleonore von Portugal, der Gemahlin Friedrichs vermuten, zumindest aber einen Prunkkobel, der für die Einzüge in den Städten auf der Rückreise auf das Wagengestell aufgesetzt wurde. Er entspricht in seiner, wenn auch etwas breiten und stark gewölbten Form den Darstellungen der Frauenwagen in den Miniaturen der mittelalterlichen Handschriften, aber auch den gering ausgestatteten Troßwagen in den Holzschnitten des „Weißkunig“, wie sie ja als bäuerliche Transportwagen bis fast in die Gegenwart reichen und mit Plachen gedeckt werden. Er war noch starr mit dem Gestell verbunden, während der nächst-jün-

det, die Reifen außen und innen an den Schauseiten mit in den Kreidegrund geritzten Akanthusstabranken, bzw. Damastmustern geschmückt.

Die Schmalseiten haben reiche Schnitzereien vorgeblendet, welche in drei Kielbogen mit Kreuzblumen und dazwischen in Fialen enden.

Die Mittelfelder enthalten das von zwei Engeln gehaltene Wappen des kaiserlichen Doppeladlers mit Schriftband AEIOU mit der Schlinge und Krone darüber. Seitlich links das portugiesische Wappen, rechts der Bindenschild bzw. das Wappen von Österreich unter der Enns, alle vier von wilden Männern gehalten.

An den Reifen innen folgende Wappen: Krain, Kärnten, Österreich u. d. Enns, einköpf. Adler, Doppeladler, Portugal, Bindenschild, Steiermark, Windische Mark, Habsburg, Tirol, Doppeladler, einköpf. Adler, Elsaß, Portenau, Österreich ob d. Enns.

Die Zierknäufe an den Holmenden fehlen. Vorderseite stark, Rückseite weniger beschädigt.

Figuren und Wappen bunt bemalt.

Die Grundierung meist auf Leinen.

LIT.: Mittheilungen des historischen Vereins für Steiermark, Bd. III, S. 9. — Katalog des steierm. Landeszeughauses, 1882, S. 43, und 1887, S. 38. — Ilg, Albert, Der Wagen Friedrichs IV. im Grazer Zeughaus, in: Mitteilungen der Centralkommission zur Erforschung und Erhaltung der Kunst- und historischen Denkmale, N. F., 1. Jg., Wien 1875, S. 49. — Pichler, Dr. Fritz, Der Wagen Kaiser Friedrich III., in den Mitteilungen der C. C., XVIII, S. 34. — Das Landeszeughaus in Graz, S. 90, und S. XXXVII. — Jahresbericht des Joanneums 1851, S. 22. — Rath, Anton, In „Das Landesmuseum Joanneum und seine Sammlungen", Graz 1911, S. 319. — Heinrich Kreisel, Prunkwagen und Schlitten, Leipzig 1927, S. 15—19, Tafel 1 B. — Strohmer, Erich V., Der Krönungswagen Kaiser Friedrichs III., in: Deutsche Kunst, VII, 1941, Tafel 122. — Lhotsky, Alphons, Die sogenannte Devise Kaiser Friedrichs III. und sein Notizbuch, Cod. Vind. Palt. n. 2674, im Jahrbuch der kunsthistorischen Sammlungen, Wien, N. F., Band

gere Wagen des Kurfürsten Joh. Friedrich des Großmütigen von Sachsen und seiner Braut Sibylle von Cleve vom Jahre 1527 auf der Veste Coburg bereits mit Eisengriffen für die Aufhängung in Lederschlaufen ausgestattet ist.

Die zeitgenössischen Berichte der Festlichkeiten zu Hochzeit und Krönung im Jahre 1452 in Italien nennen den Wagen leider nicht.

Nähere Angaben, sowohl über die Einordnung in die technische Entwicklung mit Sammlung der vergleichbaren Abbildungen, als auch über die Geschichte des Wagens muß von der in Vorbereitung befindlichen Bearbeitung in Graz noch erwartet werden.

Das Stück dürfte, als Eleonore bei der Rückkehr aus Italien wegen der feindlichen Haltung der österreichischen Stände in Graz bleiben mußte, dort verblieben sein. Es befand sich in einer Zeughütte am Lend, wie aus einem Bericht im Stmk. Landesarchiv (VIII. A 725, Register 1851) hervorgeht, und kam 1851 von da in das ständische Zeughaus. Im Jahr 1895 wurde er im neueröffneten Kulturhistorischem Museum aufgestellt.

Gertrud Smola

XIII, Wien 1944, S. 75. — Steierm. Landesmuseum Joanneum, Museum für Kulturgeschichte und Kunstgewerbe, kl. Bildführer, Graz 1958, farb. Titelbild. — Krenn,
Peter, Zur Geschichte des steierm. Landeszeughauses in Graz, in: Festschrift zur 150-
Jahrfeier des steierm. Landesmuseums Joanneum (im Druck).

*Graz, Museum für Kulturgeschichte und
Kunstgewerbe, Inv.-Nr. 248.*

Farbdiapositiv.

154 *Reisealtärchen der Kaiserin Eleonore*

Unter Einfluß Rogiers van der Weyden,
Mitte 15. Jhdt.
Deckfarben auf Pergament, 258 × 200 mm.
LIT.: Springer, J., Reisealtärchen, Jb. d. kgl.
preuß. Kunstsammlgen., Bd. 28, Berlin 1907,
S. 90 ff. — Wescher, P., Beschreibendes Ver-
zeichnis d. Miniaturen d. staatl. Museen Berl.,
Leipzig 1931, S. 167, Nr. 3996.

Berlin, Kupferstichkabinett.

Farbdiapositiv.

Beweinung Christi unter dem Kreuz, links vorne, vermutlich von anderer, gröberer Hand, die kleine kniende Figur
der Stifterin mit dem heiligen Jakobus. Im Rahmen die
Wappen von Portugal und Habsburg.

155 *Kaiser Friedrich und seine Söhne, Kaiserin Eleonore und ihre Töchter*

Pergament, 18,8 × 13,7 cm. Ganzseitige Miniaturen mit ganzfigurigen Darstellungen, die
kaiserliche Familie im Gebet kniend. Sommerbrevier, fein gemalte Bilder auf Goldgrund in sehr gutem Erhaltungszustand, nach
1465.
LIT.: Catalogus Codicum manu script. Bibliotheca Monacensis, die dt. Pergamenthand-
schriften der Staatsbibl. München, bschr. v.
E. Petzelt, München 1920. — Eger, a. a. O.,
S. 43 f.

München, Staatsbibliothek, Cod. 68/69.

Farbdiapositiv.

Fol 1v: In der oberen Bildhälfte der heilige Christophorus
und Christus als Weltheiland, darunter knien der Kaiser
und seine Söhne Christoph (1455—56), Maximilian (1459—
1519) und Johannes (1466—1467). Die Darstellung Friedrichs erinnert an den Kaisertypus Karls IV. der Votivtafel
des Ocko von Vlasim. Die Erzherzogshüte der Söhne
stimmen mit jenem Friedrichs, den er nachweisbar seit
1459 trug, überein.
Die gegenüberliegende Seite fol. 2r zeigt Maria mit dem
Ährenkleid und den heiligen Augustinus in der oberen
Reihe, Eleonore mit ihren Töchtern Helene (1460—61) und
Kunigunde (1465—1520) in der unteren.

Hanna Dornik

DER KAISER

Mit seiner Krönung im Dom zu St. Peter am 19. März 1452 hatte König Friedrich erreicht, was keinem seiner habsburgischen Vorgänger in der römisch-deutschen Königswürde gelungen war und auch keinem mehr gelingen sollte; seine Krönung blieb die letzte
Kaiserkrönung in Rom.

Als er aber, umstrahlt vom Glanz der Kaiserkrone, in seine Erblande zurückkehrte, wurde er von den aufständischen Österreichern in Wiener Neustadt belagert und mußte Ladislaus vorzeitig aus der Vormundschaft entlassen. Er war damit auf die schmale Basis Innerösterreich beschränkt. Gerade damals bestätigte er, wie er es schon als König getan hatte, nunmehr in feierlicher Form als Kaiser, die Privilegien Rudolfs IV. und bestimmte dabei den Vorrang der steirischen Linie.

Am 29. Mai 1453 fiel Konstantinopel in die Hände der Türken. Ein gemeinsamer Türkenfeldzug des gesamten Abendlandes erschien als das Gebot der Stunde und der Kaiser das natürliche Zentrum eines solchen Unternehmens. Friedrich jedoch war in seinen Erblanden hart bedrängt. Als 1457 mit Ladislaus die albertinische Linie ausstarb, machte Albrecht VI. dem Kaiser die Herrschaft in Österreich streitig. 1462 kam es abermals zu einer Belagerung Friedrichs, diesmal in Wien, wobei der eigene Bruder der Anstifter des Aufruhrs war.

Friedrichs Vernachlässigung der Reichsangelegenheiten erregte schon seit längerem die Unzufriedenheit der Kurfürsten und legte den Gedanken nahe, ihm einen Reichsstatthalter an die Seite zu stellen. Seit der Kaiserkrönung war zudem die Möglichkeit gegeben, zu diesem Zweck einen römischen König zu wählen. Als Kandidaten für diese Würde wurden vor allem Georg Podiebrad und Karl der Kühne von Burgund genannt, aber keines der Projekte kam zur Ausführung.

Nach dem Tod Albrechts VI. (1463) entspannte sich die Lage in den Erblanden. 1468/69 unternahm der Kaiser eine zweite Romreise, die ihm bedeutende kirchenpolitische Erfolge brachte. Bei der Rückkehr erwarteten ihn aber wieder neue Unruhen durch den Aufstand des ehemals so getreuen Andreas Baumkircher. Zudem bedrängten jetzt die Türken unmittelbar die habsburgischen Lande.

1471 kam Friedrich der Türkennot wegen zum ersten Mal seit 27 Jahren wieder ins Reich. Auch dachte er nun selbst daran, Karl dem Kühnen die deutsche Königswürde zu verschaffen, als Gegenleistung dafür, daß die Hand der burgundischen Erbtochter seinem Sohn Maximilian zufalle. An den unmäßigen Forderungen Karls scheiterten die Verhandlungen, die 1473 in Trier stattfanden. 1477 aber fiel Karl gegen die Schweizer, und die Heirat wurde geschlossen, ohne daß dafür Reichsrechte veräußert werden mußten.

Kaiser Friedrich war realistisch genug, die tatsächliche Macht, die ihm das Kaisertum verlieh, richtig einzuschätzen. Er verzichtete also auf eine Reform des Reiches und vermied eine politische Einmischung in die gerade damals sehr problematischen Verhältnisse Italiens. Anderseits achtete er streng darauf, daß keines der verbliebenen Reichsrechte geschmälert wurde und gab niemals einen seiner theoretischen Ansprüche auf.

1486 wurde Maximilian zum deutschen König gewählt, ohne daß der Kaiser die Wahl betrieben hätte, im Gegenteil gab er eher widerstrebend seine Zustimmung. Seit langer Zeit war damit wieder die Nachfolge des Sohnes im Reich gesichert. In den Erblanden verschaffte Friedrich dem Sohn durch sein energisches Einschreiten gegen Herzog Siegmund den Besitz Tirols und der Vorlande. Der Erwerb Ungarns gelang jedoch nicht.

Maximilian übernahm von seinem Vater eine solide Ausgangsbasis: den geeinten habsburgischen Hausbesitz und dazu die römisch-deutsche Königskrone. Friedrichs Regierung muß somit trotz ihrer zahlreichen Anfechtungen letztlich erfolgreich genannt werden.

Brigitte Haller

156 *Bildnis Kaiser Friedrichs III.*

Original wahrscheinlich von einem Meister des Augsburger Kunstkreises (Thoman Burgkmair?), Kopie von Hans Burgkmair, um 1510.
Tempera auf Fichtenholz, 47,5 × 32 cm.
Brustbild, Profil nach rechts.
Inschrift oben rechts:
Frideric(us) Anno Etatis 53.
LIT.: Katalog der Ausstellung „Gotik in Österreich", 1926, Nr. 15. — Katalog der Burgkmair-Ausstellung, Augsburg 1931, Nr. 15. — Ubell, H., Geschichte der kunst- und kulturhistorischen Sammlungen des oberösterr. Landesmuseums, Jb. d. oö. Musealvereines 85, Linz 1933, Festschrift, S. 208 f. — Lhotsky, Festschrift II, 1941, S. 47 ff. — Buchner, E., Das deutsche Bildnis, Berlin 1953, S. 116. — Eger, H., Ikonographie Kaiser Friedrichs III., Phil. Diss., Wien 1965, S. 44 ff.
Linz, Oberösterreichisches Landesmuseum.

Siehe S. 75 f.
Das verschollene Original des „Staatsporträts" ist durch mehrere gemalte Wiederholungen belegt. Eine Replik im Kunsthistorischen Museum zu Wien dürfte sich durch Bereicherungen von der Vorlage weiter distanzieren, als das Bildnis in Linz, das Doppelbildnis Friedrichs und Eleonores in Wilten vereint die Einzeldarstellungen aus dem Kunsthistorischen Museum.

157 *Bildnis der Eleonore von Portugal*

Tempera auf Fichtenholz, 47,5 × 32 cm.
Brustbild, halb seitlich nach links.
Inschrift oben links:
Leonnora.
Gegenseitige Kopie eines älteren Bildes der Kaiserin, dessen vermutliches Original sich im Besitze des Earl Stanhope befindet.
LIT.: siehe Bildnis Friedrichs.
Linz, Oberösterreichisches Landesmuseum.

Das Bildnis Eleonores ist als Gegenstück zum Kaiserporträt Friedrichs gearbeitet. Die Vorlage zu dem Porträt dürfte ein Jugendbildnis der Fürstin gewesen sein, das von Ernst Buchner fragweise dem Thoman Burgkmair zugeschrieben wurde. Zur Zeit der Bildnisaufnahme Friedrichs, 1468, war Eleonore bereits tot.

Hanna Dornik

UNGARISCHES KÖNIGTUM

Albrecht II. (V.) war als Erbe seines Schwiegervaters König von Ungarn; auf diese Stellung konnte daher auch sein nachgeborener Sohn Ladislaus Anspruch erheben. Durch einen kühnen Coup ihrer Kammerfrau Helene Kottanner war Albrechts Witwe Elisabeth in den Besitz der Stephanskrone gelangt und hatte ihren dreimonatigen Sohn am 15. Mai 1440 damit krönen lassen. Die Ungarn, die einen König brauchten, der sie gegen die Türken verteidigen konnte, beriefen jedoch König Wladislaw von Polen. Elisabeth, obwohl zunächst Herzog Albrecht VI. zugeneigt, mußte schließlich bei König Friedrich Hilfe suchen und ihn als Vormund ihres Sohnes anerkennen. Ende des Jahres überantwortete sie ihm Ladislaus zusammen mit der ungarischen Reichskrone; ihre eigene Krone, die als Gegenstück zur Stephanskrone angefertigt worden war, hatte sie ihm bereits früher verpfändet. Kaiser Friedrich behielt beide Kronen bei sich, auch nachdem er Ladislaus aus der Vormundschaft hatte entlassen müssen.

Wladislaw fiel 1444 gegen die Türken. Nunmehr anerkannten die Ungarn Ladislaus als König, doch bestellten sie den siebenbürgischen Adeligen Johann Hunyadi zum Gubernator für die Zeit seiner Unmündigkeit. Nach dem Tod des Ladislaus (1457) erhoben sie Matthias Corvinus, den jüngeren Sohn Johann Hunyadis, zum König. Eine kleine, mit dieser Wahl unzufriedene Adelspartei wählte darauf am 17. Februar 1459 Kaiser Friedrich mit der Begründung, er befände sich bereits im Besitz der heiligen Krone. Pius II., der durch ein ungarisches Gegenkönigtum seinen Plan eines großen Türkenunternehmens gefährdet sah, riet dringend von der Annahme der Wahl ab, nichtsdestoweniger verkündete Friedrich am 4. März zu Wiener Neustadt in feierlicher Form seine Annahme der Wahl; der häufige Bericht, er hätte sich bei dieser Gelegenheit von dem anwesenden Erzbischof von Salzburg die Stephanskrone aufs Haupt setzen lassen, beruht jedoch auf einem späteren Mißverständnis. Wenige Tage darauf, am 25. März, fungierte Nikolaus Uilak, der von Matthias abgesetzte Woiwode von Siebenbürgen, der unter den Wählern Friedrichs gewesen war, als Taufpate des Kaisersohnes Maximilian. Im übrigen war der Kaiser aber viel zu sehr von anderen Problemen in Anspruch genommen, um an ein tatsächliches Eingreifen in Ungarn denken zu können. Es resultierte nur ein ständiger Kleinkrieg mit Matthias, dem der Ödenburger Vertrag von 1463 ein vorläufiges Ende setzte. Friedrich verzichtete auf die Durchsetzung seiner Ansprüche, überlieferte gegen Zahlung von 80.000 Gulden die Stephanskrone an Matthias und behielt lediglich den lebenslänglichen Titel eines ungarischen Königs nebst einigen westungarischen Besitzungen. Durch einen Erbvertrag wurde den Habsburgern überdies die Anwartschaft auf Ungarn zugesichert, die aber nach dem plötzlichen und erbenlosen Tod des Matthias zu Wien im Jahre 1490 wieder nicht realisiert werden konnte. Maximilian, dem sein Vater das ungarische Unternehmen anvertraut hatte, mußte sich 1491 im Frieden von Preßburg ebenfalls mit dem bloßen Titel und der Hoffnung auf einen späteren Heimfall begnügen, während Wladislaw von Böhmen die Herrschaft antrat.

Brigitte Haller

158 *Effigierum Caesarum opus*

Augsburg 1580.
Papierhandschrift, 299 ff., 552 × 395 mm.
Kurze lateinische historische Texte, zahlreiche ganzseitige Bilder.

Fol. 289 r: Kaiser Friedrich in Rüstung auf einem Pferd. Im Hintergrund die Übergabe der Stephanskrone durch Elisabeth von Ungarn an Friedrich.
Die Übergabe fand in Wiener Neustadt um den 22. Novem-

LIT.: Kat. d. Ausst. das gemalte Kleinporträt, Nr. 30. — Kat. d. Ausst. Habsburgerzimelien Nr. 209. — Unterkircher, F., Inventar der illuminierten Handschriften, 1, Wien 1957, S. 162.
Zum Bildinhalt: Birk, E., Beiträge zur Geschichte Elisabeths von Ungarn und ihres Sohnes Ladislaus, Quellen und Forschungen, Wien 1849.

Wien, Nationalbibliothek, Cod. Vind. 15.167.
Foto.

ber 1440 statt, doch ist sie hier in eine phantastische Szenerie gestellt und Ladislaus, der damals noch kein Jahr zählte, als kleine kniende Figur dargestellt.

Hanna Dornik—Brigitte Haller

DER ZWEITE ROMZUG

1468, ein Jahr nach dem Tode seiner Gemahlin Eleonore, zog Friedrich ein zweites Mal nach Rom, um hier bei Papst Paul II. die Approbation des von ihm gegründeten St. Georg-Ritterordens, die Heiligsprechung Markgraf Leopolds und die Gründung der Bistümer Wien und Wiener Neustadt zu betreiben.
Seinen Weg nahm der Kaiser über Venedig, Ferrara, Foligno nach Rom, das er am 24. Dezember 1468 erreichte. Am 9. Jänner 1469 verließ er die Stadt, um über Viterbo, Orvieto und Perugia wieder nach dem Norden zu ziehen.
Zur Erinnerung an die Erhebung von 120 neuen Rittern, die am Neujahrstag 1469 in Rom stattgefunden hat, wurde von Bertoldo di Giovanni, dem Schüler Donatellos und Lehrer Michelangelos, eine Medaille geschaffen, deren Rückseite das Geschehnis festhält. Die Vorderseite trägt ein Profilbildnis Kaiser Friedrichs III., das in der Zeit Maximilians und Ferdinands I. oftmals wiederholt wurde. Vornehmlich bediente man sich der Vorlage des Medaillenporträts für Rundbilder in Holz, für Spielbretter und Spielsteine.

159 *Medaille mit Porträt Kaiser Friedrichs III.*

Bertoldo di Giovanni, 1469.
Silber, Guß, 56 mm.
Brustbild, Profil nach links mit Pelzhut.
Umschrift der Vorderseite:
FREDERICVS TERTIVS ROMANORVM IMPERATOR SEMPER(AVGVSTVS).
LIT.: Herrgott, M., Nummotheca, 1752, I, Tab. VIII, 1; Heraeus, K. G., Bildnisse der regierenden Fürsten, 1828, Pl. 12, 1. — Domanig, K., Porträtmedaillen des Erzhauses Österreich, Wien 1896, S. 1. — Bode, W., Florentiner Bildhauer der Renaissance, 3. Aufl., Berlin 1911, S. 256 ff. — Hill, G. F.,

Siehe S. 76.

Das Medaillenbild, das Friedrich wesentlich älter aussehend, als das nahezu gleichzeitig entstandene „Staatsporträt" (erhalten in einer Kopie des Hans Burgkmair, vgl. Kat.-Nr. 156) zeigt, erweist jenes als stark idealisierend und stilisiert. Die Porträtmedaille ist ikonographisch von größter Bedeutung, da die Kleinheit des Raumes den Künstler zu konzentrierter Charakteristik verpflichtet.

Medals of the Renaissance, Oxford 1920, S. 76. — Habich, G., Med. d. ital. Renaissance, Stuttgart und Berlin 1924, S. 64 f. — Hill, G. F., A corpus of Italian medals, 2 Bde., London 1930, Nr. 912, S. 238 ff., Taf. 148. — Meiss, M., Contributions, Burlington Magazine, Vol. 103, London 1961, S. 65. — Eger., H., Ikonographie Kaiser Friedr., Phil. Diss., Wien 1965, S. 66 ff.

Wien, Bundessammlung für Medaillen, Münzen und Geldzeichen.

160 *Holzmedaillon mit Bildnis Kaiser Friedrichs III.*

Oberdeutscher Bilderschnitzer, A. 16. Jh.
Holz, 104 mm.
Brustbild, Profil nach links.
Inschrift:
FRID.-RO.-IMP.-IV. D. G.-S. AVG.
Um Holzmedaillon viereckiger Rahmen.

LIT.: Heräus, Bildnisse, 1828, Taf. 12,5. — Primisser, A., Die k. k. Ambraser Sammlung, 1819, S. 190, Nr. 76. — Sacken, E., Die k. k. Ambraser Sammlung, 1855, S. 115, Nr. 19. — Habich, G., Deutsche Schaumünzen, 1929, I, 1, S. 50, Nr. 306; Taf. 38,2. — Eger, H., Ikonographie Kaiser Friedrichs III., Phil. Diss., Wien 1965, S. 68.

Wien, Kunsthistorisches Museum, Sammlung für Plastik und Kunstgewerbe, Inv.-Nr. 3982.

161 *2 Damespielsteine*

a) Tirol, 16. Jhdt.
Holz, 50 mm.
Brustbild, Profil nach links.
Umschrift: FRIDERICHUS CAESSAR DEI GRACIA.

Wien, Kunsthistorisches Museum, Sammlung für Plastik und Kunstgewerbe, Inv.-Nr. 4263.

b) Tirol, Mitte 16. Jhdt.
Zirbelholz, 56 mm.
Brustbild, Profil nach links.

Wien, Kunsthistorisches Museum, Sammlung für Plastik und Kunstgewerbe, Inv.-Nr. 3861.

Das Holzmedaillon wiederholt das italienische Profilbildnis von 1469. Die Züge sind aber, wohl der nördlichen Provenienz entsprechend, derber, Nase, wuchtige Lippe und Unterkiefer stärker herausgearbeitet und betont.

Das Medaillon zählt zu einer Serie von 27 Damespielsteinen mit Brustbildern habsburgischer und anderer fürstlicher Personen.

Hanna Dornik

162 *Goldene Bulle (Siegelkapsel) Kaiser Friedrichs III.*

Goldblech getrieben.

Vs. sitzender Kaiser mit Wappen, Kaiseradler, Steiermark, Bindenschild, Deutscher König.

Inschrift: FRIDERICVS . DEI . GRA . ROMANO . IP . SEMP . AVGVSTVS . AVSTRIAE . STIRIE . KARINTHIE . ET . AEIOV . COMES . TIROLIS . CARNIOLE . DVX.

Rs. Stadt Rom. Umschrift: ROMA . CAPVT . MUNDI . REGIT . ORBIS . TERENA . ROTVNDI . AEIOV.

Dm. 7,5 cm, h. 1,2 cm.

Herkunft unbekannt.

Innsbruck, Tiroler Landesmuseum, Ferdinandeum, Inv.-Nr. GO 18.

Erich Egg

163 *Medaille Kaiser Friedrichs III.*

Nach Hans Kels d. Ä., 16. Jhdt.

Bronzeguß, einseitig, 127 mm.

Umschrift: FRIDERICVS . III . ROMAN . IMPER: AVG: ARCHIDVX AVST . ERNESTI . DVCIS . FILIVS . 1493 Brustbild, Profil nach links.

LIT.: Herrgott, M., Nummotheca I, Tab. VIII, V. — Eger, H., Ikonographie Kaiser Friedrichs, Phil. Diss., Wien 1965, S. 69.

Wien, Bundessammlung für Medaillen, Münzen und Geldzeichen, Inv.-Nr. 5 b.

Der Kaiser trägt eine Pelzhaube und das Emblem des Kannenordens. Die Medaille ist unmittelbar nach dem Ambraser Spielbrett gearbeitet, ein Holzmodell zu dem Abguß befindet sich im Stift Klosterneuburg.

Hanna Dornik

DIE HEILIGSPRECHUNG MARKGRAF LEOPOLDS III.

164 *Johannes Franciscus de Pavinis: Defensorium Canonisationis Leopoldi Marchionis.*

Inkunabel, gedruckt in Rom (Georg Herolt?) um 1483, in Klosterneuburg illuminiert.

55 Bll., Papier, 283 × 205 mm. Alter, gepreßter Ledereinband mit reichen Messingbeschlägen.

Siehe den Beitrag S. 226.

Das Titelblatt der Rechtfertigungsschrift für die Heiligsprechung des Markgrafen Leopold III. ist reich illuminiert. Die Randleiste zeigt ital. Einfluß und könnte so wie die beiden für Kaiser Friedrich III. und Kardinal Piccolomini bestimmten Prunkexemplare (Österr. Nat. Bibl. Inc.

LIT.: Ludwig, V. O., Die Klosterneuburger Inkunabeln (Jb. des Stiftes Klosterneuburg VIII/2), 1920, Nr. 662. — Ders., Der Kanonisationsprozeß des Markgrafen Leopold III. d. Hl. (ebenda Bd. IX), 1919. — Katalog „Die Gotik in N. Ö.", Krems 1959, Nr. 132. — Wagner-Rieger, Renate, Zur Baugeschichte der Stiftskirche von Klosterneuburg (Jb. des Stiftes Klosterneuburg NF, Bd. 3), 1963, S. 160.

Chorherrenstift Klosterneuburg, Stiftsbibliothek, Cod. typ. 814.

26 E. 18 und Bibl. Apost. Vaticana, Rossiana) in Rom gemalt worden sein, allerdings vielleicht von einem deutschen oder österr. Illuminator. Während aber diese beiden Inkunabeln in der Kopfminiatur den hl. Leopold in einer Phantasielandschaft mit einem schematischen Kirchenmodell darstellen, zeigt die Miniatur des Klosterneuburger Exemplars den Heiligen vor einer topographisch genauen Ansicht Wiens mit dem Stephansdom, und in der Hand hält er ein wirklichkeitsgetreues Modell der Stiftskirche in ihrer damaligen Gestalt. Dies setzt eine Entstehung zumindest der Kopfminiatur in Klosterneuburg voraus.
In den vier Ecken des Titelblattes sind die Wappen aller dargestellt, die sich um die Heiligsprechung Leopolds III. bemühten: oben links Papst Sixtus IV., rechts Kaiser Friedrich III. (beide Wappen in der ital. Roßstirn-Form), unten links Stift und rechts Stadt Klosterneuburg.

165 *Leopoldi-Wallfahrtszeichen.*

Silber, einseitig geprägt, Durchmesser 29 mm.
Stift Klosterneuburg, um 1490.
LIT.: Cernik, Berthold, Geschichte des Leopoldspfennigs (Unsere Heimat VI, 1933, S. 284 ff.). — Katalog „Die Gotik in N. Ö.", Krems 1959, Nr. 420.

Bundessammlung für Münzen, Medaillen und Geldzeichen, Wien.

Diese Pilgerzeichen waren als Andenken für die Wallfahrer bestimmt, die zum Grabe des hl. Leopold nach Klosterneuburg pilgerten. Mittels der drei Löcher wurden sie am Gewand angenäht. In den Rechnungsbüchern des Stiftsarchivs finden sich zwischen 1490 und 1529 häufig Ausgaben für die Prägung dieser „zaichen" vermerkt. Es scheint jedoch nur dieses eine Exemplar erhalten geblieben zu sein. Nach Art der Brakteaten ist es einseitig geprägt. Der hl. Leopold steht mit Fahne und Kirchenmodell zwischen den Buchstaben S(anctus) und L(eopoldus) bzw. dem Stiftswappen und dem Fünf-Adler-Schild.

166 *Ladislaus Sunthaym: Geschichte der Babenberger.*

Pergament, 810 × 630 mm.
Klosterneuburg, 1491.
Ausschnitt (Foto): Initiale G, 155 × 145 mm.
LIT.: Eheim, Fritz, Ladislaus Sunthaym (Mitt. d. Inst. für Österr. Geschichtsforschung, Bd. 67), 1959, S. 53 ff.

Chorherrenstift Klosterneuburg, Stiftsmuseum.

Foto.

Ladislaus Sunthaym verfaßte nach der Heiligsprechung Markgraf Leopolds III. im Auftrage des Stiftes Klosterneuburg eine Geschichte der Babenberger, die 1491 auf 8 Pergamentblätter geschrieben und reich illuminiert wurde.
Farbfoto: Ausschnitt aus der Tafel Nr. 5. In der Initiale G erblickt man vorne Papst Innozenz VIII., ihm gegenüber Friedrich III. als römischen Kaiser. Dahinter ist Friedrich nochmals dargestellt in der Tracht eines Erzherzogs von Österreich (als Nachfolger des hl. Leopold). Gegenüber steht König Maximilian im Harnisch. Zuoberst ist Propst Jakob Paperl von Klosterneuburg sichtbar. Der Kleriker, der rechts neben ihm den Abtstab hält, könnte Ladislaus Sunthaym sein. Der offensichtlich porträtgetreue, spitzbärtige Kopf unter ihm stellt vielleicht Ritter Marquard Breisacher dar, der sich um die Heiligsprechung sehr verdient gemacht hatte.

167 Stammbaum der Babenberger.

Tempera, von Holz auf Leinwand übertragen. Mittelteil 344,3 × 405 cm, Seitenflügel je 344,3 × 202,5 cm.
Klosterneuburg, 1489—1493.
Foto: Ausschnitt mit dem Rundbild Herzog Leopolds VI., Durchmesser 58 cm.
LIT.: Benesch, Otto, Katalog der Gemäldesammlung des stiftl. Museums, Klosterneuburg 1937, S. 109 ff. — Katalog der Ausstellung „Klosterneuburg, Zentrum der Gotik", 2. Aufl., 1961, S. 23 f.
Chorherrenstift Klosterneuburg, Stiftsmuseum.
Foto.

Anläßlich der Heiligsprechung Markgraf Leopolds III. gab das Stift Klosterneuburg ein riesiges Triptychon in Auftrag, auf welchem in Einzelszenen die Geschichte der Babenberger nach dem Text des Ladislaus Sunthaym (vgl. Kat.-Nr. 166) dargestellt werden sollte. In den Rechnungsbüchern des Stiftsarchivs sind 1489—1493 Zahlungen an Maler für dieses Werk verzeichnet, darunter auch an einen Hans Part. An dem ungeheuer großen Gemälde waren sicherlich mehrere Hände beteiligt. Die beiden Seitenflügel mit den Frauen der Babenberger sind wohl etwas später entstanden.
Das ausgestellte Foto zeigt das Rundmedaillon, auf dem Herzog Leopold der Glorreiche dargestellt ist, wie er in San Germano 1230 zwischen Papst Gregor IX. und Kaiser Friedrich II. den Frieden vermittelt. Links im Hintergrund erblickt man das von Leopold VI. gegründete Stift Lilienfeld mit dem einen, halb verdeckten Turm. Davor ist der Herzog mit einem Mönch sichtbar. Die Mitte des Hintergrunds nimmt eine Stadtansicht mit großer zweitürmiger Kirche ein. Damit ist ohne Zweifel Wiener Neustadt gemeint, das im Text Sunthayms ausdrücklich bei Leopold VI. genannt wird.

168 Heiligsprechung Markgraf Leopolds III.
1485, Jänner 6. Rom.

Original, Pergament, 63,5 × 86 cm. Bleibulle Innozenz' VIII. an rot-gelber Seidenschnur.
LIT.: Ludwig, V. O., Der Kanonisationsprozeß des Markgrafen Leopold III. d. Hl. (Jb. des Stiftes Klosterneuburg, Bd. IX), 1919, S. 200 ff.
Chorherrenstift Klosterneuburg, Stiftsarchiv.

Durch diese prunkvoll ausgefertigte Urkunde wurde Markgraf Leopold III. nach langwierigem kanonischem Prozeß zur Ehre der Altäre erhoben. Die Bulle gibt nicht nur diesen Rechtsinhalt kund, sondern berichtet auch die ganze Vorgeschichte des Kanonisationsprozesses.
Die Heiligsprechungsbulle wurde schon sehr bald in Wien, Passau und Memmingen abgedruckt (V. O. Ludwig, Die Klosterneuburger Inkunabeln, Jb. des Stiftes Klosterneuburg, Bd. VIII/2, 1920, S. 99).

169 Bildteppich des Dr. Johannes Fuchsmagen.

Brüssel, zwischen 1499 und 1510.
Tapisserie, 348 × 402 cm.
LIT.: Ankwicz-Kleehoven, Hans, Der Gobelin des Dr. Fuchsmagen in Heiligenkreuz (Wiener Almanach, 1924, S. 64 ff.). — Katalog „Gotik in N. Ö.", Krems 1959, Nr. 339.
Zisterzienserstift Heiligenkreuz, Stiftsmuseum.

Abb. 23

Der Humanist Dr. Johannes Fuchsmagen (1450—1510) war Rat der Kaiser Friedrich III. und Maximilian I. Den Bildteppich, den er wahrscheinlich auf einer diplomatischen Reise in Brüssel in Auftrag gab, stiftete er für die Kirche des Chorherrenstiftes St. Dorothea in Wien (an der Stelle des heutigen Dorotheums). Dort hing er am Grabe Fuchsmagens. Nach der Aufhebung des Dorotheerstiftes erwarb 1786 das Stift Heiligenkreuz den Teppich.

Die berühmte Tapisserie unterstreicht den stark historisierenden Zug, der von Anfang an dem Kult des hl. Leopold anhaftete. Im Thema ist sie zweifellos vom Babenberger-Stammbaum (vgl. Kat.-Nr. 167) beeinflußt. Die Mitte des Teppichs nimmt der Innenraum einer Kapelle ein (wohl die Leopoldskapelle im Stift Klosterneuburg) mit dem Hochgrab des Heiligen, auf welchem wächserne Votivgaben liegen. Davor kniet der Stifter Dr. Fuchsmagen, dem hl. Leopold zugewandt. Unter ihm die Widmungsinschrift: DIVO . LEOPOLDO . AUSTRIE . GENIO . JOHANNES . FUCHSMAG(EN) . DOCTOR . DICAVIT. Rechts von ihm steht der hl. Leopold mit Fahne und Kirchenmodell. Hinter ihm sind kniend seine Söhne aufgereiht, gegenüber die Töchter, rechts außen seine Gattin Agnes mit Kirchenmodell. Die jung verstorbenen Kinder des Markgrafenpaares sind als Kinder dargestellt. Unter jeder Figur ist ein dazugehöriges Wappen angeordnet. Diese Wappen hatte der Babenberger-Stammbaum für die einzelnen Familienmitglieder frei erfunden. Darunter steht der Name jeder einzelnen Figur. Die Gestalten knien vor einem Vorhang, flankiert von zwei hohen Baldachinen. Der Hintergrund öffnet sich in eine Landschaft. In ihr erblickt man rechts den im Spätmittelalter sehr verehrten hl. Hieronymus mit dem Löwen.

Floridus Röhrig

DER ST. GEORGS-RITTERORDEN

Während seines Romaufenthaltes im Winter des Jahres 1468/69 hatte Kaiser Friedrich III. die Zustimmung des Papstes zu der bereits 1467 erfolgten Gründung des St. Georgs-Ritterordens erhalten, dessen wichtigste Aufgabe der Kampf gegen die gefährlich vordringenden Türken sein sollte; Papst Paul II. bestätigte diese Ordensgründung am 1. Jänner 1469. Erster Hochmeister wurde der kaiserliche Küchenmeister Hans Siebenhirter (1469—1508). Der ursprüngliche Sitz dieses Ritterordens war das ehem. Benediktinerkloster in Millstatt/Kärnten gewesen. 1479 wurde der St. Georgs-Ritterorden, der der ihm gestellten Aufgabe aus verschiedenen Gründen nicht gerecht werden konnte, auf Wunsch Friedrichs III. nach Wiener Neustadt übertragen. Die vom Kaiser gewünschte Vereinigung dieses Ordens mit dem Bistum Wiener Neustadt führte zu zahlreichen Konflikten.

Gertrud Gerhartl

170 *Hochmeister-Schwert des St. Georgs-Ordens*

Abb. 26

Süddeutsch, dat. 1499.
Vergoldeter Griff: Scheibenknauf, darin eingelassen ein emailliertes Medaillon mit dem

Amts- und Zeremonienschwert des Johann Siebenhirter, ersten Hochmeisters des St.-Georgs-Ritterordens. Dieser Orden wurde 1468 von Kaiser Friedrich III. zum Kampf

Wappen des ersten Hochmeisters Johann Siebenhirter (reg. 1469—1508), auf der anderen Knaufseite die Datierung. Metall-Handgriff mit geschnürltem Nodus und graviertem Rankenwerk. Geschwungene Parierstange mit Inschrift „AVE MARIA GRACIA PLENA". Das Regenleder in Metall imitiert und mit einer Deckhülse kombiniert.

Keilförmige Stichklinge italienischer Art mit hohem Grat und Schmiedemarke (Kreuz auf Berg). Am Klingenansatz zerstörte Heiligenfiguren in Goldschmelz.

Lederscheide mit vergoldeter Einfassung und profilierten Zwingen. Die Einfassungsränder mit Kreuzblümchen besetzt, am gravierten Ortband St.-Georgsfigur.

In der Gesamtanlage dem vorangehenden Schwert Friedrichs III. verwandt. Im 19. Jhdt. von der Pfarre Millstatt dem Historischen Verein in Klagenfurt verkauft.

LIT.: J. v. Bergmann, Der St.-Georgs-Ritterorden vom Jahre 1469—1579, in: Mitteilungen der K. K. Central-Commission, Jg. 13, Wien 1868, S. 169 ff. — G. v. Ankershofen, Kärntens älteste kirchliche Denkmalbauten, II., in: Jb. der K. K. Central-Commission, Bd. 4, Wien 1860, S. 88 ff.

Klagenfurt, Landesmuseum.

gegen die Türken gegründet und ihm das ehemalige Benediktinerkloster Millstatt als Sitz angewiesen. Papst Paul II. bestätigte 1469 diese Stiftung. Um den Orden zu stärken, vereinigte ihn der Kaiser 1479 mit dem Bistum Wiener Neustadt und übergab ihm auch die Marienkapelle der Burg, die seither St. Georgskirche heißt.

Ordenskleid und Fahne waren weiß, mit einem roten Kreuz.

Der Orden verfiel rasch, ohne jemals größere Bedeutung gewonnen zu haben. Sein dritter und letzter Hochmeister, Wolfgang Prantner, starb 1541. 1598 wurde der Orden von Erzherzog Ferdinand (dem späteren Kaiser Ferdinand II.) endgültig aufgelöst.

Ortwin Gamber

171 *Weihe des ersten Hochmeisters des St. Georgs-Ritterorden*

Kärntner Maler, um 1510.
Öl auf Holz, 3 × 2,30 m.

LIT.: Suida, W., Österr. Kunstschätze I, Taf. 1., Wien 1911. — Pächt, O., Österr. Tafelmalerei der Gotik, Augsb.-Wien 1929, S. 84. — Winkelbauer, W. F., Der Sankt Georgs-Ritterorden Kaiser Friedrichs III., Phil. Diss., Wien 1949, S. 9. — Eger, H., Ikonogr. K. Friedr. III., Phil. Diss., Wien 1965, S. 59 f.

Klagenfurt, Landesmuseum.
Foto.

Siehe S. 76 f.   Abb. 22

Erinnerungsbild an die Zeremonie der Einsetzung des ersten Hochmeisters des St. Georg-Ritterordens in Millstatt am 1. Jänner 1469 in Rom. Die Zeremonie fand in S. Giovanni im Lateran statt. Der Ablauf der Handlung ist in kontinuierlicher Darstellung wiedergegeben. Drei Mal drei Figuren: der Ordensgründer Friedrich III. stehend, Papst Paul II. sitzend, Johannes Siebenhirter kniend.

172 *Fragment eines Gebetbuches*

Flämisch, E. 15. Jhdt.
Pergamenthandschrift, 115 × 158 mm.

Siehe S. 77.

Die Miniatur stellt ein Erinnerungsbild an den 1469 von Kaiser Friedrich III. gegründeten St. Georgs-Ritterorden

fol. 3 r Miniatur, 101 × 72 mm.
LIT.: British Museum, Reproductions from Illuminated Manuscripts, Ser. II, hg. v. G. F. Warner, London 1907, S. 14. — Herbert, J. A., Illuminated manuscripts, London 1911, S. 316. — Winkler, F., Die flämische Buchmalerei, Leipzig 1925, S. 177. — Onghena, M. J., De Iconografie van Philips de Schone, Brüssel 1959, S. 173 ff. — Eger, H., Ikonographie Kaiser Friedrichs III., Phil. Diss., Wien 1965, S. 107.

London, British Museum, Add. Ms. 25698

Foto.

und an den von den europäischen Mächten geplanten großen Kreuzzug gegen die Türken dar.
Kaiser Friedrich, mit Bart, kniet mit den Königen Maximilian, Ferdinand von Spanien, Heinrich VII. von England, Philipp dem Schönen von Burgund und etwas abseits Karl VIII. von Frankreich vor einer Statue des hl. Georg.

Hanna Dornik

ERRICHTUNG EINES BISTUMS IN WIEN

Gleichzeitig mit der Gründung des Bistums Wiener Neustadt hatte Papst Paul II. dem Wunsche Kaiser Friedrichs III. zugestimmt, auch in Wien ein Bistum zu gründen. Die bestätigende päpstliche Bulle wurde am 18. Jänner 1469 ausgestellt. Das Wiener Bistum war ebenso wie das von Wiener Neustadt bloß ein Stadtbistum. Zum ersten Bischof von Wien hatte der Kaiser 1471 Leo von Spaur ernannt, der jedoch diese Würde wegen der unzulänglichen Dotation nicht annahm. Mehr als drei Jahrzehnte wurde daher das Bistum Wien zunächst nur von Administratoren verwaltet.

Gertrud Gerhartl

173 *Papst Paul II. errichtet in Wien ein Bistum*
Original-Pergament, 1469, Jänner 18, Rom.
38 × 61 cm, Bleibulle.
Archiv der Erzdiözese Wien.

DIE BURGUNDISCHE HOCHZEIT

Siehe S. 53 ff.

Das Projekt einer Ehe Maximilians I. mit der Erbin des burgundischen Reiches, Maria, war von Herzog Siegmund sowohl Karl dem Kühnen, als auch Kaiser Friedrich vorgelegt worden. Der Kaiser sah in dem Plan eine Möglichkeit, die Stellung seines Hauses im Westen zu stärken und ließ sich von Siegmund bewegen, im Herbst 1473 in Begleitung seines Sohnes Maximilian nach Trier zu ziehen, um dort mit Karl zu verhandeln. Die Zusammenkunft jedoch, ein großartiges Schauspiel burgundischer Prachtentfaltung, stand zunächst unter dem Zeichen beiderseitigen Mißtrauens, durch die abrupte Abreise des Kaisers erfuhr sie ein jähes Ende und brachte kriegerische Auseinandersetzungen nach sich.

Nach starken Verlusten des burgundischen Heeres während der Belagerung von Neuß mußte sich Karl zum Rückzug entschließen, mit dem Einsetzen der Friedensverhandlungen aber wurde von Kaiser und Herzog der Heiratsplan erneut erwogen und schließlich fest beschlossen. Maximilian sandte der Braut Juwelen, wie ein Dankesschreiben Marias aus dem Jahre 1476 bestätigt, wahrscheinlich wurden auch Bildnisse ausgetauscht.

Nach der Niederlage von Neuß war es Karl gelungen, Lothringen in sein Reich einzubeziehen, über die Eidgenossen vermochte er jedoch nicht Herr zu werden. Im Jänner 1477 fiel der Herzog vor der ihm inzwischen wieder verlorengegangenen Hauptstadt Lothringens, Nancy, sein Heer wurde von Lothringern und Schweizern entscheidend geschlagen. Kurz vor seinem Tod soll Karl den ausdrücklichen Wunsch geäußert haben, die eheliche Verbindung Maximilians und Marias möge so bald als möglich zustandekommen. Tatsächlich wurde noch im April desselben Jahres eine Prokurationsheirat vollzogen, am 19. August 1477 fand in der Hofkapelle zu Gent die eigentliche Vermählung des Kaisersohnes mit der burgundischen Erbtochter statt.

174 *Bildnis Kaiser Friedrichs III.*

Aus dem Kreise Bernhard Strigels (?), um 1510.
Kolorierte Kreidezeichnung, 25,8 × 21,8 cm. Schwarze Kreide, Tuschpinsel, leicht mit Fleischton aquarelliert und weiß gehöht. Profil nach links.
Zürich, L'Art Ancien S. A.

Die Zeichnung steht in deutlicher Abhängigkeit von der 1468/69 von Bertoldo di Giovanni angefertigten Porträtmedaille (vgl. Kat.-Nr. 159), und könnte als Vorlage zu einem Tafelbild mit dem Porträt Kaiser Friedrichs aus dem Kreise Bernhard Strigels im Kunsthistorischen Museum zu Wien, Inv.-Nr. 4429, gedient haben. Vgl. weiters ein Medaillenbildnis Kaiser Friedrichs, Kat.-Nr. 200.

175 *Bildnis Karls des Kühnen (1433—1477)*

Kopie nach Rogier van der Weyden, 16. Jhdt.
Öl auf Holz, 52,5 × 40,5 cm.
Brustbild, Dreiviertelprofil nach links, Vlieskette.
LIT.: Friedlaender, M. J., Die altniederländische Malerei, 2. Bd., Berlin 1925, S. 40. — Beenken, H., Rogier van der Weyden, München 1951, S. 72. — Panofsky, E., Early Netherlandish Painting, Cambridge Mass 1953, S. 291. — Kat. d. Schatzkammer, Wien 1961, Nr. 139.
Wien, Kunsthistorisches Museum, Inv.-Nummer 4425, ausgestellt in der Schatzkammer.

In den Inventaren der Statthalterin Margarete von 1516 und 1524 wird ein Bildnis Karls des Kühnen erwähnt, „pourtant un rolet en sa main". Eine Replik in Berlin, die dem Original nahekommen dürfte, zeigt statt der Pergamentrolle einen Dolchgriff. Die Wiener Kopie übernimmt lediglich Kopf und Schulteransatz; es ist das Bildnis eines Mannes von hoher Intelligenz, der gewohnt ist, sich keinen Wunsch zu versagen.

176 *Bildnis Maximilians I. (1459—1519)*

Joos van Cleve, 1508—1509.

Öl auf Eichenholz, 28,5 × 22,3 cm.

Halbfigur, Dreiviertelprofil nach links, Vlieskette, in der Hand eine Nelke.

LIT.: Baldass, L., Die Bildnisse Kaiser Maximilians I., Jb. d. kh. S., Bd. 31, Wien-Leipzig 1913, S. 95 ff. — Ders., Joos van Cleve, der Meister des Todes Mariae, Wien 1925, S. 7. — Friedländer, M. J., Die altniederländische Malerei, Bd. 9, Berlin 1931, S. 52. — Kat. d. Gemäldegalerie, 1938, S. 35, Nr. 659. — Kat. d. Schatzkammer, Wien 1961, Nr. 141.

Wien, Kunsthistorisches Museum, Inv.-Nummer 972, ausgestellt in der Schatzkammer.

Abb. 30

Von dem Porträt existieren zahlreiche andere Wiederholungen, auf denen der Kaiser zum Teil statt der Nelke eine Rolle in der Hand hält. Eine dieser Varianten wurde im Statutenbuch des Ordens vom Goldenen Vlies (Wien, Nationalbibliothek, Cod. Vind. 2606) kopiert. Das Bild entstand möglicherweise über Auftrag der Statthalterin Margarete und könnte während Maximilians Aufenthalt in den Niederlanden 1508—1509 gemalt worden sein.

177 *Bildnis der Maria, Herzogin von Burgund (1458—1482)*

Hans Maler, 1500—1510.

Öl auf Lindenholz, 78 × 46 cm.

Halbfigur, Profil nach links.

LIT.: Glück, G., Ein Brief Hans Malers, Jb. d. kh. S., Bd. 26, Wien 1907, S. XXII f. — Oberhammer, V., Die Bronzestandbilder, Innsbruck 1935, S. 288. — Kat. d. Gemäldegalerie 1938, S. 94, Nr. 1759. — Mackowitz, H. v., Bildnisse der Maria von Burgund, Festschrift zum 70. Geburtstag Josef Weingartners, Schlern-Schriften 139, Innsbruck 1955, S. 103. — Ders., Der Maler Hans von Schwaz, Schlern-Schriften 193, Innsbruck 1960. S. 26. — Kat. d. Schatzkammer, Wien 1961, Nr. 140.

Wien, Kunsthistorisches Museum, Inv.-Nummer 4402, ausgestellt in der Schatzkammer.

Vorbild für das Porträt war ein Bildnis Marias (heute im Grazer Joanneum) von einem niederländischen Meister aus dem Ende des 15. Jahrhunderts, das Hans Maler im Auftrag Maximilians zu kopieren hatte. Für die Darstellungen der Maria von Burgund wurde ein gewisses Schema entwickelt, so daß eine größere Anzahl von Bildnissen der ersten Gemahlin Maximilians untereinander weitgehend übereinstimmt.

Hanna Dornik

DIE BAYERISCHE HOCHZEIT

Um seine Tochter Kunigunde vor den vordringenden Ungarn unter Matthias Corvinus in Sicherheit zu bringen, hatte Kaiser Friedrich III. im Jahre 1484 die Prinzessin nach Innsbruck bringen lassen. Dort, am Hof Erzherzog Siegmunds von Tirol, lernte die neunzehnjährige Prinzessin, die eine berühmte Schönheit ihrer Zeit war, Herzog Albrecht IV. von Bayern-München kennen. Bald nachdem der Bayernherzog, der den Beinamen „der

Weise" führte, die Bekanntschaft Kunigundens gemacht hatte, bewarb er sich auch schon um ihre Hand und Erzherzog Siegmund förderte diese Werbung nach Kräften. Obwohl Kaiser Friedrich III. mit seiner Tochter große Pläne hatte — unter anderem soll es seine Absicht gewesen sein, Kunigunde mit einem Sohn Sultan Mohammeds II. zu vermählen und diesen damit zur Annahme des christlichen Glaubens zu bewegen — stand er dem bayerischen Heiratsprojekt zunächst nicht ganz ablehnend gegenüber. Als sich jedoch Herzog Albrecht IV. mittels eines Gewaltstreiches der Reichsstadt Regensburg bemächtigte, nahm der darüber verärgerte Kaiser gegenüber einer Verbindung seiner Tochter mit dem Bayernherzog eine negative Haltung ein. Prinzessin Kunigunde und Herzog Albrecht IV. setzten sich aber darüber hinweg und am Neujahrstag des Jahres 1487 fand die Vermählung statt. Es dauerte etliche Jahre, ehe Maximilian I. eine Versöhnung zwischen seinem empfindlich gekränkten Vater einerseits und seiner Schwester sowie seinem Schwager anderseits herbeiführen konnte. Erst 1492 war das gute Einvernehmen wieder so weit hergestellt, daß der in Linz weilende Kaiser einen Besuch Kunigundens und Albrechts sowie seiner drei kleinen Enkeltöchter Sidonie, Sibylle und Sabine akzeptierte.

Gertrud Gerhartl

178 *„Abredzettel" Herzog Siegmunds von Tirol, die Heirat der Erzherzogin Kunigunde mit Herzog Albrecht IV. von Bayern betreffend*

Orig. Pergament, 1486, Juli 25, Innsbruck.
LIT.: Mayrhofer, J. G., Kunigunde, in: Hormayr's Archiv, 9. Jg., Wien 1818, S. 286. — Haeutle, Chr., Genealogie des erlauchten Stammhauses Wittelsbach, München 1870, S. 34 u. 36.

München, Geheimes Hausarchiv.

Siegmund von Tirol erklärt sich in diesem Dokument bereit, für den Fall einer Heirat seiner Muhme Kunigunde mit dem Bayernherzog, die Mitgift der Kaiserstochter (die von ihrem Vater, Kaiser Friedrich III. unter anderem die Herrschaft Abensberg und die von ihrer Mutter Eleonore hinterlassenen Kleinodien als Brautschatz bekommen sollte) von sich aus bedeutend zu erhöhen.

Gertrud Gerhartl

Bildnis der Kunigunde von Österreich

Schule des Schottenmeisters, um 1480.

Holz, 44,5 × 31 cm.

Brustbild, leicht nach links gewandt, mit übereinandergeschlagenen Händen.

LIT.: Kenner, F., Die Porträtsammlung, Jb. d. kh. S., Bd. XV, Wien 1894, S. 161. — Buchner, E., Das deutsche Bildnis, Berlin 1953, S. 117 f. — Stange, A., Deutsche Malerei der Gotik, Bd. 11, München-Berlin 1962, S. 68.

Original im Kunsthandel. (Bis 1953 nachweisbar bei Julius Böhler, Luzern.)

Abb. 31.

Das Porträt Kunigundens, deren Schönheit allgemein gerühmt wird, soll als Brautwerbungsbild für Albrecht IV. gemalt worden sein.

Hanna Dornik

KRIEGE UND FEHDEN

Siehe den Beitrag S. 154

Obwohl Kaiser Friedrich ein unkriegerischer Mensch und ein Herrscher war, der ungern selbst in den Kampf zog, war zu seiner Zeit selten wirklicher Friede im österreichischen Raum zu finden. Neben zahllosen und langwierigen Fehden einzelner Adeliger untereinander, wie der Truchsessen von Grub und des Tobias von Rohr gegen die Stände, hatte Friedrich selbst große Auseinandersetzungen mit Feinden aus dem einheimischen Adel zu bestehen. Denn nach spätmittelalterlichem Recht war die Fehde eine Form der Rechtsfindung, ihre Durchführung an gewisse Normen gebunden und der waffentragenden Schicht gestattet. Wenn kein Rechtsgrund vorlag, wurden Fehden bald zu Raubzügen. Wegen der zahlreichen privaten Fehden ist Friedrichs Regierungszeit als Zeitalter des Raubritterwesens in die Geschichte eingegangen.

Der Kaiser hatte im Jahre 1452 einen großen Krieg mit den österreichischen Ständen und in den Jahren 1458 bis 1462 eine Fülle von Auseinandersetzungen mit seinem Bruder Albrecht VI. zu bestehen, die in der Belagerung durch die Wiener in der Hofburg ihren Höhepunkt erreichten. Söldnerführer und Freibeuter, wie Michel Orszag, Pankraz von Szent Miklos und Ludwenko fielen aus der Slowakei in Österreich ein, Gamareth Fronauer bekämpfte den Kaiser 1459 bis 1461 wegen des Schlosses Orth im Marchfeld und der Kanzler Albrechts V., Jörg von Stein, wehrte sich gegen eine geplante Güterentziehung. Selbst mit treuen Anhängern geriet Friedrich in Konflikte, wenn er ihnen für Unbill, die sie in seinem Dienst erlitten hatten, Entschädigung verwehrte: 1453 war Georg von Puchheim, 1471 Andreas Baumkircher mit dem Kaiser in Konflikt.

Wenn lokale Fehden über die Landesgrenzen griffen, führten sie nicht selten zu auswärtigen Kriegen. So griff nach 1459 der Böhmenkönig Georg von Podiebrad öfters in die Auseinandersetzung zwischen Friedrich und Albrecht VI. mit bewaffneter Macht ein, manchmal auf seiten des Kaisers, dann wieder gegen ihn. 1468 hat ein neuer Böhmenkrieg zum Eingreifen des Ungarnkönigs Matthias Corvinus als Verbündeten Friedrichs geführt. Gegen Ungarn hatte Friedrich schon 1446/47 zu kämpfen gehabt, in den letzten beiden Jahrzehnten seines Lebens lag er wieder mit diesem Nachbarland in jahrelangem Streit, der 1477 und von 1482 bis 1490 zur Eroberung weiter Teile Österreichs durch Matthias Corvinus führte. Diesen Ungarnkrieg hat erst König Maximilian mit dem Preßburger Frieden von 1491 beenden können.

Friedrichs Sohn Maximilian war es auch, der zu des Kaisers Zeiten die Konflikte im westeuropäischen Raum ausfocht. Seit der Heirat Maximilians mit Maria von Burgund 1477 war das Haus Habsburg ständig in Kriege mit Frankreich verwickelt, die Siege (so 1479 bei Guinegate) und Niederlagen einbrachten, schließlich aber im Frieden von Senlis (1493) mit der Sicherung des überwiegenden Teiles von Burgund endeten. Wie sein Vater in Österreich, hatte Maximilian in den Niederlanden mit den Ständen zu kämpfen und erlebte seinen Tiefpunkt, als ihn 1488 die Bürger von Brügge gefangensetzten.

An den übrigen neuralgischen Grenzen des habsburgischen Machtbereiches, etwa in Friaul und in Italien, überließ Friedrich seinem Vetter Siegmund von Tirol die Auseinandersetzung mit Venedig, die Sicherung der seit 1471 von den Türken bedrohten Stammländer Steiermark, Kärnten und Krain wurde den Ständen übertragen.

Karl Gutkas

179 *Pancarta Kaiser Friedrichs III.*

Orig. Pergamentlibell, 40,5 × 30,5 cm, 1460, Juli 5, Wien, Goldbulle.

LIT.: Katalog „Archivalien aus acht Jahrhunderten, Ausstellung des Archivs d. Stadt Wien, Wien 1964, S. 5, Nr. 7.

Archiv der Stadt Wien, Priv. 45.

Der Kaiser bestätigte die ihm vom Bürgermeister und Rat der Stadt Wien vorgelegten Stadtrechtsurkunden, die zu diesem Zweck in einem Libell zusammengefaßt wurden.

180 *Originalschatulle der Pancarta*

Mit gepreßtem Leder überzogene Holzkassette, 44 × 34,5 × 8 cm, 1460.

LIT.: Katalog „Archivalien aus acht Jahrhunderten, Ausstellung des Archivs der Stadt Wien, 1964, S. 5, Nr. 8.

Archiv der Stadt Wien, ad Priv. 45.

181 *Kaiser Friedrich III. mehrt das Wappen der Städte Krems und Stein*

Orig. Perg., 50 × 31,3 cm, 1463, April 1; an der Urkunde Majestätssiegel.

LIT.: Brunner, O., Die Rechtsquellen d. Städte Krems u. Stein, Fontes rerum Austriacarum III/1, Graz-Köln 1953, S. 124 f. — Jäger-Sunstenau, H., 500 Jahre Wappenbrief für die Stadt Wien, Bd. 17/18, 1961/62, S. 53 ff.

Stadtarchiv Krems, Urk.-Nr. 395.

1461 erhielt die Stadt Wien für ihre Treue, die sie Kaiser Friedrich III. anläßlich seiner kriegerischen Auseinandersetzungen mit Erzherzog Albrecht VI. bewiesen hatte, das Recht verliehen, den Doppeladler im Wappen führen zu dürfen. Wenige Jahre später, nachdem die Stadt Wien zu den Gegnern des Kaisers übergegangen war, entzog ihr Friedrich III. neben anderen wichtigen Privilegien auch das Wappen mit dem Doppeladler und übertrug es der ihm treugebliebenen Doppelstadt Krems-Stein. Diese Stadt führt seit dem Jahre 1463 den goldenen Doppeladler mit der Kaiserkrone im Wappen.

182 *Michael Beheims Buch von den Wienern*

Orig. Papiercodex, Großoktav, 15. Jh.

LIT.: Michael Beheims Buch von den Wienern 1462—1465. Hrsgg. v. Th. G. v. Karajan, Wien 1843. — Lhotsky, A., Quellenkunde zur mittelalterl. Gesch. Österreichs, Graz-Köln, 1963, S. 365 ff.

Heidelberg, Universitätsbibliothek.

Der württembergische Meistersinger Michael Beheim († 1474) ist der Chronist der Belagerung, die Kaiser Friedrich III. und seine Familie im Jahre 1462 in der Wiener Burg erdulden mußte. Das „Buch von den Wienern" reicht bis zur Versöhnung des Kaisers mit der Stadt Wien im Jahre 1465.

183 Wappenbrief des Königs Matthias Corvinus für die Stadt St. Pölten

Orig. Perg., 56 × 28,5 cm, 1486, Dezember 25, an der Urkunde das Siegel des Ungarnkönigs.

LIT.: Gutkas, K., St. Pölten. Werden und Wesen einer österreichischen Stadt, St. Pölten 1964, S. 23.

Stadtarchiv St. Pölten.

St. Pölten, das von den Passauer Bischöfen an Matthias Corvinus verpfändet worden war, erfreute sich beträchtlicher Förderung durch den Ungarnkönig. Neben der Verleihung eines wertvollen Brückenmautprivilegs, bestätigte König Matthias 1486 durch einen Wappenbrief der Stadt auch die seit dem 13. Jahrhundert verwendete Wappenfigur des in einem blauen Feld stehenden weißen Wolfes mit dem Pedum in der Tatze.

Gertrud Gerhartl

184 Gebetbuch für Albrecht VI.

60 Blätter, Pergament, 242 × 155 mm. 24 meist ganzseitige Miniaturen, ein Zierrahmen mit Wappen, zahlreiche Initialen und Ranken. Zwischen 1455 und 1463 von mehreren Händen illuminiert, vielleicht in Melk.

LIT.: Holter-Oettinger, S. 116—117. — Lhotsky, Bibliothek, Nr. 28.

Wien, Öst. Nationalbibliothek, Cod. Vind. 1846.

Ebenso wie seinen Vetter und sein Mündel Ladislaus beerbte Friedrich auch seinen Bruder Albrecht VI. Das Gebetbuch enthält ein Porträt Albrechts, die beste Miniatur des Buches, dessen Bilder von mehreren, zum Teil minder geübten Händen stammen.

Franz Unterkirchner

185 Allegorie der politischen Lage unter Kaiser Friedrich III.

Schwäbisch, um 1475—1485. Kopie (?). Einblattholzschnitt, 376 × 267 mm, koloriert.

LIT.: Schreiber, W. L., Handbuch der Holz- und Metallschnitte des 15. Jhdts., Bd. 1—8, Leipzig 1926—1930, 1958. — Haberditzl, F. M., Die Einblattdrucke des 15. Jhdts. in der Kupferstichsammlung der Hofbibliothek zu Wien, 1. Bd., Wien 1920, S. 38 f., Taf. CXVI. — Eger, H., Ikonographie Kaiser Friedrichs III., Phil. Diss., Wien 1965, S. 72. — Kat. Die Kunst d. Graphik, Das 15. Jhdt., Wien 1963, Nr. 90.

Wien, Graphische Sammlung Albertina, Inv.-Nr. 215/1930; HB.

Siehe S. 78.   Abb. 34

Das Blatt will auf die Zusammenkunft von Kaiser Friedrich III. und Papst Paul II. zwischen dem 24. Dezember 1468 und dem 9. Jänner 1469 in Rom anspielen.
Die Darstellung existiert in mehreren Varianten, ein Holzschnitt in der Münchener graphischen Sammlung trägt die Signatur eines Holzschneiders Michel.
Das Thema wurde auch in Kupferstich ausgeführt.

186 Bildnis des Matthias Corvinus (1440—1490)

Norditalienischer Maler, 1. Viertel 16. Jhdt. Öl auf Leinwand, 49,5 × 39,5 cm. Inschrift: REX .. VNG.

Vorlage zu dem Bildnis war das Porträt des Matthias Corvinus von Andrea Mantegna, das sich im 16. Jahrhundert im Museum des Paolo Giovio in Como befunden hatte.

Hanna Dornik

LIT.: Balogh, J., Mátyás Király Emlék-könyv, Budapest 1940, 451, 488, 491 (mit Zusammenstellung der älteren Literatur). — Camesasca, Enciclopedia, I, 368 (Boltraffio). — Pigler, A., A Régi Képtár katalógusa, Budapest 1954, S. 177, Nr. 9714.

Budapest, Historische Bildergalerie im Museum der bild. Künste, Nr. 9714.

---

187 *Matthias Corvinus, König von Ungarn*

Oberitalienisch, um 1490.

Marmor, 53,5 cm hoch, 43,5 cm breit. —

LIT.: Venturi, A., Notizie, in: L'Arte Bd. X, 1907, S. 312. — Hill, G. F., A Corpus of Italian Medals of the Renaissance before Cellini, London 1930, Nr. 920. — Budinis, C., Gli Artisti Italiani in Ungheria, o. O. 1936, S. 47. — Meller, S., Diva Beatrix, in: Zeitschrift für Kunstwissenschaft, Bd. IX/1955, S. 77. — Prijatelj, K., Ivan Duknovic (Giovanni Dalmata), Zagreb 1957, S. 93 ff.

Wien, Kunsthistorisches Museum, Sammlung für Plastik und Kunstgewerbe, Inv.-Nr. 5440.

Abb. 28

Das Porträt des Matthias Corvinus gehört einer Gruppe von Bildwerken an, die im Rahmen der Renaissancebestrebungen des ungarischen Königs Matthias Corvinus (1443—1490) und seiner neapolitanischen Gattin Beatrix von Aragon geschaffen wurden. Hinsichtlich der Darstellungsart steht ihm das Giovanni Dalmata zugeschriebene Porträtpaar des Königs Matthias und seiner Gemahlin in Budapest (Museum der Schönen Künste; früher im Kunsthistorischen Museum in Wien) am nächsten, jedoch lassen eine größere Weichheit und Unschärfe der Züge für unser Stück eine Entstehung in Venedig oder auf der Terra ferma glaubhafter erscheinen. Als unmittelbares Vorbild könnte eine Medaille gedient haben (vgl. z. B. die Medaille auf Matthias Corvinus, Hill Nr. 920).

Erwin Neumann

DIE WAFFE

Siehe den Beitrag S. 214

Sein Leben lang mußte Friedrich III. um den Besitzstand seines Hauses sorgen und kämpfen. Es ist daher kein Wunder, wenn sich gerade aus dem 15. Jhdt. in Österreich besonders viele Waffen erhalten haben, namentlich im Wiener städtischen Zeughaus und in der Leibrüstkammer der Habsburger (jetzt Bestände des Historischen Museums der Stadt Wien und der Waffensammlung des Kunsthistorischen Museums). Zuerst hat man sie immer und immer wieder gegen Feinde von außen und im Innern gebraucht, dann mag man sie in dankbarer Erinnerung an glücklich überstandene Kriegszeiten aufbewahrt haben.

Zum Verständnis dafür, welchen Bedarf an Waffen das Land und sein Herrscher damals hatten, seien die Fehden, Kriege und Revolutionen der Regierungszeit Friedrichs III. kurz aufgezählt:

1419— um 1436	Hussitenkriege
1441—1447	Krieg mit Ungarn um Herausgabe des Ladislaus Postumus
1452	Aufstand der Wiener für dieselbe Sache

1457—1462	Revolte Albrechts VI. und Siegmunds gegen ihren Vormund Friedrich III., dieser in der Burg von den Wienern belagert
1463	Aufstand der Wiener gegen Albrecht zugunsten Friedrichs
1472—1477	Mehrfache Kriege mit Ungarn (Matthias Corvinus)
1474—1477	Eroberungskriege Karls des Kühnen von Burgund, Bedrohung der westlichen Besitzungen der Habsburger
1480—1485	Krieg mit Ungarn, Verlust Niederösterreichs und Wiens bis 1490 (Tod des Matthias Corvinus)
1490—1491	Rückeroberung dieses Gebietes durch König Maximilian

Ortwin Gamber

Sämtliche ausgestellten Waffen sind im Besitz der Waffensammlung des Kunsthistorischen Museums, Wien,

188 *Bronzemedaillon (Kanonenboden?)*

Süddeutsch, zwischen 1500 und 1513.

Bronze, 400 mm.

Umschrift: FRIDERICVS -III-AVS-IMP-RO-AVG-P-F zwischen Kreislinien.

Brustbild, Profil nach rechts, Spangenkrone.

LIT.: Habich, G., Deutsche Schaumünzen, 1929, I, 1, S. 1 ff. Abb. S. 2, Nr. 2; I., 2, S. LXIII. — Habich, G., Inkunabeln der deutschen Medaille, Pantheon IV/2, 1929, S. 312 ff. — Eger, H., Ikonographie Kaiser Friedrichs III., Phil. Diss, Wien 1965, S. 88 ff.

Graz, Museum für Kulturgeschichte und Kunstgewerbe.

Die Altersphysiognomie Kaiser Friedrichs III. ist in Darstellung aller Art überliefert, zu deren besten zählt das Bronzemedaillon. Das Medaillon ist über einem geschnitzten Holzmodell gegossen und in Bronze scharf nachgeschnitten. Wahrscheinlich war das Brustbild Kaiser Friedrichs auf dem Tondo Vorbild für die Prägung jener Münzen, die Maximilian anläßlich der Überführung der Gebeine seines Vaters in den Wiener Stephansdom, 1513 von Bernhard Behaim d. J. herstellen ließ.

Hanna Dornik

189 *Prunkstreitkolben*

Süddeutsch, um 1470.

Ein Stück von einem Streitkolbenpaar, ganz aus Messing gegossen. Durchbrochene Ummantelung in Form gotischer Architektur, besetzt mit Krabben und Kreuzblümchen. Kopf mit sechs Schlagblättern. Im hohlen Schaft befanden sich vermutlich einst die jetzt verlorenen Spielsteine. Der dicke abschraubbare Griffteil mit zwei Handschutzscheiben bildet das Futteral für ein zusammenlegbares Spielbrett aus graviertem Messing. Unten am Handgriff das Fragment eines Kompasses, kombiniert mit Sonnenuhr. Der darüber schraubbare Unterabschluß in Form einer Blattknospe fehlt.

LIT.: O. Gamber, Ausstellungskat. Maximilian I., Wien 1959, S. 153. — Thomas-Gam-

Abb. 27

Als Kommandoabzeichen verwendete Waffe, Vorläufer des Marschallstabes. Da sich in der habsburgischen Rüstkammer zwei gleiche Stücke erhalten haben, dürfte es sich hier um Streitkolben Friedrichs III. und seines Sohnes Maximilian I. handeln, die 1474 gemeinsam den Reichsfeldzug zum Entsatz von Neuß (bei Köln) leiteten, welches durch Herzog Karl dem Kühnen von Burgund belagert wurde.

ber-Schedelmann, Die schönsten Waffen und
Rüstungen, Heidelberg 1963, Taf. 8.
Wien, Waffenslg. d. Kunsth. Museums, Inv.
A 162. — Aus Ambras.

190 *Flankenblech vom Roßzeug des Kaisers*

Lorenz Helmschmid, Augsburg 1477.
Eines von einem Paar Flankenbleche in Gestalt eines getriebenen und blaugeätzten Doppeladlers mit Messingkronen (unkomplett) und gemaltem Bindenschild auf der Brust. Zu den Resten eines Prunk-Roßharnisches gehörig, der noch aus geschobenem Kruppteil mit aufgesetzter plastischer Drachenfigur, Fürbug in Form eines getriebenen Wappenhalter-Engels mit ausgebreiteten Flügeln und zwei Zügelblechen mit den Herrschaftswappen Friedrichs besteht. Hiezu gehörten einst noch ein Mähnenpanzer und ein Roßkopf. An den Rändern waren Schellen angehängt.
LIT.: Thomas-Lhotsky, Der Roßharnisch Kaiser Friedrichs III., in: Belvedere, 13, Wien 1938—1944, Heft 4—5, S. 191—203. — O. Gamber, Ausstellungskat. Maximilian I., Wien 1959, S. 154.
Wien, Waffenslg. d. Kunsth. Museums, Inv.
A 69. — Aus Ambras.

Die Bestellung dieses kaiserlichen Roßharnisches im Jahre 1477 beim berühmtesten deutschen Plattner der Spätgotik, Lorenz Helmschmid in Augsburg, wird mit den Kriegsrüstungen gegen Herzog Karl von Burgund zusammenhängen, der damals seinen letzten Feldzug gegen Lothringen und die Eidgenossen führte und die vorländischen Besitzungen der Habsburger bedrohte.

191 *Prunkschwert samt Scheide*

Süddeutsch, zwischen 1440 und 1452.
Griff mit vergoldeten Montierungen: rhombischer flacher Knauf, darin vorne ein getriebenes silbernes Medaillon mit dem Agnus Dei eingelassen, rückseitig ein emailliertes Silbermedaillon mit ungedeutetem vierteiligem Wappen (wahrscheinlich spätere Einfügung). Lilienförmig ausgeschnittene Zwinge und Ziernieten zur Fixierung der Heftschalen aus Horn am Hefteisen des Griffes. Beschlagenes Regenleder, Goldhülsen an den Enden der leicht gebogenen Parierstange mit Hornbelag. Breite zweischneidige Klinge italienischer Art mit kurzer doppelter Blutrinne. Am Klingenansatz in Blauätzung beiderseits Musterung und Schild mit dem Königsadler bzw. Bindenschild. Diese Dekoration wenig später mit Ölfarbe übermalt. — Gepreßte Lederscheide,

Abb. 7

Da Friedrich III. ebenso wie sein Vorgänger Sigismund als Kaiser immer den Doppeladler führte, muß das Schwert auf Grund seines Königswappens zwischen der Königswahl Friedrichs (1440) und seiner Kaiserkrönung (1452) entstanden sein. Es diente wahrscheinlich als „Vortragschwert" für zeremonielle Zwecke.

daran vergoldete Beschläge mit Lilienrändern. Beschlagener Schwertgurt.

LIT.: Im Ambraser Rüstkammerinventar von 1596 als Besitz Friedrichs III. erwähnt. — L. Luchner, Denkmal eines Renaissancefürsten, Wien 1958, S. 26. — O. Gamber, Ausstellungskat. Maximilian I., Wien 1959, S. 152 und derselbe, Die mittelalterlichen Blankwaffen, a. O., S. 25 f.

Wien, Waffenslg. d. Kunsth. Museums, Inv. A 142.

192 *Besteck und Scheide*

Oberitalien, um 1430—1440.

5 Messer verschiedener Größe mit schwarzen messinggestielten Griffen, Messingheften und Griffkappen, darauf als Verzierung die punzierten Buchstaben „mm" und „y". Die zweizinkige Gabel wohl spätere Zutat. Lederscheide samt Deckel mit gepreßtem und geschnittenem Laubwerk und Nelkenblüten.

LIT.: Im Ambraser Kunstkammerinventar von 1596 als Besitz Friedrichs III. erwähnt, dieser Nachweis noch nicht bekannt bei O. Gamber, Ausstellungskat. Maximilian I., Wien 1959, S. 153 und derselbe, Die mittelalterlichen Blankwaffen der Wiener Waffensammlung, in: Jb. d. Kunsth. Slgn. in Wien, Bd. 57, Wien 1961, S. 20 f.

Wien, Waffenslg. d. Kunsth. Museums, Inv. D 261.

Prunkvolles Besteck, entweder für den Vorschneider der Hoftafel oder für den persönlichen Gebrauch Friedrichs — zum Zerteilen der Jagdbeute — bestimmt. Die Verzierung der Lederscheide ähnelt dekorativen Zeichnungen von Pisanello, wodurch sich das Besteck gut datieren läßt. Es gehört zu den wenigen Gegenständen, die noch aus der Jugendzeit Friedrichs stammen.

193 *Pavese* (Setzschild)

Wien, 1485—1490.

Holz, Kreidegrund über Leinen, Temperamalerei. Rand schwarz-weiß-gelb, mit dünnen schwarzen Blättchen. Grund silbern, mit schwarzer Zeichnung und grünen Lasuren: Rahmenstreifen mit dünner Ranke, St. Georg unter Strahlen, flankiert von Schloß und Prinzessin. Über der Georgsfigur zwei Medaillons mit Wappen von Alt-Ungarn und König Matthias Corvinus, unter ihr im Schildfuß großes Rundmedaillon mit Christusmonogramm. Schildfuß beschnitten. Wegen seiner stilistischen Verwandtschaft mit anderen Wiener Pavesen sicherlich in Wien gemalt.

Derartige Setzschilde waren nach dem Vorbild der Hussiten in Mitteleuropa eingeführt worden. Mit einem langen Ahlspieß kombiniert, waren sie eine wirksame Ausrüstung des Fußvolkes gegen Reiterangriffe. Die Wiener Truppen und die mährischen Fußtruppen des Ungarnkönigs Matthias Corvinus führten derartige Schilde. Die gezeigte Pavese stammt aus der Zeit der ungarischen Besetzung Wiens in den Jahren 1485 bis 1490 und wurde im Wiener Bürgerlichen Zeughaus aufbewahrt.

Ortwin Gamber

LIT.: Hummelberger-Gamber, Das Wiener Bürgerliche Zeughaus (Gotik und Renaissance), Ausstellungskat. Wien 1960, Nr. 9. — V. Denkstein, Pavises of the Bohemian Type III., in: Sbornik 19, Heft 1—5, Prag 1965 (Cat. No. 60).

Wien, Historisches Museum der Stadt, Inv. 126.121.

TOD UND BEGRÄBNIS

Wie aus dem Briefwechsel Kaiser Maximilians mit dem Hofmarschall Siegmund Freiherrn von Prüschenk in der Zeit vom 24. April bis zum 22. August 1493 hervorgeht, dürfte Friedrich schon seit längerem an schleppend verlaufendem Altersbrand an den Füßen gelitten haben. Der Wiener Humanist Cuspinian fand die Erklärung für das Leiden darin, daß Friedrich Türen aller Art mit dem Fuß aufzustoßen pflegte, wobei er sich verletzte, eine Eiterung bekam und schließlich ein Geschwür am Schienbein, das zu Knochenfraß führte. Nach Monaten arger Schmerzen mußte Friedrich am 8. Juni 1493 in seinem Linzer Schloß das Bein, das bis zur Wade abgestorben war, amputiert werden.

Am 9. Juni berichtet Max in einem Brief an Siegmund von Tirol von der Operation und zeigt sich äußerst besorgt. Die Wunde heilte jedoch überraschend gut, so daß sie nach zehn Wochen nur mehr ganz geringfügig gewesen sein soll.

Seiner Gewohnheit nach fastete der Kaiser am Tage Mariae Himmelfahrt und bestand auch nach seiner Operation, entgegen dem Anraten der Ärzte, darauf, am 15. August 1493 nur Brot und Wasser zu sich zu nehmen. Wahrscheinlich durch Altersschwäche bedingt wurde er in der Nacht von einem Schlaganfall heimgesucht und starb an dessen Folgen am 19. August in einem Linzer Bürgerhaus, heute Kremsmünstererhaus genannt.

Zwei nicht zeitgenössische Quellen, Grünpeck und Cuspinian, geben als Todesursache fälschlich Ruhr an, die sich nach dem Genuß von acht Melonen eingestellt haben soll. Friedrich hatte tatsächlich Vorliebe für süßes und saftiges Obst, war aber kaum daran gestorben, zumal der ihn behandelnde Arzt Hans Suff in seinem Bericht von Operation und Sterben diese Möglichkeit nicht im geringsten in Betracht zieht.

Herz und Eingeweide Friedrichs wurden beim Hauptaltar der Pfarrkirche Linz bestattet, der einbalsamierte Körper mit dem amputierten Fuß im Wiener Stephansdom.

Wegen eines Türkeneinfalls mußte die Totenfeier auf Anfang Dezember verschoben werden. Am Nikolaustag (6. Dezember) fanden die Vigilien des Begängnisses statt, die eigentliche Feier am folgenden 7. Dezember mit zwei Totenmessen im Wiener Stephansdom, zwischen denen Bernhard Perger eine Gedenkrede im Namen Maximilians hielt. Am 12. November 1513 wurde Friedrich im endlich fertiggestellten Tumbagrab endgültig beigesetzt. Aus diesem Anlaß ließ Maximilian ein feierliches *gedechtnus begrebnuß* abhalten.

Hanna Dornik

194 *Altersbildnis Kaiser Friedrichs III.*

Tiroler Maler aus dem Kreise des Meisters der Habsburger, um 1513.
Pergament auf Holz, 44 × 28 cm.
Unterschrift: Fredericus tercius.
Brustbild, Profil nach rechts, Schultern halb seitlich nach rechts. Kaiserlicher Adler mit österr.-burgundischem Wappen.
LIT.: Zimerman, H., ungedr. Nachlaß, Bl. 25. — Buchner, E., Das deutsche Bildnis der Spätgotik, Berlin 1953, S. 116. — Eger, H., Ikonographie Kaiser Friedrichs III., Phil. Diss., Wien 1965, S. 92 ff.
Schloß Ambras, Kunsthistorisches Museum, Inv.-Nr. 432.

Siehe S. 79 ff.

Das Porträt gehört zur Gruppe der zahlreichen Wiederholungen eines verschollenen Altersbildnisses Kaiser Friedrichs, das zwischen 1475 und 1485 entstanden sein muß. (Vgl. Kat.-Nr. 233, sowie ein Bildnis im Kunsthist. Museum, Wien, Inv.-Nr. 2769. Eine weitere Replik im Musée des Beaux Arts in Nantes. Die Kopie, die sich oberhalb des Grabes in St. Stephan befand, ist seit dem Ende des Zweiten Weltkrieges verschollen.) Das derbe Bildnis weist vor allem starke Ähnlichkeit mit den kleinen, 1513 geschlagenen Goldmünzen aus der Münzstätte zu Hall auf. Da diese Münzen dem Gedächtnis des früheren Kaisers dienen sollten, liegt porträttechte Wiedergabe des alten Monarchen nahe.

195 *Die Beinamputation an Kaiser Friedrich III. in Linz*

Deckfarbenmalerei auf Pergament, 172 × 145 mm.
Ränder beschnitten, das Pergament zeigt auf der Rückseite Klebespuren.
Wahrscheinlich eine Miniatur aus dem Cod. med. et phys. Fol. 8 der württembergischen Landesbibliothek zu Stuttgart (fol. 71r).
Deutscher Meister, Ende 15. Jhdt.
LIT.: Kat. d. öst. Malerei und Graphik der Gotik, Wien 1934, Nr. 29. — Wacha, G., Die Fußamputation an K. Friedr., Heilmittelwerke-Jahrbuch 1956, Wien 1955, S. 20 ff. — Kühnel, H., Die Leibärzte der Habsburger bis zum Tod Kaiser Friedrichs. Mitteil. d. öst. Staatsarchives, 11. Bd., Wien 1958, S. 25 ff. — Kat. Linz in der Geschichte Österreichs, Linz 1961, Nr. 82. — Eger, H., Ikonographie Kaiser Friedr., Phil. Diss., Wien 1965, S. 108 ff.

Einzelblatt der graphischen Sammlung. Albertina, Inv.-Nr. 22.475.

Siehe S. 81.

Die bildliche Darstellung der Beinamputation an Kaiser Friedrich ist über Anregung eines der operierenden Wundärzte entstanden, der die Vorgänge während und um die Beinabnahme schriftlich festhielt. Die Miniatur sollte die Aufzeichnungen des Leibarztes Herzog Albrechts von Bayern, Hans Suff von Göppingen, illustrieren.

196 *Joseph Grünpeck, Historia Friderici et Maximiliani*

Meister der Historia, 1514/16.
Papierhandschrift, 90 ff, 287 × 211 mm.
46 Federzeichnungen, zum Teil aquarelliert.
Fol. 33r: „De eius morte et causa mortis“,
163 × 115 mm.
Verfaßt und geschrieben von Joseph Grünpeck, 1513/14.

LIT.: Ausst. München, 1938, Nr. 678. —
Benesch, O.,-Auer, E., Die Historia, Berlin
1957, S. 119, Nr. 13 (zu Kat.-Nr. 197, S. 119,
Nr. 14). — Dworschak, F., Die Gotik in
Niederösterreich, Wien 1963, S. 155 ff.,
164 ff. — Kat. Donauschule, 1965, Nr. 242.
*Wien, Haus-, Hof- und Staatsarchiv, Hs.
Böhm 24, Sign. B. 9.*

Die Zeichnung illustriert die Version Grünpecks für Friedrichs Tod, er sei am übermäßigen Melonengenuß gestorben.

197 *Joseph Grünpeck, Historia Friderici et Maximiliani*

Siehe Kat.-Nr. 196.
Fol. 34v: „De eius sepultura exequiarumque
pompa“, 163 × 115 mm.
Foto.

Abb. 35

Der einbalsamierte Leichnam Friedrichs wurde auf der
Donau nach Wien überführt und im Dom zu St. Stephan
beigesetzt. Grünpeck berichtet in detailreichen Schilderungen von den Trauerfeierlichkeiten mit denen Maximilian und das Reich den Toten ehrten.
Im Bilde sitzt Maximilian trauernd mit dem Hofstaat um
den mit einer Unzahl brennender Kerzen besteckten Sarg
seines Vaters und hält die Totenwache.

Hanna Dornik

198 *Druckausgabe der Leichenrede Bernhard Pergers*

4 Blätter, Papier, 200 × 131.
Inkunabel, Rom: Stephan Planck.
1493(?)
Hain * 12.620

LIT.: Lhotsky, A., Quellenkunde zur mittelalterlichen Geschichte Österreichs, Graz-
Köln 1963, 427. — Haller, B., Kaiser Friedrich III. im Urteil der Zeitgenossen, Wien
1965 (Wiener Dissertationen aus dem Gebiete
der Geschichte 5), 189—199 Edition der
Rede.

Wien, Nationalbibliothek, Ink. 1. H. 160.

Der Humanist Bernhard Perger aus Stainz in der Steiermark lehrte zwischen 1475 und 1481 an der artistischen
Fakultät der Universität Wien. Während der Ungarnzeit
diente er Kaiser Friedrich als Diplomat. Die Leichenrede
auf den Kaiser hielt er über Auftrag und im Namen
Maximilians. Sie ist ein schönes Beispiel humanistischer
Beredsamkeit. Neben zahlreichen Komplimenten für den
Auftraggeber findet vor allem die Tatsache Erwähnung,
daß Kaiser Friedrich durch erfolgreiches Festhalten an seinen Ansprüchen sowie durch die Vermittlung der burgundischen Heirat seinem Sohn eine ansehnliche Herrschaft
hinterließ. Ausführlich wird darauf über seine Frömmigkeit und seine zahlreichen geistlichen Stiftungen gehandelt
und seine Mitgliedschaft im Orden des Goldenen Vlieses
erwähnt. Perger schließt mit einem Aufruf an alle An-

199 *Liste der Teilnehmer am Begräbnis*

Inkunabel, Mainz, Peter Schöffer 1493(?).

LIT.: Schottenloher, O., Hrsg.: Drei Frühdrucke zur Reichsgeschichte, Leipzig 1938. Foto der fol. 1ᵛ—3ʳ.

200 *Medaille mit Bildnis Kaiser Friedrichs III.*

Gian Marco Cavalli, 1513 (?).
Silber, 33 mm.
Umschrift: FREDRICVS .T.
　　　　　　RO.IMPERATOR.P
Brustbild, Profil nach links.

LIT.: Herrgott, M., Nummotheca, I, Tab. VIII, IV. — Hill, G. F., Notes on Italian Medals, Burlington Magazine, Vol. XX, London 1911/12, S. 200 ff. — Hill, G. F., A corpus of Italian Medals, London 1930, Nr. 247. — Kat. d. Tiroler Taler, 1963, Taf. 7, Nr. 83.

Innsbruck, Landesmuseum Ferdinandeum.

201 *Begräbnisjeton von 1513 mit Bildnis*
a) *Kaiser Maximilians I.*

Bernhard Behaim d. J., 1513.
Gold, 17 mm.
Umschrift Avers:

wesenden zum Türkenkampf unter Führung König Maximilians.

Die Rede wurde 1493 zweimal gedruckt. Neben dem ausgestellten römischen Druck erschien auch in Wien selbst eine Ausgabe bei Johann Winterburger (Hain * 12.621).

Die Begräbnisfeierlichkeiten für Friedrich III. in Wien fanden in Anwesenheit zahlreicher prominenter Trauergäste statt. Viele Fürsten und geistliche Würdenträger waren in eigener Person erschienen, andere hatten zumindest eine ansehnliche Gesandtschaft geschickt. Es galt jedoch nicht nur, den verstorbenen Kaiser zu ehren, der mehr als 50 Jahre an der Spitze des römisch-deutschen Reiches gestanden war, sondern es wurden auch, wie wir wissen, politische Kontakte mit dem Sohn und Nachfolger aufgenommen.

Wahrscheinlich noch im selben Jahr erschienen acht Druckwerke mit Schilderungen der Festlichkeiten, von denen einer — nach den Typen zu schließen, aus der Werkstatt Peter Schöffers in Mainz — mit der wiedergegebenen zusammenfassenden Liste der Teilnehmer beginnt, die allerdings nicht ganz vollständig ist. Als König von England erscheint hier der später von Heinrich VII. hingerichtete Perkin Warbeck, der sich als Sohn Eduards IV. ausgab und bei Maximilian tatsächlich Gehör fand.

Brigitte Haller

Der Schaupfennig wurde nach dem Bildnis Kaiser Friedrichs im Kunsthistorischen Museum, Inv.-Nr. 4429, gearbeitet, und war ein Gegenstück zu einem zweiten Maximilians.

Die Münze wurde anläßlich der Überführung der Gebeine Kaiser Friedrichs in den Wiener Stephansdom geprägt.

Anno.MCXIII.XVIII.Oct.
Brustbild, Profil nach rechts, infulierte Krone
über schulterlangem Haar.

LIT.: Domanig, K., Porträtmedaillen, 1896,
Tf. I, Nr. 3.

Wien, Bundessammlung für Medaillen, Mün-
zen und Geldzeichen, Inv.-Nr. 15 ab.

201
b)
Begräbnisjeton von 1513 mit Alters-
bildnis Kaiser Friedrichs

Bernhard Behaim d. J., 1513.

Gold, 17 mm.
Brustbild, Profil nach rechts,
Spangenkrone, 1513 datiert.

LIT.: Herrgott, M., Nummotheca, I, 1752,
Tab. VIII, Nr. VI, VII. — Heräus, 1828,
Taf. XII, 8. — Domanig, K., Porträtmedail-
len, 1896, Tf. 1, 2. — Habich, G., Deutsche
Schaumünzen, 1929, I, 2, LXIV, Fig. 88. —
Eger, H., Ikonogr. Friedr., Phil. Diss., Wien
1965, S. 88,

Wien, Bundessammlung für Medaillen, Mün-
zen und Geldzeichen, Inv.-Nr. 4 ab.

Gedächtnismünze anläßlich der Überführung der Gebeine
Kaiser Friedrichs in den Stephansdom.

202
Medaille mit Doppelbildnis Fried-
rich-Maximilian

Utz Gebhart, 1531.

Gold, 48 mm.
Umschrift: FRIDRICHVS.3.PAT.F:
ET.MAXIMILIANVS.FILI.
IMPER.ROMANI.
Doppelbildnis, Profile nach rechts.

LIT.: Herrgott, M., Nummotheca, I, 1752,
Tab. XIV, XLIV, XLV. — Heräus, 1828,
Taf. XII, 10. — Habich, G., Deutsche
Schaumünzen, 1932, II, 1, S. 276, Nr. 1921,
II, 1, CCII, 11. — Eger, H., Ikonogr. Friedr.
Phil. Diss., Wien 1965, S. 100.

München, Staatliche Münzsammlung.

Friedrich ist nach dem Altersbildnis mit Spangenkrone,
Maximilian mit Hut und Vlieskette dargestellt. Varianten
der Medaille in Silber und Blei zu 42—43 mm in München,
Nürnberg und Wien.

203
Medaille mit Bildnis Kaiser Fried-
richs III. von 1526

Süddeutscher Meister, 1526.
Silber, 71 mm.
Umschrift: FRIDERICVS - III -
AVS-RO-IMP-M-D-XXCI.

Brustbild, Profil nach rechts, Spangenkrone.

LIT.: Herrgott, M., Nummothéca, I, 1752; Tab. IX, XII; — Heräus, 1828, Taf. XII, 9. — Dworschak, F., Die Renaissancemed. in Österr., Jb. d. kh. S., Wien 1926, N. F. I, S. 213 ff. — Habich, G., Deutsche Schaumünzen, 1929, I, 1, Nr. 262, S. 43, Taf. I, 1, XXXIV, 3. — Eger, H., Ikonogr. Friedr., Phil. Diss., Wien 1965, S. 100.

Wien, Bundessammlung für Medaillen, Münzen und Geldzeichen, Inv.-Nr. 638 bß.

204 *Deckplatte vom Hochgrab Kaiser Friedrichs III.*

Niklas Gerhaert, 1467—1473.
Weißgeäderter, roter Salzburger Marmor.
Äußerer Rand: 301 × 165 cm.
Innerer Rand: 263 × 129 cm.
Tiefste Relieftiefe: 40 cm.

Inschrift an der südl., östl. u. nördl. Plattenschräge:
Fridericus tercius Romanorum imperator semper augustus Austrie Stirie Karinthie et Carniole dux dominus marchie Sclavonice ac Portus Naonis comes in Habspurg Tirolis Pherretis et in Kiburg marchio Burgovie et lantgravius Alsacie obit anno domini MCCCC.
Kaiser Friedrich III. im Kaiserornat, das Haupt von der Kaiserkrone bedeckt, auf einem Polster ruhend, den Reichsapfel in der Rechten und das Szepter in der Linken. Die Figur ist 212 cm lang.
Oberhalb der Figur ein Baldachin mit einem Relief des den Fluß durchschreitenden Christophorus. Oben an den beiden seitlichen Rändern des Reliefs links Heiliger mit Wedel, rechts Heiliger mit Buch. Links vom Relief Bartholomäus mit Buch und Wurstmesser, rechts Matthias mit Buch und Beil.
Rechts vom Kaiser von oben nach unten:
Wappen des Georgsritterordens, darüber Königskrone. Tafel mit Monogramm von einem Vogel im Schnabel gehalten. Reichswappen mit dem Doppeladler, darüber die Kaiserkrone. Österreichischer Bindenschild von einem behelmten Löwen gehalten, der in der rechten Pranke ein Schwert hält.

Siehe den Beitrag S. 192.   Abb. 37

Kaiser Friedrich richtete 1463 sein erstes Schreiben an die Stadt Straßburg, in dem er sie ersucht, ihm den *Pildhawer Niclas* zu überlassen, *damit er sich in ettlichen unseren notdurfften zu uns an unseren keyserlichen howe zufuege.* Am 5. Juni 1467 wiederholt Friedrich die Bitte mit Nachdruck und betont, er habe bei Niklas Grabsteine bestellt. Da in einem an den Bischof von Passau gerichteten Empfehlungsschreiben Friedrichs vom 2. Juni 1469 *für maister Niclasen pildhawer von Strasburg* jener bereits aufgefordert wird, er möge dem Künstler von dem dem Kaiser schuldigen Kanzleigeld 200 Gulden auszahlen für die Arbeit, die Niklas bereits tat und noch weiter tun soll, ist anzunehmen, daß der Meister inzwischen am Werk war. Im Jahre 1473 starb Niklas, somit muß die Grabplatte zwischen 1467/68 und 1473 entstanden sein, und den ungefähr 55jährigen Monarchen darstellen.
Trotz der Aufsicht des Auftraggebers scheint der Künstler den Kaiser nur in loser Anknüpfung an die Wirklichkeit porträtiert zu haben. Ausdruck und Komposition sind vielmehr auf eine bewußte Würde abgestimmt, der Idee der Manifestation weltlicher Macht wurden individuelle Einzelzüge untergeordnet.
Das Antlitz Friedrichs ist großflächig gehalten, der Mund ist weich und müde, die beiderseitige Gleichmäßigkeit der schrägfallenden Locken betont die ruhige Würde.

Hanna Dornik

Zu Füßen des Kaisers:
Das Habsburgische Wappen mit dem Löwen, rechts und links davon Ranken und je vier Tiere.

Links vom Kaiser von oben nach unten:
Das lombardische Wappen, darüber die Königskrone, der Fünfadlerschild von Niederösterreich, darüber der österreichische Erzherzogshut und ein gekrönter Adler, der im Schnabel ein Schriftband mit AEIOV hält.

Das Wappen von Steiermark, ein feuersprühender Panther, gehalten von einem gekrönten Löwen, auf dem Zimier seiner Krone noch einmal der Panther.

LIT.: Herrgott, M., Taphographia I, 1772, Bd. 2, Tab. XXIII—XXVIII. — Ottmann F., Das Grabmal Kaiser Friedrichs III. Central-Commission, Bd. IV, Wien 1905, S. 76—96. — Back, F., Ein nicht beachtetes Werk des Niklas Gerhaert, Münchener Jb. d. b. K., 1913, S. 200. — Vöge, W., Über Nicolaus Gerhaert und Nicolaus von Hagenau, Z. f. b. K., N. F. 24, S. 97 ff. — Wimmer-Klebel, Das Grabmal Friedrichs im Wiener Stephansdom, Wien 1924. — Wimmer, F., Nikolaus Gerhaert und einige Figuren am Wiener Stephansdom, Belvedere VII, Wien 1925, S. 106 ff. — Wertheimer, O., Nicolaus Gerhaert, seine Kunst und seine Wirkung, Jahresgabe d. dt. Vereines f. Kunstwissenschaft, Berlin 1929, S. 48 ff. — Dehio, G., Geschichte der deutschen Kunst, 2. Bd., Berlin und Leipzig 1930, S. 222 ff. — Tietze, H., Geschichte und Beschreibung des Wiener Stephansdomes, Österr. Kunsttopographie Bd. XXIII, Wien 1931, S. 449. — Kießling, G., Deutsche Kaiserbildnisse des Mittelalters, Leipzig 1937, S. 49. — Garzarolli-Thurnlackh, K., Zur Nachwirkung Nikolaus Gerhaerts in der Ostmark, Pantheon 28, H. 2, 1941, S. 208 ff. — Schramm, P. E., Herrschaftszeichen und Staatssymbolik, Schriften der Monumenta Germaniae Historica, Bd. XIII, 3 Bde., Stuttgart 1954, S. 91. — Eger, H., Ikonographie Kaiser Friedrichs III., Phil. Diss. Wien 1965, S. 79 ff. — Kieslinger, A., Das Grabmal Kaiser Friedrichs, Beitrag siehe S. 192.

Wien, Dom zu St. Stephan.
Gipsabguß.

DIE KUNST

DIE BIBLIOTHEK

Siehe den Beitrag S. 218 ff.

Die Literaturangaben müssen sich auf die jeweils jüngsten, bzw. die wichtigsten und vollständigsten Werke beschränken, die meist weitere Hinweise bieten.

Abgekürzt zitierte Werke:

„Ambraser Ausstellung" = Katalog „Ambraser Kunst- und Wunderkammer — die Bibliothek". Wien 1965.

„Ausstellung Maximilian I." = Katalog der Ausstellung „Maximilian I. 1459—1519", Wien 1959.

„Holter-Oettinger" = Holter, K., und K. Oettinger, Les principaux manuscrits à peintures de la Bibliothèque Nationale de Vienne: Manuscrits allemands, in: Bulletin de la Société Française de reproductions de manuscrits à peintures, Paris 1938, Seite 57 ff.

„Lhotsky, Bibliothek" = Lhotsky, A., Die Bibliothek Kaiser Friedrichs III., in: MIÖG LVIII (1950), Seite 124—135.

Sämtliche ausgestellten Handschriften sind Besitz der Handschriftensammlung der Österreichischen Nationalbibliothek, Wien.

Franz Unterkircher

205 *Evangeliar des Johannes von Troppau*

Abb. 47

189 Blätter, Pergament, 375 × 256 mm. 5 große Bildseiten, 4 Zierseiten mit Initialen, 85 Bildinitialen, alle Textseiten mit Rahmen und Eckblättern.
LIT.: Holter-Oettinger, S. 74—76. — Trenkler, E., Das Evangeliar des Johannes von Troppau, Klagenfurt-Wien 1948; Faksimile-Ausgabe. — Lhotsky, Bibliothek, Nr. 6.
Cod. Vind. 1182

Die früheste erhaltene Prachthandschrift aus dem Besitz der österreichischen Herrscher. 1368 vom Brünner Kanonikus und Pfarrer von Landskron in Mähren, Johannes von Troppau, mit Gold geschrieben und illuminiert. Das Buch war für Herzog Albrecht III. bestimmt, da auf den großen Bildseiten die Wappen der österreichischen Länder erscheinen: Österreich, Kärnten, Steiermark, Tirol. Als das Buch in den Besitz Friedrichs III. kam, schrieb er auf die erste Seite die fünf Vokale und die Jahrzahl 1444. Zwei Jahre später ließ er für das Buch einen Prachteinband mit vergoldetem Silberbeschlag herstellen, der auf der Schließe die fünf Vokale und die Jahrzahl 1446 trägt.

206 *Rationale des Wilhelm Duranti*

330 Blätter, Pergament, 464 × 356 mm. 9 Seiten mit reichen Zierrahmen, darin zahlreiche Medaillons und einzelne Figuren. Hunderte von größeren oder kleineren Initialminiaturen und Initialen.

Deutsche Übersetzung von Leopold Stainreuter, 1384 vollendet. Die Niederschrift und künstlerische Ausschmückung wurde ebenfalls 1384 begonnen, aber erst um 1406 vollendet. Das Buch enthält Porträts Albrechts III. und seiner Gemahlin Beatrix sowie des Herzogs Wilhelm und

LIT.: Holter-Oettinger, S. 87—89. —
Lhotsky, Bibliothek, Nr. 31.

Cod. Vind. 2765.

seiner Gemahlin. Die vier Meister der Miniaturen sind zum Teil von italienischen Vorbildern abhängig, die jüngeren, darunter Meister Nikolaus von Brünn, kommen von Böhmen oder Mähren. Das Buch ist das früheste Werk der für den Wiener Hof tätigen Buchmaler. Es gehört zu den Büchern, die Friedrich III. aus dem Nachlaß Albrechts V. übernahm.

207 *Wenzelsbibel (2. Band)* Abb. 6

182 Blätter, Pergament, 530 × 365 mm. Mehr als 200 Miniaturen teils als Bilder in den Text eingefügt, teils in den reichen Randverzierungen.

LIT.: Schlosser, J., Die Bilderhandschriften König Wenzels I., in: Jahrbuch d. kunsthist. Sammlungen 1893, S. 214 ff. — Stange, A., Deutsche Malerei der Gotik, 2. Band, S. 44ff. — Holter-Oettinger, S. 78 ff. — Ausstellungskatalog „Europäische Kunst um 1400", Wien 1962, Nr. 170. — Ambraser Ausstellung, Nr. 92—95. — Lhotsky, Bibliothek, Nr. 18.

Cod. Vind. 2760

Die Wenzelsbibel ist das bedeutendste Werk, das Friedrich aus dem Nachlaß der Luxemburger übernommen hat. Schon 1447 ließ er die umfangreiche Handschrift in drei Bände binden und an den Beginn des dritten Bandes zum Inhaltsverzeichnis seine fünf Vokale dazusetzen. Da diese Bände noch immer zu umfangreich waren, wurden sie im 17. Jahrhundert geteilt, so daß die Bibel jetzt sechs Bände umfaßt.

Die deutsche Übersetzung der Bibel, die im Auftrag König Wenzels in Prag geschrieben wurde, enthält nur den größten Teil des Alten Testamentes; das Neue Testament wurde nicht mehr niedergeschrieben. Auch der künstlerische Schmuck ist nicht fertiggestellt. Wo die Miniaturen an den freigelassenen Stellen des Textes fehlen, ist jedoch am Rande die Anweisung für den Maler gegeben, was er an dieser Stelle malen soll. Die Arbeit an der Bibel begann vor 1390. Es waren mehrere Meister daran beteiligt, die zusammen mehr als 600 Miniaturen schufen. Während die Bilder im Text Szenen aus der Bibel darstellen, erscheint im reichen Rankenwerk der Ränder häufig König Wenzel selbst, einige Male auf dem Königsthron, öfter aber als Gefangener in einem Block, vielfach von Bademädchen bedient. An mehreren Stellen sind die Wappen des deutschen Königs und des Königs von Böhmen angebracht. An Pracht der Ausstattung übertrifft die Wenzelsbibel alle anderen Bibelhandschriften — in ihrer Dekoration mit profanen Motiven ist sie wohl ein Spiegelbild des höfisch-frivolen Lebens am Hof Wenzels, den die Kurfürsten im Jahre 1400 als deutschen König absetzten, während er als König von Böhmen noch bis zu seinem Tod (1419) weiterregierte.

208 *Kopie der Goldenen Bulle*

80 Blätter, Pergament, 420 × 300 mm. Eine große Zierseite, 5 Bildinitialen, 47 Miniaturen im Text, zahlreiche Initialen in Gold und Farben.

LIT.: Schlosser, J. (siehe Wenzelsbibel). — Holter-Oettinger, S. 83 ff. — Ausstellungskatalog „Europäische Kunst um 1400", Wien

Wenzel ließ im Jahre 1400 die von seinem Vater, Kaiser Karl IV., im Jahre 1356 erlassene Goldene Bulle in Buchform abschreiben. Die Titelseite wurde von einem Meister, der schon an der Bibel mitgearbeitet hatte, im Stil der Bibel gemalt. Ein anderer Meister, der „Meister der Goldenen Bulle", schuf die Miniaturen im Text, die den Inhalt illustrieren. Schon im Jahre 1441 ließ Friedrich III. die Hand-

1962, Nr. 174. — Ambraser Ausstellung, Nr. 97. — Lhotsky, Bibliothek, Nr. 3.

Cod. Vind. 338

209 *Dietrich von Niem: Viridarium imperatorum et regum Romanorum*

1437 bis 1441, vom Miniator Veit ausgeschmückt.

95 Blätter, Pergament, 250 × 175 mm. Initiale mit Ranken, darin die Wappen von Böhmen, Ungarn, Mähren und Österreich.

LIT.: Lhotsky, Bibliothek, Nr. 4. — Lhotsky, Das Viridarium Romanorum imperatorum et regum, in: SB d. Philos.-hist. Klasse der Öst. Akad. d. Wissenschaften 226, 1949, S. 95 ff. — Textausgabe von Lhotsky und Pivec, Stuttgart 1956.

Cod. Vind. 496

210 *Alexander von Roes und Jordanus von Osnabrück: Memoriale de prerogativa imperii Romani*

Wien, 1440.

47 Blätter, Pergament, 212 × 163 mm. Initialen, Ranken und Wappen, teilweise Goldschrift.

LIT.: Lhotsky, Bibliothek, Nr. 12.

Cod. Vind. 2224

211 *Gebetbuch für Albrecht V.*

Melk oder Wien, um 1437.

222 Blätter, Pergament, 210 × 145 mm. 17 Vollbilder, 16 Initialbilder, 7 Initialen in Farben; Überschriften und Satzinitialen abwechselnd in Blau und Gold.

LIT.: Holter-Oettinger, S. 104—106.

Cod. Vind. 2722

212 *Grammatik für Ladislaus Postumus*

Um 1445 vom Miniator Michael in Melk hergestellt.

51 Blätter, Pergament, 260 × 195 mm. Drei Bildinitialen, 34 Initialen mit Wappen.

schrift neu binden und auf dem Einband zur Jahrzahl seine Devise aufmalen.

Das Werk, das bezeichnend ist für die Auffassung der Kaiseridee am Beginn des 15. Jahrhunderts, wurde vom Verfasser im Jahre 1410 in Rom vollendet. Die Abschrift mit der Zierseite und den Wappen muß zwischen Dezember 1437 (Tod Kaiser Sigismunds) und März 1438 (Wahl Albrechts zum deutschen König) begonnen worden sein, da neben dem österreichischen Wappen zwar schon die Wappen von Ungarn, Böhmen und Mähren beigesetzt sind, aber noch nicht das deutsche Königswappen. Aber erst 1441 wurde die Abschrift in Mariazell vollendet. Dieser Datierung und Lokalisierung sind auch die fünf Vokale Friedrichs beigefügt.

Wie die Jahrzahl mit den fünf Vokalen beweist, war das Buch schon im Jahre 1440 Besitz Friedrichs. Da die Herstellung eines so sorgfältig geschriebenen Buches doch längere Zeit beanspruchen mußte, so ist es wahrscheinlich, daß auch dieses Buch, ähnlich Cod. Vind. 496 (Nr. 6) ursprünglich für König Albrecht bestimmt war, nach dessen frühem Tode jedoch seinem Nachfolger übergeben wurde.

Das in deutscher Sprache geschriebene Gebetbuch ist sowohl inhaltlich als auch sprachgeschichtlich von Bedeutung. Die Ausstattung stammt von einem Meister, der von diesem Gebetbuch aus als „Albrechtsmeister" bezeichnet wird. Ein zweites, ähnliches Buch ist in Melk erhalten. Das vorliegende Buch, das noch den ursprünglichen Einband aus grünem Seidenbrokat besitzt, wurde für Albrecht hergestellt, bevor er noch König von Ungarn und Böhmen war, da nur das österreichische Wappen vorkommt. Er weist zwar kein äußeres Anzeichen darauf hin, daß es im Besitze Friedrichs war. Da dieser jedoch den Nachlaß seines Vetters übernahm, ist die Zugehörigkeit zu seiner Bibliothek sehr wahrscheinlich.

Die erste große Initiale ist mit einem Porträt des jungen Prinzen ausgestattet. Die Wappen in den Initialen zeigen alle Länder und Herrschaften an, die Ladislaus gehörten. Das Buch wurde später auch für den Unterricht Maximi-

LIT.: Holter-Oettinger, S. 107—108. — Lhotsky, Bibliothek, Nr. 1.

*Cod. Vind. 23 ***

lians benützt. Er selbst fordert es im Jahre 1500 von Innsbruck aus an, mit der Bemerkung, daß er selbst darin gelernt habe.

213 *Andachtsbuch für Friedrich III.*

315 Blätter, Pergament, 513 × 365 mm. Außer dem ganzseitigen Titelblatt 67 Bildinitalen und mehr als 1000 gemalte Initialen.

LIT.: Holter-Oettinger, S. 110—112. — Lhotsky, Bibliothek, Nr. 10. — Ambraser Ausstellung, Nr. 117.

Cod. Vind. 1767

Die Anlage des Buches geht wohl auf Kaiser Sigismund und seine Gemahlin Barbara von Cilli zurück, deren Porträts das Anfangsbild zeigt. Es wurde aber für Friedrich III. im Jahre 1448 vollendet, wie seine Devise und die Jahreszahl bezeugen. An seiner Ausschmückung waren mehrere Meister beteiligt: der Illuminator Michael, Martinus opifex und der „Albrechtsmeister".

214 *Gebetbuch für Friedrich III.*

42 Blätter, Pergament, 550 × 408 mm.

LIT.: Lhotsky, Bibliothek, Nr. 8. — Ambraser Ausstellung, Nr. 107.

Cod. Vind. 1764

Wie mehrere andere Gebetbücher ist auch dieses in größtem Format gehalten, ähnlich dem reich ausgestatteten Andachtsbuch Cod. Vind. 1767 (Nr. 13). Die einfachere Ausstattung läßt vermuten, daß es für den praktischen Gebrauch bestimmt war, etwa auf einem Pult der kaiserlichen Kapelle. Die fünf Vokale sind symmetrisch auf die Innenseite des Vorderdeckels gemalt. Die erste Seite ist mit 15 Miniaturen ausgefüllt, die zweite Seite enthält zwei Bilder; man hat jedoch den Eindruck, als wären auch für diese Seite 15 Bilder geplant gewesen. Die nicht sehr geübte Hand gehört wohl einem Gehilfen der Wiener Hofminiatoren um 1450.

215 *Goldene Legende*

Abb. 5

287 Blätter, Pergament, 540 × 360 mm.

LIT.: Holter-Oettinger, S. 109—110. — Lhotsky, Bibliothek, Nr. 2. — Ambraser Ausstellung, Nr. 105.

Cod. Vind. 326

Wappen, Devise und Monogramm mit der Jahreszahl 1447 auf der ersten Seite weisen Friedrich III. als Besteller der Prachthandschrift aus, an der die Miniatoren Michael, Martinus opifex und der Albrechtsminiator mitgewirkt haben. In 181 Initialen sind die Legenden der Heiligen dargestellt.

216 *Gebetbuch für Friedrich III.*

Wien, um 1480.

68 Blätter, Pergament, 380 × 300 mm. 2 eingeklebte Papierblätter, 300 × 225 mm. Bildseite mit 15 Miniaturen, zahlreiche farbige Initialen mit punziertem Goldhintergrund. Auf der Innenseite des Hinterdeckels großer gemalter Wappenschild mit den Wappen der österreichischen und der burgundischen Länder. Einband mit Devise Friedrichs.

LIT.: T. Gottlieb, Bucheinbände, Wien 1910,

Die Dekoration des Einbandes ist in zwei verschiedenen Techniken ausgeführt: mit Blindstempeln und in Lederschnitt. Im oberen Teil sind durch „Kopfstempel" Wolkenband-Bordüren gebildet, im Lederschnitt des unteren Teiles erscheint auf einem breiten Spruchband die Devise des Kaisers. Der Wappenschild der Innenseite weist darauf hin, daß das Buch noch vor 1486 in den Besitz Maximilians übergegangen war. Denn es fehlt neben den österreichischen und burgundischen Länderwappen noch das Wappen des deutschen Königs.

Nr. 76—77. — G. Laurin, Ein Buchbinder Kaiser Friedrichs III., in: Biblos 11 (1962), S. 150 ff.

Cod. Vind. 1788

217 *Morandus-Officium*

Wien, 1482.

44 Blätter, Pergament, 185 × 140 mm. Ein Vollbild, mehrere Seiten mit farbigem Initialen und Ranken.

LIT.: Lhotsky, Bibliothek, Nr. 37. — Ambraser Ausstellung, Nr. 116.

Cod. Vind. 1946

Abb. 46

Der heilige Morandus († 1115) war Abt von Altkirch im Elsaß und wurde als Apostel des Sundgaus verehrt. Herzog Rudolf IV. hielt ihn für einen Verwandten der Habsburger und erwarb einen Teil seines Hauptes als Reliquie für St. Stephan in Wien. Auch Friedrich III. verehrte ihn als besonderen Patron seiner Familie. Dieses Andachtsbuch zum Heiligen erhielt er von Dr. theol. Paul von Stockerau. Die künstlerische Ausstattung ist von dem aus Salzburg stammenden Ulrich Schreier.

218 *Notizbuch Kaiser Friedrichs III.*

61 Blätter, Pergament, 300 × 190 mm, einige Blätter etwas schmäler.

LIT.: Lhotsky, A., AEIOV. Die „Devise" Kaiser Friedrichs III. und sein Notizbuch, in: MIÖG LX (1952), S. 155—193; ausführliche Behandlung der ursprünglichen und der nachträglich erdachten Bedeutung der fünf Vokale, und Textausgabe des ganzen Notizbuches. — Lhotsky, Bibliothek, Nr. 25.

Cod. Vind. 2674

Abb. 48

Von Friedrich im Jahre 1437 am 27. April begonnen, wie seine Eintragung bezeugt. Im gleichen Jahr hat er auch die fünf Vokale eingetragen, also zu einer Zeit, in der noch Kaiser Sigismund lebte († am 9. Dezember 1437). Die Deutung der Vokale, die ebenfalls auf der ersten Seite des Notizbuches vorkommt, aber später eingetragen, ist daher eine Auslegung, die erst sinnvoll war, als Friedrich selbst deutscher König war (erwählt am 2. Februar 1440). Die ursprüngliche Bedeutung war wohl eine Art von Zauberformel, durch die das Eigentum geschützt werden sollte. Die Vokale sollten Friedrichs Besitz bezeichnen, wie er selbst im Notizbuch bestimmt (fol. 1+r). — Der größere Teil des Notizbuches ist leer.

219 *Eneas Silvius Piccolomini (Papst Pius II.): Österreichische Geschichte*

64 Blätter, Papier, 297 × 223 mm.

LIT.: Kramer, H., Untersuchungen zur „Österreichischen Geschichte" des Aeneas Silvius, in: MIÖG 45 (1931), S. 23 ff. — Ausstellung „Maximilian I.", Nr. 8. — Lhotsky, Bibliothek, S. 133—134.

Cod. Vind. 3364

Abb. 20

Die vorliegende Handschrift ist der erste Entwurf, von der Hand des Verfassers geschrieben und vielfach korrigiert. Dieses Exemplar war zwar nicht für Friedrich bestimmt, ist aber in seiner Kanzlei entstanden, in der Eneas Silvius als Sekretär tätig war. Am Anfang des 16. Jahrhunderts war die Handschrift in der Hand des Humanisten Johannes Cuspinian, der verschiedene Notizen hineinschrieb. Für Friedrich war ein schönes Exemplar auf Pergament geschrieben worden, das sich noch 1563 in der Hofburg in Innsbruck befand, aber seither verschollen ist.

220 *Thomas Ebendorfer: Chronica regum Romanorum*

1449—1450.

364 Blätter, Papier, 295 × 215 mm.

Thomas Ebendorfer war Professor an der Wiener Universität, war aber auch als Delegierter der Universität mehrere

LIT.: Lhotsky, A., Thomas Ebendorfer, ein österreichischer Geschichtsschreiber, Theologe und Diplomat des 15. Jahrhunderts. Stuttgart 1957, S. 98—106. — Textausgabe (von A. Lhotsky) im Druck.

Cod. Vind. 3423

Jahre lang Teilnehmer des Konzils von Basel gewesen, wo er die Bekanntschaft des damals noch sehr jungen Eneas Silvius Piccolomini gemacht hatte. Die Geschichte der römischen Könige schrieb Ebendorfer auf den ausdrücklichen Wunsch Friedrichs hin, der ein persönliches Interesse daran hatte, „eine übersichtliche Darstellung der Geschichte des Reiches zu besitzen, an dessen Spitze er berufen worden war" (Lhotsky). Von diesem historischen Hauptwerk Ebendorfers wurde 1451 ein Widmungsexemplar für Friedrich hergestellt, das aber später zeitweise verschollen war, bis es im Jahre 1858 vom Britischen Museum angekauft wurde. Das hier vorliegende Autograph Ebendorfers war zwar nicht im Besitz Friedrichs, ist aber ein unmittelbares Zeugnis für das in seinem Auftrag ausgeführte Werk.

221 *Bessarion: Briefe und Reden*

Inkunabel, Paris: Ulrich Gering, Martin Crantz und Michael Friburger, April 1471. 41 Blätter, Blatt 1 und 2 Pergament, die übrigen Papier, 180 × 135 mm. Auf der ersten Seite Zierrahmen mit Kaiserwappen.
LIT.: Gesamtkatalog d. Wiegendrucke, Nummer 4184. — Lhotsky, A., Bibliothek, Nr. 60.

Ink. 3. H. 12

Dem Pariser Druck ist ein Doppelblatt vorgesetzt, das eine gedruckte Widmung an Kaiser Friedrich trägt. Zwei anderen Exemplaren des gleichen Druckes waren gedruckte Widmungsblätter an König Ludwig IX. von Frankreich und an König Eduard IV. von England beigegeben. Auf die gedruckte Widmung folgt im vorliegenden Exemplar noch ein fünf Distichen umfassendes handgeschriebenes Gedicht an Kaiser Friedrich.

Franz Unterkircher

222 *Habsburgerstammbaum*

Unbekannter deutscher Meister, 1494.
Wasserfarben auf Pergament, 215 × 67 cm.
LIT.: Onghena, M. J., De Iconografie van Philips de Schone, Brüssel 1959, S. 184 f. — Eger., H., Ikonographie Kaiser Friedr., Phil. Diss., Wien 1965, S. 62.

München, Bayrisches Nationalmuseum.

Der Stammbaum reicht von Rudolf I. bis zu den Kindern Maximilians I. — Vgl.: Stammtafeln (Beilage).

Hanna Dornik

DER SCHATZ

Siehe den Beitrag S. 186.

223 *Der „Corvinusbecher"*

Abb. 9

Wiener Neustadt, Wolfgang Zulinger (?), um 1470—1490.
Teilweise vergoldetes Silber mit ungarischem Drahtemail, 81 cm hoch. Punze „Z" am Rande des Pokalfußes.
Urkundlich nachweisbar seit dem Jahre 1741, wahrscheinlich aber schon seit Ende des

Als Schöpfer dieses hervorragenden Kunstwerkes könnte der zwischen 1451 und 1490 in Wiener Neustadt nachweisbare Goldschmied Wolfgang Zulinger (Punze „Z" am Pokalfuß) in Frage kommen. Die geschickte Verwendung von ungarischem Drahtemail ist vielleicht dadurch zu erklären, daß Zulinger ein Verwandter und Schüler des aus Siebenbürgen stammenden Wiener Neustädter Gold-

15. Jahrhunderts, befindet sich der sogenannte „Corvinusbecher" im Besitz der Stadt Wiener Neustadt. Wie der Name besagt, wird dieser Prunkpokal mit dem Ungarnkönig Matthias Corvinus (1458—1490) in Verbindung gebracht. Auf diese Tradition nimmt auch die den Deckel bekrönende Figur Bezug. Ein knieender Ritter hält einen Schild, der auf der Rückseite die Jahreszahl 1462, auf der Vorderseite Kaiser Friedrichs III. sog. Devise AEIOU mit dem Doppeladler sowie das Monogramm des Matthias Corvinus und dessen Wappentier, den Raben mit einem Ring im Schnabel, trägt. Demnach wäre der Pokal mit dem zwischen den beiden Herrschern 1463 geschlossenen Frieden von Ödenburg in Beziehung zu setzen: Während eine Legende zu erzählen weiß, daß der Ungarnkönig dem Kaiser den Pokal als Dank — vor allem für die zurückgestellte heilige Stephanskrone — überreicht habe, berichtet eine andere Quelle, Friedrich III. hätte den Prunkpokal als Geschenk für den Ungarnkönig vorbereitet, ihn aber wegen plötzlich auftretender Unstimmigkeiten nicht überreicht. In den 80er Jahren des 15. Jahrhunderts könnte der Pokal mit anderen Kleinodien aus der kaiserlichen Schatzkammer an die Stadt verpfändet und später nicht mehr ausgelöst worden sein. Einer dritten Überlieferung nach soll Matthias Corvinus den Pokal im Jahre 1487 anläßlich der Eroberung Wiener Neustadts dem Rat der Stadt geschenkt haben. Verschiedenen Stilmerkmalen zufolge würde der Pokal eher in die Zeit um 1480 passen. Ein Medaillon auf der Innenseite des Pokaldeckels, das einen Schild mit dem Brustbild eines Ritterheiligen zeigt, läßt sogar die Möglichkeit offen, daß Friedrich III. den Pokal für den von ihm gegründeten und 1479 in Wiener Neustadt angesiedelten St. Georgs-Ritterorden bestimmt hatte.

LIT.: Boeheim, W., Der Corvinusbecher in Wiener Neustadt, in: Berr. u. Mittheil. d. Alterthumsvereines zu Wien, Bd. XVIII, Wien 1892, S. 78 ff. — Mayer, J., Gesch. v. Wr. Neustadt, II. Bd., 1926, S. 429 ff. — Mihalik, S., Denkmäler u. Schulen d. ungar. Drahtemails im Ausland, in: Acta historiae artium academiae scientiarum hungaricae,

schmiedes Siegmund Langenauer, genannt „Waloch", gewesen ist.

Gertrud Gerhartl

tom V, Budapest 1958, S. 71 ff. — Derselbe, Die ungar. Beziehungen des Glockenblumenpokals, a. a. O., tom. VI, Budapest 1959, S. 33 ff. — Katalog „Die Gotik in Niederösterreich", 5. Aufl., Wien 1959, S. 97 f., Nr. 318.

Stadtmuseum Wiener Neustadt, Inv.-Nummer A 59.

224 *Deckelpokal*

Die Bergkristallteile vermutlich burgundisch, 1. Hälfte des 15. Jahrhunderts, der Fußteil süddeutsch oder österreichisch, 1449, die Fassung des Mundrandes und des Deckels österreichisch (Graz?), 1564.
Bergkristall, die Fassung vergoldetes Silber, 25,7 cm hoch.
LIT.: Kris., E., Goldschmiedearbeiten. Kat.-Nr. 8. — Wentzel, H., Die Monolithgefäße aus Bergkristall, in: Zs. für Kunstgeschichte, Bd. 8, 1939, S. 281 ff. — Vgl. auch den Artikel „Bergkristall" (vom gleichen Verfasser) im Reallexikon zur Deutschen Kunstgeschichte und den über „Glittica" in der Enciclopedia universale d'arte, Bd. VI. — Katalog der Sammlung für Plastik und Kunstgewerbe, I. Teil, Wien 1964, S. 12, Nr. 28.

Wien, Kunsthistorisches Museum, Sammlung für Plastik und Kunstgewerbe, Inv.-Nr. 6896.

225 *Meßkelch*

Süddeutsch, um 1438.
Silber, zum Teil vergoldet, 19 cm hoch; Wiener Silberrepunze von 1806/07.

LIT.: Fillitz, H., Katalog der Weltlichen und der Geistlichen Schatzkammer, 3. Auflage, Wien 1961, S. 61, Nr. 9.

Wien, Kunsthistorisches Museum, Geistliche Schatzkammer, Inv.-Nr. B 1.

226 *Prunkpokal des Hugo von Werdenberg*

Burgundisch, 3. Viertel 15. Jh., Löwe mit Bindenschild als Deckelknauf Ergänzung des 16. Jhs.
Silber, teilweise vergoldet, Reste ehemals reichen Emails, 38 cm hoch.

Abb. 39

Die Vokalfiguration „AEIOV" und die Jahreszahl 1449, die sich am Fuß befinden, weisen dieses Gefäß als Besitz Kaiser Friedrichs III. aus. Wahrscheinlich über Kaiser Maximilian I. kam es an Kaiser Ferdinand I., der es seinem Sohn Erzherzog Karl II. (von Innerösterreich) vererbte. Dieser schenkte es im Jahre 1564 seinem Hofmeister Caspar Freiherrn zu Herberstein mit der Auflage, daß es stets im Mannesstamm seiner Familie vererbt werden möge. Die Nachricht über diese Schenkung und die mit ihr verbundenen Bedingungen werden in der Inschrift auf der oberen Fassung des Gefäßes berichtet („MIT ERBSCHAFT: AN · KAISER · FERDINAND · DEM ERSTEM · KAM · ICH · SEIN · SVN · / ERZHERZOG · KARL · ZV · ESTERREICH · VERSCHENCKHT · MICH · SEINEM · HOFMA/STER · CASPERN · FREIHERRN · ZV · HERBERSTAIN · MIT · DEM · NAMEN · DAS · ICH · ZV / GEDECHTNVS · BLEIBEN SOLL · EWIG · BEI · DEM · MANSTAMEN 1564"). Der Pokal gelangte als Schenkung der Gräfin Zichy aus dem Nachlaß ihres Gemahls in die kaiserlichen Sammlungen.

Auf dem Schaft dieses Kelches befindet sich die Inschrift „got bues zv dier amen", auf dem Fuß die Vokalfiguration „AEIOV" und die Jahreszahl 1438. Dieser Kelch und der ebenfalls mit der Jahreszahl 1438 bezeichnete Elfenbeinquadrant, Kat.-Nr. 228, sind die ältesten mit der Devise Friedrichs III. bezeichneten Objekte. Er wurde (zusammen mit dem Stoff, Kat.-Nr. 227) am 30. Dezember 1831 aus der Sakristei der Georgskapelle der Wiener Neustädter Burg der k. k. Schatzkammer in Wien übergeben.

Schlosser erwägt, ob der Pokal zu jenen „antiquitäten und kunstdruck" gehörte, die Erzherzog Ferdinand II. aus dem Nachlaß des mit dem 1534 erloschenen Hause Werdenberg eng verwandten Grafen Ulrich von Montfort 1570 erwarb. — Graf Hugo von Werdenberg (um 1440 bis 1508), „Sta-

Aus der Ambraser Sammlung.
LIT.: J. v. Schlosser, Album, Taf. VIII, Nr. 1.

Wien, Kunsthistorisches Museum, Sammlung für Plastik und Kunstgewerbe, Inv.-Nr. 49.

belmeister" und seit 1466 oberster Truchseß und Rat Kaiser Friedrichs III., begleitete diesen auch 1473 bei der Zusammenkunft mit Herzog Karl dem Kühnen von Burgund. Bei dieser Gelegenheit mag er den Pokal erhalten haben.

227 *Fragment eines Ornates der ungarischen „Gesellschaft vom Drachen"*

Venezianisch (?), nach 1408 und vor 1444.
Blauer Samt, applizierte Goldstickerei, 93 cm hoch, 140 cm breit.

LIT.: Lhotsky, A., Die sogenannte Devise Kaiser Friedrichs III. und sein Notizbuch cod. Vind. Palat. n. 2674, in: Jb. der Kunsthistorischen Sammlungen in Wien, N. F. XIII, 1944, S. 75. — Zum Drachenorden und seinen Insignien vgl. zuletzt den Katalog der Ausstellung „Europäische Kunst um 1400", Wien 1962, Nr. 509. — Katalog der Sammlung für Plastik und Kunstgewerbe, I. Teil, Wien 1964, S. 40, Nr. 100.

Wien, Kunsthistorisches Museum, Sammlung für Plastik und Kunstgewerbe, Inv.-Nr. 29.

Abb. 8

Auf dem blauen Samt sind in regelmäßiger Streuung goldgestickte Flammenkreuze appliziert, in ihren Balken die Inschrift „o quam misericors est deus, iustus et paciens". Das Flammenkreuz mit dieser Devise ist eines der beiden Embleme der im Jahre 1408 von König Siegmund von Ungarn (dem späteren Kaiser Siegmund) gegründeten „Gesellschaft vom Drachen". Es ist daher dieses Textilstück Fragment eines Ausstattungsstückes für den ungarischen Drachenorden, vielleicht Rest einer Ordensrobe. In die Mitte des Stoffes ist nachträglich die Devise Kaiser Friedrichs III. appliziert: „a. e. i. o. v. / 1444". Friedrichs Vater, Herzog Ernst, war am 16. Februar 1409 dem Drachenorden beigetreten; ob Friedrich selbst Mitglied dieser Gesellschaft war, ist nicht bekannt. Es wäre aber auch nicht ausgeschlossen, daß es sich hier um ein Objekt aus dem Besitz Kaiser Siegmunds selbst handelt. Früher wurde der Stoff als Rest eines Altar- oder Prozessionsbaldachins bezeichnet. Dieser Stoff wurde, zusammen mit dem Kelch (Kat.-Nr. 225), am 30. Dezember 1831 aus der Sakristei der Georgskapelle der Wiener Neustädter Burg in die Schatzkammer übernommen.

228 *Quadrant*

Süddeutsch, 1438.
Elfenbein, 9,1 × 8,7 cm.

LIT.: Klug, R., Johannes von Gmunden, Sitzungsberichte der Akademie der Wissenschaften in Wien, Philosophisch-historische Klasse, 222. Bd., 4. Abhandlung, Wien 1943, S. 26. — Lhotsky, A., Die sogenannte Devise Friedrichs III. und sein Notizbuch cod. Vind. Palat. n. 1674, in: Jahrbuch der Kunsthistorischen Sammlungen in Wien, N. F. XIII., 1944, S. 72. — Zinner, E., Deutsche und niederländische astronomische Instrumente des 11. bis 18. Jahrhunderts, München 1956, S. 322 f.

Wien, Kunsthistorisches Museum, Sammlung für Plastik und Kunstgewerbe, Inv.-Nr. 166.

Abb. 38

Durch die Vokalfiguration „AEIOU" als Eigentum Herzogs Friedrich V. (des späteren Kaisers Friedrich III.) gekennzeichnet. Die Vorderseite dieses Quadranten zeigt das Kurvennetz für die Stunden von 5 bis 12 und von 12 bis 7, geschnitten von den Kurven der Tierkreiszeichen, und in der Ecke das Schattenquadrat. Das Zifferblatt an der Rückseite gibt den Tier- und den Jahreskreis sowie die 28 Mondtage an; zwei darüber kreisende, von der Hand zu betätigende Scheiben indizieren das Mondalter und die Sonnenlänge. Der Konstruktion dieses Quadranten liegt offenbar ein Entwurf des Wiener Astronomen Johannes von Gmunden (geb. vor 1385, gest. 1442) zugrunde, der in einer im Jahre 1434 angefertigten Abschrift des Gmundenschen Werkes über den Sonnenquadranten erhalten ist.

Erwin Neumann

229 Klappsonnenuhr

Messing vergoldet und durchbrochen gearbeitet. Um den Kompaß graviertes Ornament mit den Himmelsrichtungen M — OC — S — OR. Darüber halten zwei wilde Männer den Bindenschild. Am Klapparm Ornament, in der Mitte schwarz emaillierter Reichsadler, am Fuß 1451. Auf der Rückseite des Adlers die Devise AEIOV.

8 × 5,8 cm — Arm 7,8 cm.

LIT.: Zimmeter, K., Die kunstgewerblichen Sammlungen, Heft Tirol 1930, Nr. 13, S. 34; Kühnelt, H., Astronomische Uhren in Tirol, Heft Tirol Nr. 8, S. 11, 1955. — Zinner, E., Die ältesten Räderuhren und modernen Sonnenuhren, 28. Bericht der naturforschenden Gesellschaft, Bamberg 1939, S. 82 f. — Lhotsky, A., Die sogenannte Devise Kaiser Friedrichs III. und sein Notizbuch, cod. Vind. Palat. n. 2674 im Jahrbuch der Kunsthistorischen Sammlungen, N. F. Band XIII., Wien 1944.

Innsbruck, Tiroler Landesmuseum Ferdinandeum, Inv.Nr. U 5.

Ähnliche Werke im Joanneum Graz (1455), Kunsthistorisches Museum Wien (1463), Germanisches Nationalmuseum Nürnberg und Bayerisches Nationalmuseum München (1456). Geschenk Hofrat Karl Ludwig von Fischheim, 1825.

Erich Egg

230 Klappsonnenuhr

Messing, 8 : 5,8 cm; datiert 1455. Bronze, zweiteilig, aufklappbar. Die bogenförmige Grundplatte mit geradem Abschluß enthält die Bussole mit Angabe der Windrichtungen und die Stundenskala von 5 Uhr früh bis 7 Uhr abend; über der Bussole durchbrochen zwei wilde Männer, welche den Bindenschild halten, von dem unter der Verschlußöse der Gnomonfaden ausgeht. Die runde Deckplatte ist innen leer, außen mit den Monatsbuchstaben über je 6 Teilstrichen und dem handförmigen Weiser einer Monduhr aus einer Doppelrosette verziert. Am Hälter des Fadens der Schließhaken, am Ansatz die gravierte Jahreszahl 1455.

LIT.: Zinner, E., Die ältesten Räderuhren und modernen Sonnenuhren, 28. Bericht der naturforschenden Gesellschaft, Bamberg 1939, S. 83.

Graz, Landesmuseum Joanneum, Museum für Kulturgesch. und Kunstgewerbe, Inv.-Nr. 4525.

Wenn auch aus Grazer Privatsammlung erworben, doch wohl ursprünglich aus der Schatzkammer des erzherzoglichen Hofes in Graz.
Verwandt mit Kat.-Nr. 229 und 231.

Gertrud Smola

231 *Klappsonnenuhr*

Messing, datiert 1456.

LIT.: Bassermann-Jordan, E. v., Uhren, ein Handbuch für Sammler und Liebhaber, Berlin 1922, S. 21.

München, Bayerisches Nationalmuseum. Inv.-Nr. Phys. 22.

Verwandt mit Kat.-Nr. 229 und 230.

Erwin Neumann

DAS NACHLEBEN FRIEDRICHS IN DER MALEREI

Von den Bildnissen Kaiser Friedrichs III. wurde zur Herrschaftszeit seines Sohnes Maximilian vornehmlich jenes, das die Altersphysiognomie des Monarchen trägt, des öfteren wiederholt. Gemeinsam mit dem alten Vater erscheint Maximilian auf Medaillen, sowie innerhalb einer szenischen Darstellung, der Epiphanie des Meisters der Habsburger. Während jedoch hier Maximilian als einer der Könige im Vordergrund das Bild beherrscht, erscheint Friedrich lediglich im Gefolge des Sohnes, der Kopf ist aus einer Bildnisvorlage herausgenommen und völlig unorganisch hinter einen Balken gesetzt, wohl lediglich, um Pietätsgründen Genüge zu leisten.

Friedrich trägt, wie auf allen Wiederholungen des Altersbildnisses, jene eigentümliche, orientalisch anmutende Kopfbedeckung, eine Privatkrone, in der der Monarch wohl bei der ihm eigenen Prunkliebe Mode mit Repräsentation und Annehmlichkeit verbunden wissen wollte. Tritt Friedrich im Bilde österreichischer Herkunft lediglich im Gefolge Maximilians auf, so kniet er in niederländischen Darstellungen selbst als König zuvorderst neben Maria und dem Kinde. Zunächst nahm der Meister von Frankfurt, ein Antwerpener Maler der Jahrhundertwende, den Alterstypus Friedrichs in sein Schaffen auf, und erhielt ihn in zahlreichen Repliken.

Auf einer Reihe von Darstellungen der Anbetung der Könige des Meisters wird Friedrich im strengen Profil nach rechts mit etwas erhobenen, parallel gefalteten Händen, bekleidet mit einem pelzgefütterten Brokatmantel gezeigt, um die Schultern die Kollane des Ordens vom Goldenen Vlies, die er am 16. Juli 1492 angenommen hatte, das Haupt von einer Haube bedeckt, die die ursprüngliche Form der Spangenkrone erahnen läßt. Neben dem Meister von Frankfurt verleiht auch Joos van Cleve auf einer um 1512 entstandenen Epiphanie (heute in Dresden) dem ältesten König die Züge Friedrichs und übernimmt das in den Niederlanden entwickelte Bildnisschema des habsburgischen Monarchen.

Die Frage, inwieferne und in Zusammenhang mit welchen Beweggründen das Nachleben Friedrichs in der Antwerpener Malerei auf die Initiative Maximilians zurückzuführen ist, konnte bislang nicht geklärt werden.

Hanna Dornik

232 *Anbetung der Könige*

Meister von Frankfurt, um 1500.

Mitteltafel eines Triptychons, Holz, 160 ×
214 cm.

Freie Kopie der Anbetung vom Montfortealtar Hugo van der Goes.

Der älteste König trägt die Züge Friedrichs III.

LIT.: Baldass, L., Bildnisse, Jb. d. kh. S.,
Bd. 31, 1913, S. 303. — Friedlaender, M. J.,
Der Meister von Frankfurt, Jb. d. kgl. preuß.
Kunstsammlungen, Berlin 1917, S. 131 ff. —
Friedlaender, M. J., Die altniederländische
Malerei, Bd. 7, Berlin 1929, Nr. 129. —
Delen, A. J., Beschrijvende catalogus Kon.
Museum v. Schone Kunsten Antwerpen, I,
1948, S. 169 ff. — Delen, A. J., Wie was de
Meester von Frankfort? Miscellanea Leo van
Puyvelde, Brussel 1949, S. 48. — Onghena,
M. J., De Iconographie van Philips de
Schone, Brüssel 1959, S. 343 f. — Eger, H.,
Ikonographie Kaiser Friedrichs III., Phil.
Diss., Wien 1965, S. 95.

*Antwerpen, Kon. Museum voor Schone Kun-
sten.*

Siehe S. 80.

In sehr eigenartigem Abhängigkeitsverhältnis von dem Antwerpener Altar steht ein Triptychon des Kunsthistorischen
Museums zu Wien, das zumeist dem Meister von Frankfurt
zugeschrieben wird, das aber, da es die auf der Antwerpener Tafel fortgelassenen Engel aus dem Montfortealtar mitkopiert, von einem aus dem Werkstattkreis des
Meisters von Frankfurt kommenden Kopisten gearbeitet
sein dürfte, der auch das Werk des van der Goes vor sich
hatte.

Beide Tafeln schematisieren den niederländischen Alterstypus Friedrichs, der am besten auf der Mitteltafel eines
Triptychons in Stuttgart erhalten ist.

---

233 *Anbetung der hl. drei Könige*

Tiroler Schule, Meister der Habsburger (?),
um 1500.

Öl auf Holz, 97 × 59 cm.

LIT.: Baldass, L., Bildnisse, Jb. d. kh. S.,
Bd. 31, 1913, S. 257. — Baldass, L., Die
altösterr. Tafelbilder, Wr. Jb. f. b. K., 1922,
S. 67 ff. — Baldass, L., Der Künstlerkreis
Maximilians, Wien 1923, S. 37 f. — Winkler, F., Der Meister der Habsburger, Belvedere IX/X, 1926, S. 47 ff. — Pächt,
a. a. O., S. 59 f. — W. Hugelshofer, Der
Meister der Habsburger, Belvedere XI/2,
1932, S. 79 ff. — Kat. Gotische Malerei aus
Österreich, 1935, S. 6 f. — Kat. Ausst. Gotik
in Tirol, Innsbruck 1950, S. 72. — Kat. d.
Mus. mittelalterl. österr. Kunst. 1953, Nr. 83,
fälschlich dem Meister von Pulkau zugeschrieben. — Lutterotti, O., Ein unbekanntes
Diptychon, Festschrift für K. M. Swoboda,

Friedrich im Gefolge Maximilians dargestellt, Profil nach
rechts mit Spangenkrone. Kopie nach einem um 1475 bis
1485 entstandenen, verschollenen Altersbildnis des Kaisers.

Hanna Dornik

Wien 1959, S. 159. — Eger, H., Ikonographie
Kaiser Friedrichs III., Phil. Diss., Wien 1965,
S. 91 ff.

*Wien, Kunsthistorisches Museum, Inv.-Num-
mer 127 A, ausgestellt in der Österr. Galerie
im Belvedere.*

TAFELBILDER UND PLASTIKEN AUS DER ZEIT FRIEDRICHS III.

Ergänzend zu den einleitenden Artikeln im ersten Teil des Kataloges seien hier einige der
wichtigsten Werke näher behandelt. Leider erlaubt das Thema der historischen Ausstellung, die vor allem die Person des Kaisers in den Vordergrund stellt, in den beschränkten
räumlichen Verhältnissen der ehemaligen St. Peterskirche keine umfassendere Dokumentation. Die Vorarbeiten zur Ausstellung haben nämlich neuerlich gezeigt, wie nötig es
wäre, die Kunst aus der zweiten Hälfte des 15. Jahrhunderts im Raum von Wien einer
kritischen wissenschaftlichen Untersuchung zu unterziehen. Die wenigen gezeigten Werke
sollen zumindest die wichtigsten Punkte, die im Rahmen der Ausstellung von Interesse
sind, hervorheben und manche offene Frage durch den Vergleich der Originale klären
helfen. Die Anordnung wurde folgendermaßen vorgenommen:

Nach den Gemälden, in denen Bildnisse Friedrichs weiter nachleben, folgen die kaiserlichen Stiftungen, hierauf eine kurze Charakteristik des Kunstkreises von Wiener Neustadt und als Abschluß das Werk des Schottenmeisters und seiner Nachfolger. Dieses
größte und bedeutendste erhaltene Tafelwerk des österreichischen Donauraumes im späten 15. Jahrhundert wird in dieser Ausstellung zum ersten Mal in seiner ehemaligen Anordnung gezeigt. Die Frage der Meister- und Schülerhände wird dadurch zur Diskussion
gestellt. Eine Gruppierung der wichtigsten Nachfolger dieses unbekannten Malers führt
wieder in den Kunstkreis von Wiener Neustadt, der mit dem von Wien in reger Wechsel-
beziehung stand.

Rupert Feuchtmüller

Mehrfach zitierte Literatur, bei den Kat.-Nr. nur abgekürzt angegeben:

P ä c h t , Otto, Österreichische Tafelmalerei der Gotik, Augsburg 1929.

B e n e s c h , Otto, Der Meister des Krainburger Altars, Wiener Jahrbuch für Kunstgeschichte, Bd. VII,
Wien 1930, S. 120.

B u c h o w i e c k i , Walther, Geschichte der Malerei in Wien, in: Geschichte der Stadt Wien, Neue Reihe,
Bd. VII, 2.

S t r o h m e r , Erich, „Die Malerei der Gotik in Wien", in: Donin, Richard Kurt, Geschichte der bildenden
Kunst in Wien, 2. Bd.: Gotik, Wien 1955, S. 182 ff.

S t a n g e , Alfred, Deutsche Malerei der Gotik, 11. Bd., München-Berlin 1961.

FLÜGELALTÄRE

234 *Wiener Neustädter Altar im Dom*
von St. Stephan, Wien   Abb. 42

Auf der Predella zweimal bez. 1447 mit der
Devise AEIOV.

Ein Flügel 370 × 137 cm, Schrein doppelt
breit.

Eine nähere Beschreibung des Altares gibt
das beigegebene Schema.

Mit dem großen Altarwerk in der Stephanskirche hat man sich bis heute nicht eingehend
befaßt. Pächt führt es an, Benesch spricht
von einer monotonen Reihung der Heiligen
und Märtyrer. Der Meister wäre nach seiner
Auffassung auf der Stilstufe der 20er Jahre
stehengeblieben, wodurch sich „mühsame
Kompromisse mit den Forderungen der Zeit
nach Stofflichkeit" ergeben. Sehr richtig
wird bemerkt, daß die konservative Auffassung des Kaisers dieser Gestaltung entspro-
chen hätte. Tietze bemühte sich um die Ikonographie und Beschreibung. Er versucht,
diese Rückständigkeit aus einer alten Überlieferung zu erklären, die von einer Herkunft
des Altares aus Viktring in Kärnten spricht.

Oettinger hat vor allem das Oeuvre des Meisters mit Zuordnungen bereichert. Stange
betont, daß der umfangreiche Werkstättenbetrieb die Art des Hauptmeisters, der von
1420 bis gegen 1450 tätig war, nur recht ver-
schwommen erkennen läßt. Sicherlich kann
man folgende Gruppierung vornehmen:
Neben den Bildschnitzern, die hier nicht
untersucht werden sollen, arbeitete der
Hauptmeister an der Festtagsseite der Flügel und der Predella, also auf jenen Seiten,
die den feierlichen Goldgrund tragen. Die
Rückseite der Predella und die der anderen
Flügel stammen von einem zweiten primitive-
ren Maler, der allerdings wohl an die Visie-
rung des Hauptmeisters gebunden war. Er
arbeitete, wie aus der Art der Gesichtsdar-
stellung, der Haarmodellierung und der schematischen Wiedergabe der Heiligenscheine
und Kronen hervorgeht, am 1449 datierten
Gnadenstuhlaltar von Aussee. (Siehe Kat.-
Nr. 235). Hier, auf sich gestellt, läßt er die

In unserem Zusammenhang interessiert vorerst die Herkunft des Altares. Eine Freundschaft des Kaisers zu dem
Abt von Viktring läßt Oettinger die Herkunft von Viktring möglich erscheinen. Vor allem führt man immer wieder das Dreifaltigkeitspatrozinium der Neuklosterkirche
ins Treffen, dem dieser Altar nicht entsprechen soll. Fillitz,
der an eine Auftragserteilung in Wien glaubt, schlägt eine
ursprüngliche Bestellung für die Wiener Neustädter Liebfrauenkirche vor. Da die Stiftung des Klosters durch
König Friedrich IV. zu Ehren der Heiligsten Dreifaltigkeit
und der reinen Jungfrau Maria erfolgte, und beide Patro-
zinien dargestellt sind, die heilige Maria und die Krönung
durch die Heilige Dreifaltigkeit, so besteht überhaupt kein
Widerspruch mit der Stiftung für das Neukloster. Man
vergleiche den Wappenstein über dem Klostereingang mit
der gleichen figuralen Darstellung (1448).

Interessant ist der Hinweis von Fillitz, daß hinter dem
eigenartigen Altarwerk Kaiser Friedrich als Reliquien-
sammler und besonderer Verehrer der Heiligen stünde.
Auch die kostbare Ausstattung mit zahlreichen Plastiken
und dem leuchtenden Goldgrund, der hier weit mehr als
bei anderen Altarwerken vorherrscht, läßt die Kunstauffassung des Mäzens erkennen. Die Gruppierung von je drei
Heiligen in einem Feld findet sich auch am Reliquienschrein und an den Glasfenstern der Georgskirche.

Die beiden ausgestellten äußersten Flügel lassen den Stil
der zwei wichtigsten Meister gut unterscheiden. Der „böhmische Schmelz" (Stange) geht allmählich verloren, die
Gebärden werden heftiger, die Figuren körperlos und die
Gewänder unstofflich. Der Maler der Flügelaußenseiten
vertritt einen lokalen, durch unmittelbaren Ausdruck geprägten Stil. —

IKONOGRAPHIE DES „WIENER NEUSTÄDTER ALTARES"

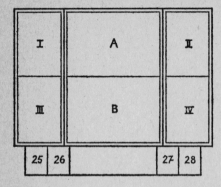

A Schrein oben: „Krönung Mariens durch die Dreifaltigkeit"
B Schrein unten: Barbara, Maria mit Kind, Katharina
Baldachinfigürchen (von unten nach oben)

links: Jakobus — Judas Thaddäus (?) — Johannes Evang.
rechts: Andreas — Paulus — Petrus
über dem Schleierbrett: (v. li. n. rechts): Benedikt — Bernhard
zw. den Bögen d. Schleierbrettes im Baldachin: Hl. Nonne — Heiliger mit Kelch
in der unteren Hälfte 4 Engel

Reliefs der Flügel:

I. Aufnahme Mariens in den Himmel
II. Tod Mariens
III. Geburt Christi
IV. Anbetung durch die Hl. 3 Könige

Flügel geschlossen:

1. Petrus, Andreas, Paulus
2. Johannes Evang., Johannes Bapt., Clemens v. Rom
3. Jakobus major, Bartholomäus, Judas Thaddäus
4. Sebastian, Georg, Eduard d. Märtyrer
5. Florian, Wenzel, Koloman
6. Oswald, Karl d. Gr., Sigismund v. Burgund
7. Christophorus, Heinrich II., Dagobert der Frankenkönig
8. Rupert, Urban, Blasius
9. Erasmus, Sixtus II., Ulrich
10. Ambrosius, Nikolaus, Augustinus
11. Wolfgang, Martin, Eligius (?)
12. Severin, Quirinus v. Lorch (?), Maximilian
13. Friedrich, Erzengel Michael, Achatius
14. Benedikt, Antonius, Einsiedler Morandus
15. Mauritius, Stephan, Thomas, Matthias
16. Leonhard, Sebaldus, Ägidius

Flügel ganz geschlossen:

17. Katharina, Helena, Margarethe
18. Apollonia, Barbara, Dorothea
19. Lucia, Anna selbdritt, Maria Magdalena
20. Kunigunde, Ursula, Afra
21. Ottilia, Elisabeth v. Thüringen, Felizitas (?)
22. Landricus, Hl. Ludwig d. Kreuzfahrer, Ludwig v. Toulouse
23. Emmerich, Stephan, Ladislaus
24. Jostus, unschuld. Kinder, Thibold

Predella offen:

25. Verkündigung
26. Heimsuchung
27. Christi Geburt
28. Anbetung durch die hl. 3 Könige

Predella geschlossen:

29. Christus am Ölberg
30. Kreuzigung
31. Geißelung
32. Dornenkrönung

Msgr. Alois Penall, Dr. Gerhard Bittner
Wien, Dom- und Metropolitankirche St. Stephan.

weiche Modellierung und Beweglichkeit der Figuren vermissen.

Das kleine Andreasaltärchen ist im 19. Jhdt. oder zu Beginn des 18. Jhdts. auf den Schrein gesetzt worden. Es hat keine ursprüngliche Beziehung zum großen Altar, stammt allerdings aus dem Neukloster in Wiener Neustadt. Der große Flügelaltar kam 1884 vom Neukloster in die Wiener Stephanskirche.

LIT.: Pächt, a. a. O., S. 71. — Benesch, a. a. O., S. 151 f. — Benesch, O., Wallraf Richartz Jahrbuch 1930, S. 66. — Tietze, ÖKT Bd. 23 (1931) S. 273 ff. — Baldass, Der Wr. Schnitzaltar, Jb. N. F. IX. 1935. — Oettinger, "Meister d. Friedrichsaltares von 1447", Jahrbuch d. preuss. Kunstsammlung 58 (1937), S. 227 ff. — Garzarolli-Thurnlackh, K., „Die steirischen Malerschulen bis zur Mitte des 15. Jhdts. in: Joanneum, 1943, S. 217. — Demus, O., Der Meister von Gerlamos. Jb. der Kunsthist. Sammlungen N. F. XII 1938, S. 103. — Der Stephansdom, Ausstellungskatalog Wien 1948, S. 63, Nr. 199, 200. — Thieme-Becker, Bd. 37, S. 108. — Strohmer, a. a. O., S. 190. — Buchowiecki, a. a. O., S. 24. — Stange, a. a. O., S. 33 f.

Ausgestellt sind die äußeren Flügel mit den Darstellungen Nr.: 1, 5, 9, 13; Rückseite: 17, 19, 21, 23; ferner: 4, 8, 12, 16; Rückseite: 18, 20, 22, 24.

235 *Gnadenstuhlaltar*

Abb. 11

Bad Aussee, Spitalskirche.

1. Oberteil mit Rahmen: 163 × 220,5 cm.
2. Flügel: 153,3 × 104,17 cm, ohne Rahmen: 145 × 96 cm.
3. Predella: 33 × 226,5 cm oben, 194,5 cm unten.
4. Predella: 12,5 cm, Oberteil: 11 cm.

Am Rahmen, unten Mitte, beschriftet: „Maria memento mei 1449", auf der Predella die Devise: „A E I O U".
Die nähere Beschreibung gibt das beigegebene Schema.
Der Altar wurde von Pächt in die Gruppe der steirischen Maler, zeitlich nach dem Meister der St. Lambrechter Kreuzigungen eingeordnet. Benesch vermerkt von dem Meister dieses wichtigen steirischen Altarwerkes, daß er „zumindest den Bannkreis des Albrechtmeisters durchschritten" hätte; wäh-

Die „Devise" Friedrichs III. besagt, daß es sich bei diesem Altar um eine kaiserliche Stiftung handelt. Da die Salinen landesfürstlich waren, befand sich der Gnadenstuhlaltar vermutlich auch in seinem Eigentum. Der Typus eines Gnadenstuhlaltares war der Wiener und damit auch der Wiener Neustädter Malerwerkstätte durchaus geläufig. Man denke nur an den Londoner Gnadenstuhl, der einen ganz ähnlichen Thron verwendet, ein Bildtypus, der zum ersten Mal auf den Fensterscheiben von St. Denis auftaucht. In Kärnten ist der Gnadenstuhlaltar in St. Paul i. L. verwandt. Als spätgotische Nachfolge in unserem Bereich kann der Gnadenstuhlaltar aus Felsöer-Döfalva angesehen werden.
Die vielen Heiligen am Ausseer Altar — dem Friedrichsaltar vergleichbar — können aus dem Auftrag des Mäzens erklärt werden. Stilistisch wirken die böhmischen Einflüsse in der weichen Art der Figurenbehandlung nach. Wir erkennen jedoch ein Schematisieren der Typen und eine volkstümliche Ausdruckskraft, die zur Handschrift des lokalen Malers gehört.

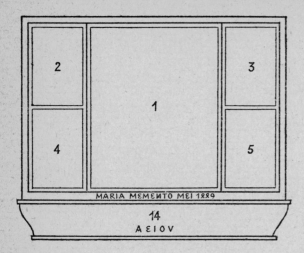

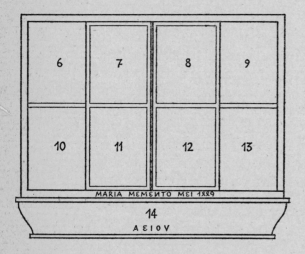

1 *Mitteltafel:*

Gnadenstuhl, Gott-Vater, -Sohn und hl. Geist mit den 12 Aposteln und musizierenden Engeln. Im Nimbus Gott-Vaters die Umschrift: „sich an mensch das leyden meynes sons."

Festtagsseite (Flügel geöffnet)

Tafel 2 lt. Inschrift: „in den kor gehorn alle heylige beichtier"

3 lt. Inschrift: „in den kor gehorn weltlich gereche mensch"

4 lt. Inschrift: „in den kor gehorn di reynen iunffraun gotts"

5 lt. Inschrift: „in den kor gehorn di heyligen frawen und vittib"

Werktagsseite (Flügel geschlossen)

Tafel 6 Links die hl. Katharina, rechts hl. Barbara

7 Verkündigung

8 Heimsuchung

9 Links hl. Dorothea, rechts hl. Margaretha

10 Links hl. Ottilie, rechts hl. Apollonia

11 Geburt Christi

12 Hl. 3 Könige

13 Links hl. Agnes, rechts hl. Ursula

Predella:

Zwei Engel mit dem Schweißtuch der hl. Veronika, flankiert von den Wappen Österreichs und Steiermarks. Unter dem Antlitz auf dem Schweißtuch A E I O V.

Band

zwischen Oberteil und Predella, bei offenem und geschlossenem Altar sichtbar, mit Inschrift: MARIA MEMENTO MEI 1449.

rend Stange den Altar jenem Gehilfen des Friedrichsaltare zuschreibt, der die Außenseite des äußeren Flügelpaares ausgeführt hat. Er schreibt ihm weiters zwei abgetrennte Flügel in Wiener Privatbesitz (außen die Apostel Petrus und Andreas, innen die Verkündigung und Heimsuchung), ferner den Altar in der Schloßkapelle in Mittersill zu. Die Tafeln in Wiener Privatbesitz stammen wohl nicht von der gleichen Hand wie der Gnadenstuhlaltar, die Verbindung mit dem Friedrichsaltar aber hat sehr viel für sich, hier bestehen die engsten stilistischen Zusammenhänge. Das Ausseer Werk ist etwas derber und unmittelbarer in Ausdruck, Linie und Farbe, was mit der Loslösung des Künstlers aus der Wiener Werkstätte und der Befreiung von den Vorlagen seine Erklärung finden kann.

Restaurierungsangaben von F. Pischinger (N.-Ö. Landesmuseum, 1966):

Ölhaltige Tempera auf Fichtenholz. Die an den Rückseiten nicht bemalten Tafeln (Mittelbild und die beiden äußersten Tafeln), weisen zum Schutze teilweise Leinenzwischenlage zwischen Grundierung und Holz auf, sind aber dennoch durch leichtes Verwerfen des Holzes an wenigen Stellen gesprungen. Die beidseitig bemalten Flügel sind ohne Leinenzwischenlage nicht verworfen. Die Holzmaserung, wie die etwas grobe Pinselstruktur der Grundierung markiert sich teilweise durch. Die Vorzeichnung erfolgte mit rötlich-braunen Pinselstrichen.

Malerei und Rahmen verhältnismäßig sehr gut erhalten, doch besonders an den Außenseiten mit emailleartig verbrannter brauner bis schwarzer *Firnis*- bzw. *Kerzenrußschicht* bedeckt. Davon besonders die Grün- und Blautöne befallen (übermäßige Oxydation). Diese Schicht konnte bei der *Restaurierung* ohne Verletzung des Originals und der natürlichen Oxydation entfernt werden. Das im 18. oder frühen 19. Jhdt. völlig pastos zugemalte Lendentuch Christi (Gnadenstuhl), wurde ebenfalls freigelegt. Bei der *Restaurierung* wurden nach gründlicher Konservierung und Regeneration der Vorder- und Rückseite (Tränkung des wurmstichigen Holzes), folgende *Ergänzungen* durchgeführt:

Rahmen: Ausgebrochene Stellen im Oberteil. An der Predella die völlig zerstörte unterste Goldleiste.

Retuschen: Abgesplitterte Farbstellen und Kittstellen, bes. an der Predella; im Oberteil bes. an den Flügelrändern der Engel (Mittelteil), und der Lüstrierung der Gewänder im Dreikönigsbild.

LIT.: Schnaase, K., Zur Geschichte der österr. Malerei im 15. Jh., in: Mitt. der k. k. Zentralkommission 1862, S. 210. — Graus, Josef, Kaiser Friedrichs III. Kirchen und Altarstiftungen, in „Kirchenschmuck", N. F. 36, 15. Juli 1905, Nr. 7, S. 127 ff. — Fischer, Altdeutsche Malerei in Salzburg 1908, S. 55 ff. — Pächt, a. a. O., S. 82. — Benesch, a. a. O., S. 153. — Stange, a. a. O., S. 35 f. — Demus, a. a. O., Jb. N. F. XII (1938), S. 103, Abb. 119. Jb. N. F. XIII, 1944, Abb. 80. — Europäische Kunst um 1400, Katalog 1962, S. 126, Kat.-Nr. 60. — Az Esztergomi Kersztény Muzeum 1964, Abb. X/231.

Spitalskirche Bad Aussee.
Besitz: Österreichische Salinenverwaltung.

Rupert Feuchtmüller

PLASTIKEN

236 *Madonna der Wappenwand der Georgskirche in Wiener Neustadt, um 1453*

Abb. 41

(Kirschenmadonna), Stein, Höhe 146 cm, Durchmesser 44 cm.

Die Steinplastiken an der Wappenwand der Georgskirche wurden von Garzarolli mit der Künstlerpersönlichkeit Jakob Kaschauers in Verbindung gebracht. Der Umstand, daß Friedrich III. 1447 von Kaschauer ein Haus kaufte (Jb. der kunsthist. Sammlungen des allerh. Kaiserhauses, XVII, Rg. 15.225 v. 27. 9. 1447) scheint auf eine Verbindung mit dem Plastiker hinzuweisen. Stilistische Merkmale aber sprechen dagegen (Ausdruck, Gestaltung und Draperie). Das Thema der „Schönen Madonnen" ist nach Zykan steif, höfisch und rustikal abgewandelt. Der Hinweis Garzarollis, daß die Madonna von dem gleichen Künstler stammt, der auch die Grab-

Die Madonnenplastik gibt eine Vorstellung von der künstlerischen Art des Figurenschmuckes der Wappenwand, dem auch die große Statue „Friedrich als Herzog" zugehört. Die Madonna befand sich einst unter dem obersten Baldachin der Wappenwand. Die beiden ursprünglichen Assistenzfiguren sind nur durch Zeichnungen aus dem frühen 19. Jahrhundert überliefert, sie sind heute verschollen. Die Madonnenplastik wurde durch eine Kopie ersetzt und auf den linken Seitenaltar der Georgskirche gestellt. Den Namen Kirschenmadonna erhielt sie durch die Früchte im Körbchen des Christuskindes, die als Symbol des Paradiesgärtleins gedeutet werden können.

platte der Beatrix Lopi schuf (Kat.-Nr. 150),
wirkt sehr überzeugend; er nahm hier eine
Werkstattarbeit Kaschauers an.

LIT.: Garzarolli-Thurnlackh, Mittelalterliche
Plastik in Steiermark 1941, S. 107, Abb. 78.
— Garzarolli-Thurnlackh, Jakob Kaschauer
und seiner Werkstatt Wappenwand der
Georgskapelle in Wiener Neustadt, Belvedere
XIII 1938/43, S. 148 ff. — Zykan, Josef,
Die Plastik, S. 135, Abb. 93, in: Die Gotik in
Niederösterreich, Wien 1963.

*Wiener Neustadt, Militärakademie, Georgs-
kirche.*

237 *St. Christophorus um 1470*

Niklaus Gerhaert (?)

Stein, Höhe ca. 2 m, Durchmesser ca. 60 cm.
Als erster hat Bruno Fürst die Abhängigkeit
dieser Figur von Niklas Gerhaert erkannt.
Dieser Zuschreibung schlossen sich Pinder
und Tietze an. Eine eingehendere Untersuchung von Otto Wertheimer denkt an
keine eigenhändige Vollendung. Peter Baldass
hat nach der Stephansdom-Ausstellung diese
Frage zum Gegenstand einer neuerlichen
Untersuchung gemacht und im Vergleich mit
der Grabplatte von St. Stephan die
eigenhändige Ausführung angenommen. Das
„räumliche Moment, das die Skulptur aus
dem Gesamtrahmen (oder der Silhouette)
schält", ist für ihn ein überzeugendes stilistisches Charakteristikum, ebenso, daß die
Gewanddraperie von Form und Bewegung
der Figur abhängig ist. Die heute befrem-
dende Oberfläche mit groben Meißelschlä-
gen geht auf eine „Verrestaurierung" des
19. Jahrhunderts zurück. Damals wurde
auch die farbige Fassung entfernt. Reste
sind noch sichtbar. Im wesentlichen unver-
ändert sind die seitwärts auseinanderfallen-
den Haare des Heiligen.

LIT.: Wimmer, Fr., Nikolaus Gerhaert von
Leyden und einige Figuren am Wiener
Stephansdom, Belvedere VII, 1925, S. 104 ff.
— Pinder, Wilhelm, Die deutsche Plastik,
II. Handbuch der Kunstwissenschaft 1929,
S. 358. — Wertheimer, Otto, Nicolaus Ger-
haert, 1929. — Tietze, Hans, St. Stephans-
dom, Österr. Kunsttopographie, XXIII, 1931,

Abb. 40

Die Plastik steht heute am nordwestlichen Pfeiler des Hal-
lenchores von St. Stephan. Vor der Zerstörung befand sie
sich am südlichen Pfeiler neben dem Hochaltar, vermutlich
gegenüber dem Platz, den der Kaiser beim Gottesdienst einnahm. Es ist durchaus denkbar, daß Friedrich, der den heiligen Christophorus besonders verehrte (siehe S. 68), die
Skulptur gestiftet hat, was auch die Heranziehung des von
ihm nach Österreich berufenen Bildhauers erklären könnte.
Man beachte die naturverbundene, expressive Auffassung
gegenüber der Kirschenmadonna (Kat.-Nr. 236) und die
ganz anderen technischen Möglichkeiten der Holzskulptur
(Kat.-Nr. 238).

S. 384 f. — Fürst, Bruno, Beiträge zu einer Geschichte der österreichischen Plastik in der 1. Hälfte des 15. Jahrhunderts, Leipzig 1931, S. 73. — Der Stephansdom, Ausstellungskatalog, Wien 1948, S. 42, Kat.-Nr. 118. — Baldass, Peter, Der Nicolaus Gerhaert-Christophorus im Chor der Wiener Stephanskirche, Österr. Zeitschrift f. Denkmalpflege, IV. Jg 1950, S. 6—10. — Ginhart, Karl, Die gotische Plastik in Wien, in: „Geschichte der bildenden Kunst in Wien", Gotik. 1955, S. 90, Abb. 64.

Wien, Dom- und Metropolitankirche St. Stephan.

238 *Thronende Madonna, um 1480*

Kreis des Niklaus Gerhaert van Leyden
Holz, ungefaßt, ursprünglich vielleicht polychromiert.
Höhe: 97 cm; 50 × 30 cm.

Die Plastik wurde anläßlich von Restaurierungsarbeiten 1952 in dem Wohnhaus Wien I, Landskrongasse 5, der Wissenschaft bekannt. Sie stand einst — wie aus einer beigegebenen Beschriftung hervorging — im Hof des Michael von Zoller'schen Stiftungshauses. Farbreste in den tiefen Falten deuten darauf hin, daß die Holzplastik bunt gefaßt war, was noch 1904 in einer Publikation bezeugt wird. Es ist jedoch durchaus möglich, daß sie ursprünglich ohne Fassung geschaffen war. Der reiche Faltenwurf, die tiefen Unterschneidungen deuten darauf hin. Die Finger des Christuskindes und die Zehen des linken Fußes sind ergänzt, teils beschädigt.

Die stilistischen Eigenheiten stellen die Skulptur in die unmittelbare Nähe Niklaus Gerhaerts von Leyden, den Kaiser Friedrich III. von Straßburg nach Wien berufen hatte. Auffällig ist das Sitzmotiv — die Madonna hat die Beine übereinandergeschlagen. Man könnte an graphische Vorlagen denken. Eine Nachfolge zeigt die thronende Madonna am südlichen Relief des Hochgrabes für Friedrich III. (Gründung des Bistums Laibach), das die Madonna gleichfalls mit überkreuzten Beinen sitzend darstellt. Da dieses Motiv in der zeitgenössischen Kunst nirgends sonst Verwendung findet,

Das Kunstwerk, das zu den bedeutendsten Funden der letzten Jahre gehört, gibt einen Beweis für die Anregungen, die Niklaus Gerhaerts Berufung nach Österreich durch Friedrich III. geboten hat. Neben den Steinskulpturen war die Schnitzkunst ebenso bedeutend. Vom großen Retabel in Konstanz sind die Auswirkungen vor allem in Kefermarkt nachzuweisen (W. Paatz).

An der Madonna beachte man den reich bewegten, strömenden Faltenwurf und die tiefen Unterschneidungen, die von hohem technischem Können Zeugnis geben.

scheidet eine zufällige Übereinstimmung aus. Die Reliefs des Hochgrabes stammen gleichfalls aus der Nachfolge Niklaus Gerhaerts (Max Valmet?). Die thronende Madonna ist jedoch qualitätvoller.

LIT.: Feuchtmüller, Rupert, Eine aufgefundene spätgotische Holzskulptur in Wien, in „Die Kunst und das schöne Heim", 51. Jg., 4. Heft, Januar 1953, München, S. 137 ff. — Nature et Art au Pays du Danube (Katalog der Ausstellung 1961, Kat.-Nr. 131, Abb. 31).

Wien, Niederösterreichisches Landesmuseum, Inv.-Nr. 2045.

239 *Apostel Petrus*

Lorenz Luchsperger (?), um 1490.

Holz, gefaßt, ca. 2 m hoch.

Karl Oettinger hat die Domapostel von Wiener Neustadt mit dem urkundlich bekannten Bildhauer Lorenz Luchsperger in Verbindung gebracht. Eine Zuschreibung, die Fürst und Fischel kritisierten. Oettinger stützt sich auf eine Behauptung von Josef Mayer und ein von Fronner (1836) überliefertes Monogramm (IL), das zur Identifizierung mit dem Künstler herangezogen wurde. 1486 ist der Bildschnitzer anläßlich seiner Vermählung zum erstenmal genannt. 1491 ist er im Testament des Meisters Hopf erwähnt, 1493 stirbt seine erste Frau, 1498 wurde er in einen Mietprozeß verwickelt, 1501 ist sein letzter Wille datiert, schon am 20. Juli dieses Jahres wird er als verstorben erwähnt. Fürst bringt Bedenken gegen die Identifizierung vor. Luchsperger wäre nicht der einzige in Neustadt tätige Meister, das Monogramm wäre nicht gesichert, ebenso der Auftrag durch Friedrich III. Fischel fügt diesen Argumenten noch die unglaubwürdige altersmäßige Einordnung des Schnitzers hinzu. Er denkt an den Ulmer Meister Hans Kamensetzer, der 1471 in Straßburg tätig war und 1487 „von Straßburg zu der kaiserlichen maiestat gen Wien getzogen und daselbst mit Tod vergangen". Die Zuschreibung Oettingers hat sich jedoch allgemein durchgesetzt. Man könnte an einen kaiserlichen Auftrag zur Ausschmückung der Domkirche denken,

Die zwölf Apostel des Domes von Wiener Neustadt, zu denen noch eine Verkündigungsgruppe am Triumphbogen gehört, wurden für die 1468 zum Dom erhobene Pfarrkirche geschaffen. Dieser bedeutende künstlerische Schmuck läßt die diesseitige Charaktergestalt gegenüber den architektonisch gebundenen, noch jenseitigen Baldachinstatuen machtvoll hervortreten. Bewegte Draperien bringen eine Übersteigerung der äußeren Mittel, die eine Harmonie mit Inhalt und körperlicher Bewegung (ähnlich wie bei Niklaus Gerhaert) vermissen läßt. Die dem individuellen Empfinden übergeordneten Kräfte des Donaustiles künden sich an. Die vitale Kraft der Domapostel schlägt eine Brücke zu der letzten lebendigen Phase der Spätgotik. Oettinger nimmt folgende stilistische Gruppierung an: 1. Gruppe: Petrus, Matthäus, Thomas, Matthias, 2. Gruppe: Simon, Philippus, Thaddäus, 3. Gruppe: Jakobus d. Ä., Johannes. Nicht eigenhändig sind: Andreas, Bartholomäus, Jakobus d. J.

da Friedrich III. auch noch 1493 das Christophorusfresko stiftete. Die Plastiken bilden mit den zugehörigen Prophetentafeln eine Einheit (Kat.-Nr. 246).

LIT.: Mayer, J., Geschichte von Wiener Neustadt I, S. 415 ff. — Oettinger, Karl, Lorenz Luchsperger, der Meister der Wiener Neustädter Domapostel, Berlin 1935. — Besprechung des Buches von Oettinger in: „Kritische Berichte" Zürich 1938, S. 66, von Bruno Fürst. — Stafsky, H., Zeitschrift des deutschen Vereines für Kunstwissenschaft, Bd. V, 1938, S. 62 f. — Katalog Donauland, 1939, S. 47, Nr. 201. — Fischel, L., Nicolaus Gerhaert und die Bildhauer der deutschen Spätgotik, München 1944, S. 92 f. — Katalog „Die Gotik in Niederösterreich, 1959, Nr. 191. — Baldass, Peter, „Die Plastik", in „Gotik in Österreich", Wien 1963, S. 106.

Wiener Neustadt, Dom.

240 *Das Pfingstwunder, um 1500*

Lorenz Luchsperger Nachfolge (?)

Reliefgruppe, Holz, bunt gefaßt, 117 × 121 cm.

Diese reiche Figurengruppe, die sich bis 1905 in der Pfarrkirche Krumbach bei Aspang, Bezirk Wiener Neustadt, befand, wurde aus stilistischen Gründen von Garzarolli der Nachfolge Lorenz Luchspergers zugeschrieben. Für diese Verwandtschaft sprechen die Behandlung der Gesten, der Locken und Bärte. Einzelne Apostel (Petrus im Vergleich zum Apostel über der hl. Maria, der hl. Thomas im Vergleich zum Apostel rechts über der hl. Maria) zeigen eine direkte Übernahme der Typen. Die Ausführung ist jedoch provinzieller, der Faltenwurf kraus und dekorativ. Am ehesten erkennt man eine Beziehung zu jenem Gehilfen Luchspergers, der den Apostel Andreas schnitzte. Pächt hat in einer Besprechung auf die Stilelemente, die wir von Erasmus Grasser kennen, aufmerksam gemacht. — Über den Köpfen der Apostel waren einst züngelnde Flämmchen eingesetzt. Die Taube des heiligen Geistes dürfte sich darüber im Schrein befunden haben.

Das Pfingstwunderrelief — aus Krumbach bei Aspang — gibt den Ausklang der Entwicklung zur Zeit Friedrichs III. an. Die feierliche Reihung der Figuren (Neustädter Altar in St. Stephan) wird durch eine bunt bewegte, seelisch differenzierte Szene abgelöst. Hier setzt, ebenso wie auf dem Gebiet der Malerei (Martyrienmeister) und der Architektur (Werpacher), der Donaustil oder die sogenannte Barockgotik fort. Gegenüber der statuarischen Gewalt der Luchsperger Apostel wirkt das Relief kleinteilig, bildhaft und dekorativ. Die Figuren sind in den bewegten Faltenstrom eingebunden. Die gegensätzlichen Bewegungen und die psychische Spannung sind stärker als beim Herzogenburger Marientod. Der Apostel ganz links mit dem steilen Aufblick kündigt schon den Ausdruck von Mauer an. Freilich sind die kreisenden Faltenbahnen und die emporzüngelnden Hände noch nicht erkennbar. Die kontinuierliche Entwicklung vom Herzogenburger Marientod über das Pfingstwunderrelief und dem Ölberg von Jentendorf nimmt dem Schrein von Mauer etwas von seiner isolierten Stellung.

Rupert Feuchtmüller

LIT.: Ausstellung „Gotik in Österreich",
Wien 1926, Kat.-Nr. 183. — Ausstellung
„L'Art du Moyen Age en Autriche", Genève,
Musée Rath, 1959, Kat.-Nr. 170, S. 78.

Salzburg, Sammlung Vanecek.

TAFELMALEREI VOR 1450

241 *Welser Passionsdiptychon*

Meister „Hans von Tübingen"

Zwei Tafeln mit Goldgrund, vermutlich als
Diptychon zusammengehörig, Öltempera auf
Fichtenholz, vor 1430, 61,5 × 47 cm.

a) Kreuzigung Christi
b) Kreuztragung, am Halsausschnitt des
  Schergen links von Christus bez. „JO-
  HAN" und auf der Fahne „TN AO".

Diese beiden namengebenden Täfelchen —
einst in Linzer Priratbesitz — nehmen in
dem Forschungskomplex um „Hans von
Tübingen" eine Schlüsselstellung ein. Hier
können nur die wichtigsten Ansichten kurz
angeführt werden.

Pächt hat die gesamte stilistisch zusammen-
gehörige Gruppe — wobei ihm diese beiden
Täfelchen nicht bekannt waren — dem Meister der Votivtafel von St. Lambrecht zugeordnet und den Sitz der Werkstätte in
Wien angenommen, die anfangs noch in die
erste Phase des weichen Stiles einzuordnen
wäre. Garzarolli hat 1931 den Versuch
unternommen, den Meister mit Hans von
Judenburg gleichzusetzen, eine Identifizierung, die ebenso wie die von Oettinger mit
Hans von Tübingen auf die Kritik, die Ludwig Baldass vorbrachte, stieß. Hans von
Judenburg erweist sich gegenüber unserem
Maler als ein Meister „böhmisch-salzbur-
gischer" Prägung, während Hans von Tübingen durch kein anderes gesichertes Werk belegt ist.

Oettinger stützte sich in seiner Arbeit auf
die Urkunden und Regesten, die Boeheim
sammelte. Sie beziehen sich auf einen in
Wiener Neustadt nachweisbaren Maler dieses Namens, der 1462 hier starb. — Bucho-

Es sind vornehmlich zwei Argumente, die es interessant
erscheinen ließen, diese und die nächstfolgende Tafel in
den Rahmen der Ausstellung einzubeziehen: die historisch
belegbare Persönlichkeit Hans von Tübingens und die
Charakterisierung des künstlerischen Milieus in Wiener
Neustadt vor der Jahrhundertmitte. Während die Identifizierung mit dem genannten Meister fraglich ist, kann
eine Verbindung mit Wiener Neustadt — und darauf
kommt es hier an — nicht einfach von der Hand gewiesen
werden. Dies betrifft die stilistische Verwandtschaft mit
dem Darbringungsmeister, dessen Werke sich im Neukloster befanden, vor allem aber die Tatsache, daß der
Goldschmied Sigmund Waloch sein Epitaph (heute in der
Prager Nat.-Galerie) 1434 in die Pfarrkirche von Wiener
Neustadt stiftete. Diese Tafel — zwei Stifterfiguren mit
ihren Namenspatronen vor der thronenden Madonna —
wurde zuerst von Garzarolli in den Kreis dieser Arbeiten
einbezogen. Ob Wiener Neustadt der Sitz einer eigenen
Werkstatt wurde oder ob hier ein Zweigbetrieb oder nur
ein Absatzgebiet war, läßt sich schwer entscheiden. Die
reiche künstlerische Tätigkeit in dieser Stadt spricht jedenfalls für eine lokale Bindung.
Das Welser Diptychon ist gegenüber den sehr ve...
Wiener Tafeln etwas flächiger, lyrischer. Es steht...
vor jener realistischen Tendenz, die sich unter...
Berufung auf die böhmische Malerei anbahnt.

wiecki hält trotz einiger Bedenken an der Gruppierung, die Oettinger vornahm, fest. Er ist der Ansicht, daß die beiden ausgestellten Tafeln nicht vor 1440, also schon in Wiener Neustadt gemalt wurden, er fügt aber kritisch hinzu, daß uns von hier an — also bis zum Todesjahr Tübingens 1462 — keine Werke des Künstlers bekannt sind, was unglaubwürdig ist und die Identifizierung in Frage stellt. Diese Argumente der Werkschronologie sind es auch, die Stange — auf Baldass fußend — aufgreift. Zuletzt hat Gerhard Schmidt eine Klärung versucht. Auf Grund einer ikonographischen Analyse kommt er zu dem Schluß, daß die Aufteilung der von Pächt für Wien beanspruchten Gruppe auf mehrere Malerindividualitäten, verschiedene Ateliers oder Städte n cht vertretbar ist. Der Meister der Wiener Anbetung als stilistische Quelle des Darbringungsmeisters einerseits und Hans von Tübingens anderseits wird abgelehnt und ein kontinuierlicher langlebiger Werkstattbetrieb in Wien angenommen, der freilich auf Wiener Neustadt ausgestrahlt haben kann. Die Abgrenzung des Oeuvres, die Oettinger gegeben hat, bleibt im wesentlichen aufrecht.

LIT.: Boeheim, Maler und Werke der Malkunst in Wiener Neustadt (Mitt. des Altertumsvereines 25, 1889, 32, 1896. — Thieme-Becker, Bd. 19, 1926, S. 65. — Suida, W., Österreichs Malerei in der Zeit Erzherzogs Ernst des Eisernen und König Albrechts II., Wien 1926, S. 9 f. — Pächt, a. a. O., S. 10 f. — Benesch, a. a. O., 1930, S. 155—168. — Oettinger, Jahrbuch der Kunsthist. Slg., N. F., 1934, S. 29. — Baldass, L., Zur Chronologie, Werkstattführung und Stilableitung des Meisters der St. Lambrechter Votivtafel, in: Kirchenkunst 1934, S. 102. — Ders., Malerei und Plastik um 1440 in Wien, Cicerone 1929, S. 68. — Ders., Katalog 1938, N. 1765, 1765 A. — Garzarolli-Thurnlackh, K., Zur Stilbildung und Filiation der oberösterreichischen Malerschulen, im besonderen des Meisters der Votivtafel von St. Lambrecht, in: Festschrift des Steiermärkischen Kunstvereines, Graz 1935. — Oettinger, K., Hans von Tübingen und seine Schule, Berlin 1938, S. 22 ff. — Garzarolli, in: Joanneum 1943,

S. 206 ff. (Siehe Kat.-Nr. 242). — Strohmer, a. a. O., S. 184 ff. — Buchowiecki, a. a. O., S. 16 f. 18. — Gotik in Niederösterreich, Katalog 1959. — Europäische Kunst um 1400, Wien 1962. — Stange, a. a. O., S. 11 ff. — Schmidt, Gerhard, Die österr. Kreuztragungstafel in der Huntington Library, Österr. Zeitschrift f. Kunst und Denkmalpflege, 1966, Heft 1, S. 1—15.

Wels, Städtisches Museum.

242 *Darbringung Mariens im Tempel*

Meister der Darbringung

Altarflügel auf Goldgrund, um 1430, Fichtenholz, 83 × 60,5 cm. — Aus Stift Neukloster in Wiener Neustadt. Erworben 1927. — Abgesägte Vorderseite von einer „Verkündigung an Anna". — Gehörte mit einer Anbetung der Könige, ebenfalls aus Stift Neukloster, zu einem Altar.

Der vermutlich 1420—40 in Wien tätige Meister, der nach der ausgestellten Tafel von Suida seinen Namen erhielt, war nach Oettinger vom Meister der Wiener Anbetung beeinflußt oder stand zu ihm in einem Schulverhältnis. Der gleiche Autor nahm an, daß er vorübergehend mit Meister Hans (siehe Kat.-Nr. 241) in Verbindung trat und Inhaber einer führenden Wiener Werkstätte war. Die jüngste Untersuchung von Schmidt ist gegen eine räumliche Trennung der Werkstätten in Wien und Wiener Neustadt. Der Meister der Wiener Anbetung kommt infolge der späten Stilstufe, die er vertritt als gemeinsame Quelle nicht in Frage, dagegen werden die enge Verwandtschaft zwischen Meister Hans und dem Darbringungsmeister betont. Meister der Darbringungen wird er auf Grund des thematisch verwandten Marienaltares in Klosterneuburg genannt. Die einfache, schlichte Art zu erzählen, die eine lyrische Ausgewogenheit auszeichnet, wurde auch mit der französischen Art zu stilisieren und mit einem allgemeinen Erinnern an die große Tradition des Meisters Theoderich in Verbindung gebracht (Stange). **Dieses Argument betont die konservative Art des Meisters.**

LIT.: Ausst. Kat. „Gotik in Österreich", Wien 1926, Nr. 24. — Suida, W., Öster-

Das Tafelbild der „Darbringung im Tempel" stammt aus dem Neukloster in Wiener Neustadt, wohin es nach Suidas Vermutung auch als Sammlungsgut gekommen sein könnte. Von dem gleichen Altar stammt auch eine „Anbetung der Heiligen drei Könige", die über das Neukloster in die Kunstsammlung von Stift Heiligenkreuz kam. Auffällig ist die klare, auf das Wesentliche konzentrierte Darstellung. Die umrahmende Architektur gibt dem Geschehen eine feierliche Stimmung. Der charakteristische Ausdruck in den Männerköpfen, der leicht am Boden geknickte Faltenwurf zeigen, daß der weiche Stil allmählich von einer neuen Kraft abgelöst wird.

Der Umstand, daß sich in der Sammlung des Neuklosters auch eine Tafel des Albrechtsmeisters befand („Heimsuchung", heute in der Österreichischen Galerie), sowie Flügelbilder des Meisters des Andreasaltares, der ein Gehilfe des Meisters Hans gewesen sein soll (Oettinger), deutet darauf hin, daß sich in diesem Zisterzienserkloster doch Tafelbilder der ehemaligen Ausstattung erhalten haben, die von einem größeren Werkstättenbetrieb, der in Wiener Neustadt tätig war, **Zeugnis gibt.**

reichs Malerei in der Zeit Erzherzog Ernsts
des Eisernen, Wien 1926, S. 23 f. —
Benesch, O., Zur altösterreichischen Tafelmalerei, in: Jb. Kh. S. 1928, S. 69 f. —
Pächt, a. a. O., S. 69. Kat. d. Gemäldegalerie, Kunsthistorisches Museum, Wien 1938,
Nr. 1789 a. — Oettinger, K., Hans von
Tübingen und seine Schule, Berlin 1938,
S. 50 ff. — Garzarolli-Turnlackh, K., Die
steirischen Malerschulen bis zur Mitte des
15. Jahrhunderts, in: Das Joanneum Graz,
1943, S. 211 ff. — Baldass, L., Malerei und
Plastik um 1440 in Wien, in: Wiener Jb. f.
Kunstgeschichte 1953, S. 8. — Thieme-Bek-
ker, Bd. 37, S. 75. — Museum mittelalterlicher österreichischer Kunst in der Orange-
rie des Bevledere, Wien 1953, Nr. 6. —
Stange, XI, S. 21.

Wien, Österreichische Galerie, Inv.-Nr. 4896
(ehemals Kunsthistorisches Museum Wien,
Kat.-Nr. 1789 a).

DER SCHOTTENMEISTER UND SEINE NACHFOLGE

243 13 Tafeln aus dem Marienleben, 8 Tafeln mit der Passionsfolge. 1469 bis gegen 1480.
Meister des Schottenaltares   Abb. 10, 44, 45
Wien, Schottenabtei (19 Tafeln). Wien, Österr. Galerie (2 Tafeln).

Die nähere Beschreibung des Altares gibt das beigegebene Schema wieder.

Da die Literatur über den Schottenmeister sehr umfangreich ist, soll im folgenden nur ein
knapper Überblick geboten werden. Die neuen Feststellungen sind etwas ausführlicher behandelt. Es sei jedoch betont, daß die Restaurierungsarbeiten in den Werkstätten des Bundesdenkmalamtes zu dem Zeitpunkt, als der Katalog abgeschlossen wurde, noch im Gang
waren. Weitere Erkenntnisse können daher erst in der zweiten Auflage festgehalten
werden.

Bestimmung und Datierung

Dieser Flügelaltar, einer der größten und umfangreichsten malerischen Werke des
15. Jahrhunderts in Österreich, war als Hochaltar für die erweiterte Schottenkirche in
Wien bestimmt. Das Erdbeben von 1443 hatte die Kirche beschädigt. 1446—1449 wurde
der neue gotische Chor errichtet und anschließend bis etwa 1454 die Mittelschiff- und
Querhausgewölbe erneuert. Die Planung für einen neuen Hochaltar wird in die
60er Jahre fallen. Die Arbeiten begannen — nachdem die Gesamtkonzeption festgelegt
war — mit der Passionsfolge, deren erste **Tafel, Christi Einzug in Jerusalem,** über dem
Stadttor die Jahreszahl 1469 trägt. Der Abschluß wird erst in den späten 70er Jahren

SCHOTTENALTAR

Passion
17 Einzug in Jerusalem
18 Letztes Abendmahl
19 Christus vor Kaiphas
20 Ecce Homo
21 Christus vor Pilatus
22 Kreuztragung
23 Christus am Kreuz
24 Beweinung Christi (Österr. Galerie, Wien, Inv.-Nr. 4854)

Marienleben

1 fehlt (Verkündigung an Joachim?)
2 fehlt (Joachim und Anna unter der goldenen Pforte?)
3 Geburt Mariae
4 Tempelgang Mariae
5 Vermählung Mariae
6 Verkündigung Mariae
7 Heimsuchung Mariae
8 Christi Geburt
9 Hl. 3 Könige (Österr. Galerie, Wien, Inv.-Nr. 4855)
10 Beschneidung Christi
11 Darbringung im Tempel
12 Bethl. Kindermord
13 Flucht nach Ägypten
14 12jähr. Christus i. Tempel
15 fehlt (Pfingstwunder?)
16 Marientod

Flügel geöffnet: A: Mittelschrein (vermutl. Plastik „Marienkrönung", verschollen)

I, II: Flügel mit Gesprängebaldachin und je 3 Relieffiguren vor Brokatgrund (Reste erhalten).

415

erfolgt sein. Als 1638—1641 der gotische Chor abgetragen und durch einen frühbarocken Neubau ersetzt wurde, hatte der gotische Altar seine passende Umgebung, aber auch seinen Sinn verloren. Die theatralische Auffassung des Barock besaß kein Verständnis für diese Bilderbibel und zerlegte das Tafelwerk in selbständige Bilder, die in die Gemäldegalerie des Stiftes aufgenommen wurden. Schrein, Predella und Plastiken hatten den Zusammenhang mit dem Gesamtkunstwerk verloren, und gerieten — weniger geschätzt als die interessanteren Szenen — in Verlust. Die Gegenwart hat es unternommen, diesen Zustand zu ändern. Der Altar wurde, so gut es die erhaltenen Teile ermöglichen, wieder zusammengestellt. Seine ursprüngliche Bedeutung und Wirkung werden uns dadurch wieder verständlich.

Der Meister und seine Herkunft

Die erste größere Untersuchung stammt von Otto Benesch. Ihm und Anselm Weißenhofer verdanken wir eine Rekonstruktion, eine genaue Beschreibung und stilistische Analyse. Basierend auf Dreger und Kurth wird die Abhängigkeit von Wolgemut und der fränkischen Malerei, die niederländisch orientiert war, hervorgehoben. Von dem künstlerisch bedeutenderen Passionsmeister (zum Unterschied vom Meister der Marienszenen) nimmt Benesch an, daß er in den Niederlanden war. Der Meister des Wolfgangaltares zu St. Lorenz in Nürnberg ist dem Passionsmeister verwandter als Wolgemut. Die Tafeln des Marienlebens, die österreichischer sind, basieren gleichfalls auf der fränkischen Malerei. Hier wird eine Tafel Schüchlins zum Vergleich angeführt. Auch Hans Pleyenwurff wurde mit diesem jüngeren Schottenmeister in Verbindung gebracht. Alle versuchten Identifizierungen, auch die mit Wolfgang Kremser, die Dworschak geäußert hat, haben keine konkreten Anhaltspunkte. Robert Eigenberger hat die Ansicht geäußert, daß der Passionsmeister möglicherweise mit Wolgemut in den Niederlanden zusammengetroffen wäre, wodurch sich die verschiedenen Einflüsse erklären könnten, eine Meinung, die von Buchowiecki aufgegriffen wurde. Strohmer folgt im wesentlichen Benesch und betont die Nürnberger Komponente, was auch durch Stange geschieht, der ebenfalls die eigene wienerische, leicht melancholische Art der Passionsszenen hervorhebt. Ludwig Baldass hat sich in einer seiner letzten Arbeiten neuerlich mit dem Schottenmeister befaßt und betont, daß in den Schottentafeln vor allem das Vorbild Rogier van der Weydens nachgewirkt hat. Es wurde aber in seiner Strenge gemildert. Die verschiedenen Forscher haben, wenn man dieses Stück Forschungsgeschichte überblickt, im wesentlichen die gleiche Meinung vertreten und die niederländische, fränkische und österreichische Komponente erkannt.

Die Rekonstruktion des Altares

Hier muß vor allem dankbar des Schottenstiftes und der Österreichischen Galerie gedacht werden, die als Besitzer der Tafeln dieses Vorhaben ermöglicht haben. Die Rekonstruktion wurde weiters von Herrn Univ.-Prof. Dr. Otto Demus und Herrn Oberstaatskonservator Dr. Josef Zykan sehr unterstützt und gefördert. Die vorangegangenen Untersuchungen haben das von Benesch und Weißenhofer aufgestellte Schema bestätigt und ergänzt. Seit der Publikation im Jahre 1930 sind zwei von den fünf verschollenen Tafeln bekannt geworden, so daß nun die Passionsseite vollständig vorgelegt werden kann. Hier gab sich gegenüber Benesch eine Verschiebung. Anstelle der geforderten Ölbergszene komplettiert und beschließt eine Beweinung die Abfolge. Die Marienszenen wurden durch die Anbetung der hl. drei Könige ergänzt, die auch schon Benesch angenommen hatte. Die Nachricht von den bemalten Rückseiten mit den Reliefspuren erlaubte, den mittleren Teil der acht Marienszenen endgültig zu fixieren und damit die Annahme von Benesch zu bestätigen. Es ist verständlich, daß nur jene acht Tafeln des Marienlebens in der Mitte waren, deren Rückseite die Spuren der Festtagsseite (Brokatmuster und Skulpturen) tragen. Da je drei Figuren über je vier Tafeln reichen, war nicht nur die Reihenfolge in horizontaler, sondern auch in vertikaler Anordnung genau festgelegt. Manfred Koller bestätigte durch seine Entdeckungen von der technischen Seite diese Rekonstruktion. Offen bleibt die Anordnung der äußeren Flügel. Hier fehlen links zwei und rechts eine Tafel, aber auch dabei ist eine ziemliche Sicherheit in der Wiederherstellung möglich. Links oben haben wir mit Benesch eine Verkündigung an Joachim und die Begegnung unter der goldenen Pforte anzunehmen. Dies entspricht nicht nur der üblichen Reihenfolge, die wir von anderen Altären her kennen, sondern auch dem Rhythmus, den wir in der symmetrischen Disposition annehmen können. Außen wäre somit je eine Landschaftsszene und anschließend eine Architekturvedute, die der Begegnung und der Geburt Christi am rechten äußeren Flügel entsprächen. Auf dem rechten Flügel fehlt unten gleichfalls eine Szene. Benesch denkt an eine Krönung Mariens. Dieses wichtige Motiv wird aber wohl dem Schrein vorbehalten gewesen sein. Es wurde daher das Pfingstwunder als fehlend vorgeschlagen, der Tod Mariens bildet folglich den Schluß. Diese Anordnung hätte den Vorteil, daß zwei Innenräume nebeneinander stünden und ein Gegenstück zu der gegenüberliegenden Beschneidung und Darbringung mit den spitzbogigen Fensteröffnungen wären. Diese Überlegungen führen schon zum nächsten Punkt.

Die Komposition in ihrer Gesamtheit

Diese genannte Anordnung, die zuerst probeweise versucht wurde, bringt verschiedene neue Aspekte. Am augenfälligsten ist dies wohl bei der Passionsfolge, die auch im Katalog abgebildet wurde. Ein steigender und fallender Bewegungsrhythmus durchzieht die horizontale Anordnung, und zwar so, daß die Gestalt Christi jeweils den Hauptakzent abgibt. Faltenwürfe und Gesten führen von Bild zu Bild; die Perspektive ist, das merkt man an den äußeren Bildern, deutlich auf die Mitte bezogen. In den letzten drei Tafeln (Kreuzgang, Kreuzigung und Beweinung), geht eine gemeinsame Horizontlinie mit entsprechenden landschaftlichen Versatzstücken durch. Die fließenden Übergänge sieht man am Berg Golgatha an den vielen emporsteigenden Menschen zwischen Kreuztragung und Kreuzigung, sowie an den kleinen bewaldeten Felskuppen zwischen der letzten und vorletzten Tafel. Ganz deutlich ist die Wiederholung der beiden Kreuze mit lateinischer und hebräischer Inschrifttafel. Man beachte auch die schwingende Linie des Weges, der durch alle drei Tafeln bis zu der kleinen orientalischen Grabkapelle durchgeht. Man sieht auch, wie links und rechts der Kreuzigung die Komposition zu einem Dreieck aufsteigt. Bei den Marienszenen, die nicht allein von dem führenden Meister gestaltet wurden, ist dieser Rhythmus nicht mehr so augenfällig. Die frontal abschließenden Hintergründe befinden sich jedoch in der Mitte, die schräg gegen die Mitte laufenden Perspektiven links und rechts außen. Ein richtiger Zusammenschluß der Bilder ist zwischen Beschneidung und Darbringung festzustellen, und zwischen der Flucht nach Ägypten und dem 12jährigen Jesus im Tempel, wo sich die Landschaft mit der gleichen Horizonthöhe rechts in die Arkatur (allerdings mit Goldgrund) hineinzieht. Es scheint so, als würden die beiden Männer im Hintergrund von einer luftigen Altane auf die Stadt Wien blicken. Freilich ist beim Marienzyklus die „Vereinzelung" der Bilder größer. Immerhin aber bahnt sich in farbiger und linearer Komposition beim Schottenmeister bereits eine Entwicklung an, die bei Altdorfers Altar in St. Florian ihre konsequente Durchführung erfahren sollte.

Über den plastischen Schmuck wissen wir wenig. Auf den Flügeln befanden sich, wie man aus den Resten entnehmen kann, je drei Heilige vor einem gepreßten Goldbrokatmuster. Die ausgesparten Silhouetten der Reliefs lassen die Umrisse von zwei weiblichen Heiligen erkennen. Die Figuren waren von aufgelegten Maßwerkbaldachinen — wie es die Rekonstruktionszeichnung eines Flügels in der Ausstellung zeigt — umgeben. Über den Mittelschrein, die Predella und das Gesprenge ist nichts bekannt. Wahrscheinlich befand sich im Zentrum eine Krönung Mariens, von adorierenden Engeln umgeben.

Stilistische Unterschiede — Der Meister und seine Nachfolger

Die von Buchowiecki zuletzt aufgegriffene Annahme Strohmers, daß eine Meisterhand am gesamten Altar nachzuweisen wäre, ist auf Grund der letzten Untersuchungen nicht haltbar. Wohl können wir ein gemeinsames Konzept annehmen, es wurde aber durch verschiedene Schülerhände variiert. An erster Stelle steht — und damit bleibt die Stilkritik von Benesch gültig — der Passionsmeister, der die meisten niederländischen Einflüsse aufweist. Man kann auch annehmen, daß die Szenenfolge in der chronologischen Reihe gemalt wurde. Nicht nur die Hintergrundlösung der letzten drei Tafeln weist darauf hin, sondern auch die Kleinteiligkeit und das reiche Knitterwerk der Falten in der Beweinungsszene, die gegenüber dem Einzug Christi und dem Abendmahl etwas veräußerlicht und manieriert in der Behandlung der Mittel wirkt. Ziehen wir nun einen Vergleich mit den Marienszenen, dann ist der Unterschied augenfällig. Nehmen wir zuerst die architektonischen Versatzstücke als Beispiel. Nirgends findet sich später eine so raffinierte Lösung wie bei der Szene Christus vor Kaiphas. Hier steht am linken Bildrand förmlich eine Kulisse im Raum, durch die Außenstehende blicken und dadurch dem Raum eine bühnenhaft abstrahierte Wirkung geben. Das gleiche ist auch bei den Hintergrundlösungen zu beobachten. Bei der Szene Christus vor Kaiphas sieht man in Hintergrund eine Küche, wo die Verleugnung Petri wie ein Bild im Bild erscheint. Etwas Ähnliches versucht der Marienmeister beim Tempelgang. Hinter dem Taubenopfer blicken wir in einen hell erleuchteten Kapellenraum. Hier aber erscheint die figurale Gruppe nicht in einem rechteckigen Bildausschnitt, sondern in einer sehr glaubwürdigen perspektivischen Überleitung von Raum zu Raum. Dasselbe ist bei der Geburt Mariens zu erkennen; hier öffnet sich der Raum links in eine Rauchküche und rechts in einen hellen Erker, in dem Joachim, die Bibel lesend, am Tisch sitzt. Neben der sehr realen Verbindung mit dem Hauptraum fällt vor allem auf, daß auch die Hintergrundszenen des Marienmeisters keine symbolische Beziehung zum Bild haben (anders die Verleugnung Petri), sondern das Geschehen genreartig ausschmücken. Daran kann man noch eine weitere Beobachtung anschließen, wenn man die beiden Rauchküchen miteinander vergleicht. Beim Passionsmeister erkennen wir eine aus Lehm gestampfte Feuerstelle, von Brettern seitlich gehalten, mit einem metallenen Rauchabzug und einem weiten rechteckigen Fenster, wie wir dies in den Niederlanden heute noch finden. Bei der Geburt Mariens blicken wir in eine heimische gemauerte schwarze Küche mit Holzablage und kleinem Fenster. Diese Gegenüberstellungen lassen sich noch weiter fortsetzen. Das sehr niederländisch wirkende Fenster beim Abendmahl mit dem in Grisaille gemalten Opfer des Melchisedek hat seine Inspirationsquelle nicht in Österreich; hier kann man Interieurs erwarten, wie wir sie in der genannten Geburtszene vorher bei dem heiligen Josef finden. Aber auch die Ziegelmauern mit eingesetzten Natursteingewänden (Händewaschung des Pilatus) kommen aus dem Westen. Man vergleiche weiters die mit Ziegeln gefüllte Fachwerkgalerie im Hintergrund der Eccehomo-Szene mit der heimischen Maßwerkempore beim bethlehemitischen Kindermord. Es soll freilich nicht gesagt werden, daß der Passionsmeister nur fränkische und niederländische Eindrücke verwertet hätte, dagegen sprechen viele österreichische Hausformen, die Burgen und vor allem die Landschaften. Wie sehr aber setzt er seine Eindrücke um! Die von Salomon mit Krems identifizierte Ansicht im Hintergrund der Kreuztragung enthält doch viele Abweichungen. Das Motiv der Donau ist nur zu ahnen, Bauwerke und Hügelformationen sind verändert; um wieviel konkreter ist der Marienmeister mit den beiden Wiener Stadtansichten: er malt genau, was er sieht, er liebt auch die genremäßige Ausschmückung. Wir finden Szenen mit wandelnden Menschen im Hintergrund; mit Vorliebe Hunde, Katzen, Vögel und viele andere anmutige Details aus dem täglichen Leben. Dies ist dem Passionsmeister fremd. Auch die auseinanderlaufenden willkürlichen Perspektiven kennt er nicht, keine Phantasieformen, wie die fast kunstgewerblich geformten Kapitelle in der Darbringungsszene. Zuletzt beobachte man, wie gedrungen und bäuerlich die Gestalten beim Marienmeister wirken. Er liebt runde, etwas ausdruckslosere Gesichter, die im Kontrast zu der vergeistigten Auffassung des ersten Meisters stehen. Während beim Passionsmeister die Bewegungen, vor allem die Schrittstellungen sicher in der Raumbühne agieren, haben sie bei dem Marienmeister eine tänzelnde, übertriebene und oft unnatürliche Stellung.

Die Behandlung der Stoffe zeigt einen deutlichen Unterschied im technischen Können. Der Passionsmeister vermag die schillernden Übergänge des Samtes (bei der Frau des Pilatus etwa) vortrefflich zu behandeln, er gibt dem Brokat einen eigenen Glanz (Beweinung). Dasselbe Material vermag der Marienmeister nur hart und eher metallisch wiederzugeben (drei Könige). Die Stoffe werden bei ihm nicht körperlich moduliert, sondern durch helle, aufgesetzte graphische Linien und dunkle Schattenpartien charakterisiert. So ließen sich die Vergleiche noch beliebig fortsetzen, was im Rahmen des Kataloges nicht weiter möglich ist. Eines sei aber noch vermerkt: der Marienmeister nimmt auf den Passionsmeister Bezug. Dies zeigt nicht nur die Übernahme von einzelnen Figuren, zum Beispiel bei der Gestalt ganz rechts in der Beweinungsszene, die links beim Tempelgang Mariens wiederholt wurde. Der Nachfolger versucht sich auch in technisch schwierigen Details. Man vergleiche die vorzüglich geschilderten Gläser und Flaschen in der Abendmahlsszene mit der verhältnismäßig plumperen Wiedergabe im Wandkästchen beim Marientod. Die Transparenz des Glases, halb mit Flüssigkeit gefüllt, war ihm nicht geläufig; vor allem nicht die überzeugende Wiedergabe der durchscheinenden Flaschenböden. Ein Detail wirft noch ein sehr bezeichnendes Licht auf die Schulung des Passionsmeisters. In der Kreuzigung sehen wir im Vordergrund neben der heimischen Schlüsselblume am Boden und auf dem Gewand des Hohenpriesters zwei gemalte Fliegen, als wollte der Meister mit diesem Detail ein Signum seiner niederländischen Schulungen geben.

Nach dem Gesagten ist es klar, daß wir in den acht Passionstafeln eine geschlossene Leistung des ersten und führenden Meisters vor uns haben; ihm folgen die Marienmeister, wobei es wahrscheinlich ist, daß wir hier im Verbande der Werkstätte mehrere Künstler als Ausführer des einheitlichen Grundkonzeptes vor uns haben. Stilvergleiche zeigen, daß an den äußeren Flügeln die bedeutendere technische Fertigkeit zu finden ist, während auf den großen Mitteltafeln (jenen, die auf der Rückseite die Reliefs trugen), die Qualität am meisten nachläßt. Als Übergang zwischen verschiedenen Händen könnte etwa die Darbringung Mariens im Tempel gelten. Genaue Grenzen sind jedenfalls nicht mehr zu ziehen. Ein gemeinsamer Werkstattbetrieb schaltet eine solche strenge Trennung aus. An der skizzenhaften, dünnen Malweise der Darstellung Christi im Tempel und des Kindermordes kündigt sich (vielleicht haben wir hier den jüngsten Gesellen vor uns) schon die Art des Meisters der Heiligenmartyrien an.

Diese Beobachtungen fanden durch die sehr verdienstvollen Untersuchungen Manfred Kollers ihre Bestätigung und Ergänzung. In gemeinsamem Gespräch konnte sich manches klären.

Rupert Feuchtmüller

Rekonstruktion, Technologie und Erhaltungszustand des Schottenaltares

Die für die Ausstellung in den Werkstätten des Bundesdenkmalamtes durchgeführten Restaurierarbeiten (Lotte Widmann, Marianne Müller, Ingrid Karl, Eugen Ilten, Manfred Koller) und Untersuchungen zu Technologie und Aufbau des ursprünglichen Bestandes haben einige neue Gesichtspunkte erbracht:
Der Altar war von beachtlichen Dimensionen. Die Innenflügel, deren Rückseiten noch Vergoldung und Brokatmuster mit den Ausssparungen für dreiviertel lebensgroße Relieffiguren zeigen, bestanden aus einer einzigen Eichentafel von etwa 200 $\times$ 175 cm Größe. Diese Tafel war aus 13 durchschnittlich 12 cm breiten und 1,2 cm dicken gehobelten

Brettern zusammengesetzt. Diese gewaltige Tafel wurde gerahmt, auf der zu bemalenden Seite zur Vierteilung und Verstärkung mit einem Rahmenkreuz versehen, dessen Querbalken in einer konischen Führung der Tafel lief. Dann wurden Tafel und Rahmen beidseitig mit je 2 Leinwandlagen überklebt und mehrfach grundiert, die eine Seite bemalt, die andere mit dem Brokatmuster über Goldgrund geschmückt.

Die aus Gründen der Erhaltung jetzt allseitig gerahmten Tafeln sind also auf den Reliefseiten als durchgehende einheitliche Flächen vorzustellen, auf die — unabhängig von der Bildanordnung der anderen Seite — die Binnengliederung des Schreines in Reliefschnitzereien sich fortsetzte. Bei der Verwendung als Wandbilder wurden die beiden Innenflügel nach den Bildern in vier Teile zersägt. Die Außenflügel sind merkwürdigerweise technisch ganz verschieden gearbeitet. Hier erhielten beide Seiten eines Flügels — und innerhalb dieser wieder jedes Bild im Format 89 × 82 cm — für sich eine eigene Holztafel aus Eichenbrettern von ganz verschiedener Leimung, verglichen mit den Innenflügeln. Auch die Rahmung bestand, wie Reste ergaben, aus Eichenholz; ebenso wahrscheinlich das Gesprenge.

Vorerst können aus diesen Beobachtungen folgende Schlüsse gezogen werden: die für spätgotische Werkstattraditionen in unseren Gebieten singuläre Verwendung und Verleimungstechnik von Eichentafeln als Bildträger, noch dazu in solch monumentalem Format, weisen ebenso wie die stark ölhältigen Bindemittel der überaus kultivierten Maltechnik aufs Engste nach den Niederlanden. Außerdem läßt die — bei einem so großen Werk selbstverständliche — Arbeitsteilung auch in der technischen Herstellung von Bildträgern und Malerei Differenzen erkennen, die zu den schon bemerkten stilistischen Unterschieden der Ausführung — bei einheitlichem Konzept — hinzukommen.

Diese Unterschiede sollen knapp skizziert werden:

Was die Bearbeitung und Technik der Herstellung der Eichentafeln als Bildträger betrifft, so liegt die Zäsur eindeutig zwischen Innen- und Außenflügeln. Die Innenflügel, auf deren einer Seite ja nachträglich Reliefs angebracht wurden, sind in der oben beschriebenen Weise als fast 4 m² große Tafeln zusammengeleimt, wobei die einzelnen Brettfugen beidseitig alternierend durch 7—8 „Schwalbenschwänze" (aus Buchenholz) je Fuge verstärkt sind. Bei den Außenflügeln dagegen — hier enthielten beide Seiten nur gemalte Bilder von je einem Viertel des Flügelformates, konnten daher alle einzeln gerahmt werden — ist für jedes Bild eine einzelne Tafel verfertigt worden, die nur einseitig (!) bemalt ist. Die einzelnen Eichenbretter sind zwar ebenfalls etwa 1,2 cm dick, jedoch breiter als die der Innenflügel und ohne „Schwalbenschwänze" an den Brettfugen; bei einzelnen Tafeln zeigt sich zudem die Verwendung von auffallend schlecht aus dem Stamm geschnittenen Brettern, was leider die Erhaltung nachteilig beeinflußt (bes. Einzug Christi in Jerusalem, Letztes Abendmahl, Christus vor Pilatus).

Für die Maltechnik (verwendete Farbkörper und Bindemittel und deren Farbauftrag) fällt jedoch die Trennung deutlich zwischen die Zyklen des Marienlebens (16 Bilder bei geschlossenen Innenflügeln) und der Passion Christi (8 Szenen, wenn Außenflügel geschlossen werden); dies fällt auffällig mit der stilistisch eindeutigen Scheidung der malerischen Ausführung in den aufs Engste niederländisch geschulten Hauptmeister (Passion) und seine von ihm beeinflußten Gehilfen (Marienleben) zusammen. Nirgends sind harz- und ölhältige Farben (nach Relief des Farbaufbaus und typischer Schwundrißbildung: besonders Blau, Violett, Krapprot, Weiß), die oft prima aufgetragen werden, Komplementärfarben (Blau-Gelb), Changeant-Töne (Gelb-Grün, Weiß-Rot u. a.) und Kunstmittel zu subtilster stofflicher Charakteristik (Samtgewänder, Brokate, Geschmeide, feinste Lichter und Schattierungen) so verständnisvoll angewendet worden wie vom Meister der Passion. Das Verhältnis der Marienlebenfolge dazu ist wie im Formalen so auch im Maltechnischen das eines Übernehmens und Vermischens mit heimischen Traditionen: hier wird schrittweise untermalt (z. B. Violett mit Rot), mehr in einer Farbe abschattiert (z. B. bei Grün), die Fülle feinst nuancierter Zwischentöne und raffinierter Kontraste hat einer kräftig bunten Farbskala bei deutlicher Anlehnung an das Vorbild Platz gemacht.

Wieder in enger Parallele mit den stilistischen Beobachtungen zeigt sich diese Verwandlung von hier aus in folgerichtiger Entwicklung auch bei den weiteren Nachfolgern (Triptychon-, Martyrienmeister), wenn auch jeweils mehr oder weniger verstanden und vergröbert nach Persönlichkeit und „Quell"-Nähe. (So malt der auch formal schwächere Triptychonmeister wieder auf einheimischen Fichtentafeln, während der auch maltechnisch und formal weit höher stehende Martyrienmeister dagegen wieder teils mit „Schwalbenschwänzen" verleimte Eichentafeln als Bildträger verwendet.)

Die wichtigsten Angaben über den Erhaltungszustand (Maße in Millimetern: Höhe, links-rechts, vor Breite, oben-unten):

Geburt Mariae (875—877 / 819—820):

Rechter Bildrand authentisch. Erhaltungszustand bei vielen Einzelheiten sehr gut. Inkarnat (besonders Gesicht Mariens) leider vielfach stark verrieben. Hier Binnenmodellierung nur mehr in Andeutungen vorhanden.
Tafel ungeschwächt. Rückseite mit Goldhintergrund, Relief- und Maßwerkabdrücken am deutlichsten erhalten.

Tempelgang Mariae (890—892 / 817—820):

Inkarnat sehr dünn, mehrere Retuschen. Sehr deutlich durchscheinende Unterzeichnung (Schriftgelehrter rechts). Begleiterin im gelben Mantel am linken Rand ausgezeichnet erhalten.
Originale Rückseite mit Goldhintergrund.

Vermählung Mariae (889—893 / 821—820):

Bildränder allseitig zum Teil erhalten, heute jedoch fast mit den Tafelkanten identisch. Die sehr dünn gemalte Modellierung von Gesichtern und Händen bei Joseph, Maria und dem Priester großteils verloren. Perlenkrone Mariae, Turmhelm rechts stark beschädigt.

Das Brokatmuster an der Tempelrückwand ist eine enge Variante des auf der Vergoldung der Rückseite erhaltenen.

Verkündigung Mariae (877—877 / 802—801):

Gesamterhaltung verhältnismäßig gut. Stärker ergänzt nur Goldgrund und Gottvater im Fensterausschnitt rechts. Landschaftsausblick vor dem Betpult Mariae in allen wesentlichen Nuancen bewahrt.
Tafelrückseite original.

Heimsuchung Mariae (870—875 / 799—799):

1939 Donauland-Ausst., Wien.
Bis auf querlaufenden retuschierten Riß im unteren Bilddrittel ist die Farbsubstanz weitgehend erhalten. Nur letzte feine Schlußlasuren vielfach verloren. Goldgrund beschädigt.
Die Eichentafel ist derzeit 0,5 cm dick, mit Hilfsträgern verstärkt.

Geburt Christi (877—872 / 799—802):

1939 Donauland-Ausst., Wien.
Malerei ausgezeichnet erhalten. Vergoldung beschädigt.
Eichentafel nur mehr 0,3 cm dick, verstärkt.

Anbetung der Hl. drei Könige (877—878 / 805—805):

Sehr gut erhalten. Geringfügige Retuschen entlang der Brettfugen.
Originale Tafel derzeit 0,3 cm dick, verstärkt und gerostet.

Beschneidung Christi (880—875 / 802—807):

Inkarnat bis auf Gesicht des beschneidenden Mannes und das Kind im wesentlichen gut erhalten. Goldgrund der Durchblicke zur Gänze erneuert.
Eichentafel nur mehr 0,4 cm dick, verstärkt.

Darbringung im Tempel (896—894 / 821—817):

Kopf des Mannes im roten Barett am rechten Bildrand am besten erhalten. Inkarnat von Josef, Simeon und Kind sehr reduziert. Goldgrund stark ausgebessert.
Rückseite mit Brokatmusterung auf Gold.

Kindermord (892—894 / 824—820):

Rechter Bildrand authentisch. Inkarnat stark verrieben, Farbaufbau nur mehr in Resten über deutlich sichtbarer Unterzeichnung vorhanden.
Ungeschwächte Eichentafel, Rückseite mit Brokatmuster auf Goldgrund am unberührtesten unter allen Tafeln erhalten.

Flucht nach Ägypten (895—895 / 812—816):

1939 Donauland-Ausst., Wien.

Die Originalität des Nachthimmels war bisher vielfach bezweifelt. Mikroskopische Untersuchungen an feinen Fehlstellen haben jedoch keinerlei Anhaltspunkte für eine ehemalige Vergoldung ergeben. Sonst müßte auch der ganze Horizont und die wichtige Stadtsilhouette von der Übermalung betroffen sein. Gerade hier aber zeigen Schichtung und Konsistenz der Farben die Zugehörigkeit des Himmelsblaus.

Erhaltung der Gesamtsubstanz ist durchwegs gut, die dünnen Schlußlasuren sind jedoch angerieben (Inkarnat und Horizontbereich).

Die Tafel ist ungeschwächt, rückseitig mit Goldhintergrund und Brokatmuster.

Der 12jährige Jesus im Tempel (887—890 / 812—812):

1939 Donauland-Ausst., Wien.

Rechter Bildrand original. Vergoldung und Inkarnat reduziert. Erhaltung sonst gut. Rückseitig Goldbrokatmusterung bei ungeschwächter Tafel.

Marientod (872—870 / 800—806):

1959 Ausst. Gotik in N.-Ö., Krems.

Farbschicht in Substanz und Oberfläche großteils unversehrt. Vergoldung nur mehr in Resten ursprünglich.

Eichentafel derzeit 0,4 cm dick, verstärkt.

Einzug in Jerusalem (886—884 / 824—822):

1939 Donauland-Ausst., Wien; 1959 Ausst. Gotik in N.-Ö., Krems; 1961 Nieder-Österreich-Ausst., Brüssel, Lüttich, Antwerpen, Gent.

Infolge schlechter Brettwahl bei Tafelverleimung größere Substanzverluste. Diese weitgehend ergänzt. Von Gesichtern ist nur die linke Hälfte des den Hut lüftenden Mannes am rechten Bildrand betroffen. Wappen und Jahreszahl sind im wesentlichen unversehrt. Am Kopf Petri ist die feine Oberflächenmodellierung mittels Lasuren weitgehend erhalten. Hier ist annähernd eine Vorstellung von Feinheit der Nuancen und Prägnanz der Zeichnung gegeben.

Eichentafel 0,5 cm dick, verstärkt.

Letztes Abendmahl (886—888 / 797—798):

Substanz und Oberfläche sind in größeren Partien reduziert.

Vor Jahrzehnten weitgehend ergänzt (Profil Judas u. a.). Wahrscheinlich schwarz-grünes Brokatmuster der Baldachinrückwand fehlt. Rechtes Bilddrittel nur geringfügig beschädigt.

Eichentafel ungeschwächt erhalten.

Christus vor Kaiphas (880—878 / 809—808):

Schlußlasuren mehrfach beschädigt. Fehlstellen entlang der Brettfugen ergänzt. Eichentafel nur noch 0,3 cm dick, verstärkt.

Ecce Homo (873—875 / 808—802):

Gesichter sind teilweise ausgezeichnet erhalten (Mann mit der Augenbinde). Ergänzte Fehlstellen entlang der Brettfugen.
Ungeschwächte Eichentafel.

Christus vor Pilatus (881—878 / 826—824):

Ähnlich gravierende Fehlstellen (Profil des Mannes, der Waschbecken vor Pilatus hält u. a.) wie beim Abendmahl. Auch hier Brokatmuster der Baldachinrückwand verloren. Zahlreiche Verluste sind weitgehend ergänzt.
Ungeschwächte Eichentafel.

Kreuztragung (883—885 / 775—775):

1939 Donauland-Ausst., Wien; 1959 Ausst. Gotik in N.-Ö., Krems.
Bis auf vereinzelt stark reduziertes Inkarnat gut erhalten.
Ungeschwächte Eichentafel.

Kreuzigung (890—888 / 814—815):

1959 Ausst. Gotik in N.-Ö., Krems.
Entlang der beiden mittleren Brettfugen retuschierte Fehlstellen. Inkarnat Christi zum Teil stark reduziert. Gold der Panzerung des Soldaten rechts ist verloren.
Tafel ungeschwächt erhalten.

Grablegung (874—872 / 796—793):

Sehr guter Erhaltungszustand auch in der Schlußmodellierung. Geringfügige Ergänzungen entlang der Brettfugen.
Tafel derzeit nur 0,4 cm dick, verstärkt und gerostet.

Manfred Koller

WIEN ZUR ZEIT DES SCHOTTENMEISTERS

Der Eindruck des mittelalterlichen Wien, der durch die Stadtansichten auf den Tafeln des Schottenmeisters und seiner Gehilfen vermittelt wird, sei durch eine annähernd gleichzeitige Beschreibung der Stadt durch den Italiener Eneas Silvius Piccolomini weiter vertieft.
Eneas Silvius Piccolomini, De vita et rebus gestis Friderici III. imperatoris, sive historia austriaca, hg. von Adam Kollár; Analecta monumentorum omnis aevi Vindobonensia II., 1761, col. 9 f., übersetzt von Theodor Ilgen, Die Geschichte Kaiser Friedrichs III. von Aeneas Silvius, Leipzig, 1889, 1. Bd., S. 15 f.:
„Wien wird von einem Mauerringe, der zwei Tausend Schritte lang ist, eingeschlossen; sie hat bedeutende Vorstädte, die ihrerseits von breiten Gräben und Wällen umgeben sind. Aber auch die Stadt selbst hat einen mächtigen Graben, und davor einen sehr

hohen Wall. Hinter dem Graben kommen die dicken und hohen Mauern mit zahlreichen Türmen und Vorwerken, wie sie für die Verteidigung geeignet sind. Die Häuser der Bürger sind geräumig und mit reicher Ornamentik versehen, dabei aber doch in ihrer Anlagen solide und fest. Überall findet man gewölbte Torgänge und Höfe. Aber an Stelle der Triclinien hat man hier heizbare Zimmer, welche von ihnen „Stuben" genannt werden; denn nur auf diese Weise bewältigt man des Winters Strenge. Fenster von Glas lassen von allen Seiten das Licht durch, die Tore sind meist von Eisen. In ihnen hängen sehr viele Singvögel. Das Geräte in den Häusern ist reichlich und proper. Für Pferde und Lastvieh hat man geräumige Ställe. Die hohe Front der Häuser gewährt einen prächtigen Anblick. Nur das macht einen unschönen Eindruck, daß man die Dächer meist mit Holz deckt, nur wenige mit Ziegeln. Im übrigen bestehen die Häuser aus Steinmauern. Innen und außen erglänzen die Häuser von weißem Anstrich. Tritt man in ein beliebiges Haus, so glaubt man in den Palast eines Fürsten gekommen zu sein ... Die Weinkeller sind so tief und geräumig, daß man sagen könnte, es gäbe in Wien unter der Erde ebenso gut Gebäude, wie über der Erde. Der Plan der Straßen ist mit festen Steinen gepflastert, so daß er nicht leicht durch die Räder der Fuhrwerke eingefurcht wird. Den Heiligen im Himmel und dem höchsten Gott selbst sind geräumige, prachtvolle Kirchen geweiht, erbaut aus behauenen Steinen, hochgewölbt, durch ihre Säulenreihen bewundernswert ... Der Kirchenschmuck ist großartig, reich das Gerät ...“

LITERATUR:

D r e g e r, M., Baugeschichte der Wiener Hofburg, Österreichische Kunsttopographie, Bd. 14 (1914), S. 62 ff.

K u r t h, Betty, Über den Einfluß der Wolgemut-Werkstatt in Österreich und im angrenzenden Süddeutschland, in: Jahrbuch der k. k. Zentralkommission, Bd. 10 (1916), S. 89 ff.

P ä c h t, Otto, a. a. O., S. 19 f. 72.

B a l d a s s, L., in: Cicerone 1929 (Die Wiener Tafelmalerei von 1400—1460).

S a l o m o n, K., Die ältesten Ansichten der Stadt Krems, 50 Jahre Landzeitung, Krems 1929, S. 31 ff.

B e n e s c h, Otto, a. a. O., S. 135 ff, 165 ff.

G r o ß m a n n, Fritz, Der gotische Hochaltar der Wiener Schottenkirche, in: Kirchenkunst, österr. ZS für Pflege religiöser Kunst, Jg. 4, 1932, S. 13—16. (Verl. Wolfrum Wien.)

B a l d a s s, L., Österreichische Tafelmalerei der Spätgotik 1400—1525, Wien 1934.

O e t t i n g e r, Karl, Tafelmalerei des 14. u. 15. Jh. in Österreich, in: Bildende Kunst in Österreich (1938), Band Gotische Zeit, S. 132.

O e t t i n g e r, Karl, Altdeutsche Maler der Ostmark, 1942, S. 15, Taf. 34—36.

„Altdeutsche Kunst im Donauland", Kat. der Ausst. vom 24. Juni bis 15. Oktober 1939 im Staatlichen Kunstgewerbemuseum in Wien, S. 32 f. (Verl. des Kunsthistorischen Museums, Wien 1939.)

B u c h o w i e c k i, a. a. O., S. 27 f.

S t r o h m e r, a. a. O., S. 192 f.

Ausstellungskat. „Die Gotik in Niederösterreich,„ Kunst und Kultur einer Landschaft im Spätmittelalter, Krems—Stein, Mai—Okt. 1959. Österr. Staatsdruckerei, Wien 1959, S. 28 f., Nr. 26—29 (bearb. F. Dworschak, vgl. auch S. 23). Von Dworschak mit Wolfgang Kremser zu identifizieren gesucht.

K r o n e s, Ferdinand, Hans Pleydenwurf — der Meister des Schottenaltares in Wien. (Ein Beitrag zur Lösung der Frage nach Name und Herkunft des Wiener Schottenmeisters und des Meisters des Altares in der St. Anna-Kapelle in Wolfsberg in Kärnten), in: „Religion, Wissenschaft und Kultur", Vierteljahresschrift der Wr. Kath. Akademie, 12. Jg., 1961, Flg. III/IV, Hgg. vom Präsidium d. Kath. Akad. Wien, S. 262—278.

S t a n g e, a. a. O., 11. Bd., S. 44 ff.

B a l d a s s, Ludwig, Die Tafelmalerei (der Gotik) in „Die Gotik in Niederösterreich", Wien, Österr. Staatsdruckerei, 1963, S. 86 und 90 (Anm. 22).

244 6 Tafeln eines Marienaltares

Nachfolger des Schottenmeisters
„Triptychonmeister"

4 Tafeln, Sonntagsseite mit Goldgrund, Öl/Tempera auf Holz, 82 × 72 cm, um 1480. Die nähere Beschreibung des Altares gibt das beigegebene Schema wieder; dort auch die Besitzangabe.

Pächt hat die damals auf Wien, St. Florian und Altmünster verstreuten Tafeln als Flügel eines gemeinsamen Altares erkannt und sie von dem „mittleren Stil" des Schottenmeisters abhängig gemacht. Benesch, der die Tafeln näher beschrieb und analysierte, ordnete sie dem Triptychonmeister zu. Dem folgt die weitere Literatur. Stange hat das Ouevre des Meisters besonders erweitert. Zu bemerken ist, daß die ausgestellten Flügelbilder mit den im Kunsthistorischen Museum Wien und in der Sammlung Scanavi genannten Tafeln identisch sind. Die derzeitige Verteilung des Altares bringt zuletzt der Katalog der Galerie St. Lucas, Wien 1965/66, Nr. 1.

Die Provenienz aus dem Pfarrhof Altmünster (O.-Ö.) und aus der Stiftsgalerie St. Florian war gewiß mitbestimmend für die vorgenommene Einordnung. Ein kritischer Vergleich zeigt, daß es sich tatsächlich um die gleichen stilistischen Eigenheiten handelt. Dafür sprechen unter anderem: die Vereinigung verschiedener unabhängiger Bildelemente zu einem neuen sehr bewegten Gesamteindruck, die Darstellung des dunkel verdämmernden Himmels, die knittrigen Kopftücher, die

Die Zusammenhänge mit dem Meister des Schottenaltares sind evident, die Grundzüge der Komposition eignen sich besonders gut zu einem Vergleich. Die real gesehenen Räume des Meisters der Marienszenen (im Schottenaltar) verästeln sich hier und erhalten bei allen genau studierten Details etwas Unreales, als wollte der Maler gewisse Bildthemen miteinander komponieren. Man beachte bei der Geburt Mariens das doppelt gewinkelte Zimmer, in dem Josef sitzt oder die kulissenartigen Stadttore bei der Begegnung. Die Gassen führen in der Tiefe auseinander. Die Darbringung im Tempel bringt gleichfalls eine solche Konstruktion, als wollte man auf einer Bühne durch einen Hintergrundprospekt einen realen Raum vortäuschen. Geburt und Verkündigung wirken dagegen sehr intim in ihrer Geschlossenheit. Die Krönung Mariens bringt ein Motiv, das wir vom Schottenaltar noch nicht kennen. Viele Einzelheiten — wie die auf den Boden gestreuten Blumen (Beschneidung beim Schottenmeister — Verkündigung bei unserem Altar) sind Merkmale der Werkstätte, die sich noch weiter verfolgen lassen. Aber auch da, wo man von seitenverkehrter Übernahme der Figurengruppe spricht — bei der Begegnung etwa — zeigt sich eine sensible Unruhe, sie bildet einen starken Kontrast zu der stillen Harmonie der Verkündigung und Geburt. Am stärksten ist diese Bewegtheit beim Tod Mariens. Der gesteigerte Ausdruck ist nicht äußerlich in der Wirkung wie bei den grausamen tänzerischen Gestalten des betlehemitischen Kindermordes, sie kommt aus dem Innersten und zeigt sich nicht nur in der Geste der Figuren, sondern auch im Stofflichen und im flackernden Licht. Insofern ist der Rückschritt, von dem Zykan beim Triptychon spricht, ein neuer Beginn. Eine Art, die sich mit dem Hervortreten der provinziellen Formkräfte nicht allein erklären läßt.

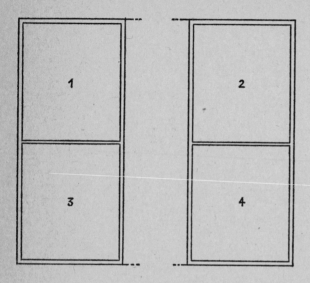

Ausgestellt sind die Nr.: 1, 2 und 5, 6, 7, 8.

Festtagsseite (Flügel geöffnet):

1 Verkündigung (Wien, Privatbesitz)
2 Heimsuchung (Stift St. Florian, O.-Ö.)
3 Geburt (Wien, Privatbesitz)
4 Anbetung durch die Hl. 3 Könige (Wien, Privatbesitz)

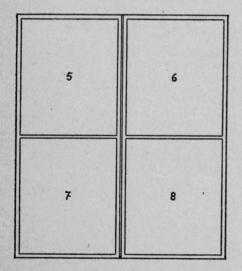

Werktagsseite (Flügel geschlossen):

5 Geburt Mariens (Perchtoldsdorf, Privatbesitz)
6 Tempelgang Mariens (Stift St. Florian, O.-Ö.)
7 Tod Mariens (Perchtoldsdorf, Privatbesitz)
8 Krönung (Graz, Joanneum)

Draperien (besonders die beiden grünen Mäntel in Kreuzigung und Darbringung) sowie die männlichen Charakterköpfe. Der Marienaltar ist dem Schottenmeister näher, das Triptychon ist daher sicher später gemalt.

LIT.: Pächt, a. a. O., 1929, S. 73. — Benesch, a. a. O., 1930, S. 143. — Thieme-Becker, a. a. O., Bd. 37, S. 191. — Buchowiecki, a. a. O., S. 31. — Stange, A., a. a. O., 1961, S. 48.

245 *Kreuzigungsaltärchen aus St. Florian*

Nachfolge des Schottenmeisters „Triptychonmeister"

Mitteltafel „Kreuzigung", um 1485, Tempera auf Holz, 67 × 41 cm, Flügel je 65,5 × 15,5 cm.

Flügel: Feiertagsseite „Gekreuzigte Schächer", Wochentagsseite „Verkündigung".

Diese Tafel hat zuerst Dreger behandelt und dem Kreis des Schottenmeisters zugeordnet, dem schloß sich Pächt an. Etwas eingehender setzt sich mit dem kleinen Altar Benesch auseinander, der das Kompositionsschema mit dem Rogier van der Weyden vergleicht, doch ist alles „in die Zierlichkeit von Schongauers kleinen Stichen B 22, 23 umgesetzt". Er verweist auf die magyarisch slawischen Figurentypen und die strengere Auffassung gegenüber dem Schottenmeister. Die andere Farbigkeit der Seitenflügel wird — da Benesch die gleiche Pinseltechnik zu erkennen glaubt — dem selben Meister zugeschrieben. Die verschiedene Wirkung erklärt er durch die Absicht der Annäherung an ein niederländisches Vorbild. Die weibliche Rückenfigur im linken Flügel wird als Nachfolge eines frühen Holländers angesehen. Der Einfluß früher niederländischer Stilelemente in Österreich ist ein noch ungeklärtes kunsthistorisches Problem. —

Nicht eigenhändig sind die Außenseiten der Flügel mit der etwas steifen Verkündigungsdarstellung. Benesch schreibt dem namengebenden Triptychonmeister mehrere Werke, darunter auch den ausgestellten Marienaltar (Kat.-Nr. 244) zu. Verdienstvoll ist der neuer-

Besonderes Interesse verdient, ähnlich wie beim Schottenmeister — die Stadtansicht des mittelalterlichen Wien, sie steht hier stellvertretend für Jerusalem. Zykan hat darauf aufmerksam gemacht, daß — zum Unterschied vom Schottenmeister — Mittelgrund und Hintergrund keine reale Verbindung miteinander haben. Es ist als Zeichen einer gewissen Rückständigkeit zu bezeichnen, daß die Wirklichkeitsschilderung zurücktritt. Die Stadt Wien ist nur durch zwei Gebäude, Hofburg und Stephanskirche, wiedergegeben. Beide Bauwerke sind seitenverkehrt und zu enge nebeneinander, daß Zykan an die Verwendung einer graphischen Vorlage denkt. Die stilistischen Merkmale zeigen hingegen eine gewisse Entwicklung. Die Formen werden kleinteilig und beweglich, die Zeichnung und das Kolorit hart, mit glänzenden aufgesetzten Lichtern. Die köstliche minuziöse Darstellung ist in den Figuren ausdrucksstärker und realistischer, vor allem weist die im Bild pulsierende unruhige Bewegtheit auf die kommende Entwicklung im Sinne des Donaustiles hin. Man beachte etwa, wie in der Felsklippe — ein Versatzstück aus der Beweinung des Schottenmeisters — nun eine pulsierende, kreisende Bewegung zu spüren ist, die über die naturalistische Wiedergabe hinausgeht.

liche Hinweis von Buchowiecki auf den Flügelaltar in Mediasch in Siebenbürgen, da er gleichfalls im Hintergrund des Kreuzigungsbildes eine Stadtansicht von Wien zeigt. — Stange vertritt die Ansicht, daß der Entwurf der Kreuzigungstafel vom Schottenmeister stammt, während die Ausführung in den Händen zweier jüngerer Kräfte lag. Die Flügel sollen von einem Gehilfen, das Mittelbild von dem bedeutenderen Maler sein. Die Eigenhändigkeit der Flügelinnenseiten mit der Kreuzigungsdarstellung wird allgemein bezweifelt, doch könnten die Außen- und Innenseiten der Flügel vom gleichen Gehilfen sein. Bei den Innenseiten war er an den Entwurf des Meisters der Kreuzigung, an einen anderen — eben vorgezeichneten — Figurentypus gebunden. Benesch hat am Kragensaum des Mannes mit dem Schwamm eine nicht näher deutbare Namensnennung des Malers vermutet. Die Inschrift lautet: IHOANES VII / HERNICV / VHRANOPVIS VISAIEIH. Der Vorname Johann ergibt sich mit gewisser Sicherheit.

LIT.: Dreger, Moriz, ÖKT Bd. 14 (1914), S. 62 ff. — Pächt, a. a. O., S. 19 f., S. 72. — Benesch, a. a. O., S. 25 f. — Juraschek, F., Das mittelalterliche Wien in einer unbekannten Ansicht, Kirchenkunst 2, 1930, S. 45 f. — Roth, V., Der spätgotische Flügelaltar in Mediasch, Archiv für Siebenbürgische Landeskunde Bd. 34, 1907, S. 193 ff. — Buchowiecki, a. a. O., S. 30. — Strohmer, a. a. O., S. 195, in dem gleichen Band S. 250: Zykan, Josef, Die Darstellung des mittelaltarlichen Stadtbildes. — Stange, a. a. O., S. 47.

Stift St. Florian, Inv.-Nr. H K 3121.

246 *Prophetentafel hl. Jeremias, nach 1490*

Meister des Winklerepitaphs

Öl/Tempera/Holz, 135 × 65,5 cm (mit Rahmen und Beschriftung), 105 × 59 (die Tafel allein).
Die den oberen Teil dieser Tafel einnehmende Schrift: PETRUS . CREDO IN DEUM PATREM OMNIPOTENTEM CREATOREM CELI ET TERRE bezieht

Die Prophetentafeln gehören zu den zwölf Apostelstatuen in der Wiener Neustädter Pfarrkirche, die vor den Langhauspfeilern stehen. Der Name des Apostels, mit einem Satz aus dem Credo, der des Propheten, mit einer Stelle aus seinen Schriften stellen die Verbindung her, die den plastischen Schmuck der ehemaligen Domkirche in seiner geistigen Konzeption erkennen läßt. Daß neben den Prophezeihungen in der Domkirche von den Aposteln gleichsam

sich auf die darüber angebrachte Apostelfigur. Unter der Darstellung des Propheten Jeremias (Bruststück) ist folgende Inschrift zu lesen: JEREMIAS PROPHETA DICIT: PATREM VOCABIS ME QUI FORMAVIT OMNIA, IPSE EST DEUS.

Die halbfigurigen Propheten, die eine Schrifttafel in Händen halten, zeigen einen sehr prägnanten Ausdruck und eine sichere räumliche Wiedergabe. Die Propheten treten über den Schrifttafeln wie aus einem Fensterrahmen hervor und blicken in den Raum. Die gute Durcharbeitung der Draperien und des Gesichtsausdruckes ist trotz des schlechten Erhaltungszustandes klar erkennbar. Der zeitliche Abstand zum Winklerepitaph (1477) könnte die Steigerung des Ausdrucks und die prägnantere Ausführung erklären. Es ist aber unwahrscheinlich, daß der Altar der Apostelmartyrien (Kat.-Nr. 247, 248) von derselben Hand wie die Prophetentafeln stammt. Bei diesem Altar handelt es sich wohl um einen anderen in der Slowakei tätigen Meister, der allerdings in derselben Werkstätte seine Schulung erfahren hat. Die Prophetentafeln gehören zu der Stilrichtung des Winklerepitaphs.

LIT.: Fronner, J. N., Monumenta Novae Civitatis Austriae, Liber III, De ecclesia parrochiali primaria, olim cathedrali episcopali, Wr. Neustadt 1836, S. 28 f. — Benesch, O., a. a. O., S. 187. — Stange, a. a. O., S. 50 f.

Wiener Neustadt, Liebfrauenkirche.

247 *Tod des hl. Philippus, um 1490*

Tempera auf Holz, 87 $\times$ 73 cm.

Die ausgestellte Tafel, zu der noch eine gleich große: Martyrium des hl. Matthias gehört, wurde von Gisela Weyde in der Teifenwegkapelle in Preßburg entdeckt. Julie Gyárfás hat sie den fünf Tafeln im Museum von Esztergom (Radocsay führt 7 Tafeln an) und den beiden im Städel'schen Institut zu Frankfurt stilistisch angeschlossen. Eine „Enthauptung der hl. Barbara" im Prager Rudolfinum, von Kramar und Térly zugeschrieben, gehört gleichfalls hierher. Über die Zusammenhänge besteht kein Zweifel, doch gehören sie nicht dem gleichen Altar

das Glaubensbekenntnis gesprochen wird, ist ein sehr schöner Gedanke.

Die Zuschreibung der Tafel an den Meister des Winkler-Epitaphs bringt dieses Werk in engere Verbindung mit dem Kunstkreis von Wiener Neustadt. Dénes Radocsay denkt an eine Wechselwirkung zwischen Kosiče-Kassa (Kaschau) und Wiener Neustadt, eine Wechselwirkung, die durch die politischen Ereignisse angebahnt sein könnte. Stange führt an, daß der Altar der Apostelmartyrien einst im Wiener Neustädter Dom gestanden hatte, was gewiß auf eine Verwechslung mit den Prophetenbildnissen zurückzuführen ist. Stilistisch sind die Tafeln interessant, sie zeigen eine Aufgabe der niederländischen Naturnähe, dafür einen gesteigerten leidenschaftlichen Ausdruck, der auf der Realität basiert, sie jedoch durch rein geistige Bewegtheit entwertet und zu Elementen eines neuen Gesamtausdruckes macht.

an. Nur die Apostelmartyrien (Preßburg, Frankfurt) und die folgende neuentdeckte Tafel bilden — wie schon die gleichen Maße zeigen — eine Einheit. Sie wurden von Benesch dem Meister des Winkler-Epitaphs zugeschrieben (Kat.-Nr. 31), doch ist nicht die gleiche Hand zu erkennen. Die Grabtafel des Florian Winkler ist lyrischer und ausgewogener in der räumlichen und farbigen Komposition. Die genreartigen Züge, die Vögel auf dem Dach und die Pflanzen (das symbolische Schöllkraut) ebenso wie die Gestalt des hl. Josef, schließen sich enger an den Schottenmeister an. Die Apostelmartyrien sind räumlich bewegter, dramatisch in den wehenden Faltenwürfen und in ihrer Romantik von einer realen Landschaft inspiriert. Die Zusammenhänge mit der Werkstatt des Schottenmeisters sind immer noch kenntlich. Auch technische Eigenheiten, zum Beispiel die mit Schwalbenschwänzen zusammengehaltenen Eichenbretter, sprechen für ein Nachwirken der niederländischen Tradition, die in Österreich zum ersten Mal beim Schottenmeister auftauchte.

LIT.: Gyárfás, Julie, in: Archaelogiai értesitö XLII, Budapest 1928, S. 155 ff, 325/26. — Pächt, a. a. O., S. 72. — Benesch, a.a.O., S. 186. — Radocsay, Dénes, A Középkori magyarország Tablakérei, Budapest 1955, S. 244, 351. — Stange, a. a. O., S. 50. *Bratislava, St. Martins-Dom, Sanktuarium (ehem. in der Kapelle im Tiefen Weg, Bratislava).*

248 *Kreuzigung des hl. Andreas*

Tempera auf Eichenholz, 86,5 × 73,4 cm (gerostet).

Für diese neuentdeckte Tafel gilt die gleiche Einordnung wie für die vorangegangene Inventarnummer. Sie gehörten zu demselben Altar wie die Apostelmartyrien in Frankfurt und Preßburg. Sie wurde 1964 aus dem Wiener Kunsthandel erworben und kam aus Ungarn nach Österreich. Sie ist gleichfalls auf Eichenbrettern gemalt, die durch Schwalbenschwänze zusammengehalten werden — Beschädigungen an den Brettfugen, der Goldgrund über dem Kreuz ist neu. Eine Über-

Auch hier sind, ebenso wie in der Plastik, Voraussetzungen für den Donaustil erkennbar.

Mit dieser neu gefundenen Tafel sind derzeit insgesamt fünf Bilder des Altärchens der Apostelmartyrien bekannt. Die übertriebenen Bewegungen, die wehenden Schärpen, die leuchtenden Farben und der charakteristische Scherge mit dem Turban erweisen die stilistische Zusammengehörigkeit mit den anderen Tafeln und zeigen auch eine Weiterentwicklung der charakteristischen Bildelemente des Schottenmeisters. Die barbarische Intensität der Farben und Formen, von der Benesch spricht, ist nicht störend. Vielleicht erklärt sich manches aus dem slawischen Raum. Durch die Herrschaft des Matthias Corvinus in Österreich hat sich gewiß ein künstlerischer Austausch mit Ungarn angebahnt, den wir noch zu wenig beachten; er wirkte bis

malung (Baumkrone) wurde bei der Restaurierung im Bundesdenkmalamt durch Restaurator Eugen Ilten entfernt.

Erstmalige Publikation, bisher in der Literatur noch nicht genannt.

Wien, Schottenabtei.

249 *Die Flucht nach Ägypten*

250 *Heimkehr von der Flucht, um 1490*

Meister der Heiligenmartyrien

Öl/Tempera auf Holz, 57 × 36 cm.

Pächt hat die beiden Tafeln in die Schottenfiliation, Benesch einem Nachfolger des Triptychonmeisters zugeordnet. In den Figuren, vor allem in den Köpfen, zeigt sich deutlich die Übernahme der Formen. Auch die Stadtvedute ist uns von der Marienszene des Schottenmeisters vertraut. Die naturnahe Auffassung ist hier aber ins Unwirkliche, Zeichenhafte, transponiert. Ein abstraktes, geistiges Bildgefüge bestimmt die Details, ein neuer Ausdruck lebt in ihnen. Benesch spricht von einem Entrationalisieren und einem eigenartigen Vibrieren, einem Wogen und Schwanken. Die dekorativen Kulissen sind, wie Stange ausführt, körperlos und schwebend, zeichnerische Dichtungen. Es ist jedenfalls eine starke Kraft spürbar, die später die romantischen Überhöhungen der Maler der Donauschule bestimmt. Die skizzenhafte lockere Vorzeichnung, die den schweren Farbauftrag ablehnt und wie durchgewachsen wirkt, begegnet uns schon beim Kindermord und bei der Darstellungsszene des Schottenmeisters. Benesch nennt es ein „prachtvolles, zeichnerisches Improvisieren". Die hellen Farbwerte der Pinselstriche haben malerische Wirkung.

LIT.: Suida, Österr. Kunstschätze, III; 74, 75. — Pächt, a.a.O., S.72. — Benesch, a.a.O. (II. Teil, Jahrb. 8, 1932), S.17—22. — Thieme-Becker, Bd. 37, 1950, S.145. — Buchowiecki, a.a.O., S.33. — Stange, a.a.O., S. 51 f. — Strohmer, a.a.O., S.196.

Stift Heiligenkreuz, N.Ö.

in das zweite Jahrzehnt des 16. Jahrhunderts. Die ganz eigene expressive Note des Malers findet schließlich in der Landschaft, in den empordrängenden Buschreihen links und in dem weiten See mit den Gebirgen im Hintergrund ihr eigentliches Thema. Hier hat der Künstler die Intensität der künftigen Naturerlebnisse vorweggenommen.

Josef Mayer hat die Architektur im Hintergrund der Heimkehrszene als eine Ansicht des Neunkirchnertores mit der Burg von Wiener Neustadt gedeutet, wofür allerdings keine konkreten Anhaltspunkte zu finden sind. In dieser Stilphase ist eine Stadtvedute oder ein genaues Landschaftsporträt eigentlich nicht mehr bedeutungsvoll. Eher eine Umwertung des Eindruckes durch Verwendung von Vorlagen (siehe das Kreuzigungstriptychon). Die Realitäten erhalten in einem neuen Zusammenhang, einen neuen Ausdruck und werden so verändert. Dem Maler war die naturhafte Wiedergabe nicht mehr so wichtig.

Die stilistischen Zusammenhänge machen die Verbindung des Malers mit dem Wiener Neustädter Künstlerkreis durchaus glaubwürdig. Beide Täfelchen stammen aus dem Neukloster.

251 *Marter des hl. Thiemo, Erzbischof von Salzburg*

Meister der Heiligenmartyrien

2 Täfelchen eines Flügelaltares, vor 1500. (Sonntagsseite), auf der Werktagsseite drei kniende Frauen, Lindenholz, 53 × 30,5 cm, oben und unten etwas beschädigt (ehem. Galerie Liechtenstein in Wien, Geschenk des Regierenden Fürsten Johann von Liechtenstein, 1922).

252 *Erbauung von Klosterneuburg*

(Sonntagsseite), Lindenholz, 52 × 29,5 cm, oben und unten etwas beschnitten (ehem. Sammlung Karajan, Graz, Sammlung Dr. A. Figdor, Spende der Frau M. Walz-Figdor an den Verein der Museumsfreunde, 1927).

Benesch nimmt an, daß die Tafeln, die dem anonymen Meister den Notnamen geben, für einen Flügelaltar in Klosterneuburg bestimmt waren, „die geistvolle Art mit dem Pinsel zu zeichnen" sieht er auch in den Initialen des Decretum Gratiani. Benesch zieht auch die Kupferstiche und Federzeichnungen von Veit Stoß vergleichsweise heran, nennt Jan Polak und den Hersbrucker Altar, um den gemeinsamen Zeitgeist dieser „ornamentalen Gebilde von höchstem Reiz" im Franken und Bayern zu charakterisieren. Hedwig Gollob hat den Maler mit „Altmann" identifiziert, jedoch keine überzeugende Werkfolge angegeben. Buchowiecki führt die Salzburger Kunst des älteren Frueauf als künstlerische Parallele an und meint, daß die Thiemotafel — die Rückseite läßt dies vermuten — unvollendet blieb. Stange stellt die drei Tafeln — die etwa 10 Jahre nach den beiden vorher Genannten — also kurz vor 1500 gemalt wurden — in die geistige Nähe der barockisierenden Spätgotik. Der Maler wandelt „Bewegung zu Vibration, Spannung zu Spiel, Dynamik zu Nervosität". Die Kleinteiligkeit und das kleine Format sind bezeichnend genug. Man darf allerdings nicht übersehen, daß, obwohl die einzelnen Details virtuos und veräußerlicht scheinen, der Inhalt äußerst kraftvoll und dynamisch ist. Hand in Hand damit geht eine Verfesti-

Diese beiden kleinen Täfelchen beschließen den künstlerischen Überblick von der Tafelmalerei zur Zeit Friedrichs III. In den Jahrzehnten seiner Regierung ist eine große Entwicklung festzustellen, die später zur Zeit Maximilians nicht mehr so rasch voranschreitet; eine Parallele zum allgemeinen historischen Geschehen. Die Spanne reicht von der stillen Harmonie des Darbringungsmeisters über die goldglänzenden Tafeln des Wiener Neustädter Altares bis zum Beginn des Donaustiles. Thematisch inspirierte den Künstler das Leben jener Zeit und die Legende des heiligen Leopold, dessen Kanonisierung Friedrich III. 1485 erwirkt hatte. Neben einer unheimlichen Spannung sieht man eine packende Schilderung des bunten Lebens: grausame Heiligenmartyrien, eindringende Soldaten in den tiefen Gassen einer phantastischen, kulissenhaften Stadt und den Bauplatz eines mittelalterlichen Hüttenbetriebes. Der Maler steht nicht mehr außerhalb seiner Zeit, um zu beobachten und zu schildern, sondern ist in ihr abenteuerliches Geschehen verstrickt. Er war Augenzeuge jenes unruhigen Zeitalters Friedrichs III. Er gab den Erlebnissen leidenschaftlichen Ausdruck.

Unser Meister, der anfangs für Wiener Neustadt und das Neukloster arbeitete, kam in das berühmte Babenbergerkloster an der Donau, das eine neue künstlerische Blüte erfuhr. Rueland Frueauf ersetzte einige Jahre später die Dramatik der Martyrien durch einen romantischen Legendenton. Nach diesen entscheidenden Jahren des Umbruchs war endgültig eine neue Zeit angebrochen.

Rupert Feuchtmüller

gung der Hintergründe (Stadtveduten) und eine Schilderung des bunten Volkslebens.

LIT.: Siehe Kat.-Nr. 249, 250; ferner: Winkler von Winkenau, E., Jahrbuch des Stiftes Klosterneuburg, 6, 1914, S. 195 (Vergleich zu den Suntheymtafeln). — Gollob, H., und Altmann, F., Ein Wiener Maler des 18. Jahrhunderts (!), Straßburg 1929.

Wien, Österreichische Galerie.

MUSIK AUS DER ZEIT KAISER FRIEDRICHS III.

In den führungsfreien Stunden der Ausstellung (12 bis 14 Uhr) wird

MUSIK DES 15. JAHRHUNDERTS

auf Tonband wiedergegeben. Diese Werke sind in den sieben sogenannten „Trienter Codices" aufgezeichnet, jener hochberühmten Handschriftensammlung von insgesamt 1864 Musikstücken, von denen angenommen wird, daß sie teilweise das Chorrepertoire der Hofkapelle Kaiser Friedrichs III. bildeten.

Die Musikstücke lauten alphabetisch:

Anonymus (14. Jhdt.):	Ha fratres
Anonymus:	Heya, heya, nu wie sie grollen
Anonymus:	Mein hertz in staten trewen
Gilles Binchois (gest. 1460):	Asperges me Domine
Joannes Ciconia (um 1400):	Et in terra (instrumental)
Josquin des Prés (1450—1521):	Ave Maria
	Kyrie und Agnus der Missa: „Hercules dux Ferrariae"
	Praeter rerum seriem
Guillaume Dufay (1380—1432):	Nuper rosarum flores
John of Dunstable (ca. 1370—1453):	Gaude virgo
	Kyrie
Paul Hofhaimer (1459—1517):	Tristitia vestra
Heinrich Isaac (ca. 1450—1517):	Optime pastor

Ausführende: Ensemble MUSICA ANTIQVA
Leitung: Dr. René Clemencic

BILDNACHWEIS

Graphische Sammlung Albertina, Wien: Abb. 35
Bundesdenkmalamt, Wien: Abb. 25, 40, 41, 42
Kunsthistorisches Museum, Wien: Abb. 27, 28, 29, 30, 32, 38, 39
Kunsthistorisches Institut der Universität Wien: Abb. 19, 31
Niederösterreichische Landesregierung, Wien, Bildstelle:
    Abb. 11, 16, 17 (Nechuta)
    Abb. 9, 15, 23, 24, 34 (Gmeiner)
Österreichische Nationalbibliothek, Wien: Abb. 6, 13, 20, 37, 46, 47
Foto Mayer, Wien: Abb. 7, 8
Foto Ritter, Wien: Abb. 1, 10, 14, 36, 44, 45
Fritz Fischer, Klagenfurt: Abb. 22, 26
Alfred Marko, Graz: Abb. 3
Steiermärkisches Landesmuseum Joanneum, Graz: Abb. 43
Prof. Staudenherz, Grein: Abb. 33
Florenz, Uffizien: Abb. 2
Germanisches Nationalmuseum, Nürnberg: Abb. 14
Koninklijk Museum voor schone Kunsten, Antwerpen: Abb. 12
Worcester Art Museum, Mass., USA: Abb. 18

KLISCHEES
von Abb. 5: Styria-Verlag, Graz
von Abb. 21 und 48: Österreichische Nationalbibliothek, Wien
alle übrigen: A. Krampolek, Wien.

GROSSDIAPOSITIVE:
Foto Ritter, Wien

GROSSFOTOS:
Lichtbildwerkstätte Alpenland, Wien

REGISTER

Sach-Stichwörter sind *kursiv* gedruckt; alle Zahlenangaben beziehen sich auf die Katalognummer.

Die Stichwörter „Friedrich" und „Wiener Neustadt" werden wegen ihres zu häufigen Vorkommens nicht eigens ausgewiesen.

VERZEICHNIS DER AUSGESTELLTEN OBJEKTE NACH SACHGRUPPEN

1. Malerei

Antwerpen, Kon. Museum, Anbetung 232

Aussee, Spitalskirche, Gnadenstuhlaltar 235

Berlin, Kupferstichkabinett, Reisealtärchen 154

Bratislava, St. Martinsdom, Philippus 247

Budapest, Historische Bildergalerie, Verlobungsbild 62
Matthias Corvinus 186

Darmstadt, Hessisches Landesmuseum, Glasmalereien 39 e, f, g

Dresden, Staatliche Kunstsammlungen, Eleonore von Portugal 149

Graz, Steiermärkisches Landesmuseum Joanneum, Friedrich als Herzog 44
Hl. Oswald 51
Triptychonmeister 244

Heiligenkreuz, Stiftmuseum, Glasmalereien 39 a, b, c, d
Nachfolge Schottenmeister 249, 250

Innsbruck, Stift Wilten, Doppelbildnis Friedrich-Eleonore 146

Klagenfurt, Landesmuseum, Siebenhirter 171

Köln, St. Andreaskirche, Rosenkranzbild 53

Linz, Oberösterreichisches Landesmuseum, Friedrich III. 156
Eleonore 157

London, National Gallery, Cassone 134

München, Bayerisches Nationalmuseum, Wasserfarbenstammbaum 222

Nürnberg, Germanisches Nationalmuseum, Kaiserkrönung 136

Obdach, Spitalskirche, Altarflügel 52

St. Florian, Stift, Triptychonmeister 245, 244

Siena, Libreria des Domes, Fresko 147

Vaduz, Sammlungen des regierenden Fürsten, Pottendorfer 133

Wels, Städt. Museum, Passionsdiptychon 241

Wien, Albertina, Beinamputation 195

Wien, Kunsthistorisches Museum, Ladislaus Postumus 61
Karl d. Kühne 175
Maximilian I. 176
Maria v. Burgund 177
Friedrich III. · 148
Siegmund von Tirol 60
(Ambras), Friedrich III. 194

Wien, Kunsthistorisches Museum (Österr. Galerie)
Anbetung 233
Darbringung 242
Schottenaltar 243
Heiligenmartyrien 251, 252

Wien, Österr. Museum für angewandte Kunst, Ernst d. Eiserne, Votivscheibe 50

Wien, Privatbesitz, Triptychonmeister 244

Wien, Schottenabtei, Altar 243, 248

Wien, St. Stephan, Neustädter Altar 234

Wiener Neustadt, Liebfrauenkirche, Prophetenrafel 246

Wiener Neustadt, Stadtmuseum, Diptychon mit Ratsherrensitzung 6
Florian Winklerepitaph 31

2. Plastik

Graz, Burg, Wappenstein 55 d

Rein, Zisterzienserstift, Grabplatte Ernsts 49

Salzburg, Sammlung Vanecek, Pfingstwunder 240

Wien, Kunsthistorisches Museum (Sammlung für Plastik und Kunstgewerbe)
Eleonore 152
Holzmedaillon 160
Damespielsteine 161
Corvinusrelief 187

Wien, Niederösterr. Landesmuseum, Madonna 238

Wien, St. Stephan, Hochgrab Friedrichs III. 18, 19, 22, 23, 24, 25, 204
Hl. Christophorus 237

Wiener Neustadt, Georgskirche, Wappenwand 41
Kirschenmadonna 236

Wiener Neustadt, Kapuzinerkloster, Schmerzensmann 36

Veranstaltungen des Bundesheeres

in der Burg (Militärakademie) zu Wiener Neustadt während der Dauer der Ausstellung.

Dienstag, 7. 6. 1966   18.00 Uhr

Burghof der Militärakademie
„Burgserenade"
Militärmusik im Wandel der Zeit
Ausführende: Musikkapelle des MilKdos
Burgenland
Leitung: Kapellmeister Josef KOTAY

Dienstag, 21. 6. 1966   18.00 Uhr

Burghof der Militärakademie
„Das österreichische Soldatenlied aus fünf Jahrhunderten"
Trommeln, Lieder, Märsche
Ausführende: Soldatenchor Wien
Künstlerischer Leiter: Prof. Leo LEHNER
Musikkapelle des MilKdos N.Ö.
Leitung: Kapellmeister Josef KOHSICH

Sonntag, 3. 7. 1966   11.00 Uhr

St. Georgskirche in der Militärakademie
„Orgelkonzert"
Alte und neue Meister
Ausführender: Prof. Maximilian FRISCHMANN -
Wien

ENERGIEWIRTSCHAFT
IN NIEDER-
ÖSTERREICH

Wärmekraftwerk
HOHE WAND

modernste, wirtschaftlichste
Anlage in Europa mit kom-
biniertem Gas-Dampfturbi-
nensatz.

$$N_R$$

NEUE REFORMBAUGESELLSCHAFT M.B.H.

BAUGESELLSCHAFT FÜR HOCH-, TIEF-, STRASSEN- UND EISENBAHNBAUTEN

Wr. Neustadt, Burgplatz 5

Telefon 02622/34 81

Seit mehr als 2000 Jahren fließt in

BADEN BEI WIEN

aus 15 Quellen in überschwenglicher Fülle das heilende Schwefel-Thermalwasser (Calcium-Natrium-Magnesium-Sulfat-Chlorid-Schwefelquellen).

BADEN BEI WIEN

verzeichnet seit Jahrhunderten Heilerfolge bei den Erkrankungen des rheumatischen Formenkreises (Rheuma, Gicht, Ischias, Bewegungseinschränkungen, Erkrankungen des Zahnfleisches und der Mundschleimhaut).

BADEN BEI WIEN

besitzt ein ausgezeichnetes Klima, herrliche Wälder und bietet vielfältige Möglichkeiten für Unterhaltung und Abwechslung (Thermalstrandbad, Minigolf, Trabrennen, Reiten, Tennis, Heurige, Konzerte, Theateraufführungen, Lesesaal, Spielcasino, Terrain- und Traubenkuren).

BADEN BEI WIEN

gibt Gewähr für erfolgreiche Erholung und Genesung.

BADEN BEI WIEN

die Kurstadt von internationalem Rang, liegt nur 26 km südlich von Wien.
Es besteht somit jederzeit Gelegenheit, die Metropole an der Donau mit ihren reichen Kunstschätzen kennenzulernen.

Auskünfte: Ihr Reisebüro und Kurdirektion Baden bei Wien, Tel. 02252/3347 und 3349.

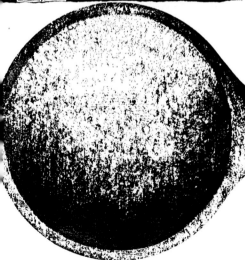

Im Dienste der Allgemeinheit: # Stadtwerke
Wiener Neustadt Ungargasse 25, Telefon 2551

WASSERWERKE

VERKEHRSBETRIEB

Autobuslinien: Im Stadtgebiet

In das Burgenland nach Eisenstadt, Kobers-
dorf, Sauerbrunn, Schattendorf, Sigleß,
Wiesen.

In Niederösterreich nach Ebenfurth,
Hochwolkersdorf, Klingfurth, Lanzenkirchen, Lichtenwörth, Schwarzenbach.

In die Steiermark nach Mariazell über Gutenstein, Schwarzau im Gebirge, St. Ägyd a. N.
und zurück über Mürzsteg, Mürzzuschlag,
Semmering (nur Juli bis September).

Nach Ungarn: Sopron.

GAS- UND WASSERLEITUNGSINSTALLATIONEN

BESTATTUNGSANSTALT

GUTSHOF

REBANLAGEN

BARGELDLOSER TAUSCHVERKEHR

ALTE PFAHLBAUTEN IM SUMPFGEBIET VON WR. NEUSTADT

AN DER BERNSTEINSTRASZE

KONSTANTINBOGEN IN ROM

ANTIKE WECHSELBANK

DIE BEDEUTENDSTE MITTELALTERLICHE GELDTRANSAKTION ÖSTERREICHS WAR DIE ZAHLUNG DES LÖSEGELDES FÜR RICHARD LÖWENHERZ

AUS DIESEN MITTELN ERSTAND DAS MÜNZAMT WR. NEUSTADT

WIENERPFENNIG

GRAF MEINHARDT ERRICHTETE IM 14 JHDT DIE ERSTEN LEIHBANKEN IN TIROL

DAS HAUS FUGGER

HER JACOB FUGGER

MAILAND CRACAU ROM ANTWERP

DIE FUGGER WAREN DIE MÄCHTIGSTEN BANKIERS IHRER ZEIT

SIE ÜBERNAHMEN EINLAGEN UND VERZINSTEN SIE

SIE WURDEN DIE GELDVERWALTER U.GELDGEBER DES HAUSES HABSBURG

Volksbank Wiener Neustadt

registrierte Genossenschaft mit beschränkter Haftung

Wiener Neustadt, Herzog-Leopold-Straße 3

Telefon 34 84, 34 85, FS.: 016 616

Gründungsjahr 1865

Durchführung sämtlicher Bankgeschäfte

Devisenbank

Beratung in allen Geldangelegenheiten

F i l i a l e :

Ebenfurth, Hauptstraße 30, Tel. (0 26 24) 222

Das Geldinstitut für Gewerbe und Handel

K a s s a s t u n d e n :

Montag bis Freitag von 8 bis 12 und von 14 bis 16 Uhr

Samstag von 8 bis 12 Uhr

JOACHIMS TALER

MARIATHERESIEN TALER

GULDEN

1705 GRÜNDUNG DES WIENER STADTBANKOS

ERSTE AUSGABE VON PAPIERGELD ZUR DECKUNG VON STAATSSCHULDEN WÄHREND DES DREISSIGJÄHRIGEN KRIEGES

1890 GRÜNDUNG DER NATIONALBANK

DAS GELD IST EIN GESCHÖPF DES STAATES UND UNTERLIEGT SEINER REGELUNG

ENDE D. 19. JHDTS. WURDE DER GIROVERKEHR EINGEFÜHRT

Sgraffito
am
Bankgebäude
in
Wr. Neustadt
Herz. Leopoldstr.
Nr. 3

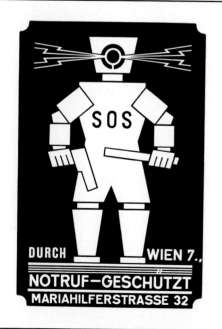

BESUCHEN SIE DIE AUSSENSTELLEN DES NÖ. LANDESMUSEUMS!

MUSEUM CARNUNTINUM, BAD DEUTSCH-ALTENBURG
Ganzjährig   Dienstag bis Sonntag   9—17 Uhr

RÖMISCHES FREILICHTMUSEUM PETRONELL-CARNUNTUM
15. 3.—15. 11.   Dienstag bis Sonntag 8.30—17 Uhr

HAYDN-GEBURTSHAUS, ROHRAU
15. 3.—15. 11.   Dienstag bis Sonntag   9—17 Uhr

DONAUMUSEUM PETRONELL
15. 3.—15. 11.   Dienstag bis Sonntag 8.30—17 Uhr

FISCHEREIMUSEUM ORTH/DONAU
15. 3.—15. 11.   Dienstag bis Sonntag 8.30—17 Uhr

JAGDMUSEUM MARCHEGG
15. 3.—15. 11.   Dienstag bis Sonntag 8.30—17 Uhr

BAROCKMUSEUM HEILIGENKREUZ-GUTENBRUNN
15. 3.—15. 11.   Dienstag bis Sonntag 8.30—17 Uhr

WACHAUMUSEUM WEISSENKIRCHEN
15. 3.—15. 11.   Dienstag bis Sonntag   10—12 Uhr
14—17 Uhr

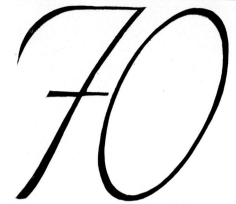

70

J A H R E

P H O T O C H E M I G R A P H I S C H E   K U N S T A N S T A L T

GEGR. 1896

STAATLICHE AUSZEICHNUNG

A . K R A M P O L E K   O . H . G .

A - 1 0 4 1   W I E N   4 · V I K T O R G A S S E   1 4 · T E L .   6 5 1 3 1 7 · 6 5 7 3 1 3

Die Gotik in Niederösterreich

Kunst, Kultur und Geschichte
eines Landes
im Spätmittelalter

Bearbeitet von
FRITZ DWORSCHAK und
HARRY KÜHNEL

Mit Beiträgen von: Ludwig Baldass,
Gerhard Bittner, Otto Brunner,
Rupert Feuchtmüller, Hermann Fillitz,
Eva Frodl-Kraft, Walter Frodl, Karl Gutkas,
Adalbert Klaar, Karl Lechner, Alphons Lhotsky,
Gerhard Schmidt, Leopold Schmidt,
Bruno Thomas und Josef Zykan

Bildteil: Ekkehard Ritter und Eva Ritter-Gelinek

Umfang 246 Seiten Text, 269 Tafeln,
davon 31 in Farben und 55 Textabbildungen,
Format 20 × 26 cm, in Leinen gebunden,
mit farbigem Schutzumschlag

S 580.—

Herausgegeben mit Unterstützung der Bundesministerien für Unterricht, Handel
und Wiederaufbau sowie der Referate für Kultur und Fremdenverkehr
der Niederösterreichischen Landesregierung von der Stadtgemeinde Krems

Zu beziehen durch alle Buchhandlungen und durch die Verkaufsstelle
der Staatsdruckerei — Wiener Zeitung, Wien I, Wollzeile 27 a

Zu jeder Jahreszeit nach ***Niederösterreich*** dem Land um Wi

Heilbäder: Baden, Deutsch-Altenburg, Fischau, Salzerbad, Schönau, Vöslau

Luftkurorte: Puchberg am Schneeberg, Reichenau, Semmering, Mönich-kirchen

Gute Verpflegung

Bequeme Unterkünfte

Angemessene Preise

Seilbahn auf die Rax, Bergbahn auf den Schneeberg.
Sessellifte in Grünbach am Schneeberg, Lackenhof, Lilienfeld, Maria Schutz, Mitterbach, Mönichkirchen, Puchberg am Schneeberg, St. Corona am Wechsel, Semmering, Türnitz und am Hochkar.

Auskünfte und Prospekte:
Niederösterreichisches Landesreisebüro, 1014 Wien I., Heidenschuß 2, Telefon: 63 41 17, 63 01 10, Telex: 07/8

Motiv
Losen
N.Ö.,
gegen
Schne

Photo
Simor

Wiener Neustädter Sparkasse

Gegründet 1860

Nebenstelle der Österreichischen Nationalbank

SPAREINLAGEN
GIROEINLAGEN
KREDITE UND DARLEHEN
DEVISEN- UND VALUTENGESCHÄFTE
WERTPAPIER-ANKAUF,
-VERKAUF, -VERWAHRUNG

BERATUNG
IN ALLEN GELDANGELEGENHEITEN

WR. NEUSTADT
Neunkirchner Straße 4

Tel.: 02622/4101 Serie
Fernschreiber: 01-619